D0279063

La sauvage

Tous droits réservés :
© André Mathieu, 2008

Dépôt légal :
Bibliothèque nationale du Canada
Bibliothèque nationale du Québec
ISBN 978-2-922512-08-3

André Mathieu

La sauvage

tome 1

L'Éditeur
9-5257, Frontenac
Lac-Mégantic
G6B 1H2

«La géographie et la chronologie
sont les deux yeux de l'Histoire.
Anatole France

Un mot de l'auteur

Mon lecteur aborde un livre qui pourrait lui sembler déroutant s'il devait perdre de vue l'argument en couverture arrière et ne pas consulter les 3 cartes guides aux lignes générales, l'une portant sur la guerre de Sept-Ans, la deuxième sur le siège de Québec en 1759 et la troisième sur la marche d'Arnold vers Québec en 1775. Ces trois cartes se trouvent à la fin du premier tome.

J'ai voulu que les fils conducteurs de *La Sauvage* soient les cinq lignes de force de l'Amérique du Nord depuis 1748 jusqu'à leur rencontre le 4 novembre 1775 à Sartigan, ces lignes étant en fait les divers sangs en présence : l'Indien, l'Anglais, le Canadien, le Français puis l'Américain. On aurait pu ajouter l'Acadien à la liste.

Voici pourquoi les chapitres voyagent autant. De l'Ohio à Grand-Pré, de Narantsouak à Saint-François, de Québec à Norwich, de L'Islet à Sartigan, ***La Sauvage*** entraîne le lecteur aux quatre coins d'un continent qui en arrive à un tournant majeur de son Histoire.

Je prie donc mon lecteur, s'il devait perdre mon cheminement de vue, de relire l'argument en couverture arrière, et je suis assuré qu'en y ajoutant la consultation des cartes, il retrouvera sa route dans une trame aussi vaste que deux pays en voie d'émerger.

A. M.

À propos...

de l'histoire...

Les extraits et citations, lettres et documents authentiques reproduits dans ***La Sauvage*** proviennent des ouvrages listés à la fin du second tome. Ils sont généralement repérables par les caractères en italique et ne furent pas corrigés ni mis en français contemporain.

de la géographie...

Le fil de l'histoire commande de consulter parfois les cartes en fin du premier tome.

des noms...

D'aucuns ont disparu. D'autres sont peu connus. Certains ont changé d'orthographe. Voir liste des lieux fin du tome 2.

d'un emprunt...

On notera que le nom de Jacataqua (dans le second tome) fut emprunté à l'oeuvre de Kenneth Roberts. (Le nom seulement le fut, mais aucun des événements la concernant imaginés par l'auteur américain.)

1748

Norwich, Connecticut

À l'ombre d'une main fragile mise au milieu du front à la manière indienne, des yeux perçants, rieurs et vifs exploraient l'horizon net que dessinait une ligne bleue aux courbes féminines. Le regard d'aigle d'un gamin, chargé des reflets d'un ciel radieux, progressait doucement, ondulait comme un rêve moelleux, créait de toutes pièces, au gré des formes pures, de larges morceaux d'avenir.

Plus près, en contrebas, les eaux foncées d'une large rivière murmurante charriaient par myriades les éclats argentés d'un soleil royal dont le sceptre silencieux faisait ployer les frondaisons et pâlir les végétaux.

L'enfant se tenait droit, comme installé à demeure dans la volonté divine, au-dessus des environs, sur la hauteur la plus prononcée lui permettant de voir le plus loin possible dans toutes les directions. Il se sentait le maître des lieux, presque le roi. Le sud et le nord captaient mieux son attention que les deux autres points cardinaux. Le sud, parce que là-bas se trouvait la mer. Et parce que la mer disait à son coeur la grande, l'immense liberté de voguer sur toutes les eaux du monde, vers tous les pays, vers la bienveillante mais si lointaine mère patrie, l'Angleterre dont on parlait si souvent entre hommes faits. Le nord, parce que pouvaient s'y rencontrer le mystère, l'aventure, le danger et l'étranger : l'Indien dans la sauvagerie, le Français au-delà, tous deux champions de la cruauté et de la barbarie.

Tant de fois entendu et si passionnant, le récit de la prise de Louisbourg vint quérir son imagination. Seul son corps ensoleillé demeura près de la rivière Thames et de sa ville natale.

Il se voit avec les hommes de Pepperell, trois ans auparavant. Debout. Droit. À la proue du grand vaisseau de tête, celui du commodore Warren qui guide la flotte vers l'île de l'inexpugnable forteresse. Huit mille hommes suivent sur une centaine de voiliers.

Le commodore crie des ordres. Des signaux sont envoyés par lanternes et miroirs. La flotte entière s'immobilise bientôt au large de la baie de Gabarus. La nuit sera brève. Chacun ne pourra dormir que d'un oeil. Car bien qu'ils soient quatre fois moins nombreux derrière les murs de Louisbourg que sur les bateaux, c'est à la deuxième place forte du continent qu'il va falloir s'attaquer. Alors l'inquiétude ne peut se permettre de sommeiller.

Deux heures avant l'aube, soldats et miliciens s'installent dans des centaines d'embarcations. Plusieurs sont à demi remplies de boulets du calibre correspondant aux canons français. On a eu l'audace de ne pas emporter de canons de siège. On compte en prendre à l'ennemi pour les retourner ensuite contre lui.

La lune est complice tranquille. Elle ne se montre que pour guider. Et se cache aussitôt qu'elle a confirmé la bonne direction et assuré la cohésion du mouvement général.

Les troupes approchent des plages au nord. L'affrontement promet de coûter cher en vies. Les environs doivent grouiller de défenseurs français, maîtres de l'embuscade, des attaques imprévisibles, du désordre ordonné, de ces assauts traîtres et meurtriers menés par des hommes invisibles fondus dans la nature qui les protège en les cachant. Les Français du Canada sont deux fois plus dangereux que les Indiens, car tout aussi forts et rusés, mais triplement armés.

La nuit est une alliée, mais pour peu de temps encore. La pénombre commence à dessiner les silhouettes innombrables de la masse mouvante qui, sans coup férir, se répand maintenant, telle une marée silencieuse.

L'enfant qui rêve retient son souffle. Il espère une détonation quelque part dans son tableau mental : le bruit d'un mousquet ou d'un canon, un hurlement de sentinelle, les cris de fuyards ou d'attaquants...

Silence !... Si Louisbourg ne peut ignorer l'arrivée de l'armada américaine renforcée de plusieurs vaisseaux de la Royal Navy, ses environs paraissent dormir depuis un siècle.

L'aurore paraît. Ses lueurs sombres révèlent derrière chaque arbre, chaque souche, le moindre tertre, des hommes en grappes qui attendent. On croit que l'ennemi est là, au bout des canons de mousquets. Pour ne pas risquer d'alerter les Français et les voir concentrer toutes leurs forces de ce côté, on n'a pas envoyé d'éclaireurs.

Quand le soleil est tout à fait levé, on se rend à l'évidence: les environs sont tout aussi dénués d'ennemis que l'île de Sable est vide de tout, sinon des ossements secs et jaunis de naufragés malheureux ou de mutins punis.

Pepperell prend les devants. Il gravit une colline, voit la ville. Il observe longuement avec sa lunette puis annonce que le chemin est libre jusqu'aux fortifications.

Le commandant sait tout de la place. Il en possède des plans détaillés, connaît le nombre d'hommes de la garnison. C'est au point faible qu'il faut s'attaquer : la batterie royale. On se lance à l'assaut...

Sans tirer un seul coup de feu pour conserver cette position stratégique, les Français l'abandonnent. Et avec une telle précipitation qu'ils en oublient d'enclouer leurs canons. Ces cadeaux faits aux Anglo-Américains s'avèrent précisément ce dont ils avaient besoin pour organiser un siège susceptible de conduire à la reddition.

Les bombardements durent un mois. Alors DuChambon, commandant de la place, capitule sans pourtant avoir épuisé tous ses moyens.

Le petit rêveur imagine tous ces voiliers mouillant dans la rade, le drapeau anglais flottant sur le bastion du roi. Il entend les chants, la canonnade qui soulignent la victoire, le rataplan du tambour...

Une mitraille doublée par l'écho le ramena à ses horizons. De son bec cornu, un pic cognait par coups saccadés sur l'écorce d'un chicot sec. Après un court moment de surprise, le gamin se reprit à penser aux Français. Ils ne lui paraissaient plus si terribles après tout, eux, les poules mouillées de Louisbourg.

Il se rappela du jour où il avait entendu pour la première fois le récit de l'exploit de Pepperell. Il portait alors une robe comme les filles. Le double souvenir restait net en sa mémoire, car l'homme qui avait raconté le siège à ses parents s'était exclamé tout à coup devant l'enfant qui buvait à ses propos :

–Il serait temps d'enculotter ce petit. Plus vite ce sera

fait, ma chère Hannah, le plus tôt il deviendra un fier soldat du roi, un soldat qui va contribuer à débarrasser à jamais l'Amérique de ces damnés Français qui nous menacent constamment, eux et leurs Indiens féroces.

Ce jour-là, le garçon avait ressenti un sentiment nouveau qui avait assombri son émerveillement. Rien de comparable avec ce qui se produisait au cours de ses disputes avec son ami du voisinage. C'était comme une douleur sombre, cachée, criant vengeance, mais qu'il fallait pourtant ravaler. Très tôt, il en saurait le nom, de ce désagrément profond, et jamais ne s'en accommoderait de toute sa vie : l'humiliation détestable et hideuse pesant sur son âme comme une ombre lourde.

Les mots blessants n'avaient pas tardé à s'estomper, car sa mère s'était mise d'accord. Elle avait annoncé qu'elle enculotterait l'enfant dans les jours prochains.

Le garçonnet se pencha pour les regarder, ses pantalons d'homme. Jamais n'avait-il cessé d'en être fier depuis qu'il avait quitté sa robe d'enfant. Il remit dans sa boucle l'extrémité de la ceinture entourant son genou gauche, replaça l'ardillon. Puis il aperçut une grosse tache de boue séchée qui souillait l'arrondi intérieur d'un soulier près de la semelle. Il remonta sa jambe, se tint précairement sur l'autre, décrotta le soulier. Après quoi, il nettoya l'endroit encore poussiéreux avec ses doigts enduits de salive.

Revenu droit, il ferma les yeux en douceur. Il la rattraperait bien, sa rêverie sur la guerre. Mais le pic reprit son attention par ses bruyantes saccades.

–Va-t'en à Québec, pic sot !

Comme pour se mettre à l'écoute, l'oiseau bougea sa tête nerveuse, la tourna si fort que l'enfant l'imagina se décrochant de sa coque de plume. Et le pic reprit son travail.

–Tac, tac, tac, tac, tac, jeta le petit dans une imitation de reproche.

–Tac, tac, tac, tac, tac, fit à son tour le volatile.

L'enfant épaula un mousquet imaginaire, visa l'oiseau d'un seul oeil bleu, ouvert et vindicatif. Il pressa la gâchette à cinq reprises en disant :

–Tac, tac, tac, tac, tac...

L'oiseau s'arrêta. Il parut enquêter à gauche, à droite et soudain, il prit son envol vers une forêt claire, poursuivi par une imprécation accompagnant un caillou lancé de toute la force d'un bras :

–Va-t'en, peureux !... Papiste !

Il ne lui fut répondu que par un lointain et indifférent tac, tac...

Le gamin voulut s'asseoir, mais il eut peur de salir ses breeches pour ensuite subir les reproches maternels. Il resta à croupetons, assis sur ses mollets, cherchant à renouer avec les trésors de son imagination fertile.

À cinquante pas derrière lui, une touffe buissonneuse frissonna. Pourtant, l'air était partout immobile, frais et doux, d'un calme à endormir autant la rivière que la forêt voisine.

Le craquement d'une branche qu'on écrase récupéra son âme. Vif comme l'oiseau chassé, d'un seul mouvement, il se remit debout en se tournant vers le lieu d'où provenait le bruit insolite. Sourcils rapprochés et chercheurs, il repéra le froissement à peine perceptible qui agitait encore le buisson.

Calmement, il énuméra les possibilités: un lapin détalant, un racoon, une mouffette, un petit cerf camouflé Puis soudain, comme surgi de terre, s'élançant vers le ciel, bras ouverts, accompagné d'un long cri perçant, un Indien apparut dans un accoutrement d'homme des frontières, la face bariolée de peintures belliqueuses.

L'enfant ramassa dans ses seules jambes toutes les énergies que le ciel avait accumulées dans son jeune corps depuis sa naissance. Mais bien vite, il mit ses mains sur ses hanches, chemise ouverte derrière ses bras; et il laissa échapper une longue expiration. Sa voix fut enterrée par les cris aigus et sans cesse renouvelés de l'Indien qui se précipitait vers lui en agitant un bâton nerveux au-dessus de sa tête ceinturée d'une lanière de cuir.

–Matthew Davis, Matthew Davis, répétait le gamin menacé qui avait reconnu son ami sous de fausses allures d'Indien et un piètre déguisement.

L'autre s'arrêta tout sec, se planta droit, croisa les bras devant. Il eut beau grossir sa voix, elle ne trompait guère sur la petitesse de celui qui parlait :

–Je m'appelle Canada, grand chef de la tribu des Français...

–Tu es Matt Davis de Norwich, Connecticut.

Le faux Indien trépigna:

–Non, je suis Ca...

–Matt... thew... Da... vis... chantonna l'autre.

–Tudieu !

–Tu as l'air d'une minette.

–Et si j'avais été un vrai Indien, hein, tu serais déjà scalpé.

–Non, parce que je t'aurais cassé la tête.

–Et avec quoi donc?

–Sais pas. Une pierre... Mes mains... Mes pieds... Je t'aurais pris comme ça, han !

Il saisit l'Indien dans une prise de tête qui le força à plier son corps en deux. D'une robustesse peu commune pour un garçon de sept ans, il maîtrisa facilement son adversaire, et d'un seul bras. De sa main libre, il s'empara du bâton qu'il jeta plus loin.

–Je t'aurais fait la prise du pilori, comme ça !

Et, dans un mouvement giratoire, il serra encore plus le cou craquant de l'autre.

–Hé! Benedict Arnold, tu m'as pris en traître, pleurnicha Matthew en tâchant vainement de se dégager.

–Non, c'est toi le traître. Tu as voulu me surprendre par derrière.

–Aïe! Aïe! Laisse-moi, Benny...

–À une condition. Tu vas dire : moi, grand chef Canada... je me rends à Benny Arnold.

–Moi, grand chef Canada. Aïe! Laisse-moi !

La voix se transforma en pleurs si sincères que l'autre relâcha sa prise. Le faux Indien en profita pour s'éloigner de quelques pas en criant et en ricanant :

–Me suis pas rendu, me suis pas rendu. T'es faible comme... comme une fille, Benny Arnold.

Benedict plissa les yeux. Il promena son regard sur l'horizon pour faire semblant de s'intéresser à autre chose. Il sourit malicieusement puis, sans crier gare, tel un félin, bondit en avant sur sa proie.

L'autre avait prévu la manoeuvre et il détalait déjà. Grâce à ses huit ans et à ses jambes plus longues, Matthew put garder une confortable distance entre lui et son poursuivant; ainsi la course dura jusqu'à la ville, jusqu'à la maison des Davis, séparée de celle des Arnold par la résidence des Miller.

Matthew sauta prestement les trois marches menant à l'entrée. La porte ouverte faisait place à une sombre embrasure. L'Indien s'y tint sans fuir plus loin vers l'intérieur. Il se sentait naturellement protégé par ce lieu appartenant à sa vie. D'ailleurs son ami, autant par instinct que par éducation, respectait cet espace qui n'était pas le sien. Alors la guerre devint paix. La poursuite se mua en invitation.

Resté un pied sur le sol et l'autre sur la seconde marche de l'escalier dans une position d'homme, le corps penché en avant, Benedict proposa une attaque en règle de la cabane des filles. Matt donna son acquiescement joyeux par une danse indienne ponctuée de cris aigus.

Derrière lui se dessina une forme adulte, poings sur les hanches, la tête enveloppée d'un bonnet enrubanné par un large morceau de grisette avec grosse boucle sur le devant. Le danseur donna du nez dans un large tablier à bandes multicolores que la femme s'était ceinturé haut sous le buste.

–Tu veux que je sorte la verge ? dit-elle d'une voix rauque à la menace certaine.

–Non, non, répondit peureusement Matthew en se jetant dehors.

La femme avança jusque dans l'embrasure, maugréa :

–Un enfant ne doit jamais jouer dans la maison, jamais. C'est défendu, formellement défendu, tu sais cela, Matthew Davis, tu le sais. Dehors, dehors...

Apercevant Benedict qui s'était redressé, elle musela un sourire à l'intérieur d'elle-même. Elle pourrait profiter de l'occasion pour finir de sermonner son fils tout en jetant sur l'autre une tendresse camouflée qu'elle eût été bien incapable d'exprimer sans arborer des dehors durs.

–Fils, regarde ton ami Benedict : il est vêtu comme un homme, lui. Toi, quand tu n'es pas habillé en Indien, tu l'es en gueux : petit tudieu ! Va donc décrasser ta face et t'enculotter... Et mets-toi une belle chemise propre.

Sur ces mots, elle tourna les talons, hocha la tête d'impuissance et disparut en marmonnant pour elle-même :

–Je vous dis que les enfants de nos jours, quand le père y

met pas la patte...

Les gamins s'assirent dans les marches. Benedict ramassa un bout de branche dont il se servit pour tracer sur le sol rouge et poussiéreux des signes exprimant l'ensemble des opérations.

La soeur de Matthew, celle de Benedict ainsi que Mary Miller se retrouvaient parfois pour leurs jeux dans une bâtisse située à l'extrémité de la propriété des Arnold. On les avait vues de loin.

Benedict dessina le plan détaillé des lieux comme l'eût fait avec brio un ingénieur de l'armée, puis à l'aide de lignes pointillées, il inscrivit dans la terre molle le grand rêve de conquête.

–Ça nous prendrait un mousquet pour les faire mourir de peur, s'enthousiasma Matthew dont le visage était barré de coulisses de sueur qui ruinaient ses peintures.

–Je vais quérir le vieux pétoire dans l'appentis.

–Tu vas te faire fouetter.

–Non, non, mon père, il ne dira rien. C'est pas dangereux, d'abord que le mousquet est brisé.

Il sauta sur ses pieds, se tapa vivement sur les fesses pour les dépoussiérer.

Puis il ordonna énergiquement :

–En avant les braves ! La cahute est à nous !

Ils trouvèrent l'arme à travers le bric-à-brac de la remise et coururent sur le bout des pieds jusqu'à la cabane. Là, ils se blottirent contre le mur arrière. La porte était ouverte, et les fillettes jouaient à la marionnette avec des poupées de guenille bourrées de paille, Mary Miller donnait son spectacle. Elle était accroupie sous une table, manipulant son personnage fictif dont l'action se déplaçait vivement sur le bord du vieux meuble. De l'autre côté s'appuyaient dans leur émerveillement aux grands yeux Martha Davis au visage maigre et Hannah Arnold qui avait déposé son joyeux faciès joufflu dans ses mains ouvertes, ses bras s'accoudant sur le dessus fruste de la table. L'éclairage venait de l'entrée ainsi que d'une brisure entre deux planches dans le mur arrière.

–Je suis la reine. Je vis dans un grand château. Avec des princes et des princesses. Il y a une princesse qui s'appelle Martha. Et puis une autre qui s'appelle Hannah. Ce soir, je vais au bal. J'aurai une robe polonaise... En soie. Avec des boucles et des fleurs. Et un volant de gaze... Et puis un bel éventail...

Sa voix qu'elle rendait plus fluette pour les besoins du personnage, fut brusquement enterrée par les hurlements abominables de Matthew. Et Benedict frappait la cabane avec la crosse du fusil. Dans le visage des petites, la surprise devint terreur lorsque le canon de l'arme fut introduit par le trou de la cloison après que Matt y eut collé un oeil méchant cerné de rouge.

Martha et Hannah s'enfuirent à toutes jambes. Mary éclata en sanglots. Puis émergea de sa cachette et voulut sortir à son tour lorsque Benedict surgit dans l'entrée. Étouffé de rire, il cria :

–Les sottes !... Avoir peur de Matt Davis !... C'est pas un vrai Indien, voyons !

Cela décupla les pleurs de la fillette. Son jeu si amusant qu'elle avait préparé avec grande minutie venait de se faire bêtement démolir par ces chenapans.

Elle marcha vers Benedict. Il recula dehors en se tenant le ventre de rire, un rire exagéré à dessein pour ajouter de l'effet à la facétie. Mary se laissa tomber lourdement sur le seuil où elle s'assit en gémissant, le coeur crevé. Sa poupée inerte, toujours retenue par sa main droite, gisait sur le support formé par sa robe tendue entre ses genoux.

Matt continuait de s'agiter contre le mur arrière. Ses bruits n'arrivaient pas à surpasser celui du chagrin de Mary accentué par des hoquets saccadés et des soubresauts de tout son petit corps.

Benedict hésita un moment puis il perdit le goût de la farce. Un malaise s'insinua en lui, sorte de gêne qui ne lui était guère familière et dont il eût bien voulu se débarrasser. Sa réflexion fut interrompue par l'arrivée de Matt qui poursuivait la comédie par des cris et des pas de danse étourdissants.

Benedict se rua sur son compagnon et lui appliqua la prise du pilori comme sur la colline, cette fois, en le bâillonnant de sa main ouverte.

–C'est fini, on s'en va... On va voir les chevaux...

Il relâcha son étreinte lorsque son ami fut calmé. Et il lui ordonna d'aller l'attendre à la forge. Matt obéit.

Avec une figure d'enterrement, Benedict avança de trois pas en direction de Mary. Il soupirait bruyamment, cherchait à lui faire comprendre son désarroi. Mais il ne trouvait pas les mots pour le dire. Il avalait de la salive, regardait le ciel, cafouillait par ses gestes. Les sanglots de Mary le piquaient, le desséchaient comme on l'eût fait d'une peau de racoon en l'accrochant au mur de l'appentis sous le soleil de midi.

D'un geste spontané, il tira de sa poche un mouchoir soigneusement plié qu'il tendit à la fillette. Et il lui fallut la toucher à l'épaule pour qu'elle relève la tête. Elle eut un mouvement de recul et se blottit contre le chambranle; et s'engonça si bien la tête dans les épaules que son visage disparut entièrement sous ses cheveux et son bonnet.

Le garçon compatissant se demanda ce qu'il pourrait lui offrir, lui donner, pour la consoler. Par contre, il n'arrivait pas à comprendre l'intensité de cette peine. D'une façon ou de l'autre, il fallait réparer ce qu'il avait brisé si stupidement. Il fit un rapide inventaire de ses biens personnels. Son visage s'éclaira au rappel de son bonnet de fourrure. Il en donnerait à Mary la superbe queue de vison qu'il saurait bien remplacer en attrapant une autre petite bête à beau pelage.

–Attends-moi ici, Mary ! ordonna-t-il en ramassant le mousquet laissé par terre.

Il courut remettre l'arme à sa place puis contourna la maison pour rentrer. Une voiture arrivait devant. Il s'arrêta, resta interdit, bouche bée, à voir l'attelage magnifique : un cheval noir, fringant, tirant un phaéton de toutes les brillances, depuis les cuirs éclatants jusqu'aux roues grises finement lignées rouge sur les rayons et moyeux.

Celui qui conduisait avait tous les airs d'un gentleman à la mode. En fait, son accoutrement montrait une touche exceptionnelle : plus chic, plus alluré que les vêtements généralement portés par les personnalités les plus en vue de Norwich.

Avant même de descendre, l'homme porta la main à son tricorne, dans un geste de salutation. Benedict regarda autour pour savoir à qui le gentilhomme s'adressait. Force lui fut de constater que c'était bien à lui.

–Benedict Arnold, je te salue, fit l'arrivant après un copieux rire en cascade.

L'enfant cherchait dans ses souvenirs. Il eût voulu mettre un nom sur ce visage. Et surtout sur ce nez familier, un gros nez écrasé comme celui des esclaves noirs. Et sur ces yeux dont émanaient des vagues de chaleur et de puissance comme il lui arrivait chaque jour d'en lire dans le regard de sa mère ou bien le sien propre dans un miroir.

–Va prévenir tes parents, ta mère Hannah, ton père

Benedict, du retour de Daniel Lathrop qui arrive presque tout droit de la mère patrie... Et que tu ne reconnais même pas à ce que je vois.

–Vous êtes le frère d'oncle Joshua, déclara Benedict en qui la lumière venait de jaillir.

L'homme descendit prestement, attacha son cheval, parlant à travers ses gestes empreints d'une élégance raffinée toute britannique :

–Joshua et moi ne sommes pas tes oncles, Benedict, mais c'est tout comme, c'est vraiment tout comme. Je me rends compte que tu es devenu un homme maintenant. La dernière fois, tu portais une robe d'enfant. Et voilà que je revois un garçon grand et qui se tient droit avec énergie et fierté. Eh bien bravo ! Je reconnais là le port des Waterman... Et aussi, bien sûr, celui des Arnold. Bon sang ne peut mentir ! Alors quoi, on ne court pas pour annoncer mon arrivée ? N'est-ce pas un grand jour pour la famille Arnold et pour tout Norwich que celui du retour de Londres d'un fils de la ville, et diplômé en médecine à part ça ?

Le garçonnet ne se laissa pas tordre le bras. Il partit en coup de vent et entra dans la maison de la même façon, en criant :

–Oncle Daniel est là, oncle Daniel arrive.

Sa mère releva quelque peu ses jupes sur le côté pour mieux s'empresser vers la porte, mélangeant des ordres à des gloussements de satisfaction :

–Benny, cours au jardin puiser de l'eau fraîche. Benedict, viens accueillir notre cousin Daniel. Que je suis heureuse ! Trois ans qu'il est parti! Un nouveau docteur à Norwich : il était grand temps !

Gagné lui aussi par l'énervement, le jeune Benedict oublia tout à fait Mary Miller. À ce point qu'il ne jeta même pas un seul regard au fond du jardin quand il se rendit au puits quérir une chaudiérée d'eau neuve. Son projet de rejoindre Matt à la forge s'évanouit encore plus sûrement sous l'espérance d'entendre de la bouche du visiteur des récits de voyage excitants.

Cela ne devait pas tarder lorsque l'oncle Daniel fut attablé avec le couple et que Ben se fut assis en retrait à côté d'un grand dressoir.

Mais les descriptions de Londres et de la mère patrie durent attendre un peu, le temps qu'on s'échange les propos usuels concernant la santé de chacun.

–Tu as l'air resplendissant, Daniel. Le Tout-Puissant a bien veillé sur toi ces dernières années, dit Hannah de sa voix redevenue calme, bonne et belle, après les grandes exclamations qui avaient présidé aux retrouvailles.

–Il en est ainsi de toi, il en est ainsi de toi, fit Daniel dont les derniers mots tombants accusèrent une conviction mitigée.

Chacun put comprendre que cette phrase ne s'adressait pas à la femme mais bien à son mari, cet homme sombre que déjà, le jeune médecin avait jaugé de son oeil professionnel, sourcils en avant, renforçant une interrogation qu'il n'osait exprimer tout haut.

–Déjà à la recherche de clientèle !? supposa Benedict, mi-figue, mi-raisin.

L'autre s'en défendit par un geste des mains ouvertes. Il répondit sur le même ton:

–Peut-être quand je serai installé aux côtés de Joshua, mais pas aujourd'hui, pas encore.

–Avec Joshua ? questionna Hannah.

–Nous allons procéder à un agrandissement de la pharmacie. Je vais trouver des maladies à mes patients, et Joshua leur vendra les médicaments prescrits par moi. C'est ainsi que l'avenir s'annonce plutôt prospère. Qu'en penses-tu, Benedict ?

D'une voix coupable et à l'aphonie voulue, Arnold insista pour connaître la pensée du docteur sur lui-même:

–Avoue que je n'ai pas aussi bonne mine qu'à ton départ.

–Mon cher Benedict, c'est juste que tu as l'air... un peu fatigué. Ce sera à cause des affaires, je présume ?

–Sans doute, oui, sans doute...

Hannah et son cousin échangèrent un regard perplexe. Chacun savait la cause de ces yeux éteints aux orbites noircies, de ce teint terreux et de ces épaules en cerceau, les trois caractéristiques se combinant pour donner à l'homme l'apparence de l'hébétude et soulignant ses penchants atrabilaires.

Et pourtant, l'âme des Arnold continuait de bouillir derrière ses yeux chassieux. Sous la cendre extérieure, le feu brûlait encore. Sans flamme peut-être, mais dans des braises ardentes et incombustibles.

C'est cette soif insatiable qui l'a mené à Norwich, dix-huit ans auparavant, sur un sloop commandé par Absalom King dont la mort, peu après, lui a été si profitable. Il a épousé sa veuve, héritant du même coup d'un commerce lucratif. Poursuivant l'exercice du métier de tonnelier du sieur King, il s'est lancé à sa suite dans le même genre d'affaires : envoi aux Antilles de shooners et de sloops pour en ramener des marchandises. Ces stocks étaient ensuite écoulés par tout le Connecticut: New Haven, Canterbury, Middletown, Norwich, Hartford etc.

Devenu à l'aise, il a fait construire cette grande maison qu'avec sa famille, il occupe toujours. Son influence a grandi au même rythme que sa prospérité. On l'a élu à plusieurs postes de prestige : chacun l'a reconnu comme un homme d'élite et de bonne substance.

Hannah lui a donné six enfants. Quatre ont survécu : trois filles dont l'une prénommée comme sa mère, et un fils appelé comme son père, aussi du même nom que l'aîné mort au berceau.

Le capitaine Arnold, ainsi que ses amis le surnommaient, avait vu récemment ses affaires secouées par des remous et ressacs fort désagréables. Malgré ses efforts, sa détermination et parfois sa rage, il n'est pas parvenu à se remettre en selle. Et sa fortune s'écroulait : situation pénible qu'il tentait gauchement de camoufler à son entourage.

Voilà pourquoi il lui arrivait plus que de raison de se réfugier dans le rhum. Son abattement, l'alcool de même qu'une pneumonie lente à guérir avaient buriné son visage. Il n'était pas requis de connaître les secrets de la médecine pour lire dans ses traits et sa démarche les signes évidents d'une santé chancelante.

–Et alors, mon cher cousin qui possède au plus haut degré le flair et le sens de l'organisation, comment vont les affaires ? Toujours aussi... agréables ?

L'homme ne répondit pas. Il ressentait la question comme une attaque. Et il se rabattit sur une plaisanterie à la mode qui, dans sa bouche, avait allure de coup de griffe :

–Ce sont les médecins qui font les cimetières bossus !

Daniel s'esclaffa :

–Grâce au ciel, je n'ai encore fait mourir personne !

Le médecin renifla l'amertume de son interlocuteur et il n'osa revenir une troisième fois sur le sujet des affaires ou celui de la santé de Benedict. Il s'adressa à sa cousine :

–Et la famille ? Des têtes nouvelles depuis mon départ ? Joshua est un véritable harpagon en matière de nouvelles. Des lettres écourtées. Parfois, croyez-le ou non, coupées en plein coeur d'un mot. Manie d'apothicaire probablement !

–Un bébé il y a deux ans. Mort hélas! à trois semaines. Sans raison. Sans doute effrayé par ce monde de peur et de guerre ! Le Tout-Puissant nous a laissé quatre enfants : les trois filles et notre Benedict.

–Et où sont-elles, ces trois filles, que je puisse lire sur leur front la douceur de leur mère, dans leurs yeux son intelligence, dans leur éclat son charme?

–C'est Londres qui t'a rendu aussi flatteur ? Il faut dire que tu avais de bonnes dispositions. J'en ai une qui tourne la broche à la cuisine. Ce qui signifie que nous aurons de la viande fraîchement cuite pour le repas. Considère ceci comme une invitation. Les deux autres, elles seront sans doute là-haut. À moins qu'Hannah ne soit occupée à jouer avec Mary Miller au jardin ?

Le jeune Benedict sourcilla, mais son attention fut aussitôt récupérée par la réplique du cousin :

–Des enfants élevés dans la soie : quelle chance ! Pour eux, je veux dire. À notre époque, la vie était plus dure.

–C'est grâce au Tout-Puissant s'il ne leur manque de rien. Mais plus encore... disons tout autant grâce aux efforts de mon cher époux.

–Oh! je sais, je sais, fit Daniel, accompagnant ses mots d'un geste panoramique à main ouverte. Toute cette aisance... fort légitime et que je me propose d'atteindre sans tarder, est la marque des gens de qualité, n'est-ce pas ?

Il se tourna vers le gamin et poursuivit :

–Vois cela, jeune homme, et admire celui qui t'a donné le jour, car il te prodigue aussi l'abondance : ce père auquel tu ressembles tant. Tu dois te préparer à suivre ses traces. Ramasse-toi beaucoup de coeur pour chausser les bottes du capitaine Arnold.

–Quel mérite a-t-on à marcher dans des sentiers battus, je vous le demande en grâce. Ne suis-je pas l'ombre d'Absalom King ? opposa Benedict, la voix blanche et l'air noir.

–Mais c'est cela, la vie ! s'écria Daniel. Une affaire, un commerce ne vaut que ce qu'en vaut la tête qui le dirige. Qui, à part le Tout-Puissant, peut se vanter d'avoir créé quelque chose de toutes pièces ? Chacun profite du travail et des dons de quelqu'un d'autre qui l'a précédé. Et cela commence chez le fils de son père. Et puis quoi ? Quel besoin ai-je donc de vouloir te convaincre de vérités dont tu es au fait depuis bien avant l'éveil de Daniel Lathrop aux réalités de la vie ?

–Notre fils ne cesse de répéter, lui, qu'il veut devenir soldat, soupira Hannah.

–Holà! mais ce n'est pas un si vilain métier... À condition de s'enrôler dans les troupes régulières. Parce que les provinciaux... Mais sais-tu, jeune homme, qu'il arrive à maints soldats de se faire blesser ou tuer à la guerre ? L'uniforme, la parade, le beau mousquet, la baïonnette qui brille : tout ça ne dure qu'un temps. Au bout, il y a inévitablement la bataille. Quoique... la guerre en Europe serait sur le point de se terminer. En Angleterre, on dit qu'une paix durable se pointe le nez à l'horizon. Par bonheur.

Il leva les yeux sans regarder quoi que ce soit, ni les poutres rugueuses, ni le mousquet pendu haut sur le mur au-dessus de l'âtre, encore moins le chandelier à support ajustable accroché au plafond au dessus de la table. Son esprit venait de prendre son envol pour outre-mer.

–Quand je dis 'par bonheur', c'est une façon de parler. Bien au contraire, si on se fie aux rumeurs circulant à Londres dans les milieux renseignés, il semble que les négociations en cours à Aix-la-Chapelle risquent de déboucher sur un traité fort peu favorable à nos intérêts.

C'était la première parole qui remuait vraiment le capitaine. Il posa sur son cousin un regard interrogateur auquel il fut répondu :

–La France demanderait, que dis-je, exigerait le retour de Louisbourg dans son giron.

–Pardieu! mais au grand jamais nous ne devrons nous retirer de là-bas ! s'écria Benedict en qui le tisonnier de la politique venait de raviver brusquement la flamme intérieure. Ce fut Louisbourg comme première étape, rajouta-t-il, puis ce sera Québec. Sans Louisbourg, Québec devient inaccessible, tout à fait inaccessible.

–Se trouverait-il un seul colonial de Williamsburg à Québec, de Hartford à Charleston, qui n'en soit point persuadé ?

Le médecin soupira profondément avant d'ajouter avec des lueur malignes au fond du regard :

–Mais quoi, notre bon roi George 2 peut-il avoir tort ?

–Un roi qui ne se trompe pas, et c'est le cas de George 2, n'acceptera jamais la signature d'un traité qui ferait reculer d'au moins dix ans la cause des colonies.

–Mon ami Benedict, l'Angleterre et la France se battent depuis 1740 dans cette guerre de la Succession d'Autriche. Regrettablement, les enjeux en Europe font paraître bien minces ceux d'ici. Le Parlement britannique n'a que faire de nos insignifiantes préoccupations de lointains coloniaux.

Benedict roula le poing de la main qu'il avait sur la table et dit :

–Les parlementaires ne veulent pas voir cet arbre encore frêle mais en voie de devenir un géant qui croît à la vitesse de... de l'électricité en cette terre d'Amérique.

–L'arbre, c'est l'Angleterre. Et nous n'en sommes même pas une des racines. Tout au plus une branche qui, détachée de la mère patrie, ne pourrait que se dessécher, et bigrement vite à mon idée.

–Bon Dieu, Daniel Lathrop, mais nous sommes un million et demi dans les colonies anglaises réunies tandis que dans toute la Nouvelle-France, ils sont soixante mille tout au plus. Le rapport est de vingt-cinq pour un. Qu'est-ce que ce discours que tu nous tiens ? Nous dessécher ? En vertu de quoi ? En vertu de qui ? Des soixante mille papistes du Canada ?

–Holà ! capitaine Arnold. Ma foi, on croirait que te voilà en train de prêcher quelque chose comme... l'indépendance.

Benedict junior eut un regard passionné vers son père. Sa curiosité n'avait plus de bornes. Que serait-il donc répondu ? À sept ans, il avait déjà compris le grand échiquier nord-américain. En son esprit, il avait identifié les forces en présence, s'unissant ou se repoussant : l'Indien, le Français, l'Anglais et le colonial que d'aucuns appelaient l'Américain.

Jamais l'enfant n'aurait sa réponse. Bouleversé par les nouvelles d'Angleterre et les opinions de Daniel, Benedict père avait soif. Culpabilisé par ses excès antérieurs, il ne voulait pas boire devant son fils, tout social qu'eût pu paraître le partage avec un invité d'une tasse de rhum.

–Jeune homme, va t'amuser avec des amis de ton âge. Il est question de politique, et cela ne peut pas t'intéresser.

–Et pourquoi pas ? protesta Daniel. S'il manifeste de la curiosité, c'est qu'il apprend. Mon cher, il te faudra lire les ouvrages de Jean-Jacques Rousseau sur l'éducation des enfants.

–Les idées françaises sont assez souvent corrompues. Et puis, à nous écouter, il ne peut que développer son goût déplorable pour la... soldatesque. Benedict, dispose !

Le garçon hésita le temps qu'on se livrait à sa défense. Puis il obéit en marchant d'un pas d'homme, sûr, ferme, décidé, docile. Mais son coeur refusait l'expulsion.

Il franchit le seuil de la porte ouverte, s'adossa au mur juste à côté de l'embrasure, tâchant d'avaler sa contrariété. Un cri lointain lui remit en mémoire Mary Miller et la queue de fourrure. Il eut un regard attristé vers l'entrée de la maison. Il ne pourrait la franchir à nouveau avant l'heure du repas alors que sa mère ou la servante viendrait le héler.

Morose, il se rendit au jardin. Il put voir de loin que Mary Miller avait disparu. Alors il courut à la forge située sur une rue parallèle. Matt n'était pas dans les environs.

La bâtisse s'ouvrait sur presque toute sa largeur, ce qui permettait à un gros attelage de pénétrer à l'intérieur. Benedict se mit entre le soleil et l'ombre. Le forgeron, hippiatre et maréchal-ferrant, homme terriblement noir, aux muscles de fer, au ventre ceinturé d'un tablier de cuir, actionnait le soufflet du feu. L'autre main tenait une longue pince au bout de laquelle un fer à cheval atteignait l'incandescence requise pour que le métal soit malléable entre le marteau et l'enclume. Il sentit une présence, tourna la tête. Dans son sourire sombre, il questionna :

–Tu voudrais quelque chose, mon petit Arnold ?

–Je cherche mon ami, Matthew Davis.

–Il est venu, mais il est reparti. Il est peut-être en arrière, dans la cour ou dans l'écurie.

–Est-ce que je pourrais y aller ?

Le forgeron ferma les yeux, pressa les paupières pour faire glisser la poussière grasse les noyant jusqu'aux encornures. En même temps, il dit :

–C'est vertueux, mon garçon, que de demander ainsi la permission. Mais sois doux pour les bêtes. Un cheval, c'est aussi important qu'un esclave. Il faut le traiter avec fermeté et dignité. C'est ainsi que tu en tireras le meilleur et, pardieu!

qu'il te restera fidèle toute sa vie... ou toute la tienne si le Tout-Puissant voulait que, des deux, tu sois son premier invité dans le grand paradis.

Le forgeron termina sa phrase en pointant son visiteur avec le fer devenu blanc. Il se rendit à l'enclume, prit un lourd marteau qu'il leva haut en disant :

–Attention aux étincelles! Ce n'est pas très recommandé pour les yeux.

–Merci, monsieur Merwich.

L'enfant passa par dehors, contournant la bâtisse pour se rendre dans la cour arrière. Un cheval ensellé, attaché à un pieu fixé à un montoir, attendait qu'on lui travaille les sabots. Il remuait alternativement la queue, la patte et les muscles des cuisses pour chasser quelques mouches bleues le harcelant. L'animal n'entendit pas le bruit des pas. Il sursauta, faillit se cabrer quand il sentit sur sa croupe la main du garçon, toute légère se voulut-elle.

–Doucement, doucement, répéta l'enfant d'une voix chantante, comme il l'avait souvent entendu de la bouche des personnes qui aimaient les chevaux.

Il caressa tant que la bête ne fut pas complètement apaisée. En même temps, il jetait un oeil sur le montoir et sentait une invite puissante. Jamais il n'avait chevauché en solitaire. Pourtant, ils n'étaient pas rares, ceux de son âge, à se promener, seuls sur une monture. Surtout le dimanche ! Il savait qu'un garçon et sa grande soeur allaient à l'école à dos de cheval sauf durant les neiges alors qu'ils voyageaient en berline. Il les avait aperçus la veille, le gamin agrippé à la robe de sa soeur. Mais il ne les connaissait pas, car lui, fils de famille aisée, fréquentait l'école de Montville dirigée par le docteur Jewett.

Le désir l'emporta bientôt. Le coeur battant plus fort que

le marteau du forgeron, il enfourcha la monture. Aussitôt, le cheval se cabra, cherchant à se débarrasser d'un maître étrange et qui n'avait pas le poids du commandement. Mal fixée, sa longe se détacha. Bien agrippé à la petite selle, le pied resté dans l'étrier, Benedict tint bon malgré les cabrioles et les croupades. Comme à la recherche de sa queue, l'animal fit deux cercles autour de lui-même puis s'élança. Alerté par le vacarme, le forgeron accourut. Ses imprécations à voix de tonnerre se perdirent bien loin derrière le cavalier improvisé.

Secoué dans tous ses os, Benedict réussit tout de même à attraper les guides. Il tira avec vigueur. La seule réponse de la tête effarouchée fut qu'elle pointa vers le ciel, vers un soleil aveuglant. De chaque côté du garçon, les maisons défilaient en dansant. La force des émotions et celle du vent lui tiraient des larmes dont il n'avait cure. L'ivresse d'un semi-triomphe l'emportait plus sûrement que sa monture. Il devenait le maître, sûr dans ses arçons. N'avait-il pas épongé déjà toutes les rebuffades de la bête ?

De l'autre côté de la rue, en biais par rapport à la forge, se trouvait un magasin général, vénérable bâtisse verte. Sur le perron, on pouvait voir une pleine barrique d'eau pour abreuver les chevaux qui passaient, une corde de bois de chauffage, dernier vestige de l'hiver, de même qu'un vieil aveugle à barbe blanche qui s'était levé pour mieux entendre et ainsi mieux imaginer.

Alerté par le tumulte, les hennissements, le bruit des sabots et les cris du forgeron, le propriétaire du cheval sortit précipitamment du magasin. Il ne put qu'apercevoir sa monture et l'enfant disparaissant au tournant de la rue. À bride abattue, il courut à la forge, à la rencontre de cet irresponsable charbonneux à qui ses yeux adressèrent une pluie d'invectives muettes.

–Cet enfant est un faiseur d'ennuis, maugréait le forgeron

en brandissant son marteau qui paraissait léger comme du cèdre sec.

Le faux Indien, Matthew Davis, vint se coller le museau au chambranle de la porte de l'écurie. Depuis une heure qu'il roupillait, couché dans une grosse mangeoire en attendant son ami.

–Qui c'est, celui-là ? s'écria le propriétaire du cheval, un homme à la tenue sophistiquée, aux favoris épais qui semblaient soutenir son chapeau aux courbes gracieuses, et qui se scandalisait de plus en plus de tout ce désordre.

–Toi, va dire aux Arnold que leur fils a enfourché un cheval nerveux, qu'il l'a fait sans permission et qu'il a disparu. Et que la bête avait le mors aux dents.

Plus il ordonnait, plus le visage du forgeron tournait au mauve tant il était rouge de colère sous le gris de sa poussière charbonneuse.

–Qu'est-ce donc qu'on pourrait faire au lieu de rester là plantés debout comme des chefs sauvages en bayant aux corneilles ?

–Allons à sa poursuite, il y a des chevaux dans l'écurie, jeta le forgeron mécontent de n'avoir pas réagi plus efficacement jusque là.

On achevait de seller les bêtes quand le bruit d'un trot tranquille se fit entendre. Puis celui de sabots au pas. Bientôt parut Benedict, le visage éclairé d'un sourire malaisé, le corps légèrement penché en avant, la main flattant la crinière de la bête radoucie. Les deux hommes restèrent bouche bée. En prudence, le garçon prit l'initiative. Il arrêta la monture en déclarant sur le ton du connaisseur :

–C'est un bon cheval, très bon.

Il se laissa alors glisser au sol. Ses mots éteignirent la mèche qu'il avait allumée et attachée à deux barils de poudre. Passionné de chevaux, tendre sous ses dehors rudes, le forgeron avait le coeur au pardon. Et l'autre ressentait pour sa monture la même fierté que celle qui l'habillait. Benedict l'avait touché au plus sensible.

–Pardieu ! c'est le meilleur apprentissage pour devenir un bon cavalier ! dit le forgeron dans une moue résignée qui creusa sa bouche à mâchoire inférieure édentée.

–Comme punition, faites-lui pomper le soufflet le reste de la journée, suggéra le gentilhomme sans grande conviction.

–Bah! laissons donc ! Ses parents se chargeront de le réprimander. Et puis regardez : il est habillé comme aux jours de fête. Sa mère nous ferait des reproches. Ce sont de bons clients ici. Et puis mon esclave verrait d'un mauvais oeil, surtout qu'il est borgne, qu'on le remplace au feu. De nos jours, ils sont chatouilleux, les esclaves. Il se demanderait ce qu'il a fait de mal.

Les deux hommes entrèrent dans la forge en cacassant et gesticulant. Benedict profita de leur indifférence pour s'esquiver. Il courut un moment puis marcha, frappant du bout dur de son soulier un caillou qui roulait çà et là dans la poussière de la rue gravoiteuse.

Au tournant, il se heurta à la petite servante de la famille envoyée par ses parents. Elle accourait, la mort dans l'âme.

Elle entraîna Benedict dans ses jupes rugueuses en le bousculant de questions :

–Que s'est-il passé pour l'amour du Tout-Puissant ? Matthew a dit que tu étais parti sur un cheval emballé. Tu cherches à nous faire mourir de peur ? Petit diable ! Tu es le seul fils de la famille; c'est à toi qu'il appartiendra de faire briller le nom des Arnold. Tu dois protéger ta santé, ta vie, pour accomplir ton destin. Un grand destin peut-être ! Si tu veux devenir un grand soldat... Un accident de cheval, c'est vite arrivé. J'ai un cousin...

Elle lui enveloppa tendrement l'épaule et le conduisit à la maison sans s'arrêter de papoter.

Pour empêcher qu'on ne le gronde à chaud, elle le garda à la cuisine. Et se rendit rassurer ses parents toujours attablés avec leur cousin. Et qui ne se mouraient pas d'inquiétude, car ce n'était là qu'une nouvelle frasque de leur fils.

Benedict accepta de faire tourner la broche à la place de sa soeur, comptant que son geste, vu par sa mère, ferait s'atténuer ses reproches, lui éviterait peut-être le pire : une bastonnade servie à la sauce paternelle.

Charlotte servit le repas du soir. Aux parents et à leur invité dans la salle à manger voisine, aux enfants et à elle-même dans la cuisine surchauffée.

Benedict ne toucha guère à sa nourriture, s'alimentant de questions. L'indifférence de sa mère à son égard quand elle était venue dans la pièce lui faisait anticiper une punition plus que certaine. Par contre, il goûtait au nouveau plaisir de la puissance : celle d'avoir maîtrisé la bête en folie. Le bon visage de sa soeur Hannah, à l'autre extrémité de la table, lui gratouillait le coeur en lui remémorant les larmes de Mary Miller.

Après le repas, sur ordre de sa mère, il monta à sa chambre. Par sa lucarne, à la brunante, il vit s'en aller le cousin Lathrop.

Le bruit confus d'une discussion lui parvint d'en bas. Il se coucha par terre, colla son oreille sur le plancher de bois. Mais il ne pouvait distinguer la teneur des propos. Puis sa mère s'annonça par un escalier bavard aux marches craquantes. Il resta à genoux, accoudé sur son lit, dans une position de prière. Il pensa que cela pourrait peut-être attendrir le coeur de la femme.

Elle posa sa lanterne sur la tablette de la lucarne. Et elle releva encore ses jupes pour aller prendre place sur le bord du lit, face au garçon.

–Tu t'es diablement mal conduit aujourd'hui, fils. Le sais-tu, au moins ? Voler un cheval, c'est chose grave, très grave. Si tu avais été grand, si tu avais été un homme, qui sait ce qu'on aurait pu t'infliger comme punition ? Le pilori sans doute ! Ou encore plus de cent coups de fouet. Peut-être aurait-on marqué ta main au fer rouge. Un grand V pour voleur. Et toute ta vie durant, tu serais resté prisonnier de ce sceau infamant. Et tout cela, c'est au mieux. Mais au pire ?... Je n'ose pas y songer sans frémir de tous mes os. Pour l'amour du Tout-Puissant, Benedict, ne recommence jamais pareil... pareil forfait !

L'enfant gardait la tête enfouie dans les mains. Il se plaignit doucement :

–Je n'ai pas voulu voler le cheval.

–Quand donc seras-tu un bon fils, Benedict Arnold ? Un enfant qui fasse honneur à sa famille ? Réponds !

–Je veux être bon, mais...

–Et aujourd'hui, tu as fait pire que de t'emparer d'une monture, tu as posé un geste... qui ne manque pas de m'inquiéter sur ta nature profonde.

–Qu'ai-je donc fait ?

–Tu as été cruel envers les oiseaux là-bas, sur la colline. Tu as déniché un pic et tu l'as assommé avec une pierre. Et tu l'as tué. Quelle méchanceté dans le coeur d'un enfant!

–Mais ce n'est pas vrai, ce n'est pas vrai ! protesta le petit de tout son coeur.

La femme grimaça, et la pénombre rendit son visage plus crispé.

–Je ne veux pas que tu m'interrompes.

–C'est Matt Davis qui a inventé tout ça.

–Qui vole un cheval peut tout aussi bien tuer un oiseau.

–C'est pas vrai, c'est pas vrai. J'ai lancé une pierre, mais je ne voulais pas...

–Au moins tu l'avoues.

–Maman...

–Quand l'école recommencera, il se peut que tu retournes à Montville, chez le docteur Jewett; mais je crois que ce maître n'est pas assez sévère. Peut-être faudra-t-il t'envoyer à Canterbury, à l'école du docteur James Cogswell. Enfin, on verra bien d'ici là... On verra si tu es sage durant les vacances estivales. Et secondement, je veux faire appel à ton coeur. Les oiseaux, comme tous les êtres vivants, sont les créatures du Tout-Puissant; ils doivent donc être protégés et aimés... Et pour couronner tout le mal que tu as fait durant la journée, tu es allé semer la confusion dans les jeux des fillettes. Cette pauvre Mary Miller, tu lui as tout simplement brisé le coeur.

–Je n'ai pas voulu, bredouilla-t-il, l'âme de plus en plus noire.

–Comme tu n'as pas voulu tuer un oiseau, voler un cheval. Et pourtant, tu l'as fait. Nous nous sommes entendus, ton père et moi, pour ne point t'infliger la bastonnade cette fois-ci comme tu le mériterais cent fois, mais à la prochaine incartade, tu seras attaché dans la chaise des canards sur la place publique et soumis pendant une demi-journée aux quolibets des passants. Mieux vaut que tu sois l'objet de la risée populaire aujourd'hui que celui de sa vindicte demain.

La femme poussa un soupir, fit une longue pause. Lui pleurait. Elle voulut lui montrer un brin de compassion pour terminer :

–Si tu veux réparer tes friponneries, demain, tu mettras

tes vieilles hardes et tu iras offrir à monsieur Merwick de l'aider à la forge. Puis tu fabriqueras une cabane pour les oiseaux. En ce qui concerne Mary Miller...

–Je vais lui donner la queue de fourrure de mon bonnet.

Hannah savait la fierté de son fils. Il lui fallait beaucoup de coeur pour accepter d'amputer son chapeau de son superbe ornement. L'intention suffisait néanmoins. Elle dit :

–Mary n'aurait que faire de cette queue. Offre-lui plutôt des sourires et des salutations. Fais-lui la révérence quand tu la rencontreras comme si elle était une grande fille ou une dame. Elle oubliera. Et puis elle t'aimera. Un homme, un vrai, doit être fort, bon, juste. Et surtout il doit savoir réparer ses fautes.

Elle se leva et se dirigea vers l'escalier en disant :

–Maintenant, va aux toilettes et ensuite reviens te coucher. Je viendrai reprendre la lanterne quand tu dormiras.

Resté prostré dans sa tristesse, accablé de remords mais en même temps révolté, Benedict eût voulu partir, s'en aller loin de chez lui, de Norwich, là-bas vers un de ses rêves, vers Louisbourg ou bien la mère patrie... ou vers n'importe quel bout du monde.

Puis il se rendit dehors à la cabane des toilettes, mais il n'y entra point. Il n'avait envie de rien. De rien d'autre que de solitude et de paix. Et il ne répondit pas à la voix douce de la servante quand il repassa par la cuisine pour regagner sa chambre.

Elle eût voulu connaître sa punition, savoir ce que sa mère lui avait reproché, son chagrin, tout. Ce fut peine perdue. Il put s'esquiver grâce à l'éclairage faiblard des lanternes.

Quand Charlotte eut terminé ses tâches, couché les petites, remis de l'ordre dans la salle à manger et la cuisine, elle annonça à sa maîtresse qu'elle allait jeter un dernier coup d'oeil aux enfants et, par la même occasion, reprendre les lanternes. Hannah approuva malgré son désir de voir elle-même ce qu'il advenait de son fils.

–Il dort profondément, revint lui annoncer la jeune fille quelques minutes plus tard.

–Ces pauvres enfants, la conscience ne leur chatouille pas bien longtemps, soupira Hannah en regardant du côté de son époux.

L'homme était assis en face de la porte ouverte comme il le faisait chaque soir depuis l'arrivée des beaux jours. Cela lui permettait d'observer les allées et venues des passants et de cacher dans l'ombre sa bouteille de rhum.

Hannah n'aurait jamais osé lui faire des remarques directes sur son vice grandissant. C'était là une affaire personnelle, une affaire d'homme. Quelle femme eût été bien venue de se plaindre de la conduite de son époux ? Pourtant, elle profitait de toutes occasions pour faire allusion à son mauvais penchant. Car elle craignait comme la peste qu'il sombrât quelque jour prochain dans l'ivrognerie, la honteuse, l'irréversible ivrognerie.

–Si je peux me permettre, madame, fit la servante sans oser lever les yeux, Benny est un bon enfant malgré ses étourderies... Je... Il n'a pas voulu mal faire.

–Je sais, je sais... Mais il faut souvent réprimander, savonner un enfant : c'est cela et rien d'autre qui lui fait du muscle moral. N'oubliez jamais ce principe, Charlotte, jamais !

En haut, les yeux grand ouverts, brillant des reflets des étoiles et de ceux des réverbères, le garçon s'était accoudé devant la lucarne. Comme son père à l'étage sous lui, il regardait passer les voitures ainsi que les belles dames promenant leurs espérances dans le clair-obscur créé par les lanternes publiques.

Montville, Connecticut

Crâne dégarni sur le dessus avec des cheveux argent épais sur les côtés et noués sur la nuque pour se terminer en queue de cheval comme cela faisait mode en colonie : tel était le docteur Jewett.

Des favoris tournoyants comme des rafales de janvier cachaient à moitié des oreilles pourpres trahissant un embarras et une indécision perpétuels qui n'y paraissaient guère dans ses manières et sa pédagogie.

Sur sa tête, la peau était tachée de points rouille laissés là par un long été à soleil brûlant qui avait étiré une sécheresse angoissante jusqu'au coeur de septembre et du Connecticut intérieur. Octobre avait étanché la soif des cours d'eau et des végétaux, mais le temps avait laissé flotter dans les grands vents d'automne moultes odeurs d'amertume.

Le magister portait des besicles au milieu d'un gros nez rond et pivelé. Il les rajusta avant de lisser des cheveux imaginaires d'un geste qu'il transforma en grattement léger. Debout, derrière un meuble qui lui allait aux épaules, il enseignait l'arithmétique aux deux aînés de sa classe qui, plus tard dans la journée, prendraient sa relève auprès des plus jeunes, soit onze garçons et quatre fillettes.

Toute la classe était mise au grand silence quand il parlait. Même et surtout ceux que le cours trop avancé ne pouvait concerner. Entre-temps, chacun avait le droit d'utiliser son petit tableau noir personnel et sa craie pour y écrire des chiffres, des lettres ou des mots, ou même y dessiner des éléments de la nature, des objets d'usage courant. Pour éviter la dissipation, il était formellement interdit de se consulter ou de se prêter quelque assistance que ce soit.

Le maître sortait souvent la verge. Il en menaçait l'un ou l'autre en la brandissant bien haut. Mais il l'utilisait rarement. Ou alors avec bien peu de conviction. Le fouet n'était que son symbole d'autorité. Les petits devinaient sa bonté : ils l'aimaient, le respectaient.

Sur le côté gauche de la pièce, derrière un poêle que ce froid premier novembre obligeait à chauffer, s'alignaient les pupitres des garçons jusqu'à l'arrière où Benedict s'occupait à dessiner des bateaux. Il les effaçait à mesure à l'aide d'un chiffon sec aux émanations étouffantes. Les fillettes étaient de l'autre côté, assises sur leur long banc derrière une table, lisant, écrivant ou écoutant leurs propres rêves de beauté.

Voisin de Benedict, plus âgé d'un an, il y avait un enfant trop grand et qui, visiblement, avait poussé en orgueil. Fanal aux cheveux roux frisés comme laine d'agneau, il dépassait tout le monde d'une tête. Il tourna la poignée de son tableau pour attirer l'attention de Benedict sur son dessin. Sa manoeuvre réussit. Derrière sa guenille, le jeune Arnold au tempérament de vif-argent s'esclaffa, cherchant à camoufler son rire sous une toux de coq grippé.

Le maître ne fut pas dupe, il déposa son gros livre rouge laissé ouvert et pointa les gamins indociles d'un long doigt crochu à la menace remplie d'autorité.

–Monsieur Benedict Arnold, monsieur Isaac Barbe, présentez-vous devant moi immédiatement. Ah, ah, et apportez votre ardoise que je puisse admirer votre grand talent. Talent pour l'inconduite. Et attention, tenez-la bien à la vue; je ne voudrais pas que son contenu disparaisse en chemin grâce à des culottes complaisantes.

Toute la classe était déjà en haleine. Chacun se redressait le corps jusqu'au dessus incliné de sa table. Aucun ne sentait plus l'inconfort du bois dur des sièges sur ses fesses pointues d'attente nerveuse.

Contrairement à son ami, Benedict garda la tête haute, le cou droit, le front altier. Il avait la peau si brune de toutes ses équipées d'été que, sans les traits de son visage, on l'eût confondu avec un mulâtre. Même qu'à Norwich, on l'avait surnommé 'Café', sobriquet qu'il n'avait pas déménagé avec ses pénates à Montville.

Le maître dit avec une politesse exagérée :

–Mais quelle est donc la cause de ces ricanements intempestifs ? Qui me répondra ? Vous, monsieur Barbe ?

–Je n'ai pas ri.

–Je sais, je ne vous ai point entendu. C'est monsieur Benedict. Mais vous en fûtes la cause, monsieur Barbe. C'est donc à vous de me fournir les explications qui s'imposent.

–C'est mon dessin sur l'ardoise.

Sourcils accusés, l'homme regarda successivement les deux enfants. Il dit :

–Monsieur Benedict est un garçon qui a du panache. J'aimerais, monsieur Isaac, que vous en ayez autant. Relevez la tête et regardez-moi droit dans les yeux.

Le garçon hésita, obéit peureusement. Mais il leva aussi son ardoise qu'il plaça devant ses yeux pour ne pas avoir à supporter le pesant regard du maître. Ainsi, le docteur Jewett découvrit l'objet comique : une sorte de personnage hybride à tête de veau, à corps d'enfant et qui disposait d'ailes déployées. Vision de rêve ou fruit de son imagination, Isaac avait habillé le corps de breeches à demi baissées et qui laissaient à nu la moitié du postérieur de la chose scandaleuse.

–Ça seulement ! Ce n'est que ça qui vous a fait mourir de rire, monsieur Arnold ? Vous me surprenez. Quel enfantillage ! Bon ! Puisque chacun de vous a fait l'âne, il serait juste de vous coiffer du bonnet des abrutis. Ce sera la première fois que deux étourdis iront en punition en même temps. Allez-vous en dans le coin, près de la fenêtre et mettez-vous côte à côte. Mademoiselle Dooland, veuillez aller quérir le bonnet dans l'armoire.

La plus grande des fillettes courut dans une pièce attenante dont elle revint aussitôt avec le chapeau conique. Elle se rendit à Benedict et le lui tendit en le gratifiant d'un petit regard malicieux. Et pendant ce temps, le maître avait entrepris un petit discours dans lequel il reliait discipline scolaire à patriotisme hors de l'école.

Isaac s'empara de l'infamante coiffure et se la cala jusqu'aux oreilles, cherchant ainsi le pardon de Benedict.

–Que le bonnet passe d'une tête à l'autre chaque fois que je le demanderai !

Et le maître reprit sa leçon aux aînés, leçon dont pas un mot n'échappait au jeune Arnold. Ce qui ne l'empêchait pas de détailler la nature par les étroits carreaux de la fenêtre.

La tristesse étendait sur la terre un épais manteau de nuages lourds qui roulaient dans leur ténébreux silence. Elle revêtait d'une couche de feuilles pourrissantes le flanc abrupt d'une colline plantée d'arbres, toute proche, de l'autre côté de la rue.

Le ciel et le sol étaient ensevelis par l'ennui, comme à jamais. Et un vent siffleur rappelait parfois son autorité par des rafales rageuses raclant des feuilles qu'il se chargeait de remplacer aussitôt par d'autres semblables dans leur mort et leur apparente inutilité. Par groupes réduits, des oiseaux éloignés et sans nom semblaient errer dans leurs allures de retardataires. Ou bien se cherchaient vainement une porte de sortie pour s'évader de cet automne incertain qui, après un été aussi laborieux, désemparait les êtres vivants.

Une voiture noire tirée par un cheval gris et lent apparut

dans le champ de vision du garçon puni. L'attelage émergeait de l'arrière de la colline. Ou peut-être de ce sombre ciel monotone. Car le promeneur solitaire annonçait les plus grandes désolations par sa propre personne, par ses sourcils broussailleux, sa peau blafarde, son visage osseux aux pointes inquiétantes, sa capote trop longue et trop foncée pour un homme de bonnes nouvelles.

L'observateur crut bon prévenir le maître. Il leva la main.

–Un visiteur, monsieur Jewett, dit-il avec précaution.

L'homme fit répéter. Il remercia puis interrompit sa leçon en donnant des directives à suivre pour la durée de son absence. Avant de quitter la pièce, il dit d'une voix bonne sans se retourner :

–Benedict, Isaac, vous resterez en punition jusqu'à mon retour. Monsieur Arnold, à votre tour de mettre le bonnet. Et soyez sages vous deux et vous tous.

Un quart d'heure plus tard, il revint en hochant la tête. Les deux garçons punis furent aussitôt renvoyés à leur place. L'homme parla gravement.

On savait d'instinct, par la profonde désolation de son regard et de sa voix, qu'il aurait des choses épouvantables à annoncer.

–Aujourd'hui, mes enfants, c'est la journée la plus triste de mon existence. De toute mon existence ! Notre patrie, la province du Connecticut et aussi toutes les provinces de la Nouvelle-Angleterre viennent de subir le coup le plus dur de leur histoire.

Il soupira, baissa la tête puis la releva pour regarder douloureusement dans un lointain mystérieux. La voix blanche, il poursuivit :

–Voilà quinze jours, fut signé dans une ville d'Europe appelée Aix-la-Chapelle, un traité de paix entre notre mère patrie, l'Angleterre, et la France ennemie. Par cet acte, la forteresse de Louisbourg retourne à la France. Cela signifie que notre chère patrie, nos chers pays d'Amérique, seront désormais plus en danger que jamais et devront vivre avec l'insoutenable menace des Français du Canada...

Benedict fut bouleversé par l'annonce de cette catastrophe. Les paroles de son père revinrent s'inscrire brutalement dans son esprit: "*Notre bon roi George 2 ne peut se tromper et c'est pourquoi il ne permettra jamais qu'on rende Louisbourg aux terribles Français.*" Alors le jeune Arnold voulut poser une question et pour cela, il montra la main.

–Est-ce que c'est une faute d'avoir remis Louisbourg ? demanda-t-il quand le maître lui eut accordé le droit de prendre la parole.

–Une faute grave, une faute très grave !

–Est-ce que notre bon roi George 2 peut commettre des fautes comme nous ?

–Pas volontairement bien sûr ! Ce sont les hommes politiques de son entourage qui ont pris cette décision. Il n'est donc pas le responsable.

Malgré le peu de conviction du ton, Benedict conclut son intervention par une onomatopée exprimant sa satisfaction :

–Ah !

Isaac et les autres regardaient leur compagnon avec admiration. Comment Benedict pouvait-il en savoir si long sur pareil sujet alors que la plupart d'entre eux entendaient pour la première fois de leur vie le nom de Louisbourg ?

Mais ils sauraient, confusément sans doute, mais ils sauraient maintenant et pour toujours, que leur roi pouvait se tromper, qu'ils avaient le droit de le penser au fond d'eux-mêmes sans pour autant disposer du privilège de le clamer tout haut.

Le maître poursuivit son discours, un exposé morose et fort ennuyeux pour les petits, défendant le roi des attaques d'un fantôme qui l'habitait, lui, le vieux professeur patriote.

Benedict se lança dans un rêve. Il grandirait, deviendrait soldat, répéterait l'exploit de Pepperell. Bien plus, il conduirait une armée, irait s'emparer de l'imprenable Québec...

***

1753

L'Islet

–Notre Père qui êtes aux cieux, bénissez ce repas qui sera nôtre, ces aliments que votre Providence nous a permis d'obtenir de la terre féconde, cette eau pure que Vous nous donnez en si grande abondance. Bénissez ce pain, ce godiveau et le civet que voilà. Par Jésus-Christ, Notre-Seigneur...

–Ainsi soit-il ! répondirent en un faible choeur un grand jeune homme silhouetté par des éclaboussures de lumière rouge et une femme au regard gris d'une grande bonté qui ajoutait à celle de son visage vieillissant.

Le front creusé de sillons à gracieuse humilité, elle se tenait à mi-chemin entre l'âtre et la table, prête à servir ses hommes, mari et fils, pour le cas où il eût manqué quelque chose, sachant fort bien que tout était là : les plats, les ustensiles, les mets fumants sur ce meuble en massif bois d'érable, table belle et brute comme le reste de la pièce.

Il faisait encore grande chaleur malgré la fin du jour. Le soleil noyait ses splendeurs écarlates dans la sombre majesté du grand fleuve. En effet, le puissant corps céleste continuait de répandre jusque dans la maison de l'habitant des éclats multiples qui se disputaient avec les lueurs du foyer les choses de la cuisine et les visages encore brûlants d'une journée laborieuse aux champs. Une flamme silencieuse léchait à peine une marmite noire pendue à la crémaillère. Il y reposait dans ses chaudes promesses, le civet odorant,

Les durs travaux avaient vidé les estomacs. À midi, on avait mangé aux champs : quelques morceaux de lard salé, du pain, du beurre.

En s'asseyant à table, le jeune homme tira de sa poche de pantalon un couteau qu'il essuya sur sa cuisse. Devant lui, sur une planche usée, un gros pain ovale non entamé, doré comme les blés, attendait les appétits. L'allumelle luisante s'y enfonça bientôt, coupa la croûte, déchira la mie...

–Pour vous, dit-il en jetant un quignon de la grosseur du poing devant son père.

Puis sa mère en refusa un semblable qu'elle trouvait trop en chair. Il garda la tranche pour lui-même et planta le couteau dans la miche pour que la femme se serve à sa guise.

–On a tout ce qu'il faut, tu peux t'asseoir, dit l'homme à sa femme sur le ton de la routine.

C'était le signal qu'elle attendait. Parole de remerciement, de récompense pour son travail qu'elle avait accompli avec tous ses talents.

Elle s'assit en face de la cheminée, entre chacun des hommes, dans un angle propice à toutes les surveillances.

On se servit sans ordre, sans préséance, à même les plats, les hommes se félicitant de tout ce foin coupé durant le jour.

–Si c'est vrai qu'il y a un concours de fauchage à Beaupré dimanche, on va traverser Et c'est toi, Joseph, qui gagneras haut la main, affirma le père, l'oeil étincelant.

–Il y en a des meilleurs, papa. Je serais même pas capable de m'accoter avec Grand-Jacques. J'ai déjà essayé et ça sert à rien. Avec ses bras longs comme des mousquets, il vous revire un ondain le temps de le dire.

–Peut-être qu'il a les oreilles un peu plus molles depuis qu'il est marié, le Jacques à Étienne ?! s'exclama le père, un oeil malin à demi fermé.

–Ben au contraire, il est plus musculeux, plus ingambe que jamais. Faut le voir dans son champ quand il se déclare pressé de finir sa journée.

Une fois de plus, l'homme avait traqué son fils en le forçant à remettre sur la table le sujet de son avenir. Car il était grand temps que Joseph pense à prendre femme, lui, le benjamin et seul enfant à vivre encore sous le toit familial. Sitôt après son mariage, on ferait acte de donation. Les parents seraient ainsi assurés de couler paisiblement le reste de leurs jours chez eux, à l'abri de la misère, à regarder pousser une nouvelle génération de Bernard.

C'est avant qu'ils n'atteignent la soixantaine que cela devait arriver. Or, ce cap, on le voyait poindre à l'horizon, aussi sûrement que le cap Tourmente sur l'autre rive du fleuve.

–Si le mariage donne autant de muscle, n'aurais-tu point avantage à te comporter comme lui en nous préparant de belles épousailles pour l'hiver prochain ? Hein, mon Joseph ?

–Vous savez ben, papa, que je suis pas prêt à mettre les bans à l'église, loin de là, soupira le fils en mordant son morceau de pain dont le coeur de froment s'étira comme une matière élastique avant de se déchirer.

Il mâchouilla sa bouchée et ses mots :

–J'ai même pas de belle. Je courtise personne.

–Si tu cherchais plus. Rien qu'un peu plus ! À l'église, le dimanche, c'est pas les élégantes qui manquent. Des demoiselles remplies de délicatesse et de coquetterie. Tout ce ravage que tu pourrais faire si seulement tu t'en donnais la peine !

Joseph jeta à sa mère un regard intense où se mélangeaient à parts égales, l'impuissance et la colère. La femme baissa aussitôt les yeux, enfouissant une fois de plus ce lourd secret qu'elle partageait avec lui, cette raison majeure qu'il avait de ne pas vouloir se marier, son malaise mystérieux que pas même son père ne pressentait.

–À Québec, je connais...

–N'en parle point, fit le père avec une moue contrariée. Ce n'est pas une fille de la ville qu'il te faut. Elles ne sont pas bâties assez solides pour nos durs labeurs. Élevées dans de la soie. Et puis jamais une demoiselle de Québec ne voudrait te suivre chez nous; elle voudra que toi, tu partes t'établir là-bas.

–On en a parlé cent fois : je suis pas prêt pour le mariage. Pas plus avec une fille de Québec qu'avec une de Saint-Thomas ou de L'Islet.

Il se fit une longue pause ponctuée du seul bruit des ustensiles dans les assiettes de fer-blanc. Puis le père pointa son fils avec son couteau en affirmant, un peu triste :

–Je pense qu'au fond, au fin fond de toi-même, tu n'en veux pas trop de la ferme. Tu voudrais nous le dire, mais ça te fait un peu peur. Peur de nous faire de la peine. La terre ne te plaît pas. Dis-moi le contraire.

–Grand Dieu ! non, papa ! Vous savez que j'aime cultiver la terre plus que faire n'importe quoi d'autre au monde, semer, engranger, garder des animaux. C'est ma vie et je vois pas ce que je pourrais faire d'autre. Et le fleuve, notre fleuve, qui c'est, de ceux qui sont venus au monde sur ses bords, qui pourrait s'en éloigner sans tourments ? Mais c'est qu'avant de m'établir à demeure, je veux y penser comme il faut. C'est pas une décision qui se prend à la venvole.

–Toi, la mère, quelle est donc ton idée ?

Elle tira sur sa robe par dessous la table pour s'aérer un peu les jambes, hésita avant de dire :

–Je pense qu'on aura beau mettre un seau plein de belle eau nette devant le nez d'un cheval, si lui veut pas boire, on peut pas le forcer. Joseph est un bon garçon, travaillant, religieux : son temps viendra, son temps viendra.

–Depuis qu'il est haut comme le dévidoir là-bas qu'on lui laisse faire tous ses caprices. Ce qui va nous arriver, c'est qu'on va être tout seuls comme des chiens errants pour passer nos vieux jours, conclut l'homme avec amertume et inquiétude.

La suite du repas ne fut que silence ponctué de bruits ajoutant au malaise courant d'une assiette à l'autre. Un éclatement dans les braises de la cheminée, une louche plongeant dans le liquide, une chaise craquant, un aboiement lointain, des pieds timorés bougeant sous la table, les soupirs crispés de Joseph.

La mère regrettait d'avoir préparé un repas chaud, ce qui lui arrivait rarement l'été alors qu'on mangeait plutôt du pain, des oeufs et des laitages. Mais la veille, aux champs, Joseph avait tué deux lièvres; elle aurait été malheureuse de les gaspiller. Hélas ! elle avait transformé la maison en véritable four et se le reprochait. Surtout en ce moment, vu l'allure du repas.

Chacun mangeait pour soi, les yeux baissés, plongés dans des liquides qui prenaient de plus en plus couleur de soir tombé. Joseph finit le premier. Il s'excusa sur le dos de la chaleur, prétexta des sueurs à faire sécher par la brise du fleuve. Et il se leva pour s'en aller dehors. Une deuxième fois, son regard désolé croisa celui de sa mère. Elle appuya sur lui des yeux compatissants, des yeux qui tendaient la main.

–Je te rejoins avec nos pipes, dit le père en même temps qu'il essuyait la lame de son couteau dans un dernier croûton de pain.

Joseph ne dit rien. Il sortit sans le martèlement habituel de ses chaussures sur le bois du plancher. Dehors, une pierre avait été placée contre le mur pour servir de banc permanent, imputrescible; il s'y assit.

Le scintillement sombre à reflets rougeoyants du Saint-Laurent ne suscita en son âme aucun mouvement, car sa pensée tout entière était repliée sur des souvenirs : réminiscence qui avait commencé à la fin de sa conversation à table. Elles défilaient par dizaines dans sa tête, les filles avec lesquelles il avait dansé dans les veillées, à qui il avait dérobé des baisers de jour de l'An au coeur de n'importe quel mois. Mais la plupart avaient convolé en justes noces maintenant. Une jeune fille ne dépassait guère ses dix-sept ans pour se donner en mariage, il ne le savait que trop. Et puis il les trouvait bien jeunes, les nouvelles de treize ou quatorze ans qui entraient à leur tour sur le marché matrimonial.

Quand il a perdu son ami Grand-Jacques Dumas qui a épousé la belle Geneviève Picoté, Joseph s'est mis à fréquenter les auberges de Québec. Il a pris l'accoutumance de passer les soirées du samedi à bavarder avec les soldats, à discuter de politique, de guerre et d'aventure devant une tasse de bière, à rêver de voyages de par l'immense Nouvelle-France, jusqu'en Louisiane, à dépenser jusqu'à cinq louis les soirs où il payait une tournée générale, à tapoter à l'occasion les croupes des servantes, histoire de rire un peu. Après avoir assisté à la messe du dimanche, il repartait pour chez lui. L'été, parfois en canot, parfois à pied depuis la Pointe-Lévy, se fiant aux samaritains qui ne manquaient jamais sur la route et dont sept ou huit suffisaient généralement à lui faire franchir les quinze lieues le séparant du toit familial. L'hiver, quand la glace du fleuve le permettait, il voyageait en traîneau à chiens ou en berlot tiré par une jument fringante.

–Tiens, mon garçon, je te l'ai allumée, lui dit son père en tendant la longue pipe blanche.

Ils fumèrent en silence un long moment puis il dit :

–Papa, je sais pas si je vas la reprendre, la ferme. Je veux dire cette année ou l'année qui vient. Il y a des choses que je voudrais savoir avant.

Le père plissa des yeux déjà entourés de rides multiples. Il parla doucement :

–As-tu pensé un petit brin à tes parents qui vieillissent ? Pour la grosse ouvrage, ta mère est plus capable. Quant à moi, mon temps approche où c'est que je devrai abandonner.

–Je néglige pas mes devoirs envers vous autres.

–C'est pas des reproches que je te fais. Seulement, je me demande pourquoi tu te décides point à t'installer à demeure avec femme et enfants.

–C'est trop tôt. Pas asteur, répondit Joseph en quittant sa position pour s'éloigner de quelques pas.

–Écoute-moi, ta demoiselle de Québec, si c'est une belle créature aussi ben charpentée que la Geneviève à Grand-Jacques, conduis-nous la pour qu'on la connaisse. Ou ben la prochaine fois qu'on va aller ensemble à Québec, fais-nous la aconnaître.

–Pas asteur.

–Ça serait pas que t'aurais honte de nous autres parce qu'on est des habitants ?

–Où c'est que vous allez chercher des idées de même ?

–Ça fait deux ans que tu voyages à Québec quasiment toutes les semaines et tu nous dis jamais rien. Vient un temps qu'on a de quoi se faire des idées. Je sais ben que tu te rinces la luette là-bas et je t'en blâme point. C'est de ton âge. Mais essaye donc de nous rassurer un peu de temps en temps. C'est du moins...

Excédé, Joseph se lança dans un coq-à-l'âne :

–Demain, je vas vous laisser finir la prairie d'en bas pis moi, je vas aller du côté de chez Grand-Jacques. Mais je coucherai pas grand foin étant donné qu'à midi, je monte à la ville.

Son père ne le contredit point. À son tour, il s'assit sur la grosse roche grise, décidé à garder le silence.

Ainsi que le coucher du soleil l'avait promis, il faisait un matin de parfaite clarté. Joseph l'a constaté par une fenêtre de sa chambre à la barre du jour. Il le savait du soir d'avant et l'air ambiant le lui a confirmé dès son réveil.

La nuit a séché sa chemise, ses pantalons et ses bas, n'y laissant, des sueurs de la veille, que des odeurs s'ajoutant à d'autres des jours précédents. Par contre, elle a mouillé l'herbe et le foin d'une rosée qui ne tournerait pas vapeur avant neuf heures alors que le soleil prendrait pas mal de mordant. Quelle importance puisque l'avant-midi complet serait utilisé à faucher un foin qui ne serait engrangé que le lundi, dans deux jours ! Et il y avait beaucoup à faire avant neuf heures : traire les vaches, aiguiser les faux, déjeuner.

Sa mère lui servit du fromage, des oeufs durs, une tranche de lard. Joseph mangeait seul en jonglant tandis que son père terminait le labeur matinal à la grange. La femme soupirait, voyageait inutilement entre la table et le garde-manger situé dans une pièce exiguë à un niveau inférieur, et dont l'accès exigeait de descendre quelques marches par une trappe laissée ouverte.

Chaque fois qu'il entendait sa mère remonter, qu'il apercevait sa blanche coiffe émerger du trou sombre, il baissait la tête pour ne point rencontrer ses yeux où il y avait certes de la réprobation. Dans le regard maternel, il n'y avait pourtant qu'une douce mélancolie. Elle finit par se décider à lui parler :

–Faudrait peut-être que ton père sache enfin pour quelle raison tu veux pas prendre femme.

Elle s'approcha de lui, poursuivit sans lever les yeux :

–J'ai toujours pensé autrement, mais il arrêtera jamais de te jeter du sel sur la plaie sans savoir ce qu'il fait. Un bon jour, tu vas finir par le prendre en grippe. Si t'as pas déjà commencé ! Lui, il comprendra pas. Donne-moi la permission de lui parler. Le secret, ton père va le garder jusque dans sa tombe lui aussi, tu vas voir.

Joseph coupa court à l'échange en reculant sa chaise avec fracas, s'écriant :

–Pour l'amour du ciel, ma mère, dites jamais mon infirmité à qui que ce soit. Autrement, je vas m'en aller de par le monde pour jamais revenir. Sauf votre respect, j'ai l'épouvantable idée que je vous renierais autant de fois que saint Pierre l'a fait pour Notre-Seigneur.

Il marcha jusqu'à la fenêtre basse et porta son regard sur le fleuve, le plus loin qu'il put, se réfugiant dans le silence d'une rêverie vague. Il ne devait retourner à table qu'au retour de son père.

On aiguisa d'abord la faulx de Joseph. Alors il prit son mousquet et partit aussitôt vers les champs. Sa mère le remplaça à la tâche de tourner la poignée de la meule.

La même épaule droite portait le manche de l'outil et le canon de l'arme. Parfois, il bougeait son fardeau tout juste pour changer le point de contact et chasser le désagrément installé dans sa chair.

Sa démarche avait toute la fierté, toute l'indépendance, toute la puissance de l'habitant, l'indestructible paysan français canadien enraciné pour l'éternité sur les rives d'un fleuve tout aussi impérissable. Il espaçait des pas immenses sur la terre fraîchement rasée qui chuchotait mille secrets à ses pieds assurés. Ses yeux allaient chercher des images lointaines sur le fleuve, des images de confin de pays tout au bout de cette écharpe de géant que le Créateur avait enroulée sur la terre du Canada afin de la protéger des humeurs changeantes de saisons capricieuses et tumultueuses.

Il s'arrêta un moment. Non point pour reprendre un souffle qui ne lui aurait pas manqué pour si mince effort, mais afin de jouir de ce formidable champ visuel qui appartenait aussi à chaque riverain, à chaque passant et même, à chaque revenant.

C'était à coup sûr pour cette magnificence que des morts refusaient de quitter le pays et se promenaient sur l'eau parfois les soirs de brume, prisonniers d'une douce nostalgie vaporeuse.

D'une sorte exemplaire par les reflets mordorés qui en jaillissaient selon les rêves les nourrissant, ses yeux firent discours à la terre, comme sa bouche, la veille, avait tâché en vain de rassurer son père.

"Je partirai à vau-l'eau, mais... mais je reviendrai. C'est juste pour voir l'ailleurs. Et à mon retour, je reprendrai racine icitte même, aussi creux que ma tombe future. En attendant, le père est capable de veiller au grain. Suffira que mes frères lui donnent un coup de main pour les foins et les récoltes. Je vas demander à Grand-Jacques de garder un oeil sur lui, sur ma mère... et sur toi itou, ma deuxième mère, la terre... ma terre."

Mais il y avait loin de la coupe aux lèvres. Joseph n'avait pas la moindre idée de la direction qu'il suivrait le matin où il prendrait la décision de mettre ses hardes dans son canot et de partir à l'aventure. Oh ! il saurait bien quoi faire ce jour-là. Mais quand ? Dans la semaine des quatre jeudis ?

Il eût pu devenir marin. Les offres ne manquaient pas à Québec. Des capitaines de bon acabit cherchaient souvent à la criée dans les auberges, les tavernes et même sur la place du marché. Ou bien il aurait pu s'engager dans la milice. On disait que le gouverneur Duquesne en réclamait de plus en plus, de ces miliciens qu'il avait, disait-on, en très haute estime, et préférait aux soldats du roi eux-mêmes.

Comme pour rappeler au rêveur qu'il était trop timoré pour devenir loup de mer, un voilier descendant le fleuve commença à se dessiner à l'ouest. Un superbe deux-mâts à la voilure gonflée par la brise du matin.

"Ce sera le gouverneur Duquesne qui vogue vers l'Acadie," présuma-t-il. Mais l'idée fut aussi fugitive qu'une corneille égarée et solitaire volant haut dans l'azur à la recherche de ses semblables. L'homme reprit sa marche, regardant ses pieds ou jetant un oeil sur le lointain moulin seigneurial ou bien reluquant du côté des bâtiments de ferme à Grand-Jacques, à pas dix arpents de lui.

Il arriva à la partie des champs en foin debout. Là, il évalua qu'on en avait bien pour quatre jours encore à faucher, râteler et serrer, à deux hommes, à condition que le temps demeure favorable. Mais s'il pleuvait, il y avait la clôture bornant la terre vers chez Grand-Jacques, qui avait besoin de réparations avant de lâcher les animaux dans la repousse après la fenaison. Il faudrait aussi sarcler les platesbandes de légumes, car la mère était bien ralentie dans son jardinage par sa santé défaillante. Et puis tous les fossés d'en bas ont besoin d'être nettoyés : on se le promet depuis cinq ans au moins. Les eaux stagnent en plusieurs endroits. Faudra y voir à tout prix cette année. Parce que s'il partait courir les bois, les mers ou les villes après la fauchaison, il lui faudrait laisser une terre impeccable.

Avant de se cracher dans les mains, Joseph se rendit appuyer son mousquet contre une pagée de clôture. Il disposa aussi des accessoires : cartouchière et corne de poudre accrochées haut pour leur éviter l'humidité du sol et partant la moisissure. De retour à sa faulx, il entreprit son travail en fredonnant une chanson apprise de son père sur les filles de La Rochelle. Ainsi, il n'entendit pas venir la charrette de Grand-Jacques. Assourdi par les bruits de son attelage et privé de voir devant par son gros percheron lent à vieille tête basse, Grand-Jacques ne vit pas son voisin lui non plus. De toute façon, il ne cessait de jacasser avec sa Geneviève assise à l'arrière de la plate-forme et qui allaitait son enfant en bougeant comme un mannequin.

Grand-Jacques fit arrêter le cheval entre deux rangs de foin sec, prêts pour la serrée. Il descendit, prépara un mulon pour y mettre le bébé. En attendant la fin de la tétée, il observa à la dérobée la blanche poitrine qui lui remuait le coeur et la chair, et l'exacerbait doublement quand ils se trouvaient aux champs sous un soleil massif

L'homme portait bien son sobriquet. Sa taille imposante était accusée par une maigreur extrême et un visage mince comme une lame de faulx. Ses allures filiformes et déguingandées s'accentuaient lorsque Geneviève, rondelette et potelée, se trouvait dans les parages.

–Il dort déjà, fit-elle en le berçant de ses bras en panier.

–Ce sera le roulis, le tangage de la charrette. J'avais beau cartayer...

–C'est certain !

–Et... peut-être ben qu'à sa place, je ronflerais aussi et depuis la maison même. Bouge pas de là, je vas le prendre. Autrement, en sautant, tu pourrais le réveiller.

Il courut, l'air gauche, jusqu'à elle, la soulagea de son cher fardeau enveloppé de langes grises.

–Oublie pas de cacher sa tête du soleil.

–Grand Dieu ! je connais ça.

–Des fois... un oubli.

–Reste à ta place dans la charrette, je reviens de suite.

Les mots, l'empressement, l'oeil de son homme firent deviner à Geneviève qu'elle aurait à retrousser ses jupes. Elle ne concevait pas le dessein de s'en plaindre, car depuis la naissance de l'enfant, il s'était développé en elle une sorte de penchant pour ce devoir d'état. Et cela ne manquait pas de travailler un peu sa conscience.

Grand-Jacques reparut vite devant sa femme qui gambillait, assise à l'extrémité de la fonçure. Il lui toucha le menton, souleva sa tête, une tête pensive aux grands yeux qui distillaient de la tendresse mêlée d'humeur.

–On a ben le temps de se faire des... petites choses, de se lutiner un peu, tu le croirais ?

Elle répondit par un silencieux 'pourquoi pas' de l'épaule. Et sans attendre une demande plus pressante, elle entreprit de défaire le lacis de son corsage qu'elle avait eu le temps de refaire après l'allaitement.

Au bout de la surface à faucher, Joseph fit demi-tour. L'attelage de son voisin lui apparut. Cela lui rappela son retard sur Grand-Jacques dans les travaux de fenaison. Deux jours de serrée, au plus trois et il en aurait terminé, des foins, lui.

Il s'étonna de ne voir personne autour de la charrette. Il fit quelques pas en projetant son outil dans de grands demi-cercles sans cesse répétés dont chacun jetait par terre assez de foin pour une bonne demi-vailloche. Il s'arrêta pour s'éponger le front et questionner l'horizon avec plus d'insistance. Toujours rien aux abords de la charrette. Personne râtelant. Sans plus attendre la progression de sa faulx, il décida de s'approcher, curieux de savoir. Il coupa à travers champ à mi-corps de par le foin debout. Grand-Jacques avait-il eu l'idée d'une sieste matinale ? Ou bien faisait-il comme le lièvre de la fable, batifolant pour montrer à son ami qu'il n'était pas si pressé et qu'il le rattraperait bien ? Ou encore le foin ne lui avait-il pas paru assez sec et se reposait-il en attendant l'évaporation de la rosée ?

Plus il s'approchait, plus l'attelage disparaissait derrière les perches de la clôture. Le marcheur consulta le soleil pour savoir l'heure. Par temps nuageux, il l'aurait su de toute façon : par instinct. Entre le bleu du fleuve et l'azur du ciel, le voilier ne formait plus qu'un point blanc à peine perceptible.

Joseph devina le contenu du petit paquet gris sur un tas de foin. Il sourit. Mais l'image suivante, soudaine, imprévue, le figea sur place dans un respect pervers. Il venait de surprendre l'intimité de Grand-Jacques. Après un premier mouvement de recul, il s'arrêta, environné par un tourbillon violent comme un vent d'avril, bouillonnant comme le sillage d'un navire.

Imaginé entre amis aux tables d'auberges, le spectacle n'avait plus rien de grivois, d'égrillard; même qu'il était d'un sérieux prenant !

La Geneviève était couchée, étendue dans la charrette, corsage ouvert, poitrine plus pâle que farine de blé, jambes relevées, accrochées à la fonçure par les talons de ses sabots, jupes remontées jusqu'au ventre ! Debout, mains agrippées aux genoux de sa partenaire, Grand-Jacques la chevauchait avec une fougue de concours d'abattage ou de fauchage, dans une vigueur à se disloquer la carcasse.

Les yeux de l'observateur n'arrivaient guère à absorber toute cette blancheur qui éblouissait, faisait craquer les rétines, plus encore que ne l'aurait fait une pleine gerbe de rayons solaires. Ces cuisses rondes, s'ouvrant et se refermant comme pour appeler des charges plus débridées ! Ces miches couleur de lait bondissant et rebondissant au gré des coups de l'attaquant...

Joseph respirait fort. Il sentait son souffle plus court qu'après une longue marche dans les prés, ou un pagayage difficile parmi les glaces du fleuve, ou une course en forêt pour venir à bout d'un chevreuil blessé. Sa chair s'abreuvait aux deux puits du désir et de la révolte. Elle puisait à leur même source aux confins de l'âme, et qui incline l'homme à l'attaque et à la destruction régénératrices.

Mais un sentiment eût tôt fait de supplanter l'autre en le décuplant. En un instant, il fut en proie à une haine sourde de son propre corps. Haine aussi de cette provocante copulation se déroulant derrière un quadrillage impudique de perches de clôture et de ridelles de charrette ! Haine jusque du fruit lui-même de ce rapprochement dont il devinait un exemplaire dans le paquet gris sur le tas de foin !

Son ami n'avait pas le droit de s'exhiber ainsi au su et au vu de l'humanité. C'était offenser le Seigneur que de se livrer à l'oeuvre de la chair en plein coeur d'une journée si claire et si grande de pureté.

Geneviève gloussait. Grand-Jacques grognait. Joseph grommelait. Il haïssait ces pensées haineuses qui avaient ravagé son esprit l'espace d'un éclair. Alors il entreprit de labourer, de herser son âme pour y mettre bon ordre et nouvelle fertilité. Les époux ne faisaient aucun mal. Ce n'était point leur faute si quelqu'un d'autre, un infirme à l'inavouable malformation de naissance, épiait leur vie intime.

Il fit demi-tour et retourna discrètement au lieu de son

travail. Pour s'aider à dompter son corps autant que son esprit, il redoubla d'énergie, priant le ciel de lui pardonner son péché de deux minutes à regarder Grand-Jacques faire.

Le temps passa, chaud et exigeant. Le voisin aussi s'attela à la première tâche du laboureur. Il lui arriva de voir Joseph et le héla. Ils se rencontrèrent à la clôture, se parlèrent de la température, des droits échus à verser au seigneur, du voilier du matin. Joseph baissa souvent des yeux coupables.

Geneviève descendit de la charrette, vint voir à son bébé, à la recherche d'une grichette, mais l'enfant dormait à poings roulés. Joseph vit sa poitrine d'encore plus près quand elle se pencha. Quand elle se releva, il la suivit du regard pour admirer sa superbe silhouette. Elle avait mis une tige de foin entre ses dents. Les mains sur les hanches, elle battait des cils en regardant le fleuve.

Alors Joseph envia Grand-Jacques.

Midi sonnait dans les beffrois, couvrait le fleuve d'envolées pieuses. Endimanché bien qu'on soit samedi, Joseph sortit de la maison. Il se signa puis se dirigea vers un appentis au bout de la bâtisse. Il y prit un canot sur des chevalets bancals et se l'embarqua sur le dos à bout de bras, pour le porter au fleuve. Assis sur sa grosse roche, installé dans sa pipée d'après repas, son père l'interpella :

–Pourquoi c'est faire que tu prends pas la route au lieu du canot pour aller à Québec ?

–Parce que j'emporte la peau de vache pour le cordonnier Plessis.

–On pourrait l'envoyer par le charretier lundi matin.

Joseph ne répondit rien. Il se remit en marche sous son fardeau. Son père dit d'une voix plus pointue :

–Quel prix tu vas la vendre ?

–Même que de coutume.

–Demande un louis de plus. C'est une belle grande peau. Dedans, il y a du cuir pour au moins douze paires de chaussures. Elle vaut plus que d'autres.

Joseph haussa les épaules, mais son geste se perdit à cause du canot.

–Et parbleu ! mon garçon, dilapide point tout l'argent que le cordonnier te donnera !

–Dieu merci ! je garde toujours ma raison. Je ne cours point la prétentaine et je ne fais point usage abusif de l'argent.

Un quart d'heure après, Joseph venait quérir la peau que sa mère avait préparée au cours de l'avant-midi en la pliant soigneusement et en l'attachant par ses extrémités. Et dehors, son père lui adressa une recommandation ultime à laquelle il donna de l'importance par le ton qu'il y mit .

–Oublie pas le falot pour t'éclairer en revenant; autrement de ça, tu pourrais te faire éventrer ton canot par un tronc flottant.

–Les courants sont pas si forts. Et puis, je me laisserai pas m'annuiter. Je reviendrai demain après-midi.

L'homme ne trouva plus de motif pour retenir son fils plus longtemps. Il le regarda s'en aller jusqu'à l'eau. Puis le vit partir, la tête seule restant encore visible dans l'embarcation où il était assis, une tête à longs cheveux calamistrés puis cadenassés sur la nuque avec un large ruban noir.

Il se reprochait de couver ainsi un fils de cet âge et qui ne quittait la maison que pour aller à Québec et en revenir le jour suivant. Tant d'autres avaient tâté de la traite des pelleteries au pays des Sauvages. Joseph, nonobstant ses rêvasseries, était resté fidèle à son devoir de dernier-né.

C'est à cause de lui-même que l'homme s'adonnait à l'inquiétude. N'avait-il point quitté sa Charente natale à ce même âge voilà près de quarante années déjà, pour n'y jamais retourner ? Tout son monde devait être mort depuis belle lurette là-bas. Il frémit, ferma les yeux. Qui savait si sa fuite d'alors n'avait point été une graine de malédiction couvant sous la terre depuis un demi-siècle pour en sortir abruptement un jour ou l'autre ?

Joseph ramait tranquillement, régulièrement. Il voulait tout voir encore de ce qu'il avait admiré cent fois déjà : les clochers effilés, les maisons des habitants, blanches, grises, couleur de terre, les collines verdoyantes, les bocages noirs, les montagnes bleues à droite, la forêt sombre à gauche, le fleuve d'argent devant.

Les couleurs se mariaient aux formes : les splendeurs épousaient la simplicité, l'eau écartait la terre en la pénétrant. Et les chemins ! Que le grand voyer devait en être fier en les regardant de ce point de vue : harmonieux comme des rubans de femme, moins capricieux et onduleux que le terrain, et surtout très fréquentés en cette saison. Calèches, charrettes, voitures fines allaient, venaient, se fondaient en se croisant dans un gracieux silence. Pourtant Joseph leur préférait la tranquille voie liquide sous son étroit et frêle canot d'écorce fait par des mains abénaquises.

Pas de foin à donner à une embarcation, pas d'écurie à lui trouver ! Et bien malin qui eût pu s'en emparer ! Le port n'était jamais laissé sans surveillance. Des patrouilles de soldats l'arpentaient jour et nuit. Voiliers, sloops, goélettes, barques, cageux, canots : tous les types de bateau, du plus imposant navire, de la plus grosse frégate près des grands quais jusqu'aux minuscules esquifs ancrés aux quais bas, tout avait la même attention de la part des gardes de Sa Majesté. Autrement le commerce eût été infaisable : le port était trop actif.

C'était, comme ailleurs, l'endroit le plus fréquenté de la ville. Des marchandises attendaient pendant des semaines dans les cales avant d'être écoulées sur le marché local, ou bien que le bateau se mette en route pour l'Acadie, les Antilles, l'Europe, l'Orient...

Quand il en appréciait les qualités, l'étanchéité, la légèreté, la finesse des lignes, Joseph se rappelait du jour où il l'avait acheté, son canot si rapide. Le Sauvage s'était montré habile commerçant. Au demeurant, il n'était pas un véritable Sauvage bien que chef suprême des puissants Abénakis. Il descendait d'un baron français, portait un nom évocateur : Joseph de Saint-Castin.

L'histoire de la relation entre les Saint-Castin et les Abénakis lui avait été racontée par la suite. Il se la rappelait au fil de l'eau, au gré des paysages, des îles...

Le premier de la lignée était né en France un siècle plus tôt. Un noble, paraissait-il ! Cadet pauvre, il était enseigne au régiment de Carignan quand celui-ci débarqua à Québec. Il guerroya contre les Iroquois avant de se retrouver en Acadie. Là-bas, il se lia aux Abénakis, épousa Pidiwamiska, la fille du grand chef et s'indianisa tout à fait, allant jusqu'à donner aux Anglais une chasse sans merci. Son épouse, devenue ainsi baronne, lui donna trois fils et deux filles. Le chef légendaire mourut. Son fils aîné suivit ses traces et même dépassa son père dans sa guerre acharnée contre les Anglais. À sa mort, il fut remplacé par son frère. Celui-ci était donc, comme les deux précédents, baron, officier français et grand chef abénaquis. Il combattait farouchement les Anglais, ce qui ne l'empêchait pas de commercer avec eux en période de trêve. Il lui arrivait aussi de venir faire du négoce à Québec, là où le jeune Bernard l'avait connu.

Joseph revit nettement l'image fabuleuse du chef coloré, la tête en épais cheveux noirs piqués de plumes, le costume vaguement français sous une couverture de laine multicolore tenue à hauteur d'épaules par des bras hautement croisés devant.

Sa longue rêverie l'avait entraîné au port sans qu'il n'y prît trop conscience. Il n'avait même pas regardé les molles vapeurs de la Vache, haute chute de la rive nord, sur la rivière du Sault de Montmorency. La boutique du cordonnier se trouvait à moins de deux cents pas du quai où il amarra son embarcation après des manoeuvres inscrites dans de vieilles habitudes déjà.

Assis à son banc de travail près d'une large fenêtre, l'homme ventru au visage adipeux et sanguin, vit s'approcher son visiteur. Il courut dans une démarche palotte jusqu'à la porte ouverte pour l'accueillir. Tout commerçant qu'il fût, le fabricant de chaussures se montrait rarement aussi amène. Ce faisant, il avait un plan, une idée derrière son crâne à moitié dégarni. Il connaissait déjà Joseph, son état matrimonial, sa ferme.

Le cordonnier exerçait son métier chez lui sauf en février et en septembre alors qu'il se faisait vendeur itinérant, parcourant les deux côtes pour y vendre des produits, au grand dam des artisans locaux dont celui de Saint-Thomas qui avait grosse clientèle à Cap Saint-Ignace et L'Islet. L'homme prenait des commandes, garantissait une date de livraison.

Ses chaussures fines importées de France faisaient rêver les femmes des habitants. Sur les produits de sa fabrication, il proposait des prix inférieurs, ce qui mettait en rogne les cordonniers des paroisses. Il n'en recevait pas moins bon accueil partout, et sa façon de mettre en marché l'assurait de ne point manquer de travail.

Dans ses tournées, il restait à l'affût des partis intéressants pour l'une ou l'autre de ses filles. Des filles, le ciel lui en avait données avec prodigalité. En tirant les bons fils dans un plan fort bien cousu, il avait réussi à marier ses deux plus âgées à des fils de la côte de Beaupré.

Et voilà qu'il avait entrepris de repiquer ce Joseph Bernard, beau galant qui conviendrait comme... un soulier, à la belle Corinne, la plus courtisée et la plus désirable de ses chères enfants. Pas question pour elle d'un fils d'artisan, encore moins d'un milicien ! Et que le diable emporte dans ses infernales contrées le soldat français qui eût osé lever les yeux sur une Plessis : il les trouvait prétentieux et dépravés.

Depuis deux ans, il achetait toutes les peaux que les Bernard avaient à vendre, insistant pour qu'elles lui soient livrées par Joseph. Il s'était déclaré preneur, même de celles qu'on ne lui aurait pas d'avance proposées, avec garantie d'en payer le même prix que la précédente. Établir la Corinne sur un bien comme celui des Bernard: il fallait y mettre un peu de soi.

Hélas ! chaque fois que son gendre anticipé était venu chez lui, le gros cordonnier avait été décalculé. Ou Corinne s'adonnait à être absente, partie à la haute ville, ou bien le poisson avait refusé de mordre à l'hameçon, ne regardant l'appât qu'avec indifférence. Le freluquet se dégourdirait bien un beau matin. Et puis il avait eu tout le temps de faire mûrir la Corinne. "Viens te faire voir par le beau Joseph de L'Islet," et elle se présenterait sous son meilleur jour, enveloppée de ses atours les plus recherchés.

–De la belle visite de la Côte-du-Sud! Dégreye-toi, mon gars, s'écria le cordonnier en accueillant Joseph.

L'autre montra ce qu'il transportait à l'épaule en disant :

–C'est une peau de vache, la plus belle qu'on vous ait jamais vendue. Si vous la prenez, ben entendu ?

–Ton prix sera le mien, tu le sais.

–C'est que le père en voudrait un louis de plus que de

coutume. C'est pas trop toujours ?

L'homme fronça les sourcils. Mais quand même, il se félicitait de cette requête qui lui permettrait de retenir plus longtemps son visiteur. Il prétexta le besoin d'aller voir dans sa cassette pour se rendre dans une pièce voisine.

–Examine tout à loisir, dit-il en partant.

Il fut bref. À son retour, il surprit son visiteur en train d'essayer des souliers à boucles.

–Les meilleurs, les plus beaux, les plus chers, mon gars. Ils viennent tout droit d'outre-mer... de la mère patrie.

–C'est pour les gens fortunés de la haute ville.

–Pas seulement, pas seulement, dit le cordonnier en rajustant son ventre sous son tablier de cuir.

–Quinze livres et dix sous, c'est beaucoup d'argent !

Plessis s'approcha en se traînant les semelles, ayant l'air de penser profondément. Il se gratta le crâne à travers ses cheveux roux clairsemés, déclara :

–Je te fais une offre unique en Nouvelle-France. Ta peau en échange de cette paire de chaussures.

–C'est que le soulier me fait un peu mal.

–Tu n'as essayé que le pied gauche.

Joseph prit l'autre et se l'ajusta au pied droit qu'il posa sur le plancher de bois noueux.

–Un peu à l'étroit, fit-il en hochant la tête.

–Change de pied : ce soulier-là dans l'autre...

Joseph obéit. Le résultat lui parut satisfaisant. Il sourit.

–Tu comprends, les deux souliers ne sont pas toujours pareils : on aura beau prendre la même forme... Et puis, tu auras un pied plus gros que l'autre. Sont encore serrés ?

–Pas pires au moins! Mais je peux pas.

–Oh! je disais ça... J'abuserais pas de ta bonté dans l'échange, tu peux me croire.

–Ah! je connais la valeur des choses.

–Tu sais le temps qu'il faut pour fabriquer des chaussures comme celles-là ? Pas loin d'une journée. Si tu calcules le taillage du cuir et caetera.

–Ça sera pour la prochaine fois sans vous offenser.

Plessis feignit n'avoir point entendu. Il poursuivit son travail de vente même si Joseph remettait les chaussures à leur place.

–T'es pas sans savoir, mon gars, que des souliers à boucles, c'est la grande mode à Londres, à Paris et même à Boston.

–C'est pas d'hier la chose ! Mon père en possède du temps de sa jeunesse. Par chance pour lui, ils sont trop étroits pour mes grands pieds.

–Fort bien, dit le cordonnier d'une grosse voix bienveillante. Je vais quand même acheter la peau. Mais je voudrais y jeter un coup d'oeil. Aide-moi à l'étendre.

–Vous avez su choisir l'endroit où vous installer pour pratiquer votre métier. Avec tous ceux-là qui doivent vous arriver les orteils au grand air...

–Et tous ceux qui partent courir les mers ou les bois et qui ont besoin de bonnes bottes durables.

–Ou de mocassins.

–Ou ben de raquettes de qualité.

–Voilà qui m'intéresserait, parce que les nôtres datent. On a acheté nos moins vieilles et usées du chef de Saint-Castin voilà au moins cinq ans.

–Regarde au mur là-bas.

–Ah! je les ai vues, craignez pas !

–Des raquettes en bonne babiche solide. Le fond tressé par ma fille Corinne. Elle est pas cagnarde, la Corinne. Des doigts de fée qu'elle vous a. Je lui prépare les montants; elle s'occupe de tout ce qui est cuir. Si tu veux les prendre, je sabre dans le prix. Pour toi, ça serait seulement cinq livres.

–Pour tout vous dire, je voudrais point trop dilapider. Je vas veiller à l'auberge... au Coq d'Or. C'est pas que je boive en ivrogne, mais faut que je paye mon gîte.

Ils se mirent à quatre pattes pour mieux examiner la peau qui exhalait la frangipane.

–Pas de coups de couteau en nulle part : parfaitement tannée !

–Ton père est ben habile en tannerie.

–C'est ma mère.

Ni l'un ni l'autre n'entendit des pas légers, angéliques, descendre les trois marches séparant l'habitation elle-même de la cordonnerie, puis s'approcher timidement sous de petits souliers brodés en argent. La voix menue d'une jeune fille se fit entendre :

–Papa, je viens quérir l'alêne pour maman.

Les deux hommes relevèrent la tête en même temps. Joseph crut perdre le souffle. Il voyait cette jeune fille pour la troisième fois au moins, mais quelle transformation depuis le printemps ! Vision de rêve, céleste ! Corinne portait une robe de soie, large, bleue comme le fleuve, laissant tout juste voir ses chevilles délicatement emprisonnées par ses chaussures couleur de ciel et à la brillante beauté. Et ce visage éthique et pur, tout là-haut comme niché dans ces grosses boucles plus blondes encore que les blés mûrs ! Et ces yeux aux infinies douceurs verdoyantes, d'un équilibre parfait en reflets s'échappant par gerbes et ombres s'y glissant parfois.

Le cordonnier vit l'éblouissement du jeune homme, ses

yeux ébahis, sa bouche muette. “Cette fois, bonhomme, t’es pas sorti des lacs à la Corinne,” pensa-t-il en gardant un sourire coquin bien à l’intérieur.

Il se redressa, esquissa un mouvement vers l’établi où se trouvait l’instrument demandé, dit :

–Joseph, tu connais ma fille Corinne ?

L’adolescente fit le révérence, gratifia le jeune homme d’un sourire aussitôt effacé. Et elle resta sur place, sans bouger, frottant l’une dans l’autre la timidité et la moiteur de ses menottes. Et Joseph demeurait figé par terre, l’air idiot, interloqué.

–Sais-tu, je repense aux raquettes. Vu que ta peau est parfaitement tannée, ben plamée et caetera, je t’en donne deux livres de plus si tu prends les raquettes. Et pour pas t’attirer le blâme de ton père, je t’invite à venir coucher icitte même. Comme ça, tu vas économiser le coût de ton gîte à l’auberge. Je vais te préparer un grabat confortable. Tu te reposeras comme... disons un prince.

L’artisan s’esclaffa. Joseph restait la bouche ronde, muette comme celle d’une carpe. Sa raison titubait. Il s’entendit répondre :

–Je voudrais point troubler votre repos.

–La porte ne sera point verrouillée; tu t’introduiras et tu te coucheras.

Le jeune homme baissa enfin les yeux. La magie s’estompa. Il retrouva ses esprits.

–On veille tard le samedi. Des fois passé minuit. M’en venir icitte dans l’obscurité avec les Sauvages qui rôdent. Les brigands et tout...

–À Québec, c’est civilisé : on voit jamais d’attaques. C’est pas comme à Montréal avec des Iroquois partout. On va t’attendre. Pour être sûr que tu reviendras, je ne vais te payer que la moitié du montant dû pour ta peau. Le reste : demain après la messe et le repas.

De retour avec l'outil qu'il tendit à Corinne, Plessis lui demanda de revenir servir du vin. Joseph s'objecta. Il trouva un prétexte peu convaincant et prit congé en promettant de revenir à la nuit.

L'image de la belle jeune fille revint souvent le harceler jusqu'au coeur du soir alors qu'il était attablé au milieu de l'auberge bruyante. Il s'était questionné sur l'âge de Corinne. Seize ans tout au plus !

Cent fois et davantage, il avait évoqué le spectre de son infirmité qui, plus implacable que les murs de Québec, s'élevait brutalement entre lui et le beau sexe.

Mais la jolie fragilité de Corinne avait éveillé dans son coeur un sentiment curieux : sorte de tristesse croisée d'un besoin de lui communiquer de sa force, une force qu'il sentait si jaillissante dans son coeur et dans son corps.

Dans la place, il y avait plusieurs soldats, des miliciens, des marins, des commerçants et qui encore ! Joseph en connaissait vaguement quelques-uns. Ceux qu'il côtoyait d'habitude ne se trouvaient pas encore là. D'aucuns, d'ailleurs, n'y venaient pas tous les samedis. D'autres faisaient la tournée des grands ducs et arrivaient sur le tard au Coq d'Or après avoir levé leur tasse dans les lieux les plus fréquentés.

Depuis quelque temps, Joseph avait élu cette auberge comme son lieu de prédilection. On y faisait bonne chère. La gaieté y coulait à flots. Le vin y paraissait meilleur, servi par Fleurisse, la fille de l'aubergiste, grasse et ricaneuse, un coin de langue lui pointant dans une large brèche d'au moins deux dents. Sa mère aussi servait la clientèle, mais elle se réservait le gratin : magistrats, officiers, commerçants qui se voyaient à leurs habits et à qui la perruque poudrée conférait l'auréole du prestige et de la dignité.

Joseph jonglait. Il fixait le liquide tournoyant dans sa tasse enveloppée de cuir qui le ramenait tout droit aux pieds de Corinne au milieu de l'atelier de Plessis. Puis il imagina la jouvencelle aux champs avec lui dans une charrette comme la capiteuse Geneviève Picoté. Alors il se paya un bon grand coup de dépit à même son whisky coupé de vin.

Il se sentit coupable de sa pensée. Au-dessus de sa tête, la voix du patron, un géant tout en sourire, se fit entendre :

–Grand Dieu du ciel ! Qu'est-ce qui nous arrive ?

Joseph comprit que la désolation de l'homme provenait de ce qu'il apercevait à la porte d'entrée. Il tourna la tête, sursauta comme chaque fois qu'il voyait ces gens. Deux Sauvages, raides comme des échalas, semblaient vouloir qu'on leur indique un endroit où s'asseoir.

–Ils auraient donc pu passer leur chemin tout droit, marmonna l'aubergiste. C'est pas du monde.

Il parut nourrir des pensées fort sombres, prit un mouchoir loin sous son tablier et s'épongea le front avant de faire demi-tour. Il revint bientôt d'une autre pièce, précédé d'un esclave noir à cheveux bouclés blancs et qui avait pour mission, visiblement, d'aller répondre aux indésirables.

La scène prenait toute l'attention de Joseph. Soudain, une formidable claque en plein dos lui fit presque heurter sa tasse de son front. La boisson éclaboussa la table, et son sang ne fit qu'un tour. Un rire excessif, rauque, toussoteux, éclata aussitôt, suivi de paroles débitées à vitesse de boulet de canon.

–Nicolas Brulé, quel bon vent t'amène à Québec ? rugit-on insolemment.

L'interpellé regarda l'autre avec des yeux de braise, plus

inquiétants que ceux-là même des Indiens restés debout et qui se vidaient auprès de l'esclave de leurs vifs désirs d'eau-de-vie.

L'homme avait une allure se situant quelque part à mi-chemin entre l'humain et la bête. Cheveux aux épaules, agglutinés par des matières innommables, emmêlés, avec une barbe hirsute et plus hideuse encore. Toute sa personne exhalait des odeurs insupportables. Ses habits d'homme des frontières étaient en lambeaux, mais leur saleté en était une de baume de conifères et partant, leur senteur endormait un peu les autres.

Il eut un mouvement de recul à constater qu'il s'était trompé. Il ferait mieux de se mettre sur la défensive. En dehors d'une vieille branche, seul un coureur des bois pourrait comprendre ses calembredaines. Mais ce jeune homme n'était point l'ami qu'il avait pensé.

–Erreur... j'ai pris un boeuf pour un ours. Ça arrive quand on est coq-l'oeil comme moi, Daniel Fafard.

Pour appuyer ses dires, il se regarda le bout du nez afin de se créer de toutes pièces le pire des strabismes. Cela eut pour effet d'adoucir quelque peu l'esprit de l'habitant. Et l'autre y ajouta une quinte de rire qui surpassa tous les autres bruits de l'auberge : la toux de certains, les mots murmurés par d'autres, les éclats de voix, les ordres criés par l'aubergiste.

–Daniel Fafard, milicien canadien, pour vous servir, dit l'homme en tendant la main.

Joseph le détailla de pied en cap. Il se contenta d'un signe de tête qui satisfit son interlocuteur.

–Vu d'en arrière, t'es Nicolas Brûlé tout craché. Ça fait que je t'ai pris pour lui. Brûlé pis Fafard, c'était comme... comme les deux doigts d'une même main. Sauf que lui, au lieu de continuer à courir les bois, il a voulu rester à Québec pour courir les belles. Il saura jamais, le pauvre Brûlé, tout ce qu'il a manqué.

–Coureur des bois ?

–Non pas exactement! Milicien... Les fourrures, à part celles des... sauvagesses, ça m'intéresse pas.

Il fit un clin d'oeil et s'esclaffa encore.

–Je me tire une bûche, je m'assis avec toi pis je te dis tout ce que tu voudras savoir de la sauvagerie. Tout ! T'auras même pas besoin de me payer un coup.

Sans attendre la réponse, il s'attabla. Et adressa à Fleurisse un large signe de la main. Elle fit un geste d'acquiescement.

–Je t'annonce que je bois jamais avec un étranger. C'est quoi, ton nom, déjà ?

–Joseph Bernard, laboureur.

–Tu viens d'où ?

–Passé Saint-Thomas, à deux lieues de la Pointe-à-la-Caille.

–Ah! le pays de mes ancêtres !

–Au bout du compte, vous êtes dans les pelleteries ou ben dans la milice ?

–Dis-moi pas vous parce que je m'en vas. Pis tu sauras jamais rien de ma bouche de ce qui se passe d'un bord à l'autre de la Nouvelle-France.

Joseph écarquilla les yeux. Le jeu en vaudrait la chandelle. Quelque chose lui disait d'écouter Fafard. Il paraissait en savoir plus long que n'importe qui sur la sauvagerie, et cela exerçait sur le jeune homme une fascination étrange.

–Tu connais la Louisianc ?

–Quasiment.

–Ce qui veut dire ?

–Suis allé jusqu'à la Belle-Rivière, clama fièrement le milicien.

Et il entreprit de raconter son voyage, soulignant les pourquoi et les comment. Au début de l'année, il avait été envoyé dans la région de l'Ohio où il avait travaillé à l'érection de trois forts: Presqu'Ile, Le Boeuf et Venango. C'était la volonté des autorités de la colonie et du roi de France de voir s'installer une solide présence française par tout le pays. D'autres forts seraient construits jusqu'en Louisiane. Ainsi, jamais les Anglais des colonies n'oseraient prétendre à la possession de ces territoires et leurs désirs d'expansion s'arrêteraient aux Alléghanys.

–L'Ohio, c'est pas trop à la porte de la Louisiane.

–C'est justement la porte, mon ami. Comme dit le commandant Saint-Pierre, c'est le couloir qui mène en Louisiane. Mais moi, les cartes... Quand je veux aller au sud, je prends une rivière qui coule vers le sud. Suffit de se rappeler qu'une petite rivière se jette toujours dans une plus grosse. Facile comme le nez dans le visage. Pas besoin d'aller chez les Récollets pour comprendre ça !

–Qui c'est, Saint-Pierre ?

–Le commandant du fort Le Boeuf où c'est que je m'en retourne pas plus tard que la semaine prochaine.

Il regarda autour pour s'assurer qu'on l'entende bien et poursuivit :

–Faut le dire à personne, mais je suis venu quérir du vin. Les réserves du commandant sont aussi à sec qu'un gosier de squelette. Ça fait que la soif a pris possession de tout le fort.

Sur les entrefaites arriva Fleurisse, bonnet et sourire frisés. Elle versa une pleine tassée de vin à Fafard qui l'observait en bornoyant. Puis il lui fit remplir aussi celle de Joseph, et sur son compte.

–Et l'ennuyance, dans le fin fond des forêts ?

Fafard se laissa aller à son rire indiscret qu'il remplit, cette fois, de condescendance.

–Je vas te dire un secret, Joseph Bernard de L'Islet. Tu vois les deux lurons à côté de la porte là-bas ? T'aimerais te faire ami avec eux autres ? T'aimerais ça ?

Joseph fit une moue intraduisible.

–Suffit que tu leur fasses un cadeau. Une bouteille d'eau-de-feu. En retour, ils vont te donner leur place dans la couchette de leur bonne femme. Pis si tu veux savoir, dans le lit d'une sauvagesse, t'as pas le temps pour l'ennuyance.

Joseph en eut le souffle coupé. Les propos du milicien vrillèrent dans sa tête comme une révélation insidieuse. Une Sauvage ! C'était cela peut-être ? Quelle importance pour une squaw que sa chair soit monstrueuse ! Un homme blanc, même infirme, ne vaudrait-il pas pour elle autant que cent Sauvages réunis ?

Fafard rapetissa tant les yeux qu'ils ne formèrent plus qu'une ligne broussailleuse, Dans une demi-voix serrée par ses dents jaunes, il dit :

–Elles en savent, des choses, des secrets, des mystères que personne dans le pays saura jamais. Les sauvagesses, c'est comme de la braise, de l'eau bouillante. Même si t'es malade, si t'as un pied dans la tombe, elles peuvent te mettre le feu aux poudres en deux temps trois mouvements. Quand je vas conter ça à Brûlé, il va le porter son nom, pour une fois dans sa vie. Pis il va s'en mordre les orteils, foi de Fafard !

Pour appuyer son exposé, il renifla, se racla la gorge puis rejeta au plancher un crachat jaunâtre. Pas toujours pointilleux sur l'hygiène, Joseph grimaça pourtant. Mais c'est la perversité du propos qui revint s'inscrire dans les rides de son front. Il objecta :

–Les Huronnes des environs sont pas de même.

–Je vous pense, monsieur ! Saintes-nitouches plus que les Ursulines. Corrompues par la civilisation. Dans la sauvagerie, mon ami, les choses sont différentes, pas mal différentes, foi de Fafard !

Il se pencha sur la table et dit sur le ton de la totale confidence :

–D'homme à homme, le péché, c'est inventé par le clergé pour contrôler le monde.

Contrarié, offusqué, Joseph s'opposa vigoureusement :

–C'est gloser si c'est pas blasphémer que de mépriser notre sainte religion.

–Si un dimanche, tu sauves ton cheval qui se noie, manques-tu à la loi du Seigneur ? Le Seigneur lui-même a déclaré que non. Si tu voles un dindon pour t'empêcher de mourir de faim, c'est-il offenser le ciel ? Si tu dors avec une sauvagesse sans que son homme s'en plaigne, pourquoi c'est faire que le Seigneur, lui, s'en plaindrait ? Serait-il plus chatouilleux que les Sauvages eux-mêmes ? Bah! c'est de la ratatouille qu'on nous fait !

–La sainte Église permet l'oeuvre de chair en mariage seulement.

–En mariage seulement, en mariage seulement, chantonna l'autre. Va pas dire ça à un homme, à un vrai homme, il va rire à plein... Mais d'abord que t'es convaincu, c'est pas moi qui vas te faire changer d'idée.

Il leva sa tasse en proposant :

–Buvons un coup à ta santé, mon Joseph Bernard.

La conversation se poursuivit dans une autre direction : les rumeurs de guerre entre la Nouvelle-France et la Nouvelle-Angleterre.

On s'en parla longuement mais Joseph n'était guère là. Il avait l'esprit troublé. Malgré sa crainte des Sauvages en même temps qu'une fascination exercée sur lui par leur mystère, malgré les lois de la sainte Église, malgré son infirmité, sa chair l'emportait dans un wigwam sur la couche d'une jeune squaw, et sa volonté ne parvenait plus à s'y opposer.

Il fallut grande animation dans la place pour y ramener toute son attention. Arrivait en grande pompe, précédé de deux jeunes esclaves portant lanternes, un personnage éclatant, superbement vêtu d'habits fastueux : chemise de soie, jabot de dentelle, manteau noir à grands pois dorés, ouvert sur un ventre imposant de prospérité, perruque à longs boudins bruns, coiffée du tricorne. L'accoutrement du parfait gentilhomme plus la touche de luxe démarquant son porteur, l'anoblissant en quelque sorte par rapport au commun des mortels.

Apparences qui ne trompaient pas sur la laideur du corps les portant. Sa face jouissive, verruqueuse, pendante, à la peau grêle, ruinait l'ensemble. La gueule en coup de poing, les yeux protubérants reposant sur des sacs de graisse plissés et huileux, des cheveux postiches outrageusement poudrés : une tête repoussante voire répugnante par ses formes jugales porcines, son nez d'aigle et son oeil de batracien.

–Ça va sauter à l'auberge à soir, déclara Fafard, mais sur un ton modéré cette fois à cause du personnage imposant qu'était l'arrivant. Deux Sauvages, l'intendant lui-même pis Fafard en personne. Le paradis de la bisbille ! Un nic à chicanes !

–C'est l'intendant Bigot ?

–Tu le connais donc pas ?

–Jamais vu.

–Tu connais pas l'homme le plus riche, le plus puissant de la Nouvelle-France ?

–Le plus puissant... après le gouverneur.

–Avant le gouverneur. Quand ils sont pas de même opinion devant le roi, c'est toujours l'intendant qui l'emporte.

L'administrateur de la colonie marcha, tête haute, le poing fermé sur une canne touchant parfois le plancher en deux coups secs, jusqu'à une longue table inoccupée, au fond de la pièce, sur une tribune à deux marches. Le suivaient deux soldats, gardes-du-corps et aides. L'un, le premier, transportait une cassette; l'autre le suivant, avec pour fonction apparente de surveiller le précédent et d'empêcher qu'on puisse l'approcher par l'attaquer par derrière et le voler. Tous subodoraient que le coffret devait être enflé de louis, livres, sous et deniers quoique ces deux-ci, monnaie des presque gueux, n'allaient pas chercher beaucoup de reflets dans les yeux du fonctionnaire.

Avec décorum, préséances, sous le doigté de l'aubergiste et de sa femme, tout ce monde fut installé dans l'enceinte qui leur était réservée. Bigot fut placé d'abord. Il s'assit le dos au mur, au bout de la table. À sa gauche, le soldat à la cassette. Derrière lui, de chaque côté, adossés au mur, les deux esclaves qui éteignirent et déposèrent leurs lanternes devenues inutiles de par toutes celles fort nombreuses éclairant déjà la grande pièce, en ce coin particulièrement.

Le second soldat grimpa sur un juchoir qui l'obligea à s'engoncer la tête dans le col de son uniforme pour éviter de se la cogner au plafond. De là-haut, il surveillerait la partie, préviendrait la tricherie.

Car c'est de cela qu'il s'agissait, Joseph le comprit vite :

Bigot était venu à l'auberge pour jouer. Longtemps l'intendant avait caché sa passion derrière les murs de l'intendance puis il s'était rendu compte que tous connaissaient son péché mignon. Alors il avait décidé de jouer parfois au su et au vu de tous. On pointe rarement du doigt ceux qui gardent la tête haute. Grâce à sa franchise, le vocabulaire pour désigner son vice s'était affaibli : corruption, faiblesse, peccadille... Et puis, son effronterie bigarrait le plaisir.

Joseph connaissait l'intendant de réputation, certes, puisque Bigot occupait ses fonctions depuis cinq ans, mais il s'étonnait de ne l'avoir jamais rencontré depuis ce temps qu'il fréquentait les auberges.

L'intendant était populaire. Fils de notaire, Canadien de naissance, il n'avait pas la moindre goutte de sang bleu malgré la poudre qu'il jetait aux yeux. Par prudence politique, il aimait se mêler au bas peuple. En retour, on le payait de confiance. Et il préparait les esprits à de nouvelles levées de taxes. Ses dépenses par rapport à l'ensemble des dépenses publiques n'avaient rien pour mettre les finances coloniales en danger quoiqu'en dirent certaines rumeurs. Sans se définir comme un homme politique, il n'en consultait pas moins chaque soir son seul et unique livre de chevet : *Le Prince de Machiavel*.

Sur un signe de l'intendant, trois hommes poudrés, deux officiers et un gentilhomme bourgeois, franchirent l'espace libre nécessaire entre l'estrade et le reste des tables, une vingtaine qui remplissaient une auberge fumant, buvant et jurant.

Ces hommes étaient ses invités; ils seraient ses partenaires de jeu. Il manquait cependant un joueur pour que la partie donne le maximum de plaisir. Bigot se leva, attira l'attention, obtint le silence en frappant le plafond de sa canne. De sa voix rauque, il demanda s'il se trouvait dans la pièce un quidam capable de jouer au pharaon, assez fortuné pour se le permettre et assez audacieux pour affronter les meilleurs joueurs de Nouvelle-France.

Six levèrent leur tasse en signe d'acquiescement : deux officiers, trois gentilshommes... et Fafard.

–Messieurs, nasilla l'intendant, je vous crois sur parole.

Il appuya son regard sur le milicien et poursuivit :

–Enfin... la plupart d'entre vous. Permettez-moi de suggérer que chacun vienne couper les cartes pour laisser au hasard le soin de désigner... l'heureux pigeon.

Il y eut des rires hypocrites. On savait que le vrai pigeon, c'était celui-là même qui parlait. Fafard s'approcha le premier de sa démarche décidée, gauche, mais en même temps légère, semblable à celle des Sauvages, comme si une couche épaisse de mousse eût feutré ses pas. Il coupa sous le regard suffisant de Bigot, leva le paquet, montra son roi avec un sourire de triomphe. Les autres furent tous battus.

Bigot se plia de mauvaise grâce à ce choix du hasard. Mais puisqu'il avait lui-même établi la règle ! Il voulut savoir si cet homme des bois avait dans les poches les espèces requises pour alimenter une soirée de jeu et s'il ne risquait pas de s'épuiser après seulement quelques levées.

–J'ai trente louis dans mon escarcelle. Pis de la monnaie de carte que vous manquerez pas d'honorer. Je peux mettre en gage ma paye de milicien qui vous passe par les mains, monsieur l'intendant, pis même mon corps de laine pis toutes mes punaises avec...

Il éclata de son rire tonitruant tandis que chaque poudré de la place parlait par ses yeux. L'un se demandait comment Bigot pouvait accepter à sa table un personnage aussi répugnant. L'autre, si cette partie de pharaon n'était pas d'avance condamnée à se terminer par une rixe. Des malins espéraient que l'intendant attrapât des parasites ou bien une vérole qui saurait certes prendre sur lui, comme la petite vérole l'avait déjà bien fait ainsi qu'en témoignaient les nombreux picots grêlés sur son visage.

Le fonctionnaire avait une bonne raison pour faire accueil à Fafard : le désir de gagner. Non point pour l'argent lui-même puisqu'il avait tout loisir de profiter des coffres de la colonie, mais pour les vibrations apportées à un joueur invétéré tel que lui par un pot bien garni. Conscient d'être un éternel perdant avec les habitués, il cherchait volontiers de nouveaux venus à plumer.

Fafard, comme s'il avait deviné les intentions malicieuses de l'intendant, sollicita son autorisation pour faire approcher Joseph de la table :

–C'est le fils d'un fermier prospère. Montrons-lui à jouer pis ensuite, vous pourrez...

Il termina sa phrase par un clin d'oeil puis un autre du coin rouge et luisant de sa bouche. Bigot acquiesça d'un geste à l'importance affectée, deux doigts collés et une main décrivant un grand cercle à l'indifférence manifeste.

Fafard héla Joseph avec force gestes, le fit s'approcher. Le jeune homme obéit en hésitant, impressionné par la mise en scène. L'aubergiste apporta une chaise paillée. Le milicien fit asseoir son nouvel ami derrière lui.

L'impatience tapotait nerveusement dans les doigts de l'intendant. La partie débuta enfin.

Outre de se familiariser avec le jeu, Joseph en apprit sur les questions politiques dont le propos s'entrecroisait avec les paroles requises par les cartes. Il remarqua particulièrement une déclaration péremptoire de l'intendant :

–Au printemps, nous allons bâtir aux fourches de la rivière Ohio, là-bas, à la confluence de l'Alleghany et de la Monongahéla, le fort le plus important de toute l'Amérique.

Jamais les Anglais n'en auront vu de semblable ! Une requête sera faite au roi par le gouverneur afin qu'on le nomme le fort Bigot, en reconnaissance des services rendus à Sa Majesté par son humble serviteur.

–Et comme nom, voilà qui sonne drôlement mieux que fort Le Boeuf, n'est-ce pas, messieurs? commenta le gentilhomme d'une voix curieuse et fine.

–Monsieur, dites point de mal du fort Le Boeuf; j'en reviens et j'y retourne, taquina Fafard en ramenant vers lui de son bras velu, l'argent qu'il venait encore de se mériter.

–Vous êtes donc un milicien sous les ordres de Contrecoeur ? s'enquit Bigot qui daignait lui parler pour la première fois.

–Et du chevalier de Saint-Pierre, pour vous servir !

–Imaginez, messieurs, que notre cher et aimable Contrecoeur repartira de Québec dans quelques jours avec pas moins de trois cents bouteilles d'excellent vin, du pur nectar, pour nos amis officiers du fort Le Boeuf. Il semble probable que l'on va festoyer dans la sauvagerie cet hiver.

–Faudra se garder au chaud pour bâtir le fort Bigot, commenta Fafard en riant davantage à cause de sa main qu'il savait gagnante.

Impatient depuis le début, le gentilhomme dit, les yeux sévères :

–Monsieur, le jeu, c'est sérieux. Cessez de bavarder comme une caillette.

Offusqué, Fafard mit une main en cornet sur son oreille, tendit le cou et dit d'une voix retenue mais vindicative :

–J'ai pas trop ben compris. Monsieur voudrait redire ?

–Taisez-vous un peu, simplement, dit l'autre le ton plus élevé.

–Ça serait-il que monsieur va me nécessiter à garder bouche cousue ?

–Monsieur, il y a au moins cinq autres joueurs dans cette pièce, intéressés à vous remplacer. Agissez moins incongrûment ou bien il vous faudra céder votre place à quelqu'un d'autre.

Fafard fit reculer sa chaise qui gratta durement le plancher. Il se mit debout et menaça l'autre de son index :

–Par le diable et tout son enfer, monsieur, c'est toi qu'on va remplacer à cette table, pis à jamais !

Le gentilhomme porta la main à l'intérieur de son manteau. À son pistolet comme chacun le devina ! Bigot intervint :

–Messieurs, allons, pas de rixe ! Entre gens civilisés, il doit y avoir moyen de s'entendre.

– Entre gens civilisés ? questionna le gentilhomme en dé taillant l'homme des bois d'un regard méprisant.

Joseph avait fini par oublier la mauvaise éducation de Fafard; il se rangeait d'esprit derrière l'intendant pour que soient ramenés à la raison les deux antagonistes.

–Le petit monsieur fardé est pas content de me voir gagner plus que lui-même ?! fit le milicien, le regard devenu fauve.

–Messieurs, messieurs, dit Bigot avec autorité, ou bien vous vous entendez, ou bien vous quittez tous les deux cette table et allez vider votre querelle hors d'ici.

Et pour donner à sa voix un sceau officiel, il se mit debout.

–Quant à moi, je ne remettrai point l'épée au fourreau à moins que l'on me promette une certaine tranquillité ! consentit le gentilhomme pleurnichard et limoneux.

–Qu'en pensez-vous, monsieur ?

–Je m'appelle Fafard... J'en dis qu'on pourra pas empêcher de rire un homme libre comme l'orignal de la forêt. Quand c'est que vous gagnerez, vous rirez à votre tour pis moi, je dirai rien. C'est ça, un beau joueur !

L'intendant leva les deux mains et les épaules vers le gentilhomme pour l'amener au compromis, ce que l'autre exprima par un signe de tête. Et Fafard se rassit.

À l'instar de tous, Joseph respira plus à l'aise. Par la suite, il s'intéressa davantage aux propos du gentilhomme. Il apprit qu'il était libraire et lunetier, et qu'il exerçait ses deux professions simultanément au coeur même du quartier des affaires de la haute ville. Voilà qui était surprenant, car jamais il n'avait entendu parler de l'existence d'un libraire à Québec. Comment donc un homme pouvait-il assurer sa pitance depuis les revenus d'un commerce dont la clientèle devait se compter sur les doigts de la main ? Il obtint une demi-réponse de la bouche même du commerçant:

–Ceux qui prétendent que notre peuple français-canadien ne lit pas, commettent une grossière erreur et sont sans doute eux-mêmes des esprits un peu rustres. Sait-on seulement que les bibliothèques se multiplient de par toute la Nouvelle-France ?

–Parlez-vous de celles de François Cugnet et de Guillaume Verrier ? demanda un officier.

–Eh bien, le premier possède trois mille volumes t,andis que monsieur Verrier, croyez-le ou non, dispose maintenant de plus de quatre mille livres.

–À la bonne heure ! s'exclama Bigot. Et j'ai sur le sujet une fort bonne nouvelle à vous apprendre, mon cher Sans-chagrin. Sachez que mon excellent et vénérable ami, monseigneur de Pontbriand, vient d'obtenir de la Cour dix-neuf cents livres, des ouvrages de piété et des biographies qui seront distribués gratuitement par tout le pays.

–Vous dites ? fit le gentilhomme qui n'arrivait pas à surmonter un vif sentiment de contrariété.

Bigot répéta. Le libraire s'indigna :

–Comment l'évêque a-t-il pu...

–Ce n'est rien, coupa l'intendant. Les livres seront distribués dans les campagnes. Rien qui vous empêchera d'en vendre un seul. Et puis, plus on va lire, plus on va s'user la vue et, par voie de conséquence, plus on aura besoin de lunettes.

L'heure avança. Joseph bénissait le ciel de lui avoir permis de vivre une soirée aussi endiablée. L'émotion de voir autant d'argent rouler si vite en si peu de temps, celle de connaître et de voir d'aussi près l'homme fort de la colonie, celle d'avoir entendu Fafard parler abondamment des ivresses que la sauvagerie permet : tout renforça l'eau-de-vie. Le plafond, les rires de l'intendant, le cliquetis des louis, la gorge brillante de la femme de l'aubergiste, les tasses levées haut : chaque regard additionnait un élément à la joyeuse gigue des choses, des mains, des rires, des têtes... se déroulant devant... devant lui.

Personne ne perdait ni ne gagnait beaucoup, de sorte que c'est le vin qui dut compenser pour l'absence de sensations fortes. Sanschagrin tolérait mieux Fafard maintenant. L'intendant grignotait des noix. Un officier avait sa perruque tout de travers. Et le soldat juché roupillait.

Tout à coup, l'homme des bois s'éloigna un peu de la table en reculant sa chaise. Il leva sa tasse à une bonne main de sa bouche grande ouverte et laissa choir du liquide qui l'éclaboussait.

Joseph observait vaguement. Il imaginait une rivière qui

coule. Rapide. Bouillonnante. Vers le sud. Alors, brusquement emporté, coeur et tête, par cette furie écumante, il perdit le nord. Puis la carte alors même que Fafard se remettait à table et à son jeu...

Quand il reprit conscience, il se trouvait dans une chambre étroite et basse. Une lucarne lui jetait en plein visage l'aveuglante lumière d'un soleil haut dans le ciel. Il devina qu'on était tard l'avant-midi et pensa qu'il n'avait plus le temps d'assister à la sainte messe.

Des visages pêle-mêle lui vinrent en tête. Plusieurs à la fois. Fafard fumant sa pipe. Bigot croquant une amande. Plessis palpant une peau. Et... Corinne baissant les yeux...

Alors seulement songea-t-il à sa promesse brisée qui ajouta son poids au remords déjà lourd oppressant sa conscience de chrétien et par-dessus tout à ces coups de sabre sans cesse répétés d'une douleur pulsative tranchant son crâne en autant de lamelles minces.

Une forte odeur des bois vint quérir son attention. Tout près, le long de la cloison, vêtu seulement de ses dessous en laine, Fafard dormait, le visage animé d'un large sourire de gagnant, tranquille et poilu. Pareillement encaqués tous les deux dans cette pièce, Joseph risquait d'avoir attrapé les punaises de l'autre. Il se trouva aussitôt deux ou trois points de démangeaison, vérifia. Nul insecte n'en était la cause. Ses habits, après un bref examen, ne lui parurent pas infestés.

Trop pressé, trop inquiété par ce qu'il servirait à Plessis, à ses parents, il ne réveilla point le dormeur. Il descendit l'étroit escalier sombre, arriva dans la pièce principale, n'y aperçut que le désordre et personne qui bouge. Avait-il seulement acquitté les frais de son gîte ? Pour le savoir, devait-il chercher à réveiller quelqu'un ? La moindre décision lui paraissait un obstacle, plus insurmontable encore que la Vache qu'il eût tenté de remonter en canot.

Plus instinctif que raisonnable, il laissa sur le comptoir le montant habituel pour une nuit et il partit vers l'atelier de Plessis en pestant contre le soleil qui exerçait de si détestables pressions sur les globes de ses yeux.

Tout était barricadé chez le cordonnier. Joseph sut que la famille devait s'adonner à ses dévotions dominicales. Sur ce sujet, il mentirait. Et sur sa nuit aussi. Et sur sa soirée peut-être. Mais le pourrait-il seulement ? C'est à cela qu'il songeait encore, la tête enfouie dans ses bras eux-mêmes appuyés sur les genoux, quand Plessis le surprit, assis à même le sol, à côté de la porte de la cordonnerie.

Le gros homme se fit sec :

–L'argent est prêt, dit-il simplement.

Il décadenassa la porte qui eut un grincement nerveux et il entra, suivi de ses cinq filles et de leur mère, aucune ne levant un seul oeil sur le jeune fermier au visage catastrophé.

Corinne était bichonnée comme la veille et portait la même robe. Joseph comprit qu'elle avait alors sorti ses plus beaux atours expressément pour lui.

Les femmes, telles des poulettes dociles et disciplinées, disparurent une à une, par le couloir menant à l'autre pièce.

La peau roulée avait été mise sous l'établi. Il y avait, dans un coin, un grabat de fortune qui vint remuer le remords du fêtard.

–Imaginez que j'ai connu monsieur Bigot, hier soir. J'ai assisté à la sainte messe à l'intendance.

–Tu es à plaindre. Tu vas t'encanailler à fréquenter de pareils sires. La messe... hum... Bigot, un papelard.

–Ah !?

–Bigot, c'est quelqu'un d'abject. C'est l'homme le plus corrompu de la colonie. Il ne saurait point se trouver d'aussi grand déprédateur par toute la France. S'il n'est pas chassé, il finira par causer la perte de la colonie. À cause de ses exactions, l'argent finira par manquer un jour pour assurer la défense de la Nouvelle-France.

–Mais Louis XV est riche !

–Le roi se fatiguera de ce pays que bien des Français de France méprisent déjà. Des nouvelles, j'en ai, ici, de tous les côtés.

–L'argent abonde étant donné qu'on se prépare à construire une série de forts dans la sauvagerie.

–Ça, c'est une autre absurdité de nos dirigeants aveugles. Des forts ne pourront servir qu'à provoquer le lion britannique, rien de plus. Les colonies anglaises finiront un jour par s'unir pour nous combattre. Prions pour ne jamais voir cela ou alors qu'il nous soit fait quartier.

–N'est-ce point la nôtre, la plus puissante colonie ?

–À un contre un, mais pas à dix contre un.

–J'ai peine à croire.

–Tu verras, mon gars, tu verras !

Joseph fit d'autres objections tandis que le cordonnier lui versait la somme due qu'il avait d'avance préparée et mise sur l'établi, Le gros homme ne défendait plus son point de vue. Et quand le fermier recula vers la porte pour s'en aller, il lui répéta vaguement une invitation du jour précédent :

–Comme je le disais, si tu as le désir de rester à manger... Sept ou huit à table, c'est tout pareil.

–Mer... ci, monsieur. Une autre fois merci pour la peau.

–Disons que jusqu'au printemps prochain, j'aurai moins besoin de cuir. J'en ai d'avance. Et puis j'ai dispersé à droite et à gauche des promesses d'en acheter.

–De notre bord, on aura pas grand-chose à vendre avant l'année prochaine, après la boucherie de cet hiver.

–Dans ce cas, salut, mon gars !

Joseph fit un signe de tête en guise de réponse. Puis il sortit. Mais il revint aussitôt sur ses pas pour dire :

–Adressez mes salutations à tout votre monde ainsi que... qu'à mademoiselle Corinne.

Plessis esquissa un sourire, pencha la tête, acquiesça par petits gestes des doigts et de la bouche.

Le jeune fermier prit tout son temps pour appareiller. Souvent, il jetait un oeil vers la cordonnerie. Embusquée derrière les vitres d'un oeil-de-boeuf, Corinne l'épiait. Elle le regarda tant qu'il n'eut point disparu, image perdue dans l'enchevêtrement des mâts des grands voiliers amarrés plus à l'est.

Chaque coup de rame étirait une douleur par toute la largeur du cerveau de Joseph, comme si quelque charrue de feu tirée par un être malfaisant y eût, après l'avoir piétiné, tracé un profond sillon. Il cessa souvent de pagayer pour se laisser aller à la dérive, n'utilisant plus sa rame que sporadiquement comme gouvernail pour remettre son esquif dans le droit chemin, ligne droite qu'il regrettait fort de n'avoir pas lui-même suivie ces dernières vingt-quatre heures.

Et à chaque lieue, il se faisait un paquet de promesses. Jamais plus de vin à l'excès ! Jamais il ne se mettrait à une table de jeu pour y risquer son bien ! Il oublierait Fafard pour l'éternité, reverrait Corinne, n'en deviendrait pas le greluchon, certes, mais lui montrerait de la considération. Et puis il travaillerait sa terre deux fois plus fort que Grand-Jacques.

En vue de Saint-Thomas, du clocher très saint de l'église de Pointe-à-la-Caille, il eut l'idée, le besoin aigu d'aller confesser au curé sa désobéissance du jour envers la sainte Église.

Le ton du prêtre fut doublement indulgent quand il sut que Joseph avait passé la soirée en la très éminente compagnie de l'intendant. Bigot connaissait tous les curés du pays et il savait se faire carpette devant l'évêque et tout le clergé.

–Mon fils, ton geste ne fut point volontaire. Si quelqu'un t'avait seulement réveillé...

–Mais j'ai bu, hier soir !

–Était-ce la première fois que tu manquais ainsi à ton devoir dominical ?

–Oui, mon père...

–Cela démontre bien ce que je disais : tu n'as pas trop bu par exprès, donc tu n'as aucunement péché. Sans doute as-tu été imprudent, mais pas libertin. Qu'il te suffise de verser à la Fabrique ce que tu aurais donné à la quête, là-bas, à Québec !

Joseph accomplit le reste du parcours sans avoir l'âme plus en paix. Si le prêtre avait su, s'il avait seulement vu tout le nouveau-né qu'il était, lui, Joseph Bernard, ce jour d'automne 1729 alors qu'il avait été tenu sur les fonts baptismaux et oint d'eau bénite par la main consacrée de l'homme d'Église. Cela avait-il suffi à purifier l'âme tout à fait, si le corps, lui, était resté difforme, marqué par quelque punition du ciel ou bien... par la main du diable. Car si les pieds fourchus appartiennent aux satyres et aux esprits malins, qui d'autre qu'eux avait pu jeter sur lui, dans le sein même de sa mère, si mauvais et terrible sort ?

Cette réflexion oppressante ajouta à son besoin de libérer son corps d'un poids qu'il avait l'impression de ressentir depuis la veille. Il explora du regard les quatre coins de l'horizon, précaution vaine et puérile, car aucun oeil humain n'eût pu l'observer. Alors il se mit à genoux en prudence par crainte de faire chavirer l'embarcation. Et avec honte et haine, il fit surgir de ses vêtements un appendice d'une telle monstruosité qu'il en grimaçait d'horreur chaque fois qu'il le voyait. C'était biscornu, l'urine s'échappant par en dessous de l'une des pointes.

Depuis toujours il avait su qu'il risquerait de faire mourir la pauvre fille qui consentirait à l'épouser sinon par la peur que lui inspirerait ce terrible objet, très certainement parce qu'il la briserait, la déchirerait plus sûrement que ne pourrait le faire le plus invraisemblable pied-de-biche arraché d'un meuble à la mode Louis XV. Mais par-dessus tout, jamais il n'oserait générer des enfants, de crainte que l'enfer ne lui envoie des êtres à cornes, chèvre-pieds ou affligés de quelque autre malformation satanique.

Quand il eut fini, torture morale et douleur physique se disputaient avec hargne tous les pays de son esprit.

Norwich

Alité depuis quatre jours, le jeune Benedict, maintenant âgé de douze ans, dormait. Tout d'abord, il avait souffert d'une insupportable céphalée. Puis d'une fièvre de cheval qui durait toujours. Le docteur Lathrop était venu l'avant-veille. On avait alors procédé à une saignée. Et depuis lors, l'état du garçon était demeuré stationnaire.

Ce jour-là et le suivant, quatrième et cinquième depuis les premières manifestations de la maladie, seraient critiques. C'est la raison pour laquelle le docteur et la mère de l'adolescent s'étaient entendus pour au moins une visite du médecin à chacune de ces deux journées. C'était plus qu'il n'en pouvait offrir et donner puisqu'on le réclamait maintenant aux quatre coins de Norwich où sévissait depuis trois semaines la pire épidémie de fièvre jaune que cette ville ait connue de mémoire d'homme.

La veille, sa mère avait frotté le garçonnet avec de l'huile camphrée pour le soulager de violentes douleurs au dos avec irradiation dans tous les membres. L'enfant avait peu dormi depuis le début de son alitement et partant, sa mère non plus. Car l'on n'avait plus les moyens de se payer des domestiques chez les Arnold. L'état des finances familiales ne pouvait être pire. Force a été au père de famille de confier ses soucis à sa femme. Parmi d'autres mesures de redressement, on a renvoyé la servante. Hannah a ainsi hérité de toutes les tâches domestiques. Elle a retroussé ses manches avec courage, résignation, vaillance et piété.

Un courage avec lequel Benedict senior n'arrivait plus à renouer. L'homme en était venu à boire comme une éponge, trouvant dans les plus futiles idées motif à remplir son verre. C'est ainsi qu'il s'attribuait une responsabilité dans l'importation de la maladie qui faisait maintenant de nombreuses morts par toute la colonie du Connecticut. Personne n'ignorait que la fièvre jaune était un mal tropical transporté et transmis par un moustique dont les larves venaient tout droit des Antilles via les bateaux des commerçants et se développaient dans des barriques et des flaques d'eau stagnante. Les importateurs comme lui étaient donc coupables, se disait-il. Aussi, lorsque son propre fils fut atteint, il se crut obligé de boire encore davantage.

Le docteur arriva à midi. Il l'avait voulu ainsi dans l'espérance que sa cousine lui offrît à manger, ce qu'elle fit par ailleurs avec empressement et dévotion,

À table, on ne parla guère d'autre chose que de cette désolante épidémie de même que de l'évolution de la maladie chez le jeune Benedict. Le père était absent pour ses affaires. Hannah en profita pour se confier à son cousin sur l'ivrognerie de son pauvre mari, quémandant une grande discrétion.

–Ma chère cousine, j'ai à respecter le serment d'Hippocrate, et secondement, je suis peu médisant par nature; troisièmement, le mauvais penchant de ton époux est devenu, hélas ! de notoriété publique.

–À ce point ? s'inquiéta la femme au front parcheminé qu'elle tentait vainement de cacher sous les frisons de sa capeline.

–Faudrait-il que j'aie un entretien avec lui ?

–Il pourrait t'insulter, te prendre en aversion.

–Pardieu ! mais je ne veux que son bien ! Le délabrement de sa santé ne va-t-il point de pair avec celui de ses affaires ?

–Cela aussi est bien connu, n'est-ce pas ?

–J'ai bien peur que oui, chère Hannah.

La femme soupira profondément. Son regard triste se perdit au-delà de la cheminée. Elle laissa tomber:

–Le Tout-Puissant ne nous abandonnera pas. Il est trop rempli de miséricorde pour nous laisser déchoir encore davantage.

–J'en suis convaincu, Hannah, j'en suis absolument convaincu !

Un peu plus tard, le jeune médecin installait son coffret à médicaments sur une table de chevet à côté du lit du malade. Il l'ouvrit, en sortit une bouteille d'huile de ricin. Le traitement du jour consisterait en une saignée afin de purifier le sang infecté de même qu'en l'administration d'un purgatif qui contribuerait à vider les entrailles des matières mauvaises s'y trouvant.

Hannah vint déposer sur la même table un récipient rempli de vinaigre puis elle retourna en bas chercher un fer qu'elle avait mis au feu une demi-heure plus tôt. Le docteur l'accompagna afin de ramener une cuvette d'eau très chaude. De retour au lit du malade, elle plongea le morceau de métal chauffé à blanc dans le vinaigre. Une fumée odorante et comme poussée par le bruyant bouillonnement remplit les narines et réveilla le jeune Arnold. Il sourit faiblement à chacun.

–Comment va donc le plus solide garçon de Norwich ? s'enquit Daniel avec le plus rassurant sourire.

Benedict se contenta de regarder les vêtements noirs et, pour cette raison, toujours un peu inquiétants. Il se laissa bercer par les reflets des boutons d'argent du manteau ouvert. Mais pour peu de temps car le médecin s'en dévêtit et entreprit de rouler ses manches.

–N'as-tu point entendu la question que Daniel t'a posée ? fit Hannah en s'asseyant sur le bord du lit.

–Trop près... Tu vas trop près du malade, protesta le docteur. Et tu n'as même pas aspergé de vinaigre tes mains et ton visage. C'est dangereux.

–La fièvre jaune, ça ne prend pas sur une Waterman.

–Une Waterman, une Lathrop, une Arnold, une qui tu voudras... La maladie n'a pas de préférés. Il est vrai qu'elle est plus répandue chez les enfants, mais je compte déjà six morts de personnes adultes.

Puis sa voix se fit impérative :

–Pas de présomption, cousine, viens au moins t'asperger. Et prends une grosse chiquée de tabac pour retenir ta salive dans ta bouche. As-tu procédé à l'assainissement de la chambre comme je te l'ai demandé ?

–C'est qu'il restait bien peu de poudre à fusil pour le faire.

–En ce cas, sers-toi de vinaigre... Du vinaigre, encore et toujours du vinaigre ! Sur les murs, sur le plancher, partout.

L'homme soupira :

–Si on nous obéissait donc davantage ! Pense à tes trois filles. Frappées par la maladie, elles pourraient être moins résistantes que notre cher Benedict.

Tout en parlant, Daniel avait procédé à l'aspersion de son visage et de ses mains. Il s'approcha, prit le pouls du garçon, le toucha au front de l'autre main pour sentir la fièvre.

–Bon, il semble que la maladie fait son temps. Avec une bonne petite saignée aujourd'hui et une autre d'une demi-chopine demain, dans trois jours, notre ami sera assez fort pour danser le menuet.

–À propos, cher cousin, le mois dernier, à la soirée chez les Fielder, j'ai trouvé que tu étais le danseur le plus élégant et gracieux de tous les participants.

–Tu es très indulgente, chère Hannah.

–Non, je t'assure. Cela se sent, quelqu'un qui a vécu à Londres. Les manières ont un je-ne-sais-quoi de plus raffiné, de plus subtil. De plus mondain, oserais-je dire.

–Voilà qui me remplit de confusion, mais sois-en remerciée tout de même. Et toi, mon garçon, tu as dépilé un peu, n'est-ce pas ? Tes cheveux traînassent sur la paillasse, si je peux m'exprimer ainsi. Par contre, l'exanthème est absent, ce qui est un fort bon signe... Tu es prêt pour la saignée ? Mais certainement ! Tu sais très bien que l'oncle Daniel ne te fera point souffrir. Je te jure qu'il se trouve des médecins qui font cela exécrablement. De vrais bouchers ! Une abomination !

Il mit la cuvette de zinc sur le lit, vérifia la température de l'eau pour ne pas risquer de brûler la peau. La trouvant convenable, il y plongea la main de Benedict afin de faire saillir les veines.

–Et alors, le Dr Cogswell ne t'a pas trop fustigé durant l'année scolaire ?

–Non, souffla péniblement l'enfant.

–Enfin une réponse ! Ce n'est point encore un palabre, mais c'est au moins un commencement. Et est-ce que tu retournes là-bas, à Canterbury, après les vacances ?

Malgré la lourdeur de ses paupières, Benedict avait le regard brillant d'une victime de la fièvre jaune. Il le posa sur sa mère pour la questionner, elle qui décidait tout quant à son éducation sans consulter son mari ni personne d'autre.

–Il ira, fit Hannah, la tête haute et la nuque raide. Dussé–je mettre en vente toute ma joaillerie !

L'enfant fut alors partagé entre deux sentiments opposés : celui de se sentir un poids pour ses parents à qui cette mise en pension chez le Dr Cogswell coûtait tant, et cet autre de confiance en un entourage douillet, malgré les écarts de conduite de son pauvre père.

Le médecin sortit d'une poche intérieure de son manteau un instrument à lames qui lui servirait à inciser le poignet lorsque Hannah aurait assujetti un garrot un peu plus loin sur le bras, ce qu'elle fit sans qu'on ait eu besoin de le lui demander.

–Eh bien voilà, mon garçon ! On va maintenant te faire une petite coupure qui ne te fera pas plus de mal que cette d'avant-hier.

Le garçon força un pâle sourire. Il s'exerçait à maîtriser sa peur, se répétant une phrase qu'il avait tant entendue sur toutes les lèvres quand on s'entretenait de mal et de guérison ou de mesures prophylactiques : "*La saignée est la grande purificatrice; il faut l'opposer à tous les maux*." On avait bien raison. Il a remarqué, la dernière fois, que plus la saignée avançait, plus il se sentait envahir par un grand bien-être, comme par un bonheur d'abandon.

Il avait peur. Il avait hâte.

Le docteur trempa son outil dans le vinaigre puis il traça sur le poignet, dans le sens de la longueur, un sillon duquel jaillit un noir filet de sang. Aussitôt, il plongea la main dans l'eau chaude pour que l'épanchement se fasse plus aisément. Cela empêcherait une coagulation hâtive qui aurait exigé de rouvrir plusieurs fois la plaie dans une opération inutilement longue.

Précautionneux, ses mains n'entraient point en contact avec le sang; c'est pourquoi il privilégiait cette méthode à celle utilisant les sangsues, bestioles répugnantes qu'il n'aimait guère manipuler.

–Hannah, prends ma place; je dois consulter ma montre puis donner un peu de mou au tourniquet.

Le sang coulait dans l'eau. Il n'eût pas été bien aisé d'en calculer la quantité. Il valait mieux s'en remettre au temps. À Londres, on avait enseigné à Daniel que pareille incision chez un enfant pouvait permettre à un demiard de sang de s'écouler en quatre minutes environ. Il porta sa montre à son oreille, écouta; elle ne tictaquait plus. Il remonta le ressort, la secoua : rien. Elle s'obstinait dans son silence. Qu'importe, il saurait bien, le moment venu, arrêter la saignée !

Il relâcha le garrot, frictionna le bras longitudinalement pour que le sang coule plus vite et plus abondamment tandis que son assistante préparait des linges pour essuyer le membre.

–Ça doit bien faire quatre minutes maintenant, dit-il quand il crut bon de terminer l'intervention.

–Peut-être davantage, commenta Hannah.

–D'après la rougeur de l'eau, c'est bien suffisant pour aujourd'hui. Faudrait tout de même pas le saigner à blanc, notre cher Benedict, dit Daniel à l'intention du petit afin de le faire sourire encore.

Mais le garçon paraissait endormi.

–À la bonne heure ! chuchota le médecin. Il repose comme... comme un ange.

Hannah souffla :

–Ce qu'il n'est pas toujours, le ciel m'en soit témoin !

Lorsque l'opération fut tout à fait terminée, garrot dénoué, bandage mis sur la plaie, le docteur recommanda à sa cousine de faire disparaître au plus vite tout ce qui avait été souillé par le sang. À ce stade de la maladie, il était des plus impurs et d'une terrible virulence. Il faudrait également qu'elle administre à l'enfant le vomitif prescrit.

Cette nuit-là, Benedict délira. Au petit matin, il parut prendre du mieux et ce, jusqu'à midi. Alors, sans crier gare, son état empira considérablement. Après deux ou trois haut-le-coeur entendus d'en bas, il se mit à vomir du sang noir.

De la cuisine où elle faisait manger le reste de la famille, Hannah accourut. Elle savait trop que le pire effet de la fièvre jaune venait de frapper son fils. La mort dans l'âme, elle le prit dans ses bras sans songer aux recommandations répétées de son cousin. Le temps lui fut donné de prendre un récipient sur la table. L'enfant y vomit par deux fois de cette substance innommable d'une composition inconnue de la médecine la plus savante,

Ensuite, elle cria à l'aide. Deux jeunes adolescentes dont Hannah, arrivèrent à bout de souffle. L'une fut envoyée prévenir le docteur et l'autre se mit à la recherche de son père.

–Où ça ? demanda la jeune Hannah en quittant.

–N'importe où de par la ville. Va. Cours. Crie. Il doit bien se trouver quelque part. Cherche-le... Il faut plus que Norwich pour cacher le capitaine Benedict Arnold.

Parmi les plaques rougeâtres dans le visage du malade, se

pouvaient apercevoir des zones à la blancheur d'ossements séchés. Les yeux restaient fermés, comme scellés par une matière glutineuse jaunâtre. Et la tête ballottait au gré des mouvements qui la concernaient.

Accoutumée de voir la maladie de près, d'assister à la mort, Hannah avait pourtant perdu sa coutumière assurance tranquille. Son sens de la décision s'était estompé. Du regard effaré, elle cherchait sur les poutres du plafond une solution à son impuissance désespérante. C'est la vue de tout ce sang foncé souillant le plancher, les draps, l'oreiller, la paillasse et ses jupes qui lui ramena son vieil esprit pratique. Inutile de garder l'enfant dans ses bras ! Il ne s'en porterait pas mieux. Autant s'atteler à la tâche de nettoyer. Elle courut d'un étage à l'autre avec le nécessaire. Frotta. Arrosa. Tordit les linges mouillés...

Une heure plus tard, à l'arrivée du docteur, le lit et le plancher étaient redevenus d'une propreté impeccable.

Parce que Benedict avait dégobillé et par la description faite par Hannah, le médecin décida de ne point procéder à la saignée prévue.

–Ce qu'il a vomi compte autant que si le sang avait coulé depuis une veine ouverte, fit Daniel en cherchant le faible pouls de l'enfant.

Tout lui sembla normal. Il toucha le front. La fièvre paraissait avoir diminué. Les pupilles ? Belles. La plaie du poignet ? Déjà un peu croûtée.

–Le pire est passé, déclara-t-il en repliant les bras du malade sur sa poitrine.

–Pourrai-je dormir sans crainte la nuit prochaine ? Je suis fourbue, je vais tomber.

–Fais-le surveiller par une de tes filles pourvu qu'elle ne s'approche pas trop de son lit ni surtout ne le touche.

–Hannah est bien dévouée.

En ce moment même, la fillette courait d'une porte à l'autre et devait essuyer partout des mots aigres-doux ou bien des paroles carrément menaçantes :

–Il y a de la fièvre jaune chez toi, va-t'en d'ici.

–Il y a de la fièvre jaune ici, va-t'en chez toi.

–Va voir à la taverne, c'est là qu'il vit, ton père.

–Dis à cet ivrogne de rapporter avec lui, aux Antilles, le mal qu'il nous a importé avec son tafia.

Elle revint à la maison tard dans l'après-midi, écrasée de souffrance, le visage noyé de larmes. Sa route n'avait été jalonnée que de semonces, insultes et hargne. Et de père, point ! Sa mère la consola puis lui annonça sa tâche pour les heures à venir.

La fillette veilla sur son frère comme pas un adulte n'eût sans doute pu le faire. Toute la nuit, elle resta droite comme un I, assise sur sa chaise, ne bougeant les fesses, sur le siège de paille, qu'en toute discrétion, s'aidant de ses mains pour éviter le bruit et empêcher ainsi le malade de se réveiller.

Rassuré sur le sort de son fils pourtant toujours dans un semi-coma que l'on confondait avec un sommeil profond, le père quitta, le jour suivant, pour aller vaquer à certaines de ses affaires à New Haven.

Il devait revenir cinq jours plus tard. Et en catastrophe, alerté là-bas par quelqu'un arrivant de Norwich avec un message tragique pour lui. À son retour, la mort avait déjà fait son oeuvre dans la maison. À une demi-journée d'intervalle, deux de ses filles avaient été emportées par la terrible maladie. Hannah donnait l'allure d'une morte tandis que la petite Hannah s'occupait toujours de son frère.

Et le jeune Benedict émergeait peu à peu de son interminable cauchemar peuplé de visions affreuses de feu, de sang, de cris d'horreur et de confusion.

Il ne put assister à l'enterrement de ses soeurs qui eut lieu le lendemain de leur décès, délai maximum fixé par les autorités comme mesure visant à contrer l'épidémie.

Trois semaines plus tard, alors que, dans son ivresse et sa voiture, le père prenait la route pour se rendre au port de New London s'y embarquer pour les Antilles, le fils, lui, quittait Norwich pour Canterbury, ville située à douze milles au nord, là où se trouvait l'école du réputé Dr Cogswell.

Il y fut sage, obéissant aux attentes de sa mère qu'elle lui résuma dans une lettre envoyée au milieu de septembre et que l'adolescent lut à trois reprises pour la mémoriser à jamais afin de suivre jusqu'à la fin de ses jours les principes qu'elle contenait.

"*Cher fils,*

J'ai bien reçu la tienne du trois courant et j'ai été heureuse d'apprendre que tu allais bien. Prie, mon fils. Que ta préoccupation première soit de faire la paix avec Dieu ! De l'entretenir, cette paix, est de la plus haute importance. Sois toujours vigilant en regard de tes pensées, paroles et actions. Sois loyal envers tes supérieurs, obligeant avec tes égaux et affable pour tes inférieurs s'il s'avérait que tu en aies. Choisis tes compagnons avec discernement afin qu'ils soient les meilleurs et que de leurs bons exemples, tu puisses tirer leçon.

De ta mère affectueuse,

Hannah Arnold

P.S. – Je t'envoie cinquante shillings. Utilise-les avec cir-

conspection.

Transmets à madame Cogswell mes salutations les meilleures."

Benedict excellait en latin. Les mathématiques lui livraient aisément leurs secrets, On ne le supplantait guère en disciplines sportives. Il s'adonnait joyeusement à tout ce qui avait la faveur populaire. Habile lutteur. Solide boxeur. Discobole de première force. Nageur infatigable. Coureur imbattable. Et acrobate sans peur. Et quand l'hiver figerait la surface des rivières, il serait le premier à chausser les patins.

Mais voilà qu'en octobre, le ciel lui tomba sur la tête. Sa mère le rappela à la maison. Il devait quitter Canterbury, abandonner ses études. Problèmes d'argent qui avaient finalement eu raison de tous ses efforts, lui expliqua-t-elle laconiquement. L'humiliation lui planta sa longue aiguille au coeur du coeur. Surtout que les difficultés financières, il les attribuait bien davantage à l'ivrognerie de son père qu'à ses mauvaises affaires.

Trois jours durant, il resta enfermé dans sa chambre, emprisonné dans l'insupportable sentiment d'avoir été trahi par la vie. Il refusa de manger tant qu'Hannah ne fût point parvenue à lui faire accepter que son père pouvait boire à cause des écueils et non point l'inverse comme le pensait l'adolescent. Il s'excusa pour lui avoir parlé discourtoisement, et sa vie reprit un nouveau cours.

Rapidement, il se constitua un groupe d'amis et devint aussitôt leur chef naturel : de fait, il les conduisait au doigt et à l'oeil, ce qui avait l'heur de plaire à ces âmes plus faibles que la sienne.

Dans l'année à venir, son existence serait une longue séquence de facéties et prouesses parfois fort dangereuses. Comme s'il eût voulu défier le diable lui-même ! Mise en scène d'un faux duel pour effrayer une vieille douairière. Pirouettes excessives pour émerveiller les compagnons. Qui donc se serait risqué si tôt sur la rivière en patins sans crainte de s'enfoncer et de périr noyé ? Lui oserait, se fiant qu'il suffisait de patiner à bride abattue sans jamais s'arrêter ailleurs qu'en arrivant au bord.

Un jour de réjouissances populaires, aidé par ses amis, il apporta sur la place publique un mortier que l'on pointa vers le ciel. Il y mit le plein contenu d'une corne de poudre. Puis il y jeta, de sa propre main, un brandon enflammé. Un autre que lui aurait eu la main emportée par l'explosion, mais la vitesse féline de son bras le sauva. C'est le visage enluminé qu'il reçut les applaudissements des témoins admiratifs.

Souvent, il devait se rendre à un moulin pour y faire moudre du blé d'Inde. Un jour d'été, il lui arriva de remplir ses amis de consternation en s'accrochant à la grande roue à aubes pour tourner avec elle jusqu'au point le plus élevé et ensuite redescendre jusqu'à passer sous l'eau qui alimentait l'appareil de son énergie.

Lors d'un incendie ruinant la maison d'un fesse-mathieu au coeur de pierre reconnu, ému par les larmes du pleure-misère, il osa pénétrer dans les flammes pour aller quérir une cassette. Il se mérita une minable récompense d'un shilling.

Sa témérité le faisait remarquer. On en vint à lui proposer des tâches particulières pour lesquelles on aurait fait confiance à peu de garçons de cet âge. Flatté, heureux de tenter une expérience nouvelle, il le faisait quand même d'abord pour l'argent. Pour qu'au moins sa nourriture ne pèse plus dans les dépenses familiales. Car c'est le défaut d'argent avec tout ce qu'il entraîne de honte qui lui paraissait alors la pire des calamités. Il eût été prêt à marcher sur des braises pour en obtenir, à courir la sauvagerie et s'y battre contre les Abénakis ou pire les Français, à escalader les montagnes les plus rébarbatives, à se jeter corps et coeur dans les projets les plus invraisemblables. Prêt à tout sauf à mentir, à tricher ou à voler. Les enseignements maternels avaient bien pris racine en lui.

Un jour, quelqu'un l'envoya porter un message à Hartford, ville située à quarante milles de Norwich. Il obtint sans mal la permission de sa mère. N'avait-il pas maintenant treize ans ? N'était-il point devenu l'un des plus habiles et gracieux cavaliers des environs ?

Chemin faisant, il fit un crochet par Middletown afin d'y voir celui qu'il avait tant regretté après son départ de l'école de Montville : Isaac Burke. Au moment des retrouvailles, rien n'y parut des trois années écoulées depuis qu'ils avaient tous deux quitté l'institution du Dr Jewett. Ils se racontèrent l'entre-temps, puis décidèrent d'aller ensemble à Hartford sur la même monture.

Benedict allait là-bas pour la première fois. La vue de la grosse colline rouge surplombant la ville lui apparut comme un autre défi irrésistible. Il désira y grimper par son versant abrupt. Ce qu'il s'empressa de faire une fois son message délivré, sous les yeux ébahis de son compagnon.

Ce soir-là, il fut accueilli chez les Burke. Au midi suivant, il rentrait à Norwich.

Le casse-cou ne comptait pas que des admirateurs en ville. Un constable, homme soupçonneux à tête piriforme, l'avait à l'oeil. Un oeil inquiétant ! Un jour de fête alors que le groupe de Benedict s'empara d'un baril de bitume n'appartenant à personne depuis le temps qu'il cuisait au soleil sur un quai, l'homme de loi eut l'occasion qu'il espérait. La main au collet du meneur, il le reconduisit à sa mère, fit de la broutille une énormité par le ton qu'il mit à la dire, le danger qu'il exagéra, l'intention mauvaise qu'il attacha à l'acte des garnements. Hannah promit d'y regarder de près.

L'avenir de son fils ne s'écrirait pas à partir des enseignements douteux de la rue.

L'Islet

Sur les bords du Saint-Laurent, décembre 1753 tirait à sa fin dans toutes les splendeurs blanches des neiges, glaces, givres et vapeurs.

La carriole des Bernard glissait, grelottante, sur un chemin bien battu grâce à l'époustouflant va-et-vient de l'habitant en l'époque des Fêtes. On allait nocer à Saint-Thomas. Joseph conduisait la grosse jument grise, renâcleuse et aux éternuements si forts qu'ils se répercutaient en frémissements et secousses tout le long de la crinière.

Ses parents se réchauffaient sous une lourde peau d'ours que secondait à leurs pieds une huitaine de briques chaudes.

Sur un bout de temps et de chemin, on se parla de l'enfant qui avait été blessé près de l'église à la sortie de la messe, la veille, par un attelage lancé à bride abattue.

–C'est pourtant affiché à la porte de toutes les églises qu'il est fait défense de laisser trotter ou galoper les chevaux quand les gens sortent de la messe, dit le père.

–On peut donner à son cheval le train qu'on veut après dix arpents de l'église, pas avant, ajouta Joseph en portant à sa bouche une substantielle chiquée de tabac noir.

La mère se désola:

–Y en a qui sont trop jeunes pour mener un attelage. C'est rendu qu'on est même plus en sécurité sur les chemins du roi. Sont trop fréquentés.

Puis l'on s'entretint de balises qui n'étaient pas réglementaires sur tout le parcours. En certains endroits, jusqu'à six arpents les séparaient : deux fois trop. Sur ce sujet, Joseph et son père avaient la conscience tranquille; ils respectaient scrupuleusement les ordonnances de l'intendant et recommandations du grand voyer.

C'était Antoinette Couillard, la cousine de Joseph dans la branche de sa mère, qui avait pris mari ce matin-là devant le ciel, la terre et le fleuve. Quatorze ans qu'elle avait, la Tinette, sobriquet s'ajustant comme un gant à sa personne si menue que les étrangers la confondaient avec les fillettes plus jeunes.

–Je me demande si elle a grossi un peu, la fille à Jean-Baptiste ? Avec le bassin qu'elle avait, je sais pas quel bébé pourrait s'y loger, songea la femme tout haut.

–Ça, c'était un an passé, maman. Peut-être que les Ursulines vous l'ont remplumée.

–De par sa mère, c'est pas une lignée de monde à ben grosses charpentes.

Joseph vit venir un convoi qui s'engageait dans une pente descendante, à deux arpents devant. Il se leva pour chercher à savoir qui l'on rencontrerait. Qui n'eût pas reconnu Grand-Jacques trois lieues à la ronde tant il devenait énorme l'hiver, dans son capot jaune et noir en trois sortes de fourrures bigarrées ?

Lorsqu'à son tour, l'autre eut reconnu Joseph, il se laissa devancer par ses suiveurs. Il voulait piquer une jasette sans rembarrer le chemin.

Sa marmaille dormait sur le siège arrière, dans la chaleur de Geneviève. La jeune femme n'avait que le bout du nez rouge qui pointait à travers des peaux encabanant la famille entière. Il faisait ce jour-là un froid de Canada... Mais rien pour empêcher un habitant de glisser sur son pays et courir aux quatre coins du voisinage et de la parentèle. Et faire partout bombance. Et violonner. Et cotillonner. Et giguer. Et polissonner...

–Huhau ! crièrent ensemble les deux conducteurs quand les carrioles furent à la même hauteur.

–Salut, messieurs dames, s'écria Grand-Jacques, l'oeil joyeux et un peu gris.

Des réponses chaudes, entremêlées, s'ensuivirent, se terminant par un vif "Bonjour les voisins !" lancé à la volée et dont les cinq syllabes parurent rester en suspension un moment avant d'aller grésiller sur la glace jusque sous les patins des voitures.

De fait, la rencontre n'avait rien de fortuit. D'une manière ou de l'autre, les deux voisins se seraient vus, car ils s'échangeaient du temps en cette période des Fêtes. Joseph et son père avaient pris soin de l'établée à Grand-Jacques depuis la veille de Noël, et voilà que ce serait au tour de l'autre maintenant de voir au train des Bernard. Chacun y avait trouvé son compte, les Dumas fêtant la Noël à leur soûl et leurs voisins en route pour la grosse noce.

On se rassura mutuellement sur les tâches accomplies ou à faire, et chaque carriole repartit sur un chemin d'aplomb mais qui le serait sans doute moins après une vraie bordée.

Des patineurs, emmitouflés de rouge et de vert, firent regretter à Joseph d'avoir laissé à la maison ses patins à lames. Qu'à cela ne tienne, il avait bien les raquettes à Corinne ! Ah! la Corinne, aussi fluette que la Tinette Couillard ! Pourquoi donc n'avait-il jamais osé la revoir, repasser par la cordonnerie en chemin pour aller festoyer avec tous ces soldats et voyageurs ? Mais non ! C'était la folie des grands espaces qu'il voulait qu'on étalât devant ses yeux, qu'on lui fît voir dans le miroir du rhum, qu'on fertilisât par toutes sortes de racontars et de racontages. Quoiqu'à l'automne, après une bataille où il avait failli écorcher vif un officier poudré, il s'était gardé de retourner en ville jusqu'au jour où il avait appris que le régiment du soldat rossé était parti chercher à policer, par la vertu des mousquets, un racoin d'Iroquois querelleurs.

Il fut décidé que tout le monde entrerait en même temps chez Couillard. Joseph fit donc avancer la jument au lieu choisi pour y laisser la carriole jusqu'au lendemain. Les alentours de l'étable avaient été battus comme par une armée. Il ne fallait pas que les attelages s'embourbent dans des bancs de neige ou bien qu'ils s'emberlificotent les uns dans les autres. Car ils étaient déjà trois voitures d'invités dans la cour et combien en viendrait-il encore ?

D'un aussi proche point de vue, le manoir paraissait plus grand que les maisons des Bernard et de Grand-Jacques réunies. Sans doute son fournil ajoutait-il, dans les esprits, une surface plus grande que dans les faits. Il en faudrait de l'espace pour permettre aux adeptes de la danse de se faire aller la patte d'un menuet à un set carré, du cotillon au rigodon.

Joseph détela, entra la jument dans la grange tandis que le fils du Seigneur accourait pour aider à parquer la bête et la soigner comme il faut. L'accueil à la maison fut tout en exclamations bruyantes, becs à pincettes, grands longs rires. Vu les capots, on avait du mal à s'étreindre comme on l'aurait voulu. La tante, les fils et les filles de la famille et leurs conjoints et jusqu'aux petits vinrent entourer les arrivants et les aider à se dégreyer.

–Manquait rien que vous autres et la visite de Beaupré, fit la maîtresse de céans, une petite femme portée à la sautillerie. Vos mitaines, vos mitasses... On a de la chaleur et des bonnes pantoufles de laine pour tout le monde.

Il y avait là plusieurs personnes inconnues des Bernard. Des parents du bord de la mère. Ce furent les présentations de tous à chacun. Deux marieuses zieutèrent Joseph. D'abord discrètement puis moins. Une de pas seize ans, les yeux d'un vert curieux. L'autre au regard bon, une tête de chiot souvent penchée comme dans l'attente de l'affection d'un maître.

Chacun trouva sa place parmi les invités le long des murs de la cuisine, sur des bancs de bois faits de madriers fixés à des bûches.

–Où sont donc les mariés qu'on les bécote un brin ? s'enquit le père de Joseph.

Rire général mêlé d'exclamations égrillardes !

–Ils vaquent à leurs occupations quelque part par là, répondit Couillard en désignant le plafond.

L'un de ses fils, grand gaillard au sourire benoît, frappa une poutre au-dessus de sa tête avec un marteau qu'il avait l'air de tenir exprès pour ce dessein. La cuisine entière s'esclaffa : des rires juvéniles même par les plus âgés. À ce moment, les yeux de Joseph rencontrèrent ceux des jouvencelles intéressées... originaires de Beaumont, a-t-on dit.

–Et maintenant, qu'on serve à boire à tout notre monde ! ordonna Couillard à sa femme. On a du rhum pour les hommes, du vin pour les femmes, du cidre pour les enfants... et du jus de blé d'Inde pour les mariés.

Il laissa rire avant de rajouter :

–Parce qu'ils vont en avoir besoin depuis le temps qu'ils se lutinent en haut.

Le grand escogriffe cogna une fois encore au plafond. Peu s'y arrêtèrent, car la répétition du geste le transformait en puérilité sans trop d'intérêt. Il resta quinaud.

La cuisine était animée d'un incessant va-et-vient. L'âtre

ronflait. Les couvercles de deux grosses marmites suspendues à la crémaillère y giguaient en désaccord. Leur contenu achèverait de cuire au coeur de l'après-midi. Ensuite, on les transporterait sur le poêle du fournil qui servait de réchaud. Une pièce de viande serait remise sur la broche et amenée à la cuisson idéale au goût de l'habitant soit à chair brunie de part en part.

Aidée par ses filles et belles-soeurs, la tante Couillard dictait les choses à faire avec une voix et l'assurance d'un capitaine de navire. Ce n'était pas d'hier qu'elle préparait d'aussi gros fricots. Elle a appris de sa mère qui a appris de la sienne, ajoutant un soupçon d'assaisonnement pour bonifier et faire plus elle-même. Il fallait savoir cuisiner pour être une femme du pays. Surtout en hiver car depuis la Noël et jusques au Carême, se succédaient sans interruption fêtes, ripailles, réceptions de toutes sortes, la mangeaille accompagnant jusqu'à l'exposition des morts.

La maison de la seigneuresse comme celle des autres habitantes était une sorte de bâtiment où elle trottinait de la cuisine au fournil, piquant parfois une visite au caveau à légumes situé sous le fournil, lieu à l'abri du gel et de la chaleur.

Elle voyait à tisonner les braises de la cheminée, à remettre une bûche dans le poêle, à faire dresser la table, à goûter le cipaille, à remplacer le tourneur de broche par un nouveau ayant en réserve au moins une demi-heure de patience... C'est elle qui savait où allait chaque instrument : chaudrons, poêlons, lèchefrites, grilloires, casseroles, couverts, bols. Elle savait ranger, sur la corniche de la cheminée ou bien sur les étagères attenantes, lanternes, fers à repasser, bougeoirs, cornes à poudre.

C'était elle qui avait fait regrouper entre le lit à baldaquin et la cloison les coffres à rangement, la huche, le rouet et le dévidoir.

Il n'y avait guère de différence entre la vie d'un seigneur et celle d'un censitaire. Icelui devait payer à l'autre une rente annuelle minime et faisait moudre ses grains au moulin seigneurial.

Les bébés que l'on se faisait un honneur et un devoir de garder bien gras et toujours repus, dormaient tous quatre dans une même chambre, celle des maîtres. Les jeunes enfants ravaudaient tout partout, suivis de deux interdictions qu'une fillette avait pour mission de faire respecter : aller fureter chez les mariés ou bien chez les bébés, quelque cris qu'ils aient pu ouïr à travers les portes d'une chambre ou de l'autre...

Joseph compta trente-cinq têtes de grandes personnes, de treize ans et plus, alors même que, dans une berçante à la capucine, tirant des satisfactions répétées d'une pipe de blé d'Inde, il parlottait avec un fils Couillard aux manières fragiles, devenu perruquier à Québec et qui avait pour clients maints officiers français, gens de commerce, petits bourgeois ainsi que l'intendant Bigot en personne, lui aussi gros acheteur de postiches.

Pas moins de douze lampes, toutes juchées hors d'atteinte des enfants, furent allumées à mesure que le soir engrisait la maisonnée. Jean-Baptiste devait leur ajouter quatre lanternes placées sur l'interminable table qui occupait le centre du fournil dans toute sa longueur. Et pourtant, il faudrait servir plus de deux tablées puisque la visite de Beaupré avait fini par s'amener avec six bouches à nourrir. Des bouches parmi les plus ricaneuses et raconteuses de la plénière chipotée.

La première nouvelle qu'il sut, Joseph fut à table. Quelque peu éméché par l'eau-de-vie qui n'avait pas fait défaut dans sa tasse de fer-blanc tout au long de l'après-midi. Dans l'estomac, il n'avait pas le même creux que tant d'autres. Pourtant, il ne s'était rien mis de plus sous la dent depuis le matin.

Dans la pièce, il faisait une bonne chaleur odorante qui trahissait l'arrivée sur table de moultes sortes de viandes épicées, aromatisées, juteuses. Mais auparavant, il fallait boire à la santé des époux qui se laissaient toujours attendre. La place d'honneur les attendait. On les envoya quérir. Et on se leva pour les accueillir.

Tordu de timidité comme un tire-bouchon, le couple se présenta bientôt dans l'entrée du fournil. La Tinette, en robe d'indienne, gardait les yeux à terre et le nez dans l'épaule de son conjoint, jeune homme blond plus roide que son habit de cérémonie.

Revenu avec ses fils de ses travaux d'étable, le père de la mariée leva son verre pour faire santé :

–Chacun boit à nos jeunes époux. On leur souhaite un amour pérenne, noyé par toutes les bénédictions du ciel et aussi... par une douzaine d'enfants.

Des joyeusetés et quelques grivoiseries fusèrent des quatre bords de table; s'y ajoutèrent les cris et applaudissements de ceux de la cuisine, debout derrière les mariés : enfants frétillants et gens affamés des tablées à venir.

La mère de Joseph frémissait à la vue du corps si frêle de la Tinette. Comment donc pourrait-il délivrer son fruit sans la faire mourir, sans la déchirer jusqu'au coeur comme par un sabre affûté ? Elle soupira, nuança sa pensée. N'en avait-il point été semblablement pour elle-même et n'était-ce point le rappel de ses propres couches et des affreuses souffrances puerpérales qui revenaient claquer du fouet dans sa souvenance ? L'infirmité de Joseph dont le seul témoin, la sage-femme, avait emporté le secret dans sa tombe, avait cependant surpassé toutes les autres douleurs puisque le temps ne l'avait jamais effacée et, au contraire, l'avait toujours renouvelée, rappelée. Elle avait dû vaincre bien des superstitions pour ne pas considérer son fils comme un porte-malheur. Et tant mieux, car cela en avait été fini à tout jamais des croyances farfelues sur les feux-follets de l'île d'Orléans, les sorcières de Beaumont, les lutins du diable, les revenants, les fantômes... Le corps du petit avait réduit sa mère à quia devant la foi générale du Canada au sujet de tous ces racontars truffés de menteries.

On fit asseoir les mariés. À leur droite, on laissa une place, celle de messire curé dont Jean-Baptiste annonça la venue imminente.

L'homme de Dieu, calculateur comme tout aspirant à la prélature, arriva comme il l'avait voulu et prévu, au beau milieu du repas qu'il bénit aussitôt entré, avant même d'ôter sa tuque et son capot. Une fois dégreyé, il s'approcha de la table, accompagné d'un silence respectueux qu'il se devait de remplir :

–Parlez-moi d'une si belle noce ! Et quelle belle nouvelle famille dans la paroisse de Saint-Thomas ! Et puis quelle odeur sublime... de cipaille. On reconnaît bien la touche de la meilleure cuisinière de la Côte-du-Sud.

Les applaudissements furent généreux. Il s'assit alors que le seigneur se levait pour dire :

–À ceux et à celles qui sont pas de la paroisse, je présente monsieur le curé Le Chasseur. À vous, monsieur le curé, je présente...

Il nomma chacun des étrangers. Joseph se sentait nu, un peu étreint par l'émotion : ne s'était-il point déjà confessé à lui d'un manquement grave à la loi du dimanche ? Mais le prêtre ne parut pas le reconnaître bien qu'au-dessus de ses joues purpurines, il jetât sur chacun un petit oeil scrutateur que plusieurs croyaient en recherche, au fin fond de leur âme, de la moindre peccadille.

Le perruquier affété jouxtait Joseph sur sa gauche. La mère des marieuses se trouvait à sa droite. Le jeune homme avait la bizarre impression que ses deux voisins avaient quelque chose à négocier tant ils se faisaient de toutes les affabilités. Il écouta l'un et l'autre, raconta la partie de cartes de Bigot et Fafard...

–C'est bien peu de chose, fit son interlocuteur. On dit qu'il arrive à monsieur l'intendant de perdre mille louis en une seule nuit.

À l'écoute, le prêtre commenta :

–Qu'importe ! Qu'importe ! Il s'agit tout simplement d'argent qui change de poche.

–Quoi, monsieur le curé, vous approuveriez le jeu ? se scandalisa une voix féminine.

–Je blaguais, ma chère enfant, je blaguais.

C'est ainsi que par-dessus les plats se noua la conversation entre l'abbé et Joseph. L'on s'entretint des dangers croissants que Boston faisait peser sur Québec, de l'urgence du renforcement des positions de la Nouvelle-France à l'ouest des Alléghanys...

–Si vis pacem, para bellum ! s'exclama le curé qui prenait grand plaisir à entrelarder son discours de citations latines.

Après le repas, le politique et le militaire suivirent les hommes hors de la table jusque dans la cuisine où l'on fit cercle autour du prêtre, lui qui détenait tous les secrets concernant aussi la vie économique et religieuse du pays. Parfois, des petits venaient risquer un oeil inquisiteur entre les dossiers des chaises : ils étaient autrement fascinés par les pipes de tous les bouquins que par les propos sur l'extrême obligation qu'avait le roi d'envoyer au Canada un important régiment s'il voulait conserver sa seule, mais combien grande et combien riche colonie en terre d'Amérique.

–On dit souvent en France que le Canada ne vaut pas qu'on se batte pour lui : surtout pas une guerre avec l'Angleterre ! soupira le curé.

–Que nos dirigeants aillent donc là-bas nous faire valoir ! fit le perruquier. Louis XV, notre roi bien-aimé, subit la pernicieuse influence des philosophes.

–Ces gens-là sont d'aussi mauvaise foi que les parpaillots de Boston, s'écria le prêtre en croquant fort dans le bouquin de sa pipe de plâtre.

–S'il fallait que la colonie passe aux mains des Anglais, qu'adviendrait-il de nous tous ? dit le père de Joseph.

–Nous nous ferions tous déporter en France, soutint le perruquier. Et nos biens seraient confisqués.

–À moins qu'on oblige le peuple à renier sa foi catholique, dit le prêtre.

–Ça jamais ! tonna Joseph.

–Pensez à ce qui est demandé à nos pauvres frères d'Acadie, à ce serment d'allégeance...

–Qu'ils se refusent à prêter depuis 1713, coupa le perruquier.

–Jusques à quand va-t-on le tolérer? Qu'est-ce qui se dit de par toute la Nouvelle-Angleterre chaque fois qu'un de leurs colons se fait attaquer par les Sauvages ? "Mort aux papistes du Canada ! Vengeance !" Elle viendra, cette vengeance, elle viendra. Indubitablement ! Et elle pourra être terrible, pire que tout ce qu'on peut imaginer. Il y a des bruits qui courent en ce qui concerne l'Acadie. On voudrait chasser tous les colons canadiens-français de là-bas. Mais ce n'est pas à cause de leur foi ou de leur langue, c'est pour s'emparer de leurs terres et prendre leur place. Que le bon Dieu nous protège de ces Anglais !

–Le roi d'Angleterre empêcherait pareille abomination, soutint le père de Joseph en lançant un jet de salive droit dans le crachoir placé au milieu du cercle.

–À la guerre comme à la guerre ! dit le perruquier.

–Et puis George 2 ne gouverne pas tout seul. Il y a le premier ministre Pitt et il y a le Parlement, dit l'abbé pour encourager son monde qu'il venait de rendre en peine.

Ces propos familiers à Joseph ne l'avaient jamais troublé aussi profondément. Pour la sauvegarde même de ses biens, de son pays, n'avait-il point le devoir de participer à l'édification de cette gigantesque ligne de fortifications allant depuis les lacs jusqu'au golfe de la Louisiane, et dont la seconde phase serait entreprise dans l'année à venir et qui débuterait dans quelques jours ?

La discussion dura tant que les tablées ne furent pas terminées et que les femmes n'en eurent point fini avec leur barda.

C'est alors que le curé décida de prendre congé. Il préférait ne pas voir danser. Cela eût pu faire croire à certains qu'il approuvait ce divertissement. Il n'était pas pointilleux jusqu'à condamner la danse du haut de la chaire, encore qu'il n'eût jamais toléré cette passacaille lascive dont parlaient les soldats français, et qui connaissait une grande vogue en Europe. Quant à frapper d'interdit le cotillon et le menuet, c'eût été faire invitation à l'habitant à désobéir à la loi. Pareillement pour les sets carrés, les gigues et les rigodons. Mieux valait fermer les yeux; cela ne pouvait que lui attacher ses ouailles.

Il bénit à gauche et à droite, même les seaux d'eau portés par le grand fils Couillard qu'il croisa en sortant. Grâce aux bons soins de ce jeune homme, son attelage l'attendait devant la porte. Juste avant de clapper, il cria dans une joyeuse fermeté :

–Amusez-vous ferme en respectant les lois du bon Dieu. Pas trop de vin et surtout, qu'on ne se batte pas !

–Que la danse commence ! s'écria à l'intérieur un vieillard resté vert et qui se tenait généralement coi tant que l'appel de son violon ne venait pas lui fourmiller dans les jambes.

Il décrocha son instrument pendu sur le mur du fournil et entreprit de l'accorder, histoire de mettre de l'ambiance et pour inciter les danseurs à sauter au milieu de la place.

Joseph fut entraîné par ses cousins. Il forma couple avec la marieuse aux yeux pers tandis que l'autre, malheureuse de se sentir éconduite, se rendit à la cuisine former un cercle avec les enfants pour exécuter avec eux une farandole sur les accents de la musique à pépère.

Et ce fut l'attaque du violon. Vive. Ricaneuse comme le violoneux. Le diable dans l'archet. Excitante.

Mocassins et escarpins, souliers de boeuf et mitasses bleues : un demi-tour à droite, un demi-tour à gauche. Le pantalon, l'été, la poule, la pastourelle et la finale.

Des chansons gauloises et des mensonges joyeux espacèrent les danses. Plus le 'raide' étendait ses effets dans les cerveaux des hommes, plus on mettait de fièvre à conter et à se laisser emporter par le rigodon.

Joseph en vint à croire que l'adolescente l'accompagnant était Corinne. Il lui arriva même de lui dire des mots doux. Ou plutôt de chercher à les lui offrir. Car les mots titubaient tellement en sortant de sa bouche que la jeune fille dut en imaginer la teneur, et les fit donc romantiques.

Pour soulager un besoin, Joseph prit une lanterne et se rendit dans un tambour contigu à un second, donnant, celui-là, sur la porte arrière menant à l'étable. Pas question d'aller dehors par un froid pareil et risquer le pire. S'y trouvait une tinette à moitié remplie d'immondices figées dans l'eau congelée. Cette image le porta à rire. Puis il pensa au surnom de la mariée qu'il mit en relation avec la cuvette à ses pieds et alors il rit doublement. Enfin, il se déculotta et, à la vue de son corps, il s'esclaffa tout haut et à triple force. L'alcool le libérait de sa chair tout en contrôlant son esprit.

Au matin, il fut l'un des premiers debout, avant même Couillard et ses fils. Plein de corps d'hommes, y compris le marié, jonchaient le plancher, ronflant sur des paillasses aux quatre coins de la cuisine et du fournil. Femmes et enfants dormaient dans les chambres du deuxième.

Il enjamba les dormeurs, se rendit à une fenêtre où il gratta la glace d'une vitre pour ensuite porter sa main à son front brûlant. Cela abaisserait sa température et ferait diminuer quelque peu la pression dans sa boite crânienne.

Le jour commençait à se laisser deviner, sa faible lumière silhouettant l'église de Pointe-à-la-Caille ainsi que les montagnes de la côte nord.

Il fut longtemps à rêver là, à faire le bilan des forces qui le sollicitaient. Une goutte d'eau se formant au bout d'un glaçon là, dehors, lui apprit que la température extérieure avait considérablement augmenté pendant la nuit. Il l'avait senti déjà. Le Canada lui-même était peut-être chaudasse pour avoir bu un tantinet plus que de raison en ce temps de réjouissances parfois excessives.

Alors comme un goût de printemps se distilla par toute son âme. Et il sentit un grand désir de conter, lui aussi, des histoires comme il en avait entendues à la dizaine tout le long de la veillée.

Québec

Quelques jours plus tard, le froid était revenu. Vif mais sec. Quand même fort endurable pour un Canadien qui comprend son hiver.

À Québec, les soldats français allaient et venaient en maugréant. Et quand deux d'entre eux se parlaient, les paroles se transformaient en glace. Ou bien elles s'envolaient très haut comme des outardes pour regarder le pays selon un angle bien particulier.

Quelques années plus tard, leurs incessants gémissements toucheront le coeur du commissaire des guerres qui, dans une lettre au secrétaire d'État responsable des colonies s'apitoiera sur leur sort, "*les plaignant d'avoir à supporter les dépenses excessives, fatigues extraordinaires et autres désagréments qu'ils éprouvent dans un pays aussi dur et dénué de ressources que le Canada.*"

Au château Saint-Louis, le gouverneur Duquesne avait le cerveau en ébullition. Et pour cause ! À la veille de son départ pour Montréal où il passerait le reste de l'hiver, il a voulu discuter une fois encore avec quelques lieutenants, de la seconde phase de l'érection de la ligne des forts de l'Ohio. Quatre officiers dont le jeune et bouillant capitaine de Beaujeu, examinaient avec lui une carte posée sur une longue table étroite, placée près d'une fenêtre haute dégorgeant de la lumière à pleins carreaux.

Chacun d'eux connaissait tout aussi bien la Nouvelle-France que la Nouvelle-Angleterre pour en avoir lu cent cartes mais aussi pour avoir foulé du pied des régions du pays parmi les plus éloignées. Il y avait aussi Pécaudy de Contrecoeur venu de Niagara, et Legardeur de Saint-Pierre rappelé de Le Boeuf pour la circonstance, et le sieur de Jumonville.

–Messieurs, il est de la plus haute importance que nous

soyons aux fourches de l'Ohio dès les premiers jours d'avril afin d'y ériger ce fort qui sera la clef de nos défenses, dit Saint-Pierre d'une voix calme et assurée mais qui planait bien haut.

–Messieurs de Contrecoeur, de Beaujeu, de Jumonville, fit le gouverneur, je laisse au chevalier de Saint-Pierre le bon soin de vous apprendre ce qui est arrivé au fort Le Boeuf cet automne et qui m'a incité à vous rappeler tous à Québec afin que nous portions une attention décuplée à l'établissement de nos fortifications de l'Ohio. À vous la parole, mon cher Legardeur...

–Merci, monsieur le gouverneur, dit Saint-Pierre, homme au charme mesuré et nasillard. Voici qu'au mois d'octobre, la Virginie nous envoyait un émissaire, un jeune... blanc-bec du nom de George Washington. Quoique ce garçon, après un mois passé en notre compagnie au fort Le Boeuf, commençait à acquérir des manières... disons un peu plus... policées. Donc le gouverneur Dinwiddie de la Virginie nous a sommés au nom, selon la déclaration de Washington, du roi George, de quitter le territoire. J'ai donc écrit au gouverneur Duquesne. Bien entendu, il a fait réponse au roi George que le roi Louis XV considérait, lui, le territoire de l'Ohio comme étant rattaché à la France parce que découvert par la France, et que, partant, la France avait le droit plénier et légitime de l'occuper. En conséquence, il est donc non seulement possible mais probable qu'au printemps, la Virginie enverra des troupes pour occuper avant nous le couloir de l'Ohio où nous sommes aussi absents que nous le sommes au pôle nord.

–Nous n'avons pas une seule minute à perdre, fit le gouverneur. Dès la fonte des neiges, il nous faudra procéder à la construction de notre prochain et plus important fort à la confluence des rivières Alléghany et Monongahéla,

–Le fort Duquesne, fit Saint-Pierre au sourire flatteur.

–Puisqu'il faut bien le prénommer ! laissa tomber le gouverneur avec un regard qui chuta humblement par terre.

–L'intendant Bigot clame partout que le fort portera son nom, dit Beaujeu.

–Mais non, messieurs ! s'exclama Saint-Pierre. Un fort est un établissement militaire : on ne lui donne pas le nom d'un civil, cela tombe sous le sens. Notre cher Bigot pourra toujours faire baptiser à son nom un nouveau jeu de cartes.

Après les rires, Contrecoeur avança sous des exclamations approbatrices :

–Il semble que nous soyons tous d'accord pour 'fort Duquesne'. Le roi ne pourra qu'approuver.

–Et c'est vous, mon cher Contrecoeur, qui le commanderez, lui dit le gouverneur comme pour le récompenser illico de sa dévotion.

Homme poli et de bonne contenance, resté muet jusque là, Jumonville s'exprima :

–Messieurs, je veux bien que l'on construise des forts, quoique je fasse partie de ceux qui croient davantage en les vertus de la diplomatie qu'en celles de la guerre, mais à quoi serviront-ils sinon à provoquer les colonies anglaises, à moins que nous ayons les hommes requis pour les défendre ?

–Et il n'est pas question de réduire les forces de Le Boeuf ou de Venango, objecta aussitôt Saint-Pierre.

–En ce cas, si nous bâtissons un autre fort et que nous soyons incapables de le défendre, autant en faire cadeau d'avance aux Anglais ! Et notre propre action se retournera contre nous.

–Le roi doit nous envoyer un régiment, s'écria Beaujeu.

–Deux, renchérit Contrecoeur.

–Messieurs, messieurs, dit le gouverneur, vous savez bien

qu'un régiment français dans la sauvagerie...

Beaujeu s'insurgea, coupa :

–Un soldat français, par sa discipline et son entraînement, vaut deux miliciens canadiens.

Le gouverneur se gratta le menton, rajusta la dentelle d'un poignet de son pourpoint. Il dit :

–Dans une bataille rangée, certes ! Mais, grand dieu ! que vaut-il dans une guerre à l'indienne ? Et c'est à l'indienne qu'il faut se battre contre les Anglais. Qui oserait en douter quand on se rappelle le moindrement de l'histoire ? Voilà une idée vieille comme Frontenac ! Que dis-je... comme Champlain ! Il nous faut lever des miliciens.

–En leur racontant quoi pour qu'ils s'enrôlent ? Devrions-nous faire du racolage ?

Duquesne frappa la table du poing fermé pour dire sur un ton qui cherchait à donner dans l'irréfutable :

–La Nouvelle-France sera imprenable, le Canada sera inattaquable grâce aux miliciens...

–Monsieur le gouverneur, coupa Jumonville, comment donc inventerez-vous ces hommes ?

–La conscription, mon cher ami, la conscription !

Saint-Thomas

Pendant que le gouverneur se mettait en route pour Montréal accompagné d'une vingtaine d'officiers, de ses domestiques et cuisiniers, de nombreux soldats dans un cortège de quinze carrioles et traîneaux, précédé par le grand voyer ordonnant aux habitants des paroisses de raser les bancs de neige et de rendre la route carrossable, un jeune fermier de L'Islet se présentait chez un capitaine de milice de Saint-Thomas, cousin de Grand-Jacques, plus gros et grand, ayant pour nom Jean-Daniel Dumas.

Avant de signer sa feuille d'enrôlement, il lui fut expliqué qu'il aurait à partir pour l'Ohio en avril et qu'il pourrait y devenir n'importe quoi : éclaireur, estafette et même combattant si jamais la guerre...

Joseph Bernard tremblait un peu quand, dans sa main gauche, il prit la plume d'oie...

***

1754

Fourches de l'Ohio

Joseph et un Indien pagayaient en parfaite harmonie, l'un à droite, l'autre à gauche, dans des gestes lents et francs. Léger, leur canot glissait sur l'eau, comme s'il eût été emporté par une main magique. Pourtant, on allait à contre-courant. Joseph avait été dépêché au fort Le Boeuf par Contrecoeur pour y porter une lettre à Saint-Pierre.

Le jeune homme n'était plus le même d'habillement et encore moins de coeur. Durant l'hiver, sa mère lui a fabriqué ses vêtements de milicien dans des peaux de vache et de racoon. Des pantalons et une veste frangée. Beaux. Chauds. Et qui avaient déjà l'air de sentir le cèdre sans avoir jamais été portés. Elle y a mis toute son adresse. Et autant de larmes. Des larmes ainsi qu'un ravage intérieur qui auraient certainement infléchi la décision de Joseph de s'enrôler, n'eût été de sa signature apposée... Et imposée par la conscription du gouverneur Duquesne !

Mais il avait l'âme en grande paix, le Joseph, comme l'eau de la rivière. Une eau qui avait déjà repris tout son calme grâce à une fonte des neiges hâtive ce printemps-là et par la constante vertu d'un soleil doux qui avait généreusement donné sa complicité aux bâtisseurs de forts. Jamais il n'était allé dans une région à climat aussi agréable si tôt dans l'année. Il s'agissait de son premier et unique long voyage. Car auparavant, jamais il n'avait mis les pieds en amont des Trois-Rivières ou bien, vers l'est, au-delà de la seigneurie de Rivière-du-Loup.

La feuillaison était déjà accomplie. Elle donnait au pays une sérénité, une magnificence apportant à son âme le même ébahissement que sa chère Côte-du-Sud. Et sa chère Côte-du-Sud venait régulièrement réveiller toutes ses mémoires.

L'air était si pur et vivifiant que le rameur, emporté par quelque mystérieuse frénésie, imaginait le canot prenant son envol et planant comme un oiseau au-dessus de la sauvagerie. Si l'homme pouvait donc voler, voir de haut du ciel tous les bouts du monde !

Avant de perdre de vue ce fort Duquesne en pleine construction sur une colline, et qu'il venait de quitter, il se tourna pour lui jeter un dernier regard. C'est avec un oeil fier qu'il pensa à cette immensité française d'Amérique mise à l'abri par cet établissement et tous les autres qui encercleraient littéralement les colonies anglaises, les confinant à leur territoire traditionnel entre les Alléghanys et la mer.

Il cligna des yeux, exalté de se trouver au coeur de l'action et de l'histoire.

Lui parvenaient encore les coups de marteau et de hache dont l'écho profond s'étendait comme un silence sur les mystères de la forêt, et s'en irait jusques aux quatre coins des colonies anglaises par-delà les montagnes pour les inviter au respect, à un distant respect.

Au fort, cinquante soldats français, aussi brillants que vaniteux, faisaient valoir le prestige de la France et rendaient l'occupation des lieux et du territoire plus officielle. Les vrais bâtisseurs, hommes de muscles et de courage, dociles dans leur apparente indiscipline, patriotes invétérés, étaient les trois cents miliciens. Et parmi eux, Fafard le bavard que Joseph a revu avec un certain plaisir.

Il y avait également quarante Indiens à Duquesne ces journées-là. Hommes à tout faire et à ne rien faire, on les utilisait comme pourvoyeurs, estafettes, éclaireurs, recruteurs. Aux dires de Contrecoeur, il leur serait possible en deux jours de réunir une véritable armée de cinq cents peut-être mille hommes pour faire face aux Anglais qui auraient eu l'idée saugrenue et dangereuse d'envoyer des troupes par là ainsi que le jeune Washington en avait menacé Saint-Pierre.

Et pourtant, ils sont déjà en route, ces fantasques Virginiens, sous la conduite du major fraîchement promu lieutenant colonel, avec intention d'envoyer au royaume des taupes ceux qui ne voudront pas obtempérer à l'ultimatum de leur gouverneur. Trois cents hommes dont une bonne moitié occupée à ouvrir une route pour faire suivre quelques canons. Plus quelques Indiens.

Joseph le sait, car, de ces hommes, il en a vus lorsqu'il est arrivé aux Fourches. Une trentaine avaient été surpris, tâchant d'élever au nom de l'Ohio Company une sorte de barricade qui ne méritait pas le nom de fortin. On les avait courtoisement chassés non sans avoir su que dans la forêt, quelque part au sud-est, se trouvait une troupe dirigée par le jeune Washington. De quoi donner le grand frisson aux Canadiens ! Un frisson de rire. Chacun savait bien que l'arrivée massive dans la région des hommes envoyés par Duquesne suffirait à faire détaler comme un lapin l'insolent Virginien, suivi de ses miliciens affolés.

Mais, à son retour du fort Le Boeuf, Joseph apprit ce que tous savaient déjà à Duquesne par des rapports d'Indiens, c'est-à-dire que le Virginien et ses acolytes, non seulement n'avaient pas rebroussé chemin mais, au contraire, qu'ils avaient l'audace, malgré leur infériorité numérique, de poursuivre leur route sans même attendre de renforts.

Contrecoeur avait désigné Jumonville pour porter une sommation pacifique enjoignant Washington de quitter le territoire français. Remarqué dès son arrivée dans la sauvagerie pour sa très grande résistance aux longues marches en forêt lors des portages, Joseph fut choisi parmi les trente hommes devant accompagner l'ambassadeur.

Selon les Indiens, il y avait deux jours de marche avant de rencontrer les Virginiens. À l'aube du matin suivant, l'on se mit en route. Et le soir, on campa dans la forêt. Avant d'aller dormir, Joseph put s'entretenir avec le frère de Jumonville, Coulon de Villiers ainsi qu'avec ce capitaine de milice de la Côte-du-Sud, Dumas, l'homme le plus fort qu'il ait eu l'occasion de rencontrer de toute sa vie. Pas même Grand-Jacques n'aurait pu le battre à soulever et encastrer des billes de bois pour ériger des palissades puissantes. Tous des comme lui et le fort Duquesne aurait été terminé en trois jours. Un bourreau de travail, un géant, un hercule ! Et qui s'amusait à l'idée qu'un Mohican, quelque bon matin, pût lui enlever sa crinière plus noire que du noir de fumée.

Il y avait une lune imprécise infiltrant ses rayons à travers les têtes des grands feuillus jusqu'au feu où ils se confondaient avec les lueurs pâles des petites flammes nerveuses et follettes.

Deux Sauvages, assis en retrait sur un tertre rocheux, regardaient d'un mauvais oeil, quoique rouge et flamboyant, ce feu que rien ne justifiait : ni la température plutôt chaude et encore moins cette manie des hommes blancs de faire cuire à bout de branche des morceaux de viande d'un cerf abattu exprès pour le repas. Il eût fallu éteindre le feu à la brunante. Encore que la colonne de fumée avait déjà trahi leur présence ! À tout moment, l'ennemi pouvait leur tomber sur la tête et les massacrer.

Mais ce n'est pas de cette façon que l'entendait Jumonville. Il n'y avait aucun état de guerre entre la France et l'Angleterre. Et les Virginiens, chassés de l'emplacement du fort Duquesne, avaient été considérés par Contrecoeur et ses officiers comme des agents d'une compagnie commerçante dirigée par le gouverneur Dinwiddie de Virginie, et non point comme des militaires envoyés par la colonie. En conséquence, le détachement n'était pas là pour la guerre mais pour la paix. Et l'homme qui porte sur lui la branche d'olivier doit-il se cacher ou bien, au contraire, ne doit-il pas la montrer bien haut ? se disait Jumonville,

Et quel ennui de camper sans feu lorsque la nuit est tombée ! Pas d'agréables propos en faisant circuler la pipe ! Pas d'odeur de tabac ou de chanvre indien ! Personne en train de raconter à tous des souvenirs de femmes ou de fêtes !

Néanmoins, Jumonville se tenait à l'écart, comme tout bon commandant chargé d'hommes. Mais si peu ! L'ambassadeur se tenait debout, les bras croisés, à mi-distance entre sa tente et le feu, réfléchissant à son avenir tout en prêtant oreille aux propos de quelques-uns de ses hommes qu'il pouvait entendre assez nettement.

L'on était à questionner Joseph sur sa terre, sa famille, sa Côte-du-Sud, son oncle, le seigneur Couillard que Dumas connaissait parfaitement. Le jeune homme répondait avec chaleur et l'oeil nostalgique.

Coulon de Villiers eut à s'isoler un moment afin de soulager un besoin naturel. Les Indiens profitèrent de l'occasion pour aller lui parler. Il répondit par des gestes d'impuissance en désignant son frère; mais il ne se rendit pas lui faire part de leurs doléances, se retrouvant plutôt avec Dumas et Joseph qui se parlaient toujours de la vie aux environs de Saint-

Thomas. Il s'assit en soupirant :

–Les Sauvages ont peur...

–Peur ? s'étonna Dumas.

–Qu'on se fasse surprendre par l'ennemi.

–Quel ennemi ? demanda naïvement Joseph.

– L'Anglais.

–Les coloniaux ? Les Virginiens ?

–L'Anglais, d'où qu'il vienne, pour un Sauvage, c'est pire calamité que le diable lui-même.

–Sauf pour un Mohican... ou un Iroquois.

–Il y a des Iroquois au fort Le Boeuf, objecta Joseph.

–Oui, mais avec eux autres on sait jamais s'ils ont pas dessein de vous sauter sur le dos pour vous dépiauter, s'exclama Coulon.

Jumonville se retira sous sa tente, une toile tendue sans côtés, en pensant à l'inquiétude des Indiens. Il se désolait de ce que ces pauvres Sauvages, malgré l'évangélisation vieille d'un siècle et demi, malgré la civilisation et ses bienfaits, avaient invariablement des réactions de bêtes, se résumant, dès lors qu'ils se retrouvaient en forêt, aux seules notions d'attaque et de défense.

Au coeur de sa réflexion, par un oeil accoutumé qu'il promenait au-dessus du camp, il remarqua la naissance du brouillard. Alors un frisson sauvage le poussa à s'envelopper les épaules de ses mains moites. Puis, à la lumière oscillante d'une chandelle à l'agonie, il relut pour la nième fois la lettre de sommation qu'il avait pour mission de remettre aux Virginiens.

De Villiers, Dumas et Joseph n'avaient guère de préoccupations politiques ou militaires en ce moment même alors qu'ils riaient ferme à s'échanger des réparties sur les femmes indiennes qui, chaque jour, venaient rôder aux environs du fort Duquesne pour y cueillir des plantes mais aussi pour offrir des services particuliers aux soldats et miliciens.

–Le commandant Contrecoeur en a perdu sa perruque, une nuit qu'il est allé avec une Ojibway, confia Dumas.

–Mieux vaut perdre la perruque avec une Ojibway que la chevelure avec une Iroquoise, répliqua Coulon.

Malgré ses rires, Joseph avait la bizarre impression que les Sauvages l'observaient de leurs yeux remplis de mystère. Il tourna souvent la tête dans leur direction pour ne les apercevoir qu'accroupis sur leurs jambes comme s'ils eussent voulu ne jamais s'endormir et rester éternellement prêts à bondir à l'odeur de sang anglais dans les parages.

Il se rendit compte que leurs yeux étaient fermés. Pouvaient-ils dormir de cette manière, tels des hiboux juchés ou comme des chevaux repus ?

Il lui arriva de penser qu'il eût mieux valu ne pas faire les gorges chaudes de leurs femmes, que cela pourrait porter quelque malheur puisque la sainte religion jetait l'anathème sur les fidèles aux moeurs dissolues; mais la force de ses compagnons, de leurs joyeux propos et de leurs éclats confiants revenaient quérir ses doutes craintifs pour les jeter au coeur du feu. Lui-même dit :

–De retour au fort, ça va être à mon tour d'aller jeter ma perruque aux orties, comme dirait mon père dans sa belle langue française toute parfumée.

Les clochers d'église s'éloignaient bien vite de l'homme qui s'enfonçait dans la forêt. À son retour à la civilisation, il prenait un bon bain d'âme, se rhabillait de principes renouvelés et remettait sa charrue dans des champs de sagesse et de crainte de Dieu. Un Dieu que pourtant, il ne cessait jamais d'invoquer dans la sauvagerie mais qui lui semblait alors de la plus grand indulgence, un Dieu naturel à qui il parlait directement sans aucun intermédiaire et avec qui il se comprenait fort bien.

La bruine enveloppait toutes choses lorsque les hommes commencèrent à s'étendre pour la nuit, chacun se recouvrant d'une couverture de son équipement. Pas besoin de monter les tentes puisque la pluie n'avait aucune chance de tomber comme chacun le savait bien par la lecture qu'il avait faite du temps à venir dans le soleil couchant, la densité de l'air ambiant et maintenant, ce brouillard épais.

Joseph et ses compagnons restaient les derniers à jaser encore. Dans les échanges, il a appris l'attachement profond de Coulon pour son frère et certaines de leurs aventures époustouflantes au pays des Iroquois. Et lui-même raconta, à l'étonnement de tous, la toute particulière soirée de cartes alors que Fafard avait affronté l'intendant Bigot en personne.

En bon père, Jumonville vint demander qu'on s'adonnât au sommeil afin de pouvoir mieux faire face à une marche qui risquait de s'avérer ardue et qu'il faudrait entreprendre au petit matin. Cependant, lui-même poursuivit sa veille, s'occupant par jeu à dresser des stratégies de campagnes militaires contre les colonies anglaises sur une carte de l'Amérique, en même temps qu'il rédigeait son rapport du jour à l'intention de Contrecoeur, et qu'une estafette –il avait dessein de désigner Joseph à cette fin– dès l'aube irait porter au fort Duquesne.

Joseph rêvait. Il avait l'esprit enveloppé d'un songe heureux, s'évanouissant avec une flamme que personne n'avait eu pour mission de ravitailler en la nourrissant de branches sèches. Puis le rêve reparut sous une autre forme, odorante et douce, voguant au gré des rivières, s'allumant d'étoiles, se rassasiant de caresses sur la peau dorée de la jeune Indienne qu'il avait vue, lui aussi, avec le commandant. Mais dans sa nuit, elle était vierge, s'était gardée pour lui, attendait sa venue depuis le jour de sa naissance, tendait la main en posant sur lui un regard chavirant...

Soudain, tout s'effaça pour laisser place à la ville, à l'ébullition de la place du marché de Québec où vont et viennent des groupes d'hommes de tout acabit, certains se rendant aux chantiers du roi, d'autres, débardeurs, se hâtant vers le port. Plus loin s'amènent des couples d'hommes charriant sur des perches portées à l'épaule des ballots de fourrures, des tonneaux de vin ou de vinaigre, des sacs mystérieux remplis de trésors qu'on vendra à petits prix. Passent des compagnies de soldats, tambours battants, des charrettes boiteuses et grinçantes, des banneaux remplis de munitions que l'intendance a commandées à la mère patrie.

Bientôt, il y a de longues rangées de paysans venus vendre des poulets, des cochons, des oies, des viandes fumées et surtout des légumes. Un artisan aux allures sombres avance en transportant sur son dos un sac de jute plein de volatiles qui s'énervent d'une trop grande promiscuité. Un ramoneur n'a pas grand mal à se faufiler à travers les bourgeois tandis que des esclaves se pressent d'en finir avec leurs tâches de commissionnaires.

Entre les étals, des Indiens défilent gravement, bien installés dans leur assurance tranquille, enveloppés de laine fraîche à couleurs voyantes, paraissant ne jamais regarder les marchandises mais sachant pourtant exactement ce qu'ils veulent et le désignant sans hésitation aux vendeurs que leur majesté ne manque pas d'intimider.

Et tout à coup, les cloches de toutes les églises se mettent à sonner. Leur bruit enterre tous les autres. Les oiseaux n'ont plus qu'un chant muet. Les oies cacardent en silence. Les chiens s'époumonent inutilement dans des coups de tête grotesques. En quelques secondes, le carillonnement se transforme en claquements sourds mêlés des voix et des cris de toute la place...

Joseph se réveilla dans un énorme sursaut, le coeur près d'éclater. Tout autour, ce n'était plus qu'une effroyable, indescriptible pagaïe. Ses compagnons affolés couraient dans tous les sens. Certains s'écroulaient en hurlant de douleur. Des quatre coins de la forêt, retentissaient des coups de mousquet comme si tous les arbres se fussent mis à tirer à la fois. Des cris sauvages, à pétrifier sur place les coeurs les plus aguerris, s'enchevêtraient avec d'autres de terreur qui, d'écho en écho, réduisaient au plus complet des silences les ours tapis dans le sous-bois, les lièvres cachés dans leur terrier et même les oiseaux rapetissés sur eux-mêmes bien que l'on fût au coeur de leur temps de chanter.

Deux secondes, pas plus de trois, s'étaient écoulées depuis la prise de conscience par le milicien de la boucherie au coeur de laquelle il se trouvait. Sur sa gauche, il aperçut les deux Indiens amis s'élançant non point vers la forêt mais vers le camp qu'ils traversèrent en zigzaguant pour se diriger de l'autre côté malgré un feu nourri provenant de là. Par contre, Jumonville courait à l'opposé pour fuir, lui, cette mitraille insoutenable.

Congelé au milieu de la folie générale, Joseph eut soudain en mémoire ce qu'il avait septante fois entendu de toutes les bouches parlant de survie en sauvagerie : 'La main sur ton mousquet !' Il sauta alors vers un arbre voisin où il avait appuyé son arme la veille au soir. Son geste le sortit de la trajectoire d'une balle qui frôla son oreille en bourdonnant. Mais rien au pied de l'arbre ! Les hommes n'avaient pas pris le temps de savoir à qui appartenaient les armes... ou bien l'ennemi les avait-il subtilisées ?

Mais quel ennemi ? Certainement les Virginiens ! pensa

Joseph. Se pouvait-il que des hommes blancs, même des Anglais, tombent sur un détachement de paix et massacrent sans crier gare ni même accepter qu'on leur demandât grâce ?

La chute de Montmorency n'aurait pas fait plus de bruit et d'écume dans le cerveau du milicien en proie à la pire des épouvantes, et qui cherchait désespérément à se raccrocher à une idée apte à guider sa volonté, son action. Il en trouva une dans le sauve-qui-peut général et particulièrement dans la fuite de son chef.

Il se rua de ce côté, mais aussitôt, il eut le chemin coupé par un homme aux allures de Fafard qui s'affala juste devant lui, face contre terre. Le milicien abattu releva un peu la tête, se lamenta, poussa sur ses mains pour essayer de se relever. Vint sceller son sort une grimace à bouche ouverte dont jaillit en tournoyant un jet de sang mêlé d'écume rose.

Joseph hurla. Cri rauque, dantesque comme cette vision déchirante. Un son qu'émettait du plus profond de ses entrailles la bête en panique, son qui devint puissance et se jeta dans ses jambes, déjà les plus rapides de tout le fort Duquesne, Indiens mis à part, pour le précipiter à la suite de Jumonville qui disparaissait dans le feuillage des aulnes.

Pour la troisième fois son plan de fuite fut contrecarré. Après quelques enjambées, atteignant l'endroit où venait tout juste de se trouver son chef, il dut s'arrêter net, sidéré par un spectacle terrifiant.

Un Indien devant un groupe d'autres, et visiblement leur chef par l'ordre qu'il leur donna de rester sur place, le regard terrible, hache à la main, faisait face à Jumonville qui, lui, tirait son sabre. Les deux hommes se toisèrent un long moment. L'Iroquois abaissa son arme pour dire, l'oeil injecté de sang, des mots que Joseph ne comprit pas, car c'était de l'anglais gravement prononcé :

–This be the revenge... You, French, killed my father, eaten his flesh... Half-King, chief of Senecas... have revenge... now...

Il ne réussit pas à poursuivre son exposé de vengeance, car Jumonville, après avoir évalué la situation, savait que la seule façon de mettre en fuite les autres Indiens était de tuer leur chef. Il s'élança, le sabre devant. Non seulement Half-King bloqua-t-il l'arme avec la tête de sa hache, mais il la brisa net, et il ne resta aux mains de l'ambassadeur qu'un tronçon dérisoire.

Les combattants s'arrêtèrent à nouveau, à trois pas l'un de l'autre. Par son regard, chacun cherchait à subjuguer son adversaire. Lueurs factices dans les yeux de Jumonville. Il savait déjà au fond de lui-même que son heure était venue. Mais c'est à prix d'or qu'il vendrait sa chevelure. Il lui restait son couteau. Qui pouvait savoir si ce Half-King ne s'enfargerait pas dans sa propre haine des Français ?

Alors l'ambassadeur qu'avaient déserté tous les projets de négociation et tous les plans de paix, mû par son seul instinct de survie qu'il opposerait à la barbarie faite homme, tira de sa ceinture, d'un geste brusque accompagné du cri le plus furieux que ses poumons et sa gorge eussent jamais composé, une lame luisante qui captait des lueurs perdues d'un soleil bâillant, à moins que ce ne fussent celles s'échappant des yeux des guerriers excités.

Half-King sourit d'un seul côté du visage. Rictus de certitude ! Une seconde fois, il attendrait l'attaque. L'autre ne pouvait qu'attendre aussi. Son arme était trop courte. La meilleure stratégie pour lui consistait à parer les coups d'abord, tâchant en même temps de porter les siens.

La patience ne risquait pas de manquer à l'Indien. Mais il comprit vite que l'autre ne bougerait pas. Il sourit à nouveau. Cette fois à l'intelligence de son adversaire. Puis il bondit en avant. Jumonville leva le bras mais hélas ! selon un mauvais calcul. Et il reçut le taillant au creux du coude.

Son couteau vola. Les spectateurs s'échangèrent des mots de joie qu'ils devinèrent sur les lèvres des autres, car le tumulte de la bataille continuait d'enterrer tous autres bruits.

Jumonville resta pantelant, plus encore que Joseph, lequel, béatement, regardait le sang dégoutter de tous les doigts ouverts et visiblement sans vie de l'homme blessé. Dès son coup asséné, l'Indien sauta en arrière, hors de portée. Il eut un troisième rictus, cette fois à la vue du sang. Alors il se mit à faire des pas de côté pour énerver l'adversaire; cette guerre des nerfs le connaissait. Peine perdue : Jumonville ne bougea pas. Son seul mouvement fut de fermer le poing de sa main valide et de serrer fort pour hâter l'évacuation du sang. Il sentait que la faiblesse ne saurait tarder. Ce feu au coude et l'absence d'avant-bras, de sa main et de ses doigts, lui disaient que le dommage était assez important pour rendre tout à fait inutile la poursuite du combat, et que le coup, si le bras n'était pas de suite garrotté, emporterait sa vie avec le sang perdu.

Il concentra sa pensée sur une invocation au Seigneur pour qu'il lui permette de perdre conscience avant le moment terrible où le Sauvage lèverait sa chevelure. Mais le ciel resta sourd. Half-King fonça sur lui, la hache tournoyant au-dessus de sa tête. Il la rabattit de toute sa rage sur sa victime restée prostrée dans sa résignation. Le métal frappa le dessus de l'épaule, sectionna la clavicule, s'enfonça comme dans du cèdre mou. Le blessé tomba à genoux, y resta comme en prière et en humilité. Son assassin sauta derrière lui, l'empoigna dans l'étau de son bras replié. Du manche de son arme, il fit voler la perruque qui retomba plus loin avec la hache. Puis, dans des gestes plus rapides que ceux du serpent à l'attaque, d'une main, il agrippa avec une fureur débridée les cheveux du misérable tandis que dans l'autre, surgissait, comme venu d'un infernal néant, un couteau anglais.

Avec une habileté que lui conférait sa longue expérience, non seulement de guerrier qui scalpe mais de chasseur qui écorche, Half-King taillada, à même le cuir chevelu, un triangle de la grosseur d'une feuille de cerisier sauvage. Puis, retenant en avant la tête du malheureux, de son poing soudé au manche de la lame sanglante, d'un formidable tournemain, il arracha tout le morceau qu'il tint un moment à bout de bras afin de le montrer à tous et exciter les coeurs et les chairs.

Jumonville chuta par devant. Alors que son corps touchait doucement le sol, Joseph reçut dans le dos une poussée violente en même temps qu'on lui faisait subir un croc-en-jambe. La scène précédente devait se répéter semblablement, mais avec lui comme victime, et avec la différence qu'il devrait subir le scalp à froid, sans préalable débilitant.

Tout se passa vite. Brûlure au crâne. Du sang coulant sur le front, bouchant les yeux. Et cet arrachement... Et ce hurlement poussé à son oreille par le bourreau inconnu... Et ce deuxième cri qu'il enterra par le sien, plus terrible encore...

L'instant juste avant de perdre conscience, sa pensée le transporta huit années auparavant à Saint-Thomas. Deux cents Sauvages abénaquis y avaient passé l'hiver après avoir fui la région de la rivière Kennebec où régnait un état de guerre entre les coloniaux anglais et leur tribu. Le gouvernement de Québec avait dû les approvisionner en vivres en raison de l'insuffisance de leur chasse. Et le bruit avait couru au plus fort de la froidure de janvier que la maladie et la famine les décimaient.

Au printemps, on fit l'inhumation des morts dans une fosse commune : cent quarante-deux cadavres de vieillards, femmes et enfants avaient été enterrés. Joseph était passé par là le jour suivant. Près de la sépulture, il avait aperçu une fillette aux yeux perdus, le visage émacié, comme figé dans l'indifférence froide. Leurs regards s'étaient croisés. Joseph avait baissé les yeux, honteux de n'être pas venu porter un quartier de boeuf aux misérables pendant l'hiver. Ce sont les yeux de la petite Abénakise de ses dix-sept ans sur lesquels il ferma les siens en ce lieu du bout du monde...

Grâce au ciel ou à l'enfer, il devait les rouvrir une éternité plus tard pour saisir à travers une affreuse confusion de voix, d'ombres et de lumière, de souffrances à devenir fou, provenant de son front et du côté droit de sa tête, les images embrouillées d'hommes au-dessus de lui, tout près, à trois pas.

Il reconnut aussitôt la silhouette effrayante de Half-King dont le visage de glace ne grimaçait plus. Le Sauvage ne lui inspira pas moins de terreur pour autant, et cela, en raison de tout ce sang qui lui maculait la peau et les hardes, et de l'horrifiant trophée qui pendait à sa ceinture en se balançant et en dégouttant.

À côté de lui se tenait un géant. Malgré les heurts que subissait son esprit, Joseph parvint, en forçant ses yeux à rester ouverts, à évaluer l'âge de cet homme. Il lui parut d'à peine vingt ans, portait un uniforme militaire d'un type inconnu, ni anglais à proprement parler et encore moins français. Ce ne pouvait être qu'un colonial. Et sans doute un Virginien !

Sur d'atroces bourdonnements dans la tête qui allaient chercher dans sa poitrine des haut-le-coeur incessants, le blessé rajusta alors ses pensées et souvenirs. Cet homme, il le savait maintenant, avait pour nom Washington. D'ailleurs il parlait anglais. Et il le faisait sans crier, ce qui fit réaliser au blessé que les armes à feu s'étaient tues de même que les cris de guerre des Indiens.

On achevait de fouiller Jumonville. Un Sauvage tendit des

papiers à son chef blanc. C'est à ce moment que Joseph eut à prendre la décision de sa vie. Devait-il faire le mort afin d'éviter un coup de hache ? Les Iroquois, c'était connu, faisaient rarement des prisonniers. On devait bien savoir qu'il était encore en vie; certes, avait-il dû gémir pendant son inconscience. Et puis il avait sûrement roulé sur lui-même puisqu'il se trouvait maintenant couché sur le dos.

Les deux hommes s'approchèrent, Half-King tenant une hache impatiente. L'autre paraissait simplement curieux. Joseph garda les yeux ouverts, contre son envie irrésistible de les fermer pour attendre la fin sans la voir venir. Il entendait des mots qu'il ne comprenait pas. Alors il ramassa les moindres parcelles d'énergie où qu'elles se trouvassent dans son corps, son coeur, son âme et il les insuffla dans sa voix qu'il réussit à faire entendre dans un souffle :

–Mister... Washington...

Le jeune Virginien esquissa un sourire d'étonnement puis d'inquiétude. Il donna un ordre que Joseph ne put déchiffrer, car sa tête fut frappée avec une extrême violence qui s'inscrivit en lui comme une sorte de craquement et l'impression horrible de manger sa langue et toutes ses dents. Tout devint noir, immensément noir...

–Kill not this man ! Bring him back to his companions !

Ces mots, sans signification pour lui, reparurent dans l'esprit de Joseph. Il ouvrit les yeux, ne vit rien tout d'abord. Seule une odeur de baume parlait à tous ses sens, régnait absolument dans une tranquillité plus pesante que l'air humide et suffocant.

Une lumière faiblarde s'introduisait dans la pièce par les espacements entre des billes posées sur une ouverture. Les murs de bois rond écorcé mirent son esprit en marche, lui firent comprendre qu'il était prisonnier dans un fort. Le Virginien lui avait laissé la vie sauve. Sans doute pour le questionner. Ou bien pour l'échanger. Ou peut-être pour le garder en réserve et plus tard le donner en attraction et en pâture aux Iroquois à l'occasion de leur prochain pow-wow.

Sa tête, sa pauvre tête brisée... Comment donc avait-il pu survivre au scalp, au coup de hache ? Lui restait-il encore des cheveux ? Depuis quand se trouvait-il en cet endroit ? Pourquoi l'avait-on enveloppé de tant de couvertures ? La chaleur le crevait plus sûrement que ce carcan lui emprisonnant la tête, et dont il avait deviné la présence avant de le toucher. Son geste fit bouger quelque chose dans un sombre coin de la pièce. Il tourna la tête de ce côté de son grabat, vit des yeux qui le dévisageaient. Des yeux farouches, insondables, sauvages. Des yeux... de femme.

Il avait donc vu juste : les Iroquois le gardaient prisonnier.

Bras croisés, l'Indienne était assise sur une couche de branches de sapin, à même le plancher de billes. Ce détail de construction lui dit qu'il se trouvait dans un fort bâti pour être occupé à l'année longue tout comme le fort Duquesne...

La jeune femme se leva, fit deux pas vers lui, s'arrêta net quand il avança la main dans sa direction en disant :

–Qui es-tu ? Quel est cet endroit ?

Elle ne répondit pas. Ses yeux lancèrent des lueurs sombres.

–Iroquoise ?

Saisie d'effroi, elle recula. Joseph ne s'en rendit pas compte. Il cherchait à identifier sa tribu par ses vêtements. Mais que savait-il, qu'avait-il jamais remarqué de l'accoutrement des Sauvages, qu'ils soient Abénakis, Iroquois, Penobscots ou Wendats ? Cette Indienne portait une jupe ceinte sur ses reins qui lui descendait jusqu'aux genoux, terminée là par une bordure en poils de porc-épic. Des chaussures en peau, semblables à des mocassins qu'on eût coupé à hauteur des chevilles, comme des pantoufles. Sur ses épaules, suite à ses longs cheveux noirs, y étant attachés, des bouts de guenille de toutes les couleurs. Ce n'est pas avant ce moment que Joseph aperçut sa poitrine... Nue. Brunâtre dans la pénombre. Des seins piriformes, hauts et dont l'image, par son imprévu et sa nouveauté, était susceptible de faire naître en son cerveau les folies les plus perverses.

Alors il se rendit compte qu'il était nu lui-même dans sa prison de couvertures. Donc quelqu'un lui avait enlevé ses habits de milicien, et sa malformation avait forcément été vue. Cela lui avait peut-être valu une survie bien éphémère et serait-il bientôt livré, pieds et poings liés, à la honte et aux tourments, attaché aux rires moqueurs et sardoniques des squaws et des enfants, torturé...

Il se souleva sur son lit de branches. Une immense raideur lui partait du front au-dessus de l'oeil, encerclait la tête jusqu'à la nuque. Quant au reste de son corps, il n'était plus qu'un ramassis de mollesse et de faiblesse. Des images du cauchemar vécu il ne savait quand alternaient en sa tête avec d'autres, plus effroyables encore, d'un cauchemar à venir il ne savait pas davantage à quel moment.

La peau de l'Indienne, ces formes aux attraits inouïs, le plaisir qu'il ressentait à les voir : la sensualité balayait son âme. De sa vie entière, il n'avait vu, des charmes féminins, que la poitrine de la Geneviève à Grand-Jacques. Et encore pas mal confusément ! Ses rêves inavouables concernant les Indiennes s'étaient transformés en promesses, et voilà qu'ils se changeaient en une réalité ô combien prenante et bouleversante !

Sa respiration augmenta alors que le désir se diffusait de

par toute sa substance. Elle restait immobile, étrange, comme offerte : fleur des bois, guérisseuse de tous les maux, prometteuse de tous les fruits. Leurs yeux se rencontrèrent, se pénétrèrent. Longuement. Pour ne pas l'effrayer encore, il retenait ses mots :

"Viens à moi... que je touche ta peau, que je caresse tes formes... Qu'importe que je meure un jour de ta main si auparavant, tu as délivré mon corps !"

–Viens, finit-il par échapper.

Mal assurée, l'Indienne recula doucement. Puis elle sortit vivement par une porte des mêmes billes que les murs, le plafond, le plancher.

Il venait de reprendre le chemin cahoteux de sa réflexion lorsque des coups frappés à l'ouverture de sa fenêtre et accompagnés d'un rire énorme le rejetèrent momentanément dans sa misère et une profonde consternation. La porte se rouvrit et livra passage à Dumas suivi de l'Indienne.

–Revenu de l'enfer ? dit aussitôt le géant, toute voix dehors.

En même temps, Fafard passait sa tête poilue par l'ouverture qu'il venait de pratiquer en s'écriant :

–Fini la suerie, mon gars ! Le temps est venu pour toi de boire de l'air. Pis à pleines charretées.

Les yeux rapetissés par la force de la lumière, Joseph regarda les deux hommes, se demandant s'ils n'étaient pas rendus, tout comme lui, dans un monde meilleur. Mais il se souvint que Fafard n'avait pas fait partie de leur détachement et que donc...

–On est... à Duquesne ?

–Oui, mon ami, dit Fafard. Pis aujourd'hui, c'est le cinq juin 1754. Ce qui veut dire que Joseph Bernard s'est promené dans les limbes huit jours francs.

Entrecoupé par les joyeusetés de l'exubérant milicien, Dumas raconta à Joseph ce qui s'était passé le jour de l'attaque du camp et depuis lors :

–Le matin du 28 mai, à l'aube, votre détachement a été encerclé par une quarantaine de Virginiens et autant d'Iroquois conduits par Washington. Les Anglais ont ouvert le feu sans sommation, tué dix hommes et fait les autres prisonniers. Jumonville a été tué à coups de hache.

–Ça, je m'en rappelle, soupira le blessé. Et Coulon de Villiers ?

–Vivant, grâce à Dieu ! Il a fait savoir à Washington que son frère était un ambassadeur au même titre que lui-même, ce Virginien, l'a été l'année dernière auprès de Legardeur de Saint-Pierre au fort Le Boeuf.

–Ce qui fait qu'il a dû libérer les prisonniers, coupa Fafard.

–Et qui... m'a ramené ?

–Qui d'autre que l'ami Dumas ? s'écria Fafard en levant les bras au ciel.

–On t'a attaché sur un lit de branches et traîné au fort. Oh ! j'ai pas été le seul à m'atteler au brancard. Tout le monde s'est relayé, même Coulon que les hommes avaient désigné pour les commander à la place de son frère. Tu as gémi, déliré tout le long du voyage. La fièvre te dévorait vivant. Pas même l'intendant Bigot n'aurait misé sur ta peau.

–Pourtant, il gage sur pas grand-chose, dit Fafard.

–En arrivant, quelqu'un est allé chercher ta... gardienne. Et depuis ce jour-là qu'elle te soigne. D'abord, elle a trouvé des plantes, quelque chose qui ressemble à du romarin sauvage...

–Pis du ledon des marais...

–Et d'autres connues d'elle seule. Elle a mélangé tout ça

avec de la gomme d'épinette et t'a fait ton pansement. Ensuite, elle t'a aspergé d'eau fraîche durant trois jours, peut-être quatre.

–Pour faire baisser la fièvre... Pis avant-hier, elle a commencé à te faire suer. C'est pour ça que ce trou-là était bouché.

Tout en écoutant, Joseph regardait souvent l'Indienne qui s'était rassise dans son coin de veille et de solitude. Elle restait figée, le regard fixé au-dessus de la tête de Fafard.

–C'est elle qui t'a déshabillé : elle te connaît sous toutes tes coutures, fit Dumas avec un clin d'oeil. Quand tu seras ragaillardi, tu pourras égarer ta perruque quelque part comme tu te l'étais promis la veille de...

–Prends ma parole, blagua Fafard, tu t'ennuieras pas avec elle. Y en a trois ou quatre dans le fort qui la connaissent pas mal. Un trésor, un vrai trésor !

Joseph se sentit contrarié, mais il n'en laissa rien voir, et son discours revint à huit jours auparavant :

–Je comprends pas une chose... Ils m'ont scalpé, ils m'ont laissé pour mort et quand ils ont vu que j'étais vivant, ils m'ont adressé un coup de casse-tête ou de hache... pis je suis encore de ce monde.

–Non, non, fit Dumas. J'ai vu ce qui est arrivé. On t'a ramassé, et en te touchant la tête, t'as cru que c'était un coup de gourdin. Avec l'entaille que tu avais...

Il termina sa phrase par une grimace.

–Je vas être beau à voir, Dieu du ciel ! comme je dois être beau à voir !

–Bah! y a dix moyens de cacher ça, dit Fafard. Avec le reste que tu vas laisser pousser deux fois plus long, tu vas enterrer le trou.

–Ou ben tu deviens officier et tu portes la perruque, renchérit Dumas avec un sourire narquois.

–Avec le temps qu'il fait sur le bord du fleuve, c'est pas compliqué; l'été, tu te mets un chapeau de paille et l'hiver, une tuque. Pis tu couches avec un bonnet comme tout le monde.

–Ceux qui survivent après avoir été scalpés sont aussi nombreux que les mouches en hiver à Saint-Thomas. Sois content parce que tu vas pouvoir montrer tes cicatrices à tes petits enfants quand tu seras vieux; ils vont en tomber de sur leur chaise et dire à tout le monde que leur grand-père était le plus brave.

–Ami Dumas, dit Fafard, le ciel en est témoin, il reste pas mal d'ouvrage pour finir de le bâtir, ce fort-là. Pis faut pas compter trop trop sur les soldats français pour le faire. Ça fait que nous deux, on va laisser notre Joseph entre les mains de son bourreau, pis on va se cracher dans les mains.

Dumas tira sur sa chemise mouillée de sueur pour la décoller de sa poitrine. Il appuya sa main au plafond, dit du plus haut de son sérieux :

–Contrecoeur a modifié ses plans. Il faut que le fort soit doublement sûr, asteur que la guerre nous tombe sur la tête.

–La guerre ?

–Tuer un ambassadeur comme ils l'ont fait va mettre le feu aux poudres, c'est certain. Le commandant a déjà confié à Coulon le soin de venger l'assassinat de son frère. Les préparatifs ont commencé. Il y a deux fois plus d'Indiens qu'avant à Duquesne. Quand on aura réuni, équipé cinq cents hommes, on se mettra en route pour aller reconduire tous ces Virginiens jusqu'au diable.

–Que le ciel et, s'il le faut, l'enfer m'entendent ! Je serai du voyage et du combat ! s'écria Joseph d'une voix qui resta faible et voilée.

–Ah! c'est le commandant qui va décider. En attendant, rebâtis tes forces. Fais confiance à la petite, elle va t'aider à reprendre... racine.

Les deux visiteurs quittèrent en riant. Fafard revint se mettre le nez dans l'ouverture pour avertir vivement :

–Obéis à tout ce qu'elle voudra que tu fasses. Autrement... autrement, tu vas aller retrouver Jumonville, foi de Fafard !

Joseph observa longuement l'Indienne. Elle restait perdue dans son monde de mystère et de lumière. Alors la fatigue et les lourdeurs dans la tête du blessé le rejetèrent dans un profond sommeil dont il ne devait émerger que plusieurs heures après.

C'est la fraîcheur de l'eau dans sa gorge et sur son visage qui le réveilla. En tordant une guenille imbibée, l'Indienne laissait tomber entre ses lèvres quelques gouttes à la fois. C'est ainsi, il l'apprendrait plus tard, qu'elle l'avait patiemment abreuvé durant le pire de la fièvre.

Quand il eut ouvert les yeux, elle s'arrêta un moment. Puis, sur une table grossière où se trouvait une sorte d'auge remplie d'eau, elle prit une tasse d'étain qu'elle remplit et porta à la bouche de Joseph. Il en accepta deux gorgées avant de hocher la tête pour montrer que sa soif était étanchée.

Le jeune homme en profita pour la détailler et pour la sentir. Elle avait un visage osseux, huileux, et sa peau dégageait une odeur vague, végétale, ajoutée.

Le puissant attrait que constituait pour lui sa poitrine à demi nue accapara une bonne part de son attention. Il retint ses yeux de ne point la regarder trop intensément pour ne pas l'effrayer. Elle eut un mouvement des lèvres, sorte de sourire, d'étincelle s'allumant dans ses prunelles de charbon. Après avoir déposé la tasse, elle enveloppa, de ses deux mains, l'un de ses seins dont elle garda le mamelon à découvert, puis l'approcha de la bouche du convalescent. Si près qu'il pouvait en humer la douce chaleur et la subtile odeur de mousse qu'il connaissait si bien pour avoir souventes fois dormi au pied des arbres.

Ils se questionnèrent mutuellement du regard. Celui de Joseph s'assombrit à la pensée des interdits de sa religion. Et celui de l'Indienne fit de même parce que le jeune homme lui refusait sa bouche. Mais elle ne bougea point, attendant que lui, fasse quelque chose.

Il restait coi, figé. L'horreur tournoyait dans son esprit. Des visions insupportables : sa tête quand il serait guéri, sa malformation, le coup de hache sur l'épaule de Jumonville, le visage horrible de Half-King... Mais, plus large que le fleuve, plus intense que le soleil, un besoin immense de les chasser toutes se rua sur lui, sur ses sens. Il bougea un peu la tête vers elle. Elle se tendit à nouveau vers lui.

Alors, pris d'une douce fièvre, il se laissa aller à la lécher en tendresse, sa langue commandée par un respect craintif. Avec ses paumes, elle exerça des pressions sur sa chair, poussa en avant pour amener Joseph à plus d'insistance. Il sentit couler dans sa bouche un jet chaud, gras, à goût incertain de sucre.

Il fut étonné de lui-même, de son ignorance. Il avait cru que l'Indienne cherchait à l'exciter alors qu'elle voulait simplement le nourrir de son lait. Mais donc, c'est qu'elle était mère !? Si jeune ! Quinze ans, peut-être pas ! Privait-elle son enfant pour rebâtir sa vie à lui ? Le faisait-elle pour une simple raison médicale, par exemple pour le familiariser à nouveau avec les aliments par l'aliment le plus naturel qui soit ? N'avait-on pas dit que sa mission était de le guérir ?

Il suça avec plus de force, aspirant et avalant alternativement. Elle le gratifia d'un sourire à peine esquissé, aux distances clairement définies, fixes, rigides. Et au moment qu'elle choisit, elle lui donna l'autre sein. Alors il se fit plus avide, sachant que ce geste n'offensait point le Seigneur, convaincu maintenant qu'il se trouvait inscrit dans un secret processus de guérison.

À la fin, elle se retira, retourna s'asseoir dans son coin. Avec elle-même ! Avec ses pensées ! Il eut beau lui parler, la remercier, tâchant par là de calmer ses propres émotions, elle ne broncha plus.

Plus tard, le commandant du fort vint rendre visite au convalescent. Joseph lui raconta ce dont il avait été témoin lors de l'attaque et il demanda à faire partie du détachement de la vengeance. Contrecoeur y posa la condition que le blessé, au départ de la troupe vers la fin du mois, soit dans trois semaines, sente en lui les mêmes forces que celles qu'il possédait auparavant pour courir les bois.

Ensuite, le commandant le renseigna sur l'Indienne. Tout en l'écoutant, Joseph regardait sa perruque. Il se demandait quel air il aurait lui-même ainsi attifé. Et il se rappelait des farces bienveillantes concernant le postiche de Contrecoeur la veille de l'attaque, près du feu.

L'officier lui apprit que l'Indienne avait environ seize ans et qu'elle avait enfanté un mois plus tôt. Ce qui n'avait guère plu aux gens de sa tribu, les Ojibways. Ce mécontentement n'était pas causé par le fait qu'elle ne soit pas mariée, mais parce qu'elle avait omis de prendre ses potions qui lui auraient évité une grossesse.

L'accouchement l'avait laissée aux portes de la mort. Dix fois, elle était sortie de la cabane bâtie à cette fin à l'écart des autres, pour aller s'agripper à une branche et y souffrir sans gémir. Et, à la brunante de cette journée atroce, elle n'avait pas pu résister à la souffrance et s'était mise à crier comme une femme blanche. Alors vingt hommes étaient allés fondre sur la cabane, par surprise, en poussant des hurlements, tirant des coups de mousquet, frappant de grands coups afin que la peur hâte la délivrance.

Un peu après, dans son isolement et le silence revenu, elle avait donné naissance à l'enfant. Une femme non menstruée, car il ne s'en trouvait point d'incommodée ce jour-là, lui avait été envoyée. Elle avait trouvé la mère évanouie, baignant dans son sang, et sous elle, le bébé mort, étouffé par son cordon.

–Les Ojibways se méfient d'elle parce qu'elle est tombée enceinte, parce qu'elle a crié dans ses douleurs et parce que son enfant est mort. C'est pour tout ça que le chef l'a choisie quand on lui a demandé une soigneuse pour toi. Et si tu veux, tu peux la garder. Tout ce que ça te coûtera, c'est ton habit de milicien.

–Mes vêtements sont même pas là...

–C'est que... je les ai déjà offerts au chef en ton nom.

–Vous voulez dire qu'elle m'appartient ?

–Avec ta blessure, il fallait auprès de toi une présence continuelle. Et surtout quelqu'un qui sache y faire quelque chose. Comme tous les Indiens, elle connaît les plantes curatives. Je me suis donc engagé en ton nom. Et ma foi, tu ne te sentiras pas trop mal avec elle. Mon cher Joseph Bernard, tu as beaucoup de chance.

–Mais qu'est-ce que je vais faire avec elle si je suis de l'expédition avec Coulon de Villiers ?

–Elle va te suivre, rester un peu à l'écart et, après la bataille, si tu es mort, elle verra à te faire enterrer. Si tu es blessé, elle va te soigner. Tu seras donc le seul milicien aussi... choyé.

–Dans la forêt, elle me retarderait.

–C'est vrai que pas un Blanc ne peut te battre en forêt.

Mais si elle le veut, tu n'arriveras pas à la suivre.

Resté jusque là à demi couché, appuyé sur son avant-bras, Joseph se leva tant bien que mal sur son séant en jetant de profonds soupirs :

–Qu'est-ce que je vais faire avec elle ? Elle comprend pas le français. Qui c'est qui va la nourrir ?

–Elle a déjà et aura sa part de la nourriture de tous au fort. Pour ce qui est de comprendre, quelle importance, grand Dieu ! Obéis-lui jusqu'à ta guérison complète et alors, c'est toi qui lui diras quoi faire. Et elle le fera fidèlement. N'oublie pas qu'elle t'appartient. Tu pourras exiger qu'elle ne dorme avec personne d'autre que toi, et elle t'obéira. Si tu veux la prêter... elle acceptera.

–Fafard et Dumas ont laissé voir que...

–Elle connaît l'homme depuis longtemps. Elle a couché avec plusieurs en attendant que tu sortes de l'inconscience. Il le fallait. Elle a besoin de quelqu'un pour la téter.

–Quoi ? La téter ? rougit Joseph.

–Il faut qu'elle allaite pour pas retomber enceinte. Son souci me fait croire que ses potions, elle les avait bien prises. Peut-être que sur elle...

–C'est pour ça que...

–Mon ami, du lait d'Indienne, c'est d'un grand réconfort, même pour un homme. Prends-le, sinon elle ira vers quelqu'un d'autre.

–Commandant, on m'a dit que vous-même...

–Pas avec celle-là, coupa Contrecoeur avec un sourire embarrassé. Mais si elle vient m'offrir... quelque chose, je le prendrai volontiers.

Il entrouvrit la porte, regardant l'Indienne au port rigide et à la mine impassible, répéta :

–Je le prendrai sûrement... Avec ton accord bien entendu, mon cher Bernard.

–Elle a un nom ? s'empressa de demander Joseph alors même que l'autre quittait.

–Le chef de sa tribu n'en a rien dit. Tu peux lui en donner un. Après tout, elle t'appartient. Tu verras, c'est comme pour un chien, quand tu l'auras répété cinq, six fois, elle va y répondre.

Joseph passa le reste de la journée à chantonner, à penser à sa chère Laurentie, à chercher un nom convenable pour son Indienne. Petite-Eau... Oie-Douce... Biche-des-Bois... Les idées se succédaient, se bousculaient. Aucune ne lui convenait, ne lui plaisait. Tout sonnait faux. Rien ne la résumait tout à fait. Quand elle s'approcha pour lui donner le sein une seconde fois, il trouva. Et à la fin de la tétée, il le lui dit en posant son doigt sur son fin menton :

–Source-de-Vie... Tu t'appelleras Source-de-Vie.

Elle resta froide et recula pour s'affairer.

Il ôta les couvertures l'entourant, n'en garda qu'une seule de pudeur et de protection de son amour-propre, plus deux autres sous lui pour éviter le contact de sa peau avec les aiguilles de sapin. Elle avait beau connaître son corps, et bien qu'il eut maintenant l'habitude de penser qu'elle savait, il n'arrivait pas à imaginer qu'il pût se produire entre eux une rencontre charnelle entière. Plus de barrières dans les mots, dans les intentions et les désirs, et pourtant... Une femme jeune et belle lui appartenant en exclusivité, et pourtant... Malgré toute sa faiblesse, sa chair commençait à se dégourdir ainsi que la terre au printemps, et pourtant...

Elle quitta les lieux avec les couvertures. Il la trouva absente trop longtemps. Un sentiment inconnu, contrariant, le chatouillait. Quand soudain l'obscurité se fit dans la pièce, il l'aperçut qui pendait les couvertures au mur extérieur, très certainement pour les faire sécher. Sûrement qu'elle revenait de la rivière où elle les avait lavées.

–Source-de-Vie, répéta-t-il trois fois.

Elle s'infiltra sous la couverte qui drapait l'ouverture. Son menton arrivait juste à la base du châssis qui n'en était pas un mais bien plutôt un trou grossièrement pratiqué dans la cloison. Joseph avait du mal à la bien discerner. Il la devina , et son émotion redoubla. Il avait le coeur à lui dire d'entrer, de venir lui réchauffer l'intérieur et lui rafraîchir le corps. Mais il se contint. S'excusa à lui-même de se retenir en se disant qu'elle n'aurait pas compris de toute manière. Et pourtant, à l'appel de son nom...

Le jour suivant, elle lui apporta de la nourriture solide : des baies et des biscuits. Elle ne les lui montra et donna qu'après s'être fait libérer de son lait. Joseph avait pris l'habitude de lui parler sans arrêt. De tout et de rien. Du cordonnier Plessis, du curé de Saint-Thomas, de son père venu de France : tous personnages qui ne provoquèrent chez elle aucun hochement de tête ni le moindre froncement de sourcils.

Dans l'après-midi, il s'accouda à l'ouverture pour suivre la progression des travaux pour ce qui, du fort, donnait sur cette grande cour intérieure encore parsemée de souches et bourdonnante. Des équipes travaillaient justement à essoucher. Des soldats français allaient et venaient en gesticulant et en indiquant des voies à suivre : théoriciens bâtisseurs aux muscles indolents.

Des centaines de Sauvages répandus partout fumaient en palabrant et en s'adonnant au troc. Les Canadiens doublaient la palissade en érigeant un second mur par dedans. L'espace entre les deux constructions serait rempli de pierres extraites de la rivière, de sable et de terre. Et cette technique mettrait le fort à l'abri du feu, du moins pour un temps lors d'une attaque ou d'un siège.

Des hommes vinrent féliciter Joseph pour avoir survécu à l'artifice pour le moins douteux de son expéditif coiffeur. Un soldat maniéré lui demanda de lui envoyer l'Indienne au coucher du soleil. Il paierait bien. Il fut évincé.

Quand le soleil commença à décliner, Source-de-Vie s'approcha de son maître et entreprit de défaire son pansement. Pour quel motif choisir ce moment-là ? se demanda Joseph. Elle-même n'en savait rien. Elle le faisait d'instinct, comme elle accomplissait presque toutes choses.

C'était une sorte de turban gris solidement noué de l'autre côté de la tête par rapport à la blessure, de sorte qu'elle ne fit aucun mal au patient en dénouant la bande. Pas plus que pour enlever la dernière partie. Car les herbages et une couche de feuilles donnaient à la plaie une sorte d'enveloppe médicinale. Elle ne toucha pas à ces végétaux. Ils tomberaient à mesure, d'eux-mêmes, au fil de la guérison, avec les escarres...

Le lendemain matin, en rentrant, elle le réveilla par le bruit pourtant discret qu'elle fit. Elle avait quitté sa couche en douceur, par petits pas feutrés et s'était rendue à la rivière. Et voilà qu'elle revenait, portant deux seaux d'eau accrochés à une palanche installée sur ses épaules. L'eau de droite était pour boire. Le seau de gauche servirait à l'hygiène, pour quelques ablutions d'abord, avant de faire usage de tinette.

Puisqu'il était conscient, elle lui servit à boire à même son eau fraîche. Bien qu'il fît jour dehors, la pièce n'était que semi-éclairée à cause de l'ouverture bloquée. Une toile empêchait les petites bêtes grimpeuses et curieuses de s'introduire à l'intérieur et fermait la porte, à coup sûr, aux nuées de moustiques. Quant aux interstices qui restaient, Source-de-Vie en aspergeait les côtés avec une de ses concoctions, ce qui avait pour effet de réduire encore davantage l'invasion des maringouins et mouches noires. Et suprême protection pour lui, elle a régulièrement frotté le corps entier de Joseph avec une substance odorante qui mettait sa peau à l'abri des piqûres d'insectes de tous ordres. Depuis son émergence de sa longue nuit aux frontières de la mort, elle ne l'a plus refait. Le moment était venu.

Il fallait tout d'abord le laver pour faire disparaître les résidus de l'ancien baume dont les propriétés étaient émoussées, et qui, maintenant, attirait les moustiques plus qu'il ne les repoussait. Elle moitit des linges et s'approcha de lui en marchant sur les genoux.

Puis elle parut changer d'idée et se déplaça vers sa poitrine pour examiner la plaie. Par une pression mesurée, tendre, de la main sous la nuque, elle lui fit lever la tête. Il souleva tout le haut de son corps. La blessure donnait l'aspect d'une large bande épineuse ceignant la tête depuis le milieu du front jusque derrière. Elle la toucha du fin bout des doigts pour en vérifier l'indolence, surveillant son visage pour savoir. Joseph resta froid.

Un peu plus tard, elle enduirait la blessure de son même onguent émollient. Joseph ne tarderait pas à en connaître la composition : huile d'ours contenant des racines pulvérisées d'une espèce d'orchanette appelée 'ouccoon' et d'une sorte d'angélique sauvage. Ce produit avait pour effet de rendre la peau souple, de la préserver des piqûres des cousins d'empêcher une transpiration que l'on voyait d'un mauvais oeil en dehors des véritables sueries. Cette mixture protégeait aussi du froid, avait la réputation, quand ointe sur les membres, d'en amenuiser la fatigue.

Source-de-Vie en possédait une pleine petite jarre de bois bien fermée, mise dans un panier de paille près de sa couche. Ce n'était pas là le seul trésor qu'elle possédait dans ce contenant. S'y trouvaient d'autres potions et onguents, un petit collier de wampums, héritage de son père, du wartap et des aiguilles à chas énorme, des miroirs aussi.

Les miroirs, elle les avait soigneusement dissimulés. L'homme blanc ne devait pas se voir dans toute sa laideur. Elle se disait que la haine des Indiens devait habiter son coeur à cause du scalp. Sa tâche n'était pas de n'amener à leur cicatrisation que les seules plaies du corps...

Elle possédait aussi quelques racines particulières et des herbes séchées et odorantes. Sur le plancher, depuis sa couche jusqu'à l'encoignure et ensuite à la porte, sur une largeur de deux pieds se trouvaient des dizaines d'autres racines dont une bonne part du ginseng. Et sur le mur, çà et là, étaient pendues des couvertures et des robes multicolores, accrochées à des lacets de cuir, à des chevilles ou à des clous de métal qu'elle avait trouvés dans la cour autour des bâtisseurs, et fixés avec son petit tomahawk.

D'un linge mouillé, elle se fit un gant puis elle toucha délicatement l'épaule nue. Joseph eut un frisson tant c'était froid et doux. Et il se demanda si c'était pour la première raison ou l'autre, ce frémissement qui rayonnait maintenant de par toute sa chair.

La petite main se mit à tournoyer sur cette large poitrine dont la toison noire n'en finissait pas d'étonner Source-de-Vie. Elle se disait que c'était là un don du grand esprit des Blancs pour les protéger du froid et des rayons excessifs du soleil. Mais en était-ce un ? Ne valait-il pas mieux que la peau apprenne à se défendre sans cette fourrure ? Et puis, les Blancs donnaient l'air, finalement, de résister moins bien que les Indiens aux excès du temps.

Parfois, elle s'arrêtait pour aller retremper son chiffon. Et alors Joseph s'ennuyait de la main si fragile et si habile, et plus encore de l'ivresse que lui procuraient l'odeur de la jeune femme, sa chaleur toute proche et le spectacle bouleversant de son sein dansant au rythme de ses gestes.

Le goût d'y boire lui vint en force. Ce lait était devenu nectar, potion envoûtante, drogue, et sa poitrine, un lit de sécurité douillette. Il la toucha. Elle recula de réflexe. Il devina qu'elle devait avoir mal, car le sein était gonflé. Une goutte blanche perlait au mamelon. Et tirant doucement sur son bras, il lui fit une bienveillante invitation de venir à lui en même temps que ses regards généreux alternaient des yeux de la jeune fille à sa poitrine.

Après une tétée soulageante, rassasiante, il lui laissa poursuivre sa tâche. Il eut un moment de gêne quand elle rejeta brusquement sa couverture au-delà de ses pieds, pour ainsi le découvrir totalement. Cherchant à oublier son propre corps, l'homme entreprit d'explorer celui de sa compagne. Il introduisit lentement une main tremblante entre les cuisses que la position de Source-de-Vie, assise sur ses jambes, laissait voir abondamment. Elle sut ce qu'il voulait et se mit debout pour se dévêtir. Elle ne portait, ce jour-là, qu'une jupe de daim frangée très courte qu'elle délaça et laissa tomber.

En proie à extrême nervosité, Joseph s'assit carrément sur son lit. De la sorte, et sans l'avoir expressément voulu, son visage se trouva à hauteur du sexe nu de la jeune fille, et fort près.

Rempli de confusion, il chercha quoi faire. Son sang bouillant lui tournait la tête. Il ne trouvait rien. Et son sexe tourmenté devint plus dur qu'un chêne. Ce qui incita l'Indienne à se rendre à son panier y quérir un petit pot d'écorce de bouleau rempli de graisse d'ours.

Revenue à lui, rassise sur ses jambes, elle le poussa délicatement et le fit s'étendre à nouveau. Elle ouvrit le contenant fermé par une double épaisseur de cuir, y puisa une grosse noix de gras qu'elle étendit dans ses mains.

Pour lui, ce rituel était à la fois étrange et attirant, inquiétant et enivrant. Toujours incapable de décider quoi que ce soit, il décida de ne rien faire du tout. Obéis à ce qu'elle commandera, se répéta-t-il. Et comme elle savait toujours y faire...

Elle appliqua sa main gauche sur ce bas-ventre à délivrer comme pour le sonder, écouter par les doigts toutes les modulations du désir courant par la chair. Et de l'autre, elle s'empara de la tige difforme qu'elle enduisit soigneusement et vigoureusement de graisse.

La main divine montait, descendait, entourait, enveloppait : symphonie sauvage et savante. Cherchait dans toute sa substance suppliante des vagues de soupirs qui trouvaient leur voie par la bouche. Aspiration fébrile qui se transformait en contractions musculaires. Tourments désirables devenant torsions de toutes les extrémités.

Les intensités avaient chassé du coeur de l'homme toutes les peurs, toutes les hontes, tous les tabous s'y logeant confortablement depuis tant d'années. Chaque partie de lui-même n'était plus lui-même. Son esprit lui paraissait un torrent lumineux; son coeur, un soleil fort; son corps, un cri ardent.

Source-de-Vie n'aurait eu de cesse de frôler avec ses doigts de papillon, de serrer avec la paume, d'explorer les capricieux ruisseaux de sang si Joseph ne lui avait donné un signal en lui touchant l'épaule. Il désirait la serrer dans ses bras, se faire envelopper... Elle comprit autre chose. Vivement, elle l'enjamba. Et, d'un geste expérimenté, naturel, l'introduisit en elle, dans son jeune corps qui ne ressentit aucune douleur à s'adapter.

Pour s'ouvrir en douceur et jusqu'au coeur d'elle-même, elle initia une lente chevauchée sans aller à fond. L'homme blanc était curieusement fait, ni comme un brave, ni comme aucun autre de sa race. Il fallait donc qu'elle mesure ses mouvements, bouge avec une plus grande prudence.

L'homme voulait gémir, ne le pouvait Sa sensualité était subjuguée par un besoin impérieux, total, de faire comprendre à sa compagne au moins par le regard, qu'il lui vouera une reconnaissance éternelle, que, par cette union, il avait le sentiment de l'épouser de la même façon qu'il l'eût fait avec ô combien d'empressement, par un grand oui prononcé devant Dieu et les hommes dans un saint temple paroissial. Alors il se leva à mi-corps, ce qui eut pour effet de les réunir plus profondément. De ses mains excessives, il lui prit la tête comme s'il s'agissait du plus précieux des objets. Et il obtint ce regard qu'il désirait tant, le fit captif du sien, communiqua à ses yeux noirs et luisants et à leur âme son vibrant message de reconnaissance.

Elle sourit, doubla son rythme : phalène dorée, légère et onduleuse comme un crépuscule de la Belle-Rivière. Joseph resta sur ses coudes à lui dire des silences pleins de coeur. Il voyait à son front des diamants qui suintaient, voulut les boire. Sans cette position et les reliquats de sa blessure, il connaîtrait déjà l'explosion des sens.

Source-de-Vie pensa que jamais personne n'avait plongé dans ses yeux et son esprit avec autant de bonté. Elle, l'orpheline qui, pour naître, avait dû tuer sa mère et qui avait été la cause involontaire de la mort d'un brave rongé par un mal intérieur après avoir sauvé la fillette des eaux glacées d'une rivière. Elle, la demi-rejetée par son clan et sa tribu et qui, pourtant, avait toujours obéi fidèlement, s'était adonnée de toutes ses énergies à tous les travaux requis par la communauté, elle qui avait appris à coudre des robes, à tresser des raquettes, confectionner des mocassins, choisir des herbes guérisseuses et les traiter, elle qui savait plaire aux braves et panser leurs plaies...

Le Blanc, malgré toute la laideur de sa tête à demi écorchée et de son membre bossu, n'avait pas, même une seule fois, levé la voix pour lui faire comprendre des reproches et, depuis son retour à la vie, ses yeux avaient parlé pour son coeur, comme maintenant.

Alors une vibration étrange, inconnue, se mit à arracher du ventre de la femme sauvage, de sa poitrine, d'elle tout entière, une plainte frénétique comme si elle eût nâvré de boire trop vite, trop d'eau, trop froide. Mais le gémissement est menteur, car la chose mystérieuse qui l'a provoqué s'appelle le plaisir, un plaisir profond, tournoyant comme un remous et qui l'aspire toute, toute, vers lui...

Tandis que la flamboyante cavalière émet le son le plus aigu né de sa chair tourmentée, l'homme atteint l'irrésistible culmination qui le divise en milliards d'autres. Et il se sent, l'espace d'un éclair, le maître de la terre.

En le recevant, elle murmure un simple mot en deux syllabes détachées, coupées d'un souffle ému :

–Jo... seph...

C'était la première fois qu'elle ouvrait la bouche pour parler. Et lui, effleuré par une pensée fugitive pour la Corinne Plessis, dit, haletant :

–Source-de-Vie.

Mais il n'a plus pour la Corinne que des grenailles de coeur.

Narantsouak, sauvagerie du Maine

La fébrilité des bâtisseurs de forts augmentait aussi chez les Anglais cette année-là, et particulièrement chez le gouverneur Shirley du Massachusetts qui, à l'instar de son collègue Dinwiddie de Virginie, avait intérêt à voir prospérer une société. Dans son cas : la *Plymouth Company* à laquelle Londres a concédé des territoires abénaquis de chaque côté de la rivière Kennebec.

Le problème, vieux de plus d'un siècle, car la compagnie avait été constituée en 1606, était l'établissement de colons que les Abénakis et leurs amis français avaient toujours terrorisés par des raids meurtriers, allant parfois jusqu'au massacre de villages entiers. Le seul nom d'Abénakis avait pour effet de semer l'épouvante n'importe où dans les colonies anglaises et tout spécialement cet été-là, alors que des bandes se ruaient sur des établissements du New Hampshire qu'elles pillaient, détruisaient, où elles massacraient et faisaient maints prisonniers emmenés au Canada.

En plus de semer la désolation et la mort, ces Indiens osaient attaquer des garnisons auxquelles ils faisaient subir de grandes pertes humaines. Leur double but : arrêter l'invasion de leurs territoires par les Anglais et venger leurs ancêtres tués lors d'expéditions anglaises dirigées contre eux. Car ces Sauvages possédaient la même constance dans leurs désirs de vengeance aux dépens des Anglais que dans leur fidélité à leurs amis français.

Néanmoins, les Norridgewocks, Abénakis de la Kennebec, n'avaient pas encore rompu le traité de paix de 1749 qui avait mis fin à quatre années d'hostilités. Mais, ce jour-là, c'est de guerre dont trois hommes discuteraient dans la loge du missionnaire.

Le père Étienne Lauverjat, vétéran de plusieurs missions abénaquises au Canada, vivait à Narantsouak depuis cinq ans. Quelques jours auparavant, il avait accepté que le chef de la tribu se rende à une conférence où le gouverneur Shirley avait expliqué aux Indiens le but d'une expédition entreprise prochainement et dirigée par lui sur la Kennebec. Du même coup, Shirley a obtenu leur agrément pour la construction de forts ainsi que pour l'établissement de nouveaux colons dans les environs.

Le chef était revenu alors que le soleil se trouvait à son zénith. Il a tout d'abord visité le chef de guerre et conféré avec lui. Puis l'on s'est rendu chez le missionnaire dont la hutte jouxtait la petite chapelle.

Dans la maisonnette, l'air était respirable malgré la chaleur extérieure. Des ouvertures dans les murs et le toit favorisaient une bonne aération. La construction était de billes et de terre séchée, ce qui la gardait plutôt fraîche.

Depuis plusieurs générations, les Abénakis pratiquaient la religion catholique avec zèle et ferveur, sans pour autant abdiquer leurs propres coutumes ! Les échecs des débuts ont fait s'adapter les méthodes d'évangélisation. Les missionnaires ont suivi les recommandations du père Ragueneau qui écrivait un siècle plus tôt : "*Il faut être fort réservé à condamner mille choses qui sont dans leurs coutumes, et qui heurtent puissamment des esprits élevés et nourris en un autre monde. Il est aisé qu'on accuse d'irréligion ce qui n'est que sottise, et qu'on prenne pour opération diabolique ce qui n'a rien au-dessus de l'humain... Je ne crains pas de dire que nous avons été trop sévères, que la sévérité des commencements n'est plus nécessaire...*"

L'on s'était échangé des civilités en français, mais les délibérations auraient lieu en langue abénaquise. Car les deux chefs autant que le missionnaire pouvaient s'exprimer dans les deux langues. Les trois hommes étaient assis à même le plancher de bois équarri autour d'une marmite noire contenant une tisane fraîche et dans laquelle chacun pouvait puiser à sa guise au moyen d'une longue louche.

Ce fut tout d'abord le chef de la tribu qui raconta son voyage à Falmouth. Il parla des rumeurs de guerre et rapporta ce qu'il avait appris des raids sur le New Hampshire exécutés par leurs frères de Saint-François.

Le chef était un homme aux yeux las et à la peau ridée

comme une vieille pomme. Il accompagnait de gestes lents et mesurés sa voix grave, puissante et tranquille, laquelle, au temps de sa jeunesse, avait dû éclater comme le tonnerre. De tous les Abénakis, depuis le Saint-Laurent jusqu'en Acadie, il était celui au coeur le plus lourd. Lourd de vides. Trente ans depuis qu'il avait perdu tous ceux de ses vingt ans ! Trente ans qu'il était revenu à Narantsouak après une chasse pour y trouver tout le monde, vieillards, femmes et enfants, massacrés par les Anglais. Trente ans que le cri de la vengeance se perdait en sa poitrine dans un gouffre sans fond. Trente ans qu'il invoquait les morts, leur demandant de prendre patience. Oh ! il avait bien cassé quelques têtes d'Anglais depuis la destruction du village en 1724 et l'assassinat du missionnaire qui s'y trouvait, le père Sébastien Rasle, mais cela ne compensait guère pour les quatre-vingts personnes tuées ce jour-là. Hélas ! l'homme avait considérablement vieilli. La flamme avait diminué même si la braise couvait toujours sous la cendre. C'est que lui et son peuple avaient dû traverser bien d'autres épreuves par la suite. Les inondations et tremblements de terre à Saint-François où ils s'étaient établis lors de la grande migration vers le Canada consécutive au massacre. La petite vérole qui avait décimé leur population en 1733 et qui avait fait revenir une partie d'entre eux dont lui-même vers les anciens territoires de chasse de la Kennebec rejoints par la voie de la rivière bruyante que les Français appelaient Sault-de-la-Chaudière.

Le chef de guerre avait toujours sur son visage des lignes larges de couleur rouge par lesquelles il rappelait aux autres son rôle dans la communauté, un rôle qui se résumait en temps de paix à exhorter et à convaincre. Car les décisions de partir en expédition guerrière relevaient du Conseil général qu'il cherchait à influencer par ses harangues vives. Si d'aventure, le chef de la tribu et le missionnaire approuvaient ses vues, ses chances augmentaient de voir le Conseil pencher en faveur de ses propositions belliqueuses.

–Les braves de tout le village brûlent de mettre des couleurs sur leur visage, déclara-t-il avec force gestes des deux mains fermées.

Il lui fut répondu :

–Les soldats anglais sont nombreux comme les poissons de la rivière, comme les étoiles du firmament. Qu'ils viennent à mille et qu'on les détruise, ils reviendront à dix mille. Ce fut toujours ainsi depuis qu'ils ont foulé de leurs pieds assassins le sol de nos terres et il en sera toujours ainsi. Nous leur prenons dix vies; ils nous en prennent cent.

Le chef de la tribu soupira, crispa les mâchoires, et son coeur dit aux morts qu'il désirait retarder encore le jour de la vengeance afin de sauver les vivants et assurer la survie de son peuple.

–Il faudrait réunir les Penobscots, faire venir les guerriers de Saint-François, dit le missionnaire, Envoyons là-bas des wampums, et sans tarder.

–Faire cela, c'est courir à notre perte. Nous ne sommes pas assez nombreux. Nous ne le serons pas non plus, même avec nos frères les Penobscots et ceux de Saint-François.

–Nos frères de Saint-François ne sont-ils pas ceux-là même qui lèvent des chevelures d'Anglais tandis que nous parlottons comme des femmes ? dit le chef de guerre.

–C'est pour cela qu'ils ne viendront pas ici. En comptant les lunes que prendraient leur venue et une expédition, ils pourraient se faire coincer ici, à Narantsouak, pour l'hiver...

–Pour l'hiver ! s'écria le chef de guerre. Quel Abénakis a jamais été effrayé par la neige des forêts qui le réchauffe ou par la glace des rivières qui le porte ?

–Le gouverneur de Nouvelle-France que je connais et que notre bon père supérieur connaît mieux que moi et fréquente, nous enverra des soldats français et des miliciens canadiens, intervint le missionnaire avec des gestes francs et mesurés des mains ouvertes tels ceux des Indiens.

–Les jeunes braves Natanis et Sabatis ont passé l'hiver à Québec. Ils ont rapporté que le gouverneur a envoyé tous les hommes disponibles chasser l'Anglais au pays des Odawas, à la Belle-Rivière, dit le chef de tribu.

–Quand le gouverneur Duquesne saura que les Anglais ont dessein de bâtir des forts sur la rivière Kennebec, il enverra du secours, reprit le père Lauverjat. Faisons-lui porter la nouvelle par Natanis. Dans sept jours, il sera rendu à Québec.

Le débat dura jusqu'au coucher du soleil alors que les femmes apportèrent une marmite de sagamité bouillante dont elles avaient rehaussé le goût avec des morceaux de grenouille et des intestins de chevreuil non vidés mais séchés et dont l'odeur forte pouvait réveiller l'appétit des moins affamés.

Ce sont toujours les mêmes arguments qui effectuaient de fort longs détours pour revenir sous d'autres mots, transportés par d'autres images, chacun restant sur ses positions. Le chef de guerre resta favorable à une expédition pour bloquer les Anglais. Le missionnaire encourageait cette idée pourvu que des renforts soient préalablement envoyés de Québec. Et le chef de la tribu, malgré la lourdeur de son coeur, pressentait comme prix à payer de toute entreprise guerrière contre les Anglais, la destruction de toute la tribu et une répétition empirée du massacre de 1724.

Toute cette parlure n'était rien de plus qu'un préambule à la réunion du Conseil général, lui seul détenant le pouvoir décisionnel en cette matière.

Le chef de la tribu sortit de la hutte, héla un brave et lui confia des bâtonnets à distribuer sur l'heure à tous les chefs de famille afin de les convoquer à cette réunion extraordinaire qui aurait lieu le soir suivant, et pour que l'on s'y préparât. Chacun d'eux devrait aviser tous ceux de sa cabane pour que le jour suivant, femmes et enfants réunissent au milieu du campement le bois voulu qui alimenterait le grand feu requis pour éclairer la réunion et surtout les esprits.

L'excitation fut importante tout ce jour de fort soleil à la grandeur du village. Aucun homme ne quitta les lieux sauf quelques chasseurs désignés pour aller tuer un ours pour le cas où la guerre serait décidée et qu'alors, un festin suivrait la réunion.

Ils étaient des centaines autour du feu. Tout d'abord trois, quatre cercles de guerriers assis. Puis, derrière eux, les femmes et les enfants, tous trépignant, jaspinant : fort joyeux et anxieux.

Seuls les chefs, accroupis sur leurs jambes de chaque côté du missionnaire, avaient l'imperturbable d'un grand rocher gris qui fendait la rivière en deux parties à hauteur du camp. Chacun ruminait gravement les sujets qui soutiendraient sa harangue. La prise de la parole se ferait selon un ordre établi d'importance croissante : le chef de guerre, le chef de la tribu, le missionnaire, les femmes d'âge mûr dont l'avis en cette matière était prépondérant et enfin les braves. Les voix les plus fortes appartenaient donc à celles et ceux habituellement investis d'aucune forme d'autorité au sein de la communauté.

Les emportements du chef de guerre et de certains braves ne suffirent pas à incliner la majorité : et le vote, fait à l'aide de bâtonnets jetés sur un côté ou l'autre du feu selon qu'on était pour ou contre la guerre, fut largement pour la paix. Néanmoins, l'idée du père Lauverjat d'envoyer Natanis à Québec fut adoptée.

Le jeune brave avait tout juste dix-huit ans, mais il ne

comptait plus les voyages au Canada ou ceux conduisant jusqu'à la hauteur des terres, cette ligne de séparation des eaux où, à l'adret des montagnes, prenaient source des ruisseaux coulant vers le sud, vers des rivières et lacs dont les décharges finissaient par aboutir, via la Kennebec, au grand lac du Grand-Esprit, et de l'autre, l'ubac, où commençaient des eaux roulant vers le nord jusqu'au grand fleuve.

À l'aurore du jour suivant, le missionnaire lui confia une lettre qu'il avait écrite durant la nuit. Une longue lettre démontrant une fois de plus l'importance vitale de la voie Kennebec-Chaudière qui, sous contrôle anglais, permettrait à coup sûr une attaque traîtresse de Québec par les Bostonnais. Il soutenait que mille hommes partis de la confluence des rivières Sebasticook et Kennebec où l'on commençait à ériger un fort, pourraient se présenter à Sillery ou à Sainte-Foy huit jours plus tard s'il ne se trouvait rien ni personne pour leur barrer la route. Il fallait donc de toute urgence des soldats et des bâtisseurs de forts, commc à Belle-Rivière, pour arrêter la poussée anglaise.

Natanis demanda à son camarade Sabatis de l'accompagner comme l'hiver précédent, ce que son 'nidôba' accepta avec grande joie. Ces deux jeunes gens du même âge étaient unis depuis trois années par un engagement mutuel de braver tout danger pour s'assister et se supporter l'un l'autre. Ils demeureraient amis jusqu'à leur dernier jour sur la terre du Grand-Esprit. Ils croyaicnt même que la mort de l'un ne leur vaudrait qu'une séparation temporaire, et qu'à la mort de l'autre, ils seraient à nouveau réunis pour ne plus être séparés dans leurs chasses et leurs courses.

Une heure plus tard, ils s'embarquaient dans leur canot d'écorce, frêle nacelle qui les transporterait jusqu'au lieu de leur destination. Leur image n'avait pas fini de se fondre dans le scintillement de la rivière que dans l'horizon opposé, par-delà le rocher dont on croyait qu'il était le refuge de l'esprit de la guerre, se dessinait celle d'un autre canot transportant, celui-là, un Indien et un Anglais, et surmonté d'un petit drapeau blanc.

C'était un émissaire dépêché à Narantsouak par Shirley. Le gouverneur de la province désirait venir y rencontrer les Indiens en leur village même afin de les entretenir du maintien de la paix. Le canot était rempli de présents que le chef pourrait distribuer selon son bon vouloir.

L'Anglais n'avait de militaire que le chapeau qu'il ne portait d'ailleurs pas à cause de la chaleur et qu'il avait laissé dans l'embarcation avec son mousquet, un Brown Bess assez semblable aux Charleville français utilisés par les Indiens.

Il y eut rencontre chez le missionnaire. Par échange de propos, l'on accepta derechef la visite prochaine du gouverneur puisque l'entente était déjà tacite depuis la réception des présents. Shirley serait accompagné de son commandant de la milice, le major général John Winslow ainsi que de deux civils, l'un de son conseil exécutif et l'autre, membre influent de la Chambre du gouvernement du Massachusetts.

Quelques jours plus tard, alors que Natanis était reçu par le gouverneur Duquesne à Québec, Shirley arrivait en vue de Narantsouak à une demi-lieue en aval du village. L'un des braves agissant comme sentinelle courut avertir toute la tribu. Sa voix se répercuta sur tous les murs de la palissade, pénétra tous les wigwams, fit accourir les enfants.

La réception qu'on offrirait aux Anglais avait été soigneusement préparée. À la tombée du jour, après les pourparlers se tiendrait un festin tel ceux de victoire. Ainsi en avait décidé le grand Conseil formé des chefs de famille.

La délégation anglaise comptait six canots contenant chacun deux ou trois hommes de même qu'un septième chargé de présents : couvertures, ustensiles, verroterie et quantité de tissus multicolores, de robes et de chapeaux, le tout ramassé lors de collectes faites à Boston spécialement pour ces fins-là. Les grandes dames de la ville avaient eu une générosité égale à la terreur que leur valaient les nouvelles des journaux relatant avec emphase les crimes commis en Nouvelle-Angleterre par les Canadiens et leurs suppôts, les Sauvages des tribus abénaquises.

À l'avant du convoi, pagayaient deux Mohicans dont l'un tournait parfois la tête pour juger de la distance les séparant des suivants. Venait ensuite l'embarcation où se trouvaient Winslow et deux miliciens, puis les hommes politiques, chacun dans son canot et accompagné également de rameurs. D'autres Sauvages occupaient le sixième canot auquel était attaché celui des présents, fort lourd et qui laissait derrière lui un important sillage.

Shirley jubilait. Ses plans qu'il a exposés à l'Assemblée au printemps sont en voie de se réaliser. Il a profité d'une rumeur, et contribué à la répandre, voulant qu'il y eût un établissement français quelque part entre les rivières Kennebec et Chaudière, à la hauteur des terres. Il fallait à tout prix détruire cette place qui menaçait l'existence des colons du Massachusetts, car il pouvait s'y donner d'importants rendez-vous entre Canadiens et Abénakis, servant de point de départ à des expéditions guerrières. Et si la rumeur s'avérait non fondée, il faudrait empêcher que l'on pense même à s'établir là-bas dans la sauvagerie, et, pour cette raison, élever des forts aux endroits stratégiques de la Kennebec.

Ainsi donc, cette année-là, la pensée des gouverneurs Dinwiddie de Virginie, Duquesne de Nouvelle-France, Shirley du Massachusetts ainsi que du président du Conseil de Nouvelle-Écosse, Lawrence que tous s'attendaient à voir remplacer bientôt Hopson comme gouverneur de cette province, était la même : lever le bouclier devant l'ennemi par l'érection de postes fortifiés.

Touchée et convaincue, l'Assemblée du Massachusetts a autorisé la levée d'un corps de milice pour partir à la recherche du prétendu établissement français, le détruire et pour procéder dès l'été à la construction des forts projetés,

Le fort Western a poussé comme un champignon en quelques jours. Et voilà qu'à trente milles à peine de Narantsouak, l'on avait commencé à en ériger un second, bien plus important, et qui porterait le nom de fort Halifax.

John Winslow avait lui aussi de bonne raisons pour arborer un sourire aussi brillant que son uniforme. Et parmi celles-là, la construction de ce fort selon un plan qu'il avait lui-même jeté sur papier : une grande palissade en forme d'étoile mesurant deux cents pieds d'un point à l'autre des côtés. Et une palissade intérieure entourant quatre baraques, chacune de vingt pieds carrés avec, au centre, un blockhaus aux mêmes dimensions. Mille trois cents piquets de chêne venaient d'être livrés pour la palissade extérieure dont l'érection débuterait incessamment.

Emplumé comme aux plus beaux jours, accompagné du missionnaire et de quelques braves, le chef de la tribu quitta l'enceinte du village pour aller accueillir les visiteurs. Un gouverneur, fût-il un Anglais, venu rendre visite aux Abénakis dans la sauvagerie, cela ne s'était jamais vu de mémoire d'homme. Il fallait lui rendre tous les honneurs dûs à son rang.

Ils atteignirent la berge. Les Anglais débarquaient. Shirley, un petit homme affable, vêtu de son costume d'apparat, pourpoint bleu bardé de bandes dorées, s'empressa tout d'abord de faire voir et d'offrir les présents que le sachem accepta et fit aussitôt transporter au village.

La communication se faisait par interprète, fonction assumée par un milicien. Winslow, vieux routier de l'arrière-pays et qui avait déjà passé plusieurs mois à Québec, possédait, du français, une connaissance à peu près égale à celle que le père Lauverjat avait de sa langue, de sorte que les deux hommes s'entendirent plus ou moins. Ils montèrent ensemble au village en s'entretenant du niveau de la rivière et du peu de succès de ceux qui pêchaient dans la Kennebec ces jours-là.

Les Anglais ne s'étaient pas rendus à Narantsouak dans l'unique but de célébrer la paix; ils en profiteraient pour évaluer les forces. C'est ainsi que Winslow, l'oeil alerte, put dénombrer sommairement une cinquantaine de cabanes. Il déduisit qu'il s'en trouvait sans doute soixante-quinze. À trois ou quatre familles chacune, cela faisait bien de mille à quinze cents habitants. D'où, de trois à quatre cents guerriers. Il pensa qu'une attaque bien orchestrée de ses huit cents miliciens suffirait à raser tout.

Il se livrait à ses calculs tout en s'intéressant aux Sauvages dont les us et coutumes ne cessaient de l'étonner. Devant chaque cabane, des enfants curieux qui n'avaient encore jamais vu autant d'hommes blancs à la fois, clignaient des yeux; leurs rétines étaient piquées par les reflets des boutons dorés, des chaînettes et des boucles de ceintures. Plusieurs femmes avaient trouvé une occupation à l'extérieur pour se donner l'occasion de regarder passer les étrangers. L'observateur eût pu voir des lueurs malicieuses au fond de leurs yeux froids et fuyants. Un secret, une connivence liait toute la communauté dans une joie cachée. Dès le départ de l'émissaire, les membres du grand Conseil avaient conçu un stratagème, et leur dessein serait mis à exécution le soir même après le feu et la fête, à la faveur de la nuit. Jusqu'au missionnaire qui avait été écarté du secret !

En dehors des civilités usuelles, le sachem fit l'accueil

officiel dans sa hutte, une cabane basse faite d'écorce et de terre séchée, et non point conique comme un wigwam ordinaire. Furent réunis autour de lui et durent s'asseoir à même le sol, le gouverneur, le major général, les deux hommes politiques, le missionnaire et l'interprète. Deux Indiennes, matrones à face de glace, restaient près de l'entrée pour répondre aux demandes qui ne sauraient manquer durant ces longues heures de pourparlers.

Le père Lauverjat servait d'interprète mieux que le milicien. En fait, il s'accapara du rôle. De la sorte, il fut à même de donner aux discussions l'accent correspondant à ses propres pensées et penchants. Winslow précisait les propos de Shirley : le missionnaire les traduisait en noyant leur bienveillance s'il s'en trouvait, dans les considérations les plus froides. Puis, dans les réponses du sachem, il retenait davantage les reproches qu'il transmettait au gouverneur. Au fond, le jésuite escobar ne désirait pas la guerre, mais il ne pouvait davantage recommander la paix ou la favoriser, car les Sauvages, comme toujours, servaient de rempart empêchant l'Anglais de s'emparer des territoires de la Nouvelle-France.

Voûté, ridé, un oeil triste et l'autre vindicatif, gris pour ce qui lui restait de cheveux derrière la tête, car le dessus avait le lustre d'une totale calvitie dont se moquaient parfois les femmes, le missionnaire à la longue barbe laineuse, donnait l'air d'un vieil homme. Apparences menteuses, car il possédait de grandes réserves d'énergie volontairement cachées sous une solennité affectée.

Il amena les Anglais à penser que la paix serait difficile et dépendrait surtout d'eux-mêmes, de leur respect des territoires indiens depuis Narantsouak jusqu'à la hauteur des terres et par-delà les montagnes, à au moins Sartigan.

–Nos colons vivent d'agriculture, pas de la chasse et de la pêche, dit Shirley quand on souleva ce lièvre.

–Mais ils chassent et pêchent ! laissa tomber le sachem par la bouche du jésuite.

Alors on parla d'abondance de gibier et de poissons, de l'immensité du territoire, de compensation...

Une chaleur étouffante s'inscrivait en grands cercles mouillés sur les chemises de Winslow et du gouverneur, sous les aisselles et dans le dos. Elle n'y paraissait aucunement sur le corps du sachem dont la peau cuivrée était si sèche qu'elle en craquelait sur les pouces et les genoux. Leur accablement fit sourire intérieurement le chef qui commanda à une matrone de la tisane fraîche. Les Anglais auraient encore plus chaud après avoir bu; alors on pourrait en tirer davantage. Plus tard, il se fit allumer un calumet pour enfumer la loge et ainsi faire mûrir plus sûrement ses invités sur le chapitre des compensations. Quand il jugea, sentit qu'il avait obtenu le plus qu'il le pouvait, il offrit un wampum à Shirley, ce qui équivalait à renouveler la signature du traité de paix de 1749.

Les visiteurs purent se retirer dans les wigwams qui leur avaient été assignés, un pour les hommes politiques, un autre pour Shirley et un troisième pour le major général. Excepté les Mohicans parqués dans une cahute de fortune, délabrée et pourrissante, les autres membres du groupe anglais pourraient trouver refuge chez le missionnaire. Le moment venu, on irait chercher chacun pour la célébration de la fête de la paix. En attendant, tous auraient l'occasion d'aller récupérer des fatigues du voyage et de ce long et fastidieux après-midi.

Homme vermeil et joufflu, John Winslow ronflait, étendu sur une plate-forme plus courte que ses longues jambes bottées. Les cris des enfants, le chant d'un garrot branché sur une perche du wigwam au-dessus de sa tête, les bruits de pas, les voix murmurantes ne l'auraient pas sorti de ses rêves tant ils étaient enfoncés dans les brumes. La faim s'en chargea. Il se leva mais resta assis sur son lit, s'appuya le menton sur ses bras croisés eux-mêmes soutenus par ses genoux. La position accentua la profondeur d'une fossette fort creuse lui entaillant la mâchoire inférieure.

Il avait le goût de se souvenir. De ses vingt ans. D'un amour frivole, éphémère qui l'avait uni à une Indienne. Il en avait connu bien d'autres dans la sauvagerie depuis qu'il travaillait pour le roi, mais aucun d'aussi violent et satisfaisant à la fois. Elle ne s'était point donnée à lui, elle avait pris comme une conquérante, dévoré, absorbé... Réminiscence indélébile et bouleversante !

Ces femmes présentaient le double avantage de servir plutôt que de se laisser prendre passivement et celui de rarement tomber enceintes. Car Winslow eût été contrarié de se savoir un fils bâtard quelque part chez les Sauvages. Et avec elles, pas de maladies vénériennes, car si d'aventure un Blanc leur laissait quelque cuisant souvenir, elles avaient vite fait de s'en débarrasser à l'aide de médecines dont le secret jusque là n'avait jamais été révélé aux Blancs, autant les Français que les Anglais.

Le major bâilla bruyamment en fermant les yeux puis les rouvrant. Il eut alors le désagréable sentiment d'être vu, observé. Cela lui était dicté par son vieux flair développé depuis le temps qu'il parcourait la sauvagerie et parce qu'il connaissait l'habitude des Indiens de s'embusquer pour épier leur ennemi avant de fondre sur lui, se délectant au préalable, par le regard, d'une vengeance dans laquelle ils pataugeraient ensuite avec tous les bonheurs.

Le wigwam, hutte composée de perches de soutien liées en leur sommet et recouvertes d'écorces de bouleau mal jointes, était piqué de tous côtés de fins rayons lumineux. Un oeil inquisiteur pouvait tout aussi bien se trouver collé sur un interstice.

Il se mit debout, entreprit d'arpenter la pièce pour se donner l'occasion d'inspecter toutes les parois. Ce fut inutile. Poussé par une inquiétude croissante, il sortit vivement de la cabane. Un jeune chien blanc à la queue nerveuse et amicale reniflait à la base du wigwam, relevant parfois une tête questionneuse vers cet homme à si étrange odeur. Le seul être humain que vit l'Anglais était une femme très menue, aperçue de dos seulement, car elle pénétrait dans une cabane isolée à au moins cinquante pas.

Le ciel s'était couvert. La direction des colonnes de fumée indiquait que la pluie viendrait durant la nuit. Winslow s'inquiéta de penser que, dans pareille cabane trouée comme un panier de paille, il risquait de se trouver, au petit matin, trempé jusqu'à l'os.

Après un sombre soupir, il se reprit d'attention pour la cabane solitaire dont les abords s'animaient d'un va-et-vient bruyant. Des femmes sortaient jeter le contenu de seaux. D'autres arrivaient d'ailleurs, transportant d'autres seaux remplis d'eau fumante. L'attitude des matrones quand elles apercevaient leur observateur lui donna à croire qu'il pouvait s'ourdir là-bas quelque complot contre lui et ses compagnons. Puis il rit de lui-même, de sa méfiance incorrigible envers les Sauvages, et qui le poussait à leur prêter une constante couardise. N'a-t-il pas pris toutes les précautions pour assurer la protection de son groupe en établissant un véritable réseau de communication sur la Kennebec, y postant, de mille en mille, depuis Fort-Halifax et jusqu'à Narantsouak, deux Indiens mohicans ? Que les Abénakis s'en prennent à eux et quelqu'un du groupe aurait bien le temps de tirer deux coups de pistolet qui, se répétant une trentaine de fois le long de la rivière, alerteraient la milice dont les huit cents hommes fonceraient alors vers le village indien pour le raser à net.

Par ses éclaireurs, Tête-Brûlée connaissait l'existence de ce système, mais ça n'avait pas la moindre importance dans l'exécution du plan prévu.

Winslow réintégra sa case. Il laissa ouverte l'entrée de toile. Il ne pouvait dégager son esprit d'un certain état d'alerte. Pourquoi le sachem avait-il fait en sorte, par l'attribution des wigwams, que le groupe soit scindé en quatre parties ? La stratégie du troisième Horace faisait partie de l'enfance de l'art martial pour un chef indien le moindrement aguerri. Or, Tête-Brûlée n'était pas le dernier venu.

Il lui arriva de penser aller visiter le gouverneur dans sa cabane, mais il se ravisa chaque fois. Le bilan du pour et du contre le lui déconseillait, l'argument principal étant que Shirley pourrait le prendre pour une poule mouillée.

Lorsque le soleil fut à son déclin, un Abénakis pairé d'un Mohican vint lui transmettre l'invitation du chef. En sortant, Winslow regarda avec insistance du côté de la cabane isolée autour de laquelle aucune activité particulière ne pouvait se voir maintenant. Il questionna du regard le brave aux yeux injectés de sang, mais l'Abénakis resta impassible, ne sourcilla même pas.

Le gouverneur était assis là, sur une peau d'ours recouvrant une plate-forme, à dix pas de l'enchevêtrement de branchages auquel Shirley serait convié à mettre le feu dans quelques minutes. Winslow arrivait le dernier. Il avait sa place sur une seconde plate-forme à la gauche de celle des chefs. S'y trouvait déjà un Abénakis au visage bariolé d'un seul côté et qui se devinait être le chef de guerre. Debout derrière eux, un Mohican leur servirait d'interprète en cas de besoin, ce sur quoi le major ne comptait pas trop.

Un quart d'heure plus tard, sous des centaines de paires d'yeux de tous éclats, le gouverneur accepta la torche d'un brave et il la jeta sur la pyramide. Il fut alors servi aux Blancs, dans des assiettes d'étain appartenant au père Lauverjat, d'épaisses tranches d'ours aux signes noirs d'une cuisson excessive ainsi que des haricots bouillis et arrosés de graisse.

Les Anglais avaient jeûné tout le jour pour que leur faim dépasse leur répulsion pour ces mets propres à leur donner des haut-le-coeur, chose à éviter pour ne pas assombrir la fête et surtout le front du sachem. Passe toujours pour manger de l'ours, mais l'on savait que les Indiens plaçaient au faite de leur gastronomie de la viande plus que faisandée, ce qui gênait sensiblement les appétits et rendait les estomacs fort rébarbatifs.

Quand le feu fut à son plus haut dans le ciel, que les visages des assistants eurent pris des allures fantasmagoriques, le chef se leva pour exposer sa harangue qui donnerait le ton juste et définitif sur ses intentions relativement à la paix et, partant, quant à l'esprit de la tribu représentée là par tous les chefs de famille.

Ce fut long et ardu pour les visiteurs. Le chef rappela les souffrances de son peuple dont il avait été témoin et qu'il imputait toutes aux Anglais. Il leur fit ensuite des remontrances quant aux marchandises qu'ils leur avaient échangées contre des fourrures en ces périodes où ils avaient traité ensemble.

–Nos peaux de martre et de castor ont la fourrure épaisse et le cuir bien tanné. En retour, l'Anglais nous donne des couvertures qui s'usent en quelques lunes. Ou bien, pour soigner ceux qui ont des maladies d'homme blanc, des remèdes qui ne guérissent pas. Ou du rhum bon pour les femmes et les enfants. C'est pourquoi nous ne désirons pas faire la traite avec l'Anglais. Nous ne voulons pas non plus tourner le dos à nos amis et frères depuis toujours, les Français. Quand nous avons eu faim et soif, le grand chef qui est à Québec nous a ouvert les bras. Il nous a donné des couvertures, des aliments sans rien nous demander pour cela. Les Français nous donnent plus cher pour nos peaux. Leur marchandise est meilleure et dure deux fois plus longtemps... Mais nous ne briserons pas le traité de paix, et nos braves ne se joindront pas à ceux de Saint-François ou de Missisquoi pourvu que l'Anglais ne nous empêche pas de continuer à traiter avec nos amis du Canada...

La harangue dura une heure au cours de laquelle le silence des assistants fut total. Shirley suivit. Il obtint moins d'égards de la part des chefs de famille qui ne cessèrent de discuter bruyamment et de rire pendant qu'il parlait.

–Si l'Anglais voulait la guerre contre l'Abénakis, il aurait envoyé ici, l'arme au poing, tous les hommes réunis à un jour de marche. Au lieu de cela, il est venu jusqu'ici avec le drapeau blanc de la paix et de l'amitié. Les Norridgewocks tout comme les Penobscots ou même nos bons amis les Mohicans sont des îlots d'hommes rouges dans un grand lac d'Anglais. Jamais un îlot ne pourra faire disparaître un grand lac en l'absorbant, mais un lac se gonflant peut submerger un îlot ou plusieurs. Ce n'est pas cela que nous voulons. Mon peuple aussi a eu sa large part de souffrances... souvent prodiguées par la main vengeresse de l'Abénakis. Que s'éloigne à jamais de nous le souvenir même de ces douleurs et qu'il se trouve enterré sous la paix la plus grande, la plus profitable pour nos deux grands peuples ! Nous sommes venus offrir la très paternelle protection du grand roi George à une grande nation que nous désirons avoir pour amie et à jamais.

Winslow savait que Shirley ne tenait pas le même discours sur la question de la paix à Boston que dans la sauvagerie. Il avait l'habitude de ces paroles de politiciens. C'est donc en bâillant d'ennui et d'indifférence qu'il se retira dans sa cabane lorsque la flamme fut à baisser, qu'on eut fumé le calumet et que le sachem eut fait comprendre qu'il rendrait visite au gouverneur et au major, chacun à son wigwam, afin d'offrir à l'un et à l'autre un cadeau tout à fait particulier.

Éclairé à la bougie, le gouverneur à qui le missionnaire avait prêté une table et une chaise, écrivait une lettre. Il en avait terminé la moitié lorsque le Mohican gardant l'entrée de sa loge, l'avisa de l'arrivée du chef.

–Qu'il entre !

Tête-Brûlée se redressa. Shirley ne remarqua point des petits pas feutrés qui emboîtaient ceux du chef. L'Indien s'approcha, parla. Il dit plusieurs phrases accompagnées de gestes emphatiques puis il fit deux pas de côté pour laisser voir une jeune fille à demi nue, ne portant pour tous vêtements qu'un pagne en peau de castor ceint autour de sa taille très étroite ainsi que, pour envelopper ses épaules et son buste, un filet de lanières de cuir aux multiples ajours.

Shirley cria au Mohican qui accourut. Il se fit confirmer ce qu'il avait déjà deviné, c'est-à-dire que l'Indienne lui était offerte. Elle s'appelait Front-Brisé, nom qui, de toute évidence, lui avait été attribué à cause d'un trou gros comme un pois qui s'enfonçait au-dessus de son oeil droit.

Le premier mouvement du gouverneur en fut un de refus poli, mais le regard du sachem devint si dur qu'il se ravisa. Après tout, la garder avec lui ne voudrait pas dire l'utiliser.

Le chef prit congé avec une ride de satisfaction aux commissures des lèvres. Il fit semblable entrée chez Winslow qui s'était offert, lui, la lumière jaune de deux bougies.

La compagne qu'il venait présenter au major était vêtue de façon identique à Front-Brisé. Les Sauvages savaient bien que les Blancs s'allumaient moins vite qu'eux-mêmes et que la meilleure manière de leur présenter une femme était de l'habiller légèrement.

Le grand Conseil avait choisi les deux plus jolies filles du village et leur avait confié la mission de tomber enceintes des chefs blancs. L'on croyait superstitieusement qu'ainsi, la protection du grand esprit des Anglais leur serait mieux acquise. D'autres dont le sachem, plus pratiques, avaient approuvé le projet en se disant que les chefs anglais n'oseraient pas attaquer un village où il se trouverait des enfants conçus par eux, chose qu'on leur ferait savoir en temps voulu par la voix du missionnaire. Et puis, la chance aidant, les petits ressembleraient peut-être à leur père !

Les jeunes femmes avaient cessé de prendre leurs potions le lendemain même de la décision. Les matrones avaient mis la journée entière à les préparer dans la cabane réservée aux femmes incommodées. C'est là qu'elles retourneraient après leur rencontre avec les Blancs. Elles y demeureraient, sans contact avec les jeunes gens, tant que la semence blanche n'aurait pas pris racine en elles.

L'interprète présenta Petit-Soleil dont les yeux luisaient comme des perles mouillées. Winslow émit un soupir de grande satisfaction. C'était donc cela l'inquiétant complot de l'après-midi ! Il n'en eût pas demandé tant !

Petit-Soleil était grande et mince. La fragilité de ses bras, la fermeté de ses seins pointant à travers le filet, sa bouche enfantine laissaient paraître un âge d'à peu près seize ans. La douce habileté de ses mains révélerait sa longue expérience dans l'art de plaire qu'elle possédait à un degré surprenant.

Quand il fut laissé seul avec elle, le major la fit s'approcher et se tenir entre les deux lueurs pour mieux examiner et apprécier ses charmes. Ses nattes noires et sa peau foncée avaient été enduites d'une substance lustrante bleutée. Au-dessus de ses yeux, les paupières étaient ombrées de pourpre. Et ses lèvres fines bougeaient sporadiquement pour faire mieux étinceler la graisse d'ours injectée de rose qui les recouvrait.

Winslow fut dépouillé soudain de toute son éducation puritaine. Il lui prit la main qu'il souleva à hauteur des épaules. Il la fit pivoter sur elle-même d'un demi-tour. Quand elle sut que les yeux de l'homme coulaient sur ses fesses, elle en banda les muscles sous les trois cordons les enveloppant et y retenant son pagne.

Les sens de l'homme s'aiguisaient. Il voulut que le désir en lui devienne tyrannique; aussi, le laissa-t-il monter sans pour autant lui permettre de s'emballer pour devenir trop vite incontrôlable. Il poursuivit sa lente exploration visuelle. Elle se retourna, voulut s'approcher. Mais il la retint à bout de bras pour se laisser languir. D'une main émue, agitée d'un léger tremblement, il la caressa ainsi à distance dans des gestes semblables à ceux d'un maquignon qui palpe une jument afin d'en sonder les vertus.

Petit-Soleil se composa une forte respiration, ce qu'elle savait devoir encourager son manipulateur. Et elle s'y adonna avec plus d'emphase lorsque la main de l'homme toucha son pagne et lui frotta l'entrecuisses.

–Bellement jambée ! s'exclama-t-il.

Une contrariété rembrunit pourtant sa pensée et son front. Il lui faudrait interrompre son action puisque le lit ne se prêtait pas au confort nécessaire à des ébats. Les branches de sapin pour matelasser la couche devaient être prises dans un coin, ramassées et disposées sur la plate-forme, après quoi on les recouvrirait à l'aide des couvertures. L'Indienne devina ses intentions en lisant dans son regard. Elle s'empressa d'aller faire le lit elle-même tandis que Winslow enlevait ses vêtements. Ils finirent au même moment, se retrouvèrent l'un devant l'autre à côté de l'alcôve. Petit-Soleil eut un mouvement de recul, étonnée, presque effrayée à la vue de cette énormité qu'elle devrait bientôt prendre dans son ventre. Elle avait couché avec maints jeunes hommes du village, les avait vus, tâtés, pris, mais pas un n'était aussi monté que cet Anglais. Son inquiétude grandit quand elle le toucha et qu'il se tendit. À n'en pas douter, elle souffrirait beaucoup. Alors elle regretta que Natanis dont elle était la préférée ne l'ait pas déjà épousée, mise enceinte. Elle n'aurait pas été choisie pour porter le fruit de l'Anglais. Et puis un accouchement l'aurait mieux préparée à accepter cet homme-cheval.

–N'aie pas peur, fit l'homme avec un sourire orgueilleux et rassurant, en pensant qu'elle devait comprendre le ton de la phrase et la qualité du sourire.

Elle dit quelques mots en langue abénaquise pour montrer qu'elle avait compris. Ils s'allongèrent.

Chacun prodigua à l'autre d'abondantes caresses lentes. L'Anglais voulait amener le corps de Petit-Soleil à s'ouvrir pour le recevoir plaisamment. Il frôla, cajola une éternité, promena sa bouche grasse et fouisseuse dans les régions qui répondaient le plus, dénoua un à un les cordons assujettissant le pagne. Il trouva, enveloppa de ses doigts une toison soyeuse et humide, ce qui le surprit agréablement, car il s'attendait à y sentir des poils revêches et grossiers. Ce qui l'excita par-dessus tout fut un indéfinissable parfum qu'elle dégageait. Tout l'après-midi, dans la cabane des femmes menstruées, on l'avait baignée dans des eaux ajoutées d'herbes odorantes.

–Petit-Soleil, sais-tu comment les femmes blanches t'appelleraient, si elles te voyaient ainsi ? Non ? Je vais te le dire. Elles te traiteraient de putain. Une putain. Tu as bien compris : p-u-t-a-i-n. Tu voudrais que je t'appelle putain ?

Elle esquissa un sourire comme si elle eût compris et accepté le qualificatif.

–Putain... Putain...

Elle sourit plus largement.

–Et maintenant, je vais m'introduire en toi, putain.

Petit-Soleil hocha la tête, prit le membre qu'elle frotta de sa main légère, le guidant vers elle. Il se sentit flatté de voir qu'elle le désirait autant et poussa en avant. Durement. Fortement. Sans autre souci. Puis il grogna à dix, à cent reprises en disant chaque fois :

–Putain, putain...

L'Indienne ne fut que légèrement incommodée au début. Ensuite son corps s'adapta. Des vagues de plaisir montèrent de son ventre à ses seins, allèrent inonder ses bras, descendirent dans ses cuisses qu'elle faisait bander à chaque coup reçu comme pour garder le mâle le plus loin possible dans ses profondeurs. Une grande fierté d'avoir accompli une oeuvre éminemment utile pour la tribu ajoutait d'autres lueurs à son regard déjà resplendissant.

Des gouttes de sueur perlèrent sur tout le corps de l'Anglais, depuis l'intérieur et l'extérieur de ses bourrelets charnus, se mirent à tomber sur la jeune fille qui y voyait un hommage additionnel envers elle. Ses yeux virent comme une lumière à travers le mur de la cabane. Une étoile, pensa-t-elle, oubliant que le temps était nuageux.

L'homme nourrissait son plaisir par le même mot toujours répété de 'putain'. Soudain, son dos se tendit comme un arc, s'incurva comme s'il eût été atteint d'une subite lordose. Tous ses muscles expulsèrent de l'énergie vers le même point de son corps, et il explosa.

Petit-Soleil riait de l'entendre redire sans arrêt le même mot. Elle se dit que cela devait l'aider dans sa course, et alors même qu'elle le sentit se répandre, elle le relaya pour souffler :

–Putain... putain...

L'homme comprit puritain; mais ça n'avait aucune importance.

Quand il se fut retiré, écrasé sur le lit, il respira fort et longtemps avant de dire, le souffle écourté :

–Tu sais, les dames bichonnées, instruites et civilisées de Boston sont de plus grandes putains encore que toi. Mais elles l'ignorent tout autant que toi. Et puis, laisse-moi te confier un secret : les hommes le cachent, mais ce sont les putains qu'ils préfèrent... Parce que les autres femmes sont d'un ennui mortel.

Il haussa les épaules et, ayant l'air de réfléchir, ajouta :

–Et un homme qui n'a jamais goûté à une jument sauvage comme toi ne saura jamais ce qu'est la vie.

L'oeil du sachem cilla. Son coeur était rempli de fierté et de reconnaissance envers Petit-Soleil qu'il avait déjà lui-même possédée. Il a vu, entendu une bonne moitié de ce qui venait de se dérouler dans le wigwam de Winslow. Et l'autre part du temps, il l'a consacrée à observer le gouverneur. Front-Brisé s'était surpassée elle aussi. Jouisseuse sans frein, elle avait prodigué à Shirley des tortures divines qui avaient conduit le gouverneur à deux coups de mousquet et presquement à un troisième.

Alors Tête-Brûlée se retira de son pas mou et discret. Une femme l'attendait dans sa hutte. Il vibrait de la posséder. Quelques flammes follettes animaient encore le feu de la place publique. Il leur confia le soin de transmettre sa reconnaissance au Grand-Esprit. Car la journée avait été fructueuse pour la tribu. Quant aux morts, il pensa qu'ils devraient se divertir de voir que Front-Brisé et Petit-Soleil avaient peut-être fait prisonnière en elles une partie de l'esprit des chefs anglais.

Au matin, à la barre du jour, les deux Indiennes se retrouvèrent dans la cabane isolée. Elles se confièrent mutuellement leur réussite et se félicitèrent. Puis elles se revêtirent de robes françaises de coutil gris. Il y avait du pain sur la planche pour elles dans le wigwam. Pendant tout le temps qu'elles y resteraient, elles s'occuperaient à préparer de la farine de maïs, base de la sagamité. Le travail consistait à faire torréfier du blé d'Inde dans des cendres, à le broyer avec un pilon dans un mortier, à tamiser cette poudre dans des sacs grossièrement fabriqués de petites branches liées ensemble et à le vanner dans des paniers d'écorce ou de jonc.

Chacune devrait en constituer une bonne réserve pour sa loge. Les événements de la nuit s'étaient éteints dans leur esprit avec le lever du soleil. Seul restait en chacune d'elles le désir de tomber enceinte pour ainsi contribuer à la sauvegarde de leur peuple.

Les Anglais quittèrent le village. Le sachem les accompagna jusqu'à la berge, palabrant, réitérant ses intentions pacifiques, souriant...

Shirley ne se félicitait guère. Son but n'était qu'à moitié atteint. La paix en soi était moins importante que la reprise de la traite. Or, l'Indien refusait de commercer avec l'Anglais. Ces damnés Français du Canada, très certainement par la voix du missionnaire, continuaient de tenir les Sauvages bien entre leurs mains ensanglantées. La paix sans la traite des fourrures ne pouvait que rester fragile, précaire.

Natanis montra fièrement les lettres qu'il tenait des mains même du gouverneur Duquesne et du père supérieur des jésuites. Il les avait parfaitement protégées de la pluie qui avait accompagné son entier voyage de retour.

Le sachem et quelques chefs de famille étaient réunis chez le missionnaire, assis sur le sol autour du père Lauverjat qui avait pris place sur sa chaise bancale.

Le père Étienne gratta dans sa barbe, en sortit un reste d'aliment séché, l'essuya derrière son genou sur sa soutane. Puis il entreprit, dans des gestes solennels, de décacheter la lettre du gouverneur qu'il lut d'abord en silence, dévisagé par les Indiens dont la curiosité les suspendit à ses lèvres sitôt qu'il eut ouvert la bouche pour leur en faire comprendre le contenu.

"C'est avec le plus vif intérêt, révérend père, que nous avons pris connaissance de votre requête quant à l'envoi d'effectifs pour établir des postes dans la sauvagerie du Massachusetts (Maine), ainsi que nous le faisons depuis deux années entières dans celle de l'Ohio, ladite requête nous ayant été apportée ce jour même par votre courrier abénaquis

Nous tenons à vous signaler que notre entier agrément serait accordé à vos demandes si des enjeux plus vitaux pour la Nouvelle-France n'étaient point gravement mis en cause.

Vous n'ignorez pas l'importance stratégique et économique de l'axe Richelieu-Hudson passant par le lac Champlain. Nous avons des garnisons à y maintenir, des forts à y construire, des expéditions à y soutenir, ce pour quoi, par bonheur, nous pouvons compter sur nos bons amis les Abénakis de Saint-François et de Missisquoi.

D'autre part, il est apparu à notre gouvernement que pour confiner les colonies anglaises à leur territoire traditionnel entre les Alléghanys et la mer, et contrer leurs poussées dans nos territoires de l'ouest, il nous faille établir à la Belle-Rivière une ligne de forts imprenables, donc défendus.

Le saviez-vous, mais notre gouvernement, pour répondre aux besoins de la défense de la colonie, défense qui passe aussi par le maintien de puissantes forces à Louisbourg et devra comprendre la reconquête de la baie d'Hudson, eu égard aux nécessités illimitées que notre roi bien-aimé promet de combler selon son bon vouloir et le jugement de ses conseillers, a dû lever la conscription ?

Nos effectifs, soldats ou miliciens, éparpillés dans les quatre directions susdites, suffisent à peine à retenir l'Anglais chez lui.

Afin de protéger Québec des dangers que pourrait favoriser la voie Chaudière-Kennebec, nous comptons sur la vastitude de la sauvagerie ainsi que sur la vigilance de nos amis et alliés, les Abénakis. S'il sera requis beaucoup de temps aux Anglais pour faire se rétrécir les forêts qui, de ce côté, nous tiennent lieu de palissade, par contre, ils peuvent rayer de la surface de la terre votre village de Narantsouak ainsi qu'ils l'ont fait en 1724.

Du simple point de vue de la stratégie, il serait avantageux pour eux de raser ce village qui vous tient tant à coeur mais leur met un couteau au flanc, et d'en massacrer tous les guerriers, peut-être même tous les habitants, et vous-même, père Lauverjat, comme ce pauvre père Rasle. En conséquence, pour la sécurité de vos chers Abénakis autant que pour celle de Québec, nous vous demandons de transmettre à nos chers alliés et frères notre volonté de les voir quitter Narantsouak et se disperser dans tout le territoire jusques à nos établissements de la Nouvelle-Beauce et au-delà, jusques à Québec où nous les accueillerons avec fraternité. Certains pourront aller s'établir à Saint-François. D'autres bâtiront leur wigwam aux abords du lac Amaguntik. Et ainsi de suite près des voies d'eau, lacs et rivières qui ne doivent pas manquer entre vous et nous, et qu'il nous faudra bien faire dénombrer par un cartographe quelque bon jour.

Ce mouvement de la population, en plus de la protéger, transformera chaque Abénakis en un éclaireur et une estafette propre à assurer pour nous la surveillance de la dite voie Kennebec-Chaudière en nous renseignant sur toute tentative d'invasion du Canada par cette direction, ce que nous persistons à croire peu probable pour les raisons susdites.

Comment, dans de telles circonstances difficiles, assurerez-vous votre saint ministère auprès de vos bons Sauvages, cher père Lauverjat ? Il appartient à votre bon père supérieur de vous entretenir sur la question, et c'est pourquoi j'irai le visiter ce jour pour lui faire connaître votre situation et ce que nous attendons de vous, et pour vous indiquer la volonté de la Compagnie à votre sujet.

Nous nous flattons que vous entrerez dans nos vues et ne négligerez rien pour nous satisfaire.

Votre humble et obéissant serviteur..."

Le jésuite eût laissé couler ses larmes s'il avait été seul. Pas besoin de prendre connaissance de la lettre du père supérieur pour savoir qu'on lui imposerait le nomadisme. Or, il ne se sentait pas les forces de voyager à l'année longue dans la sauvagerie, Sa vie de missionnaire devrait donc se poursuivre ailleurs. Il devrait se séparer de ses chers Sauvages de Narantsouak pour lesquels il avait la plus grande affection.

Le chef blanc ayant parlé, personne ne songea à lui désobéir. Non point par docilité aveugle mais à cause de la vérité de ses propos. De plus, ce n'était pas un ordre mais une prière. Le sachem conféra avec les chefs de famille. L'on commencerait à quitter le village le jour suivant aussitôt que des groupes se seraient formés librement.

Ce soir-là, dans chaque wigwam, il y eut consultations et concertation. Les familles eurent tendance à se regrouper selon les affinités sanguines de la descendance maternelle, l'autre n'étant pas très facile à déterminer. Et le noyau familial prit sa consistance.

La matrone, mère de Petit-Soleil, avait deux autres enfants, un jeune garçon de près de dix ans, petit sagouin qui avait la désagréable habitude de jeter ses crottes dans la sagamité pour ne pas avoir à se rendre déféquer dehors quand il faisait froid, et une fillette de six ans, probablement conçue par Tête-Brûlée, et qui restait le plus souvent avec un vieil homme édenté, à la taille de géant et à la longue natte grise.

Venu de nulle part quelques années auparavant, ce vieillard avait frappé à cette porte. On l'avait accueilli sans jamais lui avoir demandé son nom. La seule utilité qu'on lui connaissait encore, c'était de prendre soin de la petite fille qu'il endormait en lui frottant le sexe de ses mains calleuses et couvertes de lenticelles. Il fut décidé de l'emmener, lui, le vieil homme de petite utilité.

Les deux guerriers de la famille de Petit-Soleil n'étaient jamais revenus d'une expédition au pays des Anglais, et le traité de paix avait empêché de les remplacer par des prisonniers d'un raid subséquent. Pour la pêche, la chasse, pour bâtir le wigwam, faire des enfants et donner le plaisir, il fallait un ou deux braves. D'autant que Front-Brisé, amie de toujours de Petit-Soleil, avait pris la décision de quitter sa famille pour se joindre à celle-ci. La matrone pensa de suite à Natanis, le brave au pied agile, celui parmi les braves qui avait le plus souvent partagé la couche de Petit-Soleil.

Il accepta l'adoption pourvu que l'on prenne aussi Sabatis, son camarade resté dans la sauvagerie pour la saison, et où Natanis devait le rejoindre après avoir livré son courrier de Québec au missionnaire.

Front-Brisé et Petit-Soleil ne dormirent pas ce soir-là dans le wigwam isolé. Et cela, même si l'une avait remarqué les traces premières de ses menstruations, ce qui voulait dire que le gouverneur du Massachusetts n'aurait pas de fils bâtard perdu dans la forêt. Restées ensemble sur des couches voisines, elles se firent des confidences. Petit-Soleil pour sa part, n'avait plus aucun doute : elle portait en son sein le fruit de l'Anglais. Mais cela avait perdu toute son importance, et ni l'une ni l'autre n'y pensa plus.

Cette famille nouvellement constituée fut la première à s'embarquer dans les canots le jour suivant, par une matinée grisâtre et lourde annonçant l'orage. Des salutations indifférentes furent échangées entre clans rapprochés. Le missionnaire et Tête-Brûlée annoncèrent que lors de leur propre migration vers le nord, ils s'arrêteraient là où seraient les gens de Natanis.

Mais où ? Natanis lui-même à qui revenait la décision puisqu'il était le seul à connaître le pays, n'en savait trop rien. Le premier objectif consistait à retrouver Sabatis. Et ensuite, grâce aux lumières du Grand-Esprit, on verrait. Plusieurs lieux trottaient de par sa tête. Un grand lac tranquille dormant au pied d'une montagne plus ronde que les fesses de Petit-Soleil : c'est par là, à l'entrée d'une rivière, que Sabatis avait bâti sa loge. Ou bien une chaîne de lacs proche de la hauteur des terres. Ou peut-être ce lac que les Blancs appelaient Amaguntik, ce qui ne voulait rien dire du tout en abénakis. Il pensa aussi à Sartigan sur les bords de la rivière bruyante. À Québec. Ou Saint-François qui l'attirait pour les expéditions guerrières.

Dans son canot se trouvaient les deux enfants, un chien et la matrone qui, elle aussi, pagayait avec énergie, car il fallait traîner le canot suivant rempli de couvertures, de peaux, de divers objets de la famille, d'armes avec les accessoires. Venaient ensuite les deux jeunes filles et le vieil homme. Lorsque requis, les trois femmes feraient le portage des canots tandis que Natanis se chargerait comme un fort cheval du gros contenu du second. Le vieil homme et les enfants n'auraient qu'eux-mêmes à traîner. L'on s'ajusterait au rythme du plus faible.

Les milles glissaient silencieusement sous les embarcations, perdreaux et mainates se croisant au-dessus de l'eau noire, ratons laveurs et marmottes s'effaçant dans la verdure du sous-bois. Natanis connaissait la rivière comme ses mocassins. Hauts-fonds, chutes, rapides, courants et jusqu'aux branches basses : il les prévoyait, les savait d'avance. Par une grande dextérité dans l'association des appels et des écarts, il évitait allégrement tous les rouleaux et pleureuses qui ne manquaient pas sur la Kennebec. Et les jeunes filles n'avaient qu'à imiter ses manoeuvres.

À midi, les enfants se mirent à parler de nourriture. En voyage, chacun ne pouvait plus, comme au village, manger à son heure. Dans une petite anse, on aborda la rive pour y faire cuire les poissons nombreux que le vieil homme avait glanés avec une épuisette. Quand on se remit sur la route d'eau, le tonnerre se fit entendre dans un lointain bleu noir lourd de menaces. Mais l'orage passa au nord, les voyageurs n'écopant que de gouttelettes perdues. Le temps resta grondeur dans l'horizon livide. Au milieu de l'après-midi, il fallut faire un portage de plus d'une heure. Natanis en profita pour observer les forces de chacun. Le vieil homme le surprit quand il proposa de se charger d'une partie de son fardeau.

–Garde tes forces, vieillard, garde tes forces, lui répondit le jeune guerrier. Regarde le soleil qui est encore très haut; le voyage sera long.

Le vieil homme loqueteux grimaça, mais cela ne parut point dans son visage si ridé et sec qu'on l'eût cru fait d'écorce d'un érable centenaire. Pour n'être point inutile, il cherchait à faire de menus travaux de femme, car les occupations des hommes ne lui étaient plus permises par ses forces déclinantes, son souffle raccourci, ses muscles affaissés.

À quarante ans et malgré la lourdeur de son corps, la matrone disposait de forces inépuisables. Le rythme de ses mouvements contribuait largement à lui économiser ses réserves d'énergie. Pour cette raison, et forte de l'opinion de Natanis, elle décida de l'heure du campement pour la nuit, Il ne fallait épuiser personne. Mais qui, même les enfants, eût avoué de la fatigue ?

Il restait un portage sans importance. Sitôt débarquée, la matrone, en une habile manoeuvre, se chargea les épaules du canot et battit la marche, accompagnée des enfants. Natanis aida les jeunes filles à se charger avant de s'enterrer lui-même des lourds bagages.

Il fallait franchir une montée rocheuse qui ne présentait pas le moindre danger pour un pied prudent. Le vieil homme, qui fermait la marche, ressentait une profonde inquiétude à laquelle il cherchait un sens dans les éclairs blancs zébrant l'horizon noir du nord. Au sommet du tertre, contournant un bouquet de bouleaux, il eut un moment comme une perte d'instinct pour un homme des bois et, au lieu d'évaluer les obstacles de la descente, il garda la tête haute, l'oeil perdu, comme médusé par cette incessante pluie de flèches de feu déchirant ces lointains obscurs vers lesquels on allait, et qui ne promettaient rien de bon.

Sa cheville se tordit quand il eut mis le pied dans une ornière. Rien d'irréparable si ce n'eût été d'un morceau de roc que cette jambe heurta par devant, annulant ainsi par la douleur et le choc, le mouvement de redressement de son corps qu'il avait amorcé par réflexe. La cheville se tordit à nouveau et, comme un grand chêne abattu, il tomba à la renverse sur le côté, roula sur lui-même jusqu'à la rivière dans une longue dégringolade pourtant silencieuse. Rien ne servait d'alerter Natanis et les autres. D'autant plus qu'une fois assis, il ne sentit aucun mal. Mais quand il voulut se relever, sa jambe refusa de le porter. Une douleur aiguë lui fit comprendre qu'il avait une fracture à mi-chemin entre le genou et la cheville. Il se tâta la jambe, sentit les fragments d'os se frotter sur eux-mêmes dans une sensation rugueuse, pénible à endurer, même pour un Indien familier à bien d'autres souffrances.

Il resta là. Regarda l'eau s'énerver autour de pierres impassibles. Se rappela d'un raid au pays des Iroquois, et qui lui avait valu un coup de hache dans un pied. Dans sa fuite, un guerrier l'avait rejoint pour lui casser la tête et prendre son scalp. Le Grand-Esprit, par la voix du tonnerre, l'avait alors secouru en brisant net un arbre voisin, ce qui avait rempli d'effroi le coeur de l'Iroquois.

Après s'être délesté de son faix sur les lieux du campement déterminés par la matrone, Natanis revint sur ses pas. D'en haut, il aperçut le vieil homme assis droit comme une palissade. Il se rendit auprès de lui, resta debout derrière, l'interpella :

–Vieillard, que fais-tu ici ? Qu'attends-tu ?

–J'écoute les murmures du Grand-Esprit qu'il me chante par l'eau de la rivière.

–Que te dit le Grand-Esprit ?

–Que mon temps est arrivé.

–Ta langue est compliquée comme celle de l'Anglais.

–Natanis, prends ton casse-tête et frappe-moi. Mon temps est venu d'aller retrouver le Grand-Esprit.

–Tu es fatigué, vieil homme ! Le camp est tout proche, là, tout proche.

–Ma jambe est brisée.

Natanis eut un sursaut de colère :

–Qu'as-tu fait ? Tu vas retarder notre voyage.

–Non pas si tu me casses la tête.

–Je ne te casserai pas la tête, vieil homme, fit Natanis, choqué par l'idée.

–Tu dois le faire ! Je ne suis plus utile.

–Garde ta langue dans ta bouche, vieille pie bavarde.

Et le brave se pencha pour aider le blessé à se mettre debout.

Il passa son bras puissant sous l'aisselle du vieil homme qui ne fit aucun effort et se laissa relever, et se laissa traîner jusqu'au camp exprès pour excéder le jeune Abénakis.

Au soir tombé, il y eut caucus près du feu, réunissant Natanis et les femmes. Dans la nuit noire, adossé à un canot, le vieil homme savait qu'on délibérait à son sujet. Il avait demandé qu'on lui cassât la tête, mais au fond de lui-même, il espérait autre chose. Sa vie valait... Ce jour-là, n'avait-on pas mangé des poissons pêchés par lui ? Qui jetterait un oeil aux enfants quand les braves seraient absents et que les femmes travailleraient dans la hutte ? Il pouvait se lever la nuit pour nourrir un feu fatigué. Dénicher des plantes rares tout aussi bien que la matrone. Attraper des petites bêtes avec des pièges faits de sa main. Calmer des pleurs d'enfants. Rassurer simplement par sa vieille présence... Voilà ce qu'il se disait, le vieil homme, tandis qu'on parlait de lui.

Il ne pourrait plus être du voyage sans Natanis pour l'aider à marcher. Même avec une branche sous le bras pour servir de troisième jambe, il ne pourrait pas suivre. Mais on pouvait le laisser derrière. Il attendrait ceux qui passeraient par là. Il se trouverait des familles avec plus de braves et qui l'emmèneraient peut-être. Le missionnaire le prendrait en pitié...

Lorsque les femmes eurent fini de donner leur opinion, Natanis prit une branche au bout enflammé et se rendit auprès du vieil homme. Il dit :

–Quel est ton nom, vieillard ?

–On m'appelle vieil homme.

–Quel est le pays de ta naissance ?

–À une lune de marche du côté du soleil levant.

Natanis essaya en vain d'imaginer l'endroit. Seul un Blanc ou des Indiens plus âgés que lui auraient pu lui dire qu'il s'agissait de l'Acadie aux confins des terres abénaquises.

–Tu as combattu les Iroquois, mais les Iroquois vivent du côté du soleil couchant, pas du côté de la terre du levant.

–J'ai beaucoup voyagé.

–Quel est ton nom, vieil homme ?

–On m'appelait Orambeche.

–Orambeche, demain, nous te laisserons ici avec des provisions pour trois soleils. Ceux qui viendront te prendront avec eux. Nous ne voulons pas te casser la tête.

Le vieil homme laissa couler une larme que la torche de Natanis n'éclaira point. Ils parlèrent encore pendant que les femmes tenaient un énorme porc-épic à bout de branches piquées dans sa peau, au-dessus d'un feu de bouleau. Quand la matrone jugea le moment venu, on retira la carcasse du feu. Elle toucha précautionneusement les poils, trouva que leur bout s'ouvrait et qu'ils ne piquaient donc plus. Alors on écorcha la bête à moitié cuite déjà.

Petit-Soleil vint porter un gros morceau de chair au vieil homme. La matrone vint à son tour avec des biscuits de farine de maïs et de l'eau fraîche. Front-Brisé étendit sa couverture près de lui et lui frotta le sexe tant qu'il ne fut pas endormi profondément.

Lorsqu'une première lueur vint annoncer l'aube prochaine, Natanis noua bout à bout trois couvertures, se les replia sur l'épaule pour se charger les mains des restes du porc-épic et d'un panier rempli de poissons. Puis il marcha à tâtons jusqu'au sommet du petit tertre d'où le vieil homme était tombé. Ceux qui viendraient par la rivière ne pourraient manquer de passer par là et de voir Orambeche. Il fit deux autres aller-retour entre le campement et le monticule planté de trois bouleaux blancs.

Le jour avait eu le temps de silhouetter les arbres et dessiner la rive escarpée du côté opposé de la rivière lorsque le jeune Abénakis s'approcha du vieil homme encore perdu au merveilleux royaume des rêves. Il réveilla Front-Brisé qui se retira aussitôt. Puis il toucha Orambeche qui ouvrit les paupières et jeta un premier regard d'enfant perdu. Mais la confiance se relogea dans ses yeux chassieux.

–Vieil homme, je t'emmène là où tu pourras attendre.

–Je suis prêt à te suivre là où tes pas me guideront.

Natanis papota tout le temps qu'ils montèrent jusqu'au lieu prévu. Front-Brisé et les autres se hâtèrent de ramasser les choses et de les rembarquer dans le canot à bagages. Natanis parla de tout ce qu'il laissait au vieil homme pour sa protection. Les couvertures liées entoureraient les bouleaux et serviraient de paravent pour empêcher les bêtes de s'approcher trop près. Il expliqua au vieil homme comment faire pour les installer pour qu'elles tiennent, mais aussi qu'elles puissent se déployer malgré les noeuds. Puis il dit qu'il les assujettirait lui-même. Orambeche qui n'avait jamais, de toute sa vieille vie, entendu parler d'une pareille façon de faire, s'y laissa croire. N'était-ce point une habitude séculaire chez tous les Indiens de protéger l'entrée d'une cabane de fortune ou d'un refuge à l'aide d'une couverture qui, s'agitant, tient les bêtes sauvages à distance respectueuse ?

Natanis dit que les suivants passeraient peut-être le jour même, au plus tard le jour suivant. Il rappela au vieil homme qu'il ne serait pas seul en attendant puisque l'accompagneraient l'eau qui chante, le geai bavard, l'étoile qui brille plus que les autres.

Orambeche n'avait jamais été aussi heureux. Malgré la cassure de sa jambe, la viande du soir lui avait donné des forces nouvelles. Front-Brisé était la seule femme lui ayant donné le plaisir depuis il ne savait combien de lunes. Et son angoisse de la veille, la peur de penser qu'on lui casserait la tête avait disparu. Il eût aimé voir la fillette une dernière fois, mais il n'a pas pensé à elle avant de partir du camp.

Natanis le fit asseoir au point central entre les trois bouleaux. Là, on pouvait voir loin en aval sur la rivière. Il s'accroupit sur ses jambes et questionna :

–Parle-moi de ta première chasse.

Orambeche fut lent à fouiller dans ses souvenirs. Il s'y retrouva enfin. Plus jaune que celui d'un hibou, son oeil étincela. Il se mit à raconter avec d'incessants hochements de tête.

Petit-Soleil regardait souvent vers la butte où elle pouvait discerner la peau du dos de Natanis, sa tête si vaillante. Depuis toute jeune qu'elle le trouvait beau et fort, et qu'elle ressentait plus de plaisir à être prise par lui que par n'importe quel autre brave. L'homme blanc lui-même ne lui avait pas apporté la sérénité dont elle se sentait réchauffée quand le corps de Natanis recouvrait le sien.

–Vieil homme, raconte-moi ta première course au scalp, demanda Natanis.

Orambeche eût voulu montrer toutes les chevelures qu'il avait levées, mais elles lui avaient été volées pendant qu'il dormait par un guerrier de Narantsouak qui les avait vendues aux Français en échange de whisky. Il avait voulu les ravoir. "*Je les ai trouvées*," avait clamé le guerrier. Et comme personne ne l'avait vu les dérober...

Ce matin-là, il oublia ses trophées parmi lesquels se trouvaient trois chevelures blondes de femmes anglaises. Il savait que Natanis croirait ses dires. Et il entreprit son récit.

En bas, tous avaient pris place dans les canots. On n'attendait plus que le retour de Natanis. Le temps prenant son temps, la matrone autorisa les enfants à débarquer pour qu'ils puissent s'amuser en gambadant avec le chien dans la petite clairière de la rive. Ce qu'ils firent joyeusement et bruyamment.

Et le vieillard parlait, parlait. Il rallongeait à souhait pour que son auditeur reste plus longtemps, encore un peu plus, montrait des images plein la rivière, plein la forêt, plein le ciel bleu...

Tout à coup, aussi soudainement qu'eût paru un éclair en plein jour de soleil, il sentit sur sa gorge une pression terrible, inexorable. Et pourtant pas inconnue puisqu'à la guerre déjà, un ennemi l'ayant saisi par derrière, avait tâché de l'étrangler de cette façon, à la manière indienne, abruptement. Tout ce qui restait de puissance en lui se logea dans ses bras. Il tenta de se défaire de celui de Natanis qui s'était placé en étau sur son cou. Mais une force cent fois plus grande, celle de son esprit, lui ordonna de ne point résister. On lui avait préparé une mort douce et rapide; il devait l'accepter. Son âme avait le devoir de dominer son réflexe de survivre. C'était la seule voie pour accéder, la tête haute et altière, au lieu de séjour des morts, le pays du Grand-Esprit.

Dans une brutale immédiateté, l'Esprit du mal lança tous ses guerriers à l'assaut de son coeur et de sa volonté. D'abord un à la fois. L'angoisse. La souffrance. La peur. Les regrets. La haine. Le désir de tuer. Son sexe qui se tendit comme pour posséder mille femmes. L'orgueil. Puis tous ensemble.

Mais le vieil homme fut le plus fort. Il mourrait comme un brave. Comme ces Iroquois qu'il avait vus expirer devant ses yeux au milieu de tortures ayant duré d'un soleil à l'autre. Il pensa :

"Esprit du mal, retourne avec les Bastonnais, je ne te céderai point. Va te loger chez les Iroquois ou les Anglais, tu n'auras pas d'emprise sur mon coeur... Grand-Esprit, viens à moi. Conduis-moi aux pays de l'abondance, des éclairs et du tonnerre, du soleil et de la pluie, du temps qui passe sans passer, du jour et de la nuit qui chassent ensemble, de l'étoile qui brille plus que les autres et de la lune qui bouge toujours, des étés de neige et des hivers qui coulent dans les rivières en chantant..."

Un besoin de sommeil, grand comme le grand Lac, vint alourdir ses paupières. Qu'il se sentait bien maintenant ! Le bras de Natanis sur sa gorge devenait léger et doux comme la caresse de Front-Brisé... La nuit... Le noir... Un noir brillant, rempli d'étoiles et de reposante tranquillité...

Natanis se disait que ça n'en finirait jamais. Les nerfs du vieil homme retenaient la vie, l'agrippaient, la cachaient dans son pied droit qui ne cessait de bouger, dans les veines de son cou tendues jusqu'à l'éclatement, dans ses mains qui ondulaient l'une sur l'autre sur sa cuisse.

C'eût été plus rapide de lui casser la tête, mais le vieil homme aurait compris s'il avait vu Natanis apporter son casse-tête sur le monticule. Et puis le sang aurait fait accourir trop de bêtes trop vite.

Orambeche eut un ultime sursaut. Son esprit somnolent comprit que Natanis pendrait son corps à un arbre pour qu'on l'y retrouve et que le missionnaire en fasse l'inhumation. Ainsi, lui seraient assurées dans l'au-delà, la protection du Grand-Esprit des Indiens et celle du dieu des Blancs que les

Abénakis vénéraient avec grande ferveur.

Il s'abandonna tout à fait.

Le chien, une petite bête blanche, fouineuse et renifleuse, s'accroupit et commença à gémir.

Natanis relâcha son étreinte. Dans des gestes adroits et rapides, il noua ensemble les mains du vieil homme à l'aide d'une lanière qu'il avait préalablement accrochée à la ceinture de son pagne dans son dos. À ce lien, il attacha l'extrémité de l'ensemble des couvertures. Puis il grimpa à un bouleau, rampa comme un serpent sur une branche de moyenne grosseur jusqu'à faire ployer l'arbre sous son poids. Ses pieds reprirent contact avec le sol. Il attacha l'autre bout des couvertures à la branche, se servant du poids du corps et du sien combinés pour assujettir sa corde le plus près possible du tronc afin que la branche ait le maximum de force de retour. Et, prestement, il se jeta de côté.

Le vieil homme fut soulevé si haut que Natanis arrivait tout juste à lui atteindre les pieds. Les bêtes ne pourraient donc toucher son corps avant l'arrivée du missionnaire. Orambeche serait enterré avec les saintes simagrées des Blancs qui lui permettraient d'arriver plus vite au pays de ses désirs et de surmonter les obstacles se présentant aux morts dans leur cheminement vers le Grand-Esprit.

Au bas du monticule, à demi cachée par un petit arbre, la fillette regardait, de son oeil bridé et curieux, le vieillard qui se balançait doucement...

Dans sa tente, car le fort Halifax n'était pas encore habitable, le gouverneur Shirley terminait une lettre qu'il avait commencée à Narantsouak, mais qu'il avait dû interrompre à cause des plaisantes propositions du sachem.

Il y mit le point final, la poudra, souffla sur la poudre,

relut entièrement. Puis il fit venir Winslow à qui il parla pour la centième fois du projet dont la dépêche faisait état.

–Voici que j'écris à Lawrence dans cette lettre que vous verrez à lui faire parvenir aujourd'hui même. Tenez, lisez...

Winslow trouva ses besicles dans une poche intérieure de son uniforme et se les ajusta sur le bout du nez.

"Monsieur,

J'obtiens une autre fois, la millième peut-être, confirmation de notre pensée commune et générale en Nouvelle-Angleterre, à savoir que le mélange Français-Abénakis nous est plus pernicieux que jamais. Par toutes les approches et les plus sincères promesses, j'ai tenté de rétablir des relations commerciales avec les Sauvages du Maine. Mes efforts hélas! furent vains car les dits Sauvages refusent de faire la traite avec nous à cause des Français.

Il y a déjà sept ans, vous le savez, j'écrivais au secrétaire d'État pour lui exposer nos vues sur le remplacement des Français papistes de la Nouvelle-Écosse par de bons sujets protestants et anglais. Je lui enjoignais de nous laisser procéder *à la déportation des habitants français de Chignictou dans la Nouvelle-Angleterre et de leur dispersement dans les quatre provinces, et que les deux mille hommes qui seraient envoyés de la Nouvelle-Angleterre pour chasser les troupes françaises de Chignictou, devraient se partager ce district entre eux, à condition qu'ils s'y établissent avec leurs familles de la manière qu'on leur indiquera.*

Il me fut répondu qu'il se trouvait de grandes raisons de craindre qu'un tel acte produise une révolution générale dans cette province, et que Sa Majesté, toute chose considérée, jugeait bon d'ajourner pour le présent l'exécution d'un pareil projet.

Depuis lors, de nombreuses correspondances au secrétaire d'État ont toutes abouti à la même conclusion. Pas une seule fois, à ma connaissance, et je suis en rapport constant avec tous mes collègues gouverneurs, Sa Majesté n'a donné l'ordre péremptoire de nous abstenir de mettre à exécution par nos propres moyens le dit projet de déportation. Faut-il y lire une volonté souveraine de nous voir agir selon notre entendement ? Sa Majesté se réserve-t-elle le privilège de désavouer... sur le tard... notre action, cela pour éviter que la plus petite ombre n'entache son règne glorieux ?

S'il s'avérait que ces vues soient justes, mon très cher Lawrence, il vous appartiendra en tant que gouverneur de la Nouvelle-Écosse de prendre l'initiative de la déportation. L'Histoire telle que vue par les Français vous en fera porter un certain odieux, mais celle qui prévaudra, la nôtre, ne saura que vous en rendre la plus grande gloire..."

Winslow haussa les épaules, eut un sourire sceptique. Il dit lentement :

–Je ne sais pas si l'Histoire...

–Lawrence est un prétentieux. Il se rendra aussitôt à l'argument.

–Est-il effectivement nommé gouverneur ?

–Il l'est. Londres le lui fera savoir sous peu.

–Comment déporter cinq, dix mille personnes sans provoquer cette révolution générale que l'on peut craindre et même certainement anticiper ?

Shirley se frotta le menton, cligna d'un oeil, répondit en chantonnant :

–La ruse, monsieur, la ruse. Et c'est vous, John Winslow, de même que notre bon ami Robert Monckton qui en serez les instruments dociles entre les mains de ce cher Lawrence.

Grand–Pré, Acadie

On était au coeur de la messe. L'assistance avait de l'âme. Des flots de lumière tombant sur les fidèles depuis les fenêtres hautes ajoutaient leur intensité à la ferveur grave de chacun. Qui se serait permis le moindre sourire dans un lieu, un rite et un temps aussi sacrés ? Qui d'autre que des tourtereaux ?

"De ce que t'es belle !" prononcèrent tendrement les yeux de Jacques à sa fiancée voisine de banc.

"De ce que je t'aime !" lui répondit Marguerite de son grand regard noir, profond, luisant comme un lac.

C'était un lac inépuisable de cette tendresse qu'elle distribuait en abondance à celui qu'elle épouserait dans une année, mais aussi aux cinq frères et soeurs dont elle était la seconde mère. Et à son pauvre père inconsolable d'avoir perdu sa femme emportée par une maladie inconnue deux ans auparavant. Et à son Dieu qui lui avait pris sa mère mais donné le jeune homme le plus recherché, le plus espéré de toute la région des Mines. Et à sa petite patrie qu'entre le repas du soir et la brunante, elle allait admirer parfois depuis une colline douce en compagnie de son fiancé.

Et pourtant, ses yeux exprimaient souvent une grande tristesse qu'accentuait la forme de son visage : son nez droit, ses épais sourcils distancés, sa bouche étroite. Sans sa capeline, sa tête disait encore plus la mélancolie par ses cheveux noirs enveloppants, noués sur le cou puis voguant, s'étalant, se gonflant comme une marée jusque sur ses reins. Mais là, dans l'église de Dieu qui avait vu son baptême dix-huit ans plus tôt et serait témoin de son mariage en cette année bénie à venir, elle se sentait en féminine discrétion sous sa coiffe blanche.

C'était rare d'aussi longues accordailles. On avait convenu d'attendre que la Jeanne ait quinze ans pour prendre la relève de sa soeur Marguerite, car la tâche exigeait. Et puis le père ne semblait pas encore d'équerre pour se trouver une femme de secours, de remplacement, Qu'importe, un an de plus à s'attendre, c'était moins pire que la mort !

Surtout que l'année permettrait à Jacques d'agrandir son bien. Comme ses aïeux l'avaient fait depuis un siècle, il disputerait à la mer une grande parcelle qui nourrirait bien deux bons boeufs. Elle était en pleine construction, sa digue, et il avait de quoi payer les bras requis pour la finir. Sans compter que les siens, ses longs bras de muscles forts, combleraient les désirs du corps avec les rêves du coeur.

Ses cheveux longs recouvrant ses oreilles se confondaient presque avec une barbe foncée, et raide, et courte. Le regard, vert comme la forêt, comme un champ de printemps pluvieux, comme parfois la mer, vert des plus émouvantes espérances, disait la tolérance et la patience acadiennes, les inquiétudes un peu somnolentes d'un peuple heureux et confiant en lui-même, et que près d'un demi-siècle de neutralité paisible sous la gouverne anglaise avait convaincu de sa sécurité en dépit de plusieurs alarmes récentes susceptibles d'éveiller des craintes. Appréhensions qui d'ailleurs commençaient d'en toucher certains.

L'on se savait détesté par l'Anglais et de façon toute spéciale par Lawrence, le président du Conseil. L'on se savait oublié depuis un siècle par la France qui ne serait jamais plus ni patrie ni mère. Mais il y avait les frères du Canada, quand même pas à l'autre bout du monde. Mais il y avait le Micmac et l'Abénakis, ces amis affectueux qui enseignaient parfois un certain respect à l'Anglais.

L'église, dans un mouvement d'ensemble presque militaire, se leva tout entière pour la lecture de l'évangile. Le jeune homme laissa alors couler sur sa fiancée un regard discret, détailla sa délicate élégance qui sentait si bon, sa robe grise si petite à la taille et large à ses chevilles, et sa mante légère, rouge comme le feu d'un soleil couchant, pincée sur ses épaules submergées des flots noirs de sa chevelure superbe.

En biais, deux bancs derrière, le père de Marguerite se laissait distraire par ce couple pur et harmonieux, couple de grâce et d'équilibre, de toutes les santés, d'énergie pour bâtir, de fécondité promise à l'égal de celle de la terre qu'ils travailleraient ensemble et qui les paierait de retour en les mettant au coeur des abondances d'Acadie.

L'homme au visage buriné par le soleil et ridé par les larmes rendit grâce au Seigneur pour tous les biens qu'il lui avait prodigués et que le Jacques saurait aussi produire sur sa belle terre du grand chemin, une terre qui eût chatouillé son envie si une autre que sa fille avait été l'élue du coeur du fils à Jean Babin. Son cheptel compterait autant de moutons, de vaches et de boeufs de labour que le sien. Et une truie portière de plus. Il y avait tous les légumes dans les champs à Jacques. De la belle volaille dans sa basse-cour. Sa cave serait remplie de pommes pour l'hivernage. Marguerite ne manquerait pas de laine à carder, à filer, à tricoter. Il ne fallait plus qu'elle là-bas, avec lui, la Marguerite qu'il avait accordée avec tant de coeur et quelques pleurs à celui dont elle parlait jusque dans ses rêves. Il leur avait demandé un an pour que la Jeanne s'étoffe un peu plus.

Leurs mains se frôlèrent plusieurs fois lorsque, dans le flot des fidèles, ils quittèrent l'église. Et ils ne s'en privèrent pas puisque c'était à moitié accidentel. À la sortie, Jacques fut interpellé par son meilleur ami qui s'approcha avec des intensités plein le regard chaque fois qu'il le posait sur Marguerite.

Lui aussi, comme Jacques et la plupart des jeunes gens, avait de longs cheveux de chaque côté de la tête jusqu'à la mâchoire, mais son visage juvénile était imberbe.

–Salut Antoine !

–C'est-il pas l'homme que je voulais voir ! s'exclama l'arrivant mais en ayant l'air de s'adresser plutôt à Marguerite tant il la détaillait.

Elle sourit au soleil, aux deux amis et à la vie. Disparue de ses yeux la nostalgie ! Ses lèvres souples laissèrent voir une dentition éclatante et régulière. Antoine chavirait d'envie de s'appeler Jacques Babin pour sentir ce visage contre son épaule, sa joue, sa bouche...

Mais il secoua son admiration et poursuivit :

–Étant donné que tu passes tes beaux dimanches avec l'Acadienne des Acadiennes, je me demande si tu pourrais pas me prêter ton fusil. Le mien était rendu qu'il s'enrayait une fois sur deux : ça fait que je l'ai envoyé chez Mauger à Piziquid.

–Le père Thibodeau t'aurait soigné ça, ce fusil-là, lui !

–Ben... il commence à perdre le coup d'oeil, le père Thibodeau.

–Je trouve pas.

–Mais toi, tu l'as, le coup d'oeil, parce que la Marguerite Leblanc, elle sait y faire pour être belle, hein !

La jeune fille rougit et donna aussitôt ses yeux à son fiancé. Pour le rassurer s'il avait eu un mouvement de jalousie ! Pour montrer qu'elle acceptait la fleur à cause de lui !

Jacques eut un sourire indéfinissable se situant quelque part entre le contentement et l'ombrage. Il dit :

–T'as qu'à venir le prendre après midi, le mousquet !

–Je vas en prendre soin comme du mien.

–Ça, je crains pas !

–Parlant de craindre, la rumeur court que le gouverneur

Hopson reviendrait pas pis qu'il serait remplacé par Lawrence.

–J'en ai entendu parler.

–Tu sais ce qui arrive à Piziquid ? Les habitants sont forcés, pour le service du fort, d'apporter des poteaux pis des piquets autant que l'ingénieur en aura besoin. Ils sont payés en certificats échangeables à Halifax, et rien que là.

Jacques regarda la foule formée de multiples cercles d'hommes s'inquiétant sur des questions politiques et de femmes tout aussi au courant mais qui préféraient s'entretenir du quotidien. Puis il jeta un coup d'oeil sur son cher village de Grand-Pré, soupirant :

–Il y a pire. Si le bois de chauffage qu'ils ont demandé leur est pas apporté en temps voulu, les soldats s'empareront des maisons pour en faire du combustible.

–S'il fallait que la guerre éclate entre les colonies anglaises pis Québec, ils viendraient ben réquisitionner tout notre bétail !

Marguerite plongea ses pensées dans un ciel bleu sans nuage. Elle calculait le temps qui lui restait pour préparer son trousseau. Et quand on s'adressait à elle, pour montrer qu'elle écoutait les propos sombres, elle esquissait de petits hochements de tête approbateurs.

Comme toutes les femmes et la plupart des hommes, elle pensait qu'il suffirait d'abreuver les maîtres de civilités et de formules respectueuses, d'en accepter les humiliations s'il le fallait, de continuer à leur opposer un ferme refus quant au serment d'allégeance, mais de savoir y consentir si la situation devenait intenable, par exemple si en arrivait à passer dans les faits l'idée cent fois brandie par l'Anglais, et entre autres par Shirley en 1749, qu'un sujet de Sa Majesté qui n'a pas prêté le serment se prive du droit légal de posséder des terres.

Mais par-dessus tout, Marguerite priait. Elle suppliait le Seigneur de continuer de bénir son peuple. Aucune force ne lui paraissait plus grande que celle de la prière. Et s'il s'agissait de celle de tous, dans un but commun, qui donc alors, quel homme politique, quel chef étranger pourrait s'y opposer ? Peut-on renverser Dieu lui-même ? Voilà en tout cas ce que prêchaient les prêtres.

C'était pour lui rendre grâce, au Dieu tout-puissant, qu'ils iraient excursionner cet après-midi-là sur leur chère colline face à la mer, et d'où se pouvaient apercevoir les plus vieilles et plus belles terres des Mines.

Le jeune homme se plaignait de crampes que lui causait un estomac trop vide lorsqu'ils parvinrent, après une longue marche à travers champs, auprès d'une clôture de perches qui les avait souvent entendus enrober les moindres propos de tendresse sucrée. Ils y étaient venus tous les dimanches depuis l'arrivée des beaux jours.

Il faisait un grand vent doux aux odeurs de sel et qui, dans le boqueteau voisin, invitait le feuillage à de gracieuses valses.

Marguerite appuya son panier sur une perche, souleva le morceau de toile qui le refermait, y fit pencher l'attention de son fiancé.

–Vois : j'ai plus qu'il en faut pour deux estomacs à Jacques Babin.

–Des pommes ?

–Et du perdreau, des beaux morceaux !

–Et du bon pain ?

–Un gros chignon fait de mes mains !

–Et là, dans la timbale ?

– Devine.

–Du lait-câilles.

–Noyé de sucre d'érable.

–On mourra pas de faim.

–Faudrait pas, hein !

Il ferma les yeux et supplia en hochant la tête sans s'arrêter :

–Donne-moi tes mains...

Après des secondes aussi brèves qu'interminables, il lui redit :

– Donne-moi...

–Tantôt, chantonna Marguerite. Là, il faut mettre la table.

Il grommela tendrement :

–T'es aussi méchante qu'un Anglais.

–C'est ton estomac qui crie, pas le mien.

Il défit deux perches qu'il coucha parallèlement sur le sol, sur la repousse du foin frais coupé. Sa compagne vidait le contenu du panier sur la toile. Puis elle mit le panier à la renverse, à cheval sur les perches qui, collées l'une à l'autre, retinrent prisonnières les poignées. Ce serait la table.

En mangeant du perdreau et du pain arrosé de ketchup, il lui parla de la richesse de la terre qu'il était en train de gagner sur le marais par le nouvel aboiteau, du bon tour qu'on jouait à l'Anglais en se faisant concéder par la mer du terrain fertile, car la mer, elle, n'exigeait pas que l'on prêtât le moindre serment.

–Tu manges trop vite, dit-elle pour lui faire remarquer son ardeur quand il parlait de politique.

–C'est que j'ai hâte au dessert.

–Enfant !

Pourtant, ils attendirent pour le dessert. S'ébahirent entre-temps par le spectacle superbe qui s'offrait à leur vue : coteaux recouverts de moissons prometteuses, demeures proprettes et rustiques s'alignant à perte de vue, terres endiguées paissant les troupeaux, et au fond de ce merveilleux tableau champêtre, le Bassin aux eaux rieuses, éblouissant de lumière leurs yeux aimants.

Leurs âmes furent longtemps à se rassasier de la vue du pays. Mais il fallait plus. Il fallait qu'ils se rencontrent. Car le pays n'est pas que terre, mer et maison, c'est aussi l'autre. Et pour chacun d'eux, surtout l'autre !

Par la voie la plus douce, la plus silencieuse et la plus éloquente, ils se dirent leur appartenance éternelle à l'autre. Par leurs mains enveloppées, ils se parlèrent de reconnaissance. Par leurs prières muettes, ils s'entretinrent de paix et d'avenir.

Marguerite rompit le charme :

–Le lait va fondre.

Il sourit, prit la timbale qu'il mit sur le panier. Elle ôta la toile qui recouvrait les câilles de lait. Des copeaux roulés qu'elle avait obtenus en râpant un gros pain de sucre doré piquaient toute la surface blonde.

On s'était gardé du pain pour ce moment-là. Il prit le gros quignon, tira pour le déchirer. La tendreté du pain et la force du poignet combinées, et la distraction aidant, firent se briser la miche plus subitement que prévu. La main heurta la timbale qui se renversa. Le contenu s'éparpilla sur le panier, la perche et la robe de la jeune fille.

–Dieu de Dieu ! jura-t-il.

Marguerite battit sa robe pour la nettoyer un peu et empêcher le solide de pénétrer trop largement le tissu.

–C'est pas grave, on en mangera à la maison tantôt, fit-elle pour l'excuser. Il nous reste de belles grosses pommes.

Elle enleva ce que contenait le dessus du fond du panier renversé puis secoua le contenant à bout de bras pour faire tomber les bavures, le jeta enfin vers la clôture. Lui éloigna les perches salies. Sous l'une d'elles, il y avait une fleur blanche écrasée. Marguerite l'aperçut, s'exclama :

–Vois la belle-de-nuit...

Elle voulut la prendre, mais les pétales se défirent et tombèrent en morceaux.

–C'est rien, dit-il en lui prenant les doigts désolés, ça fait rien. Je vas me contenter de la belle de jour que t'es, toi.

Elle émit un petit rire fin et dit sans le regarder :

–Tu m'as pas vue la nuit...

–Ça va venir... Pis plus vite qu'on pense.

Fort Necessity, Fourches de l'Ohio

Sur toute la longueur de la palissade s'élevaient des petites colonnes de fumée, signes d'autant de coups de mousquet. Cependant, les balles anglaises se perdaient comme le vent dans les arbres. Car l'ennemi camouflé derrière les buissons, caché dans les herbes hautes, continuait de rester invisible, depuis quatre heures qu'il canardait tout ce qui bougeait à l'intérieur du fort, et d'autant mieux, qu'embusqué sur des hauteurs, il pouvait aisément suivre ce qui se passait au-delà de la palissade, un mauvais parapet de terre et de billes, trop court pour contenir tout le monde et sensiblement trop bas pour une protection minimale.

C'était jour de revanche pour les Canadiens.

Une heure après l'aube, ils ont attaqué, surprenant à moitié les Virginiens. Car au lever du jour, un Sauvage est venu avertir Washington de l'avance vers le fort Necessity d'une véritable armée de miliciens canadiens et d'Indiens.

Mais au fort, la moitié des hommes cuvaient alors leur vin d'une beuverie qui avait duré tard. Certains, ivres-morts, ne purent être réveillés. Bien d'autres réussissaient à peine à tenir ouvertes leurs paupières chambranlantes. Et combien eussent raté leur cible à vingt pas si par quelque miracle elle avait osé se matérialiser !

On tirait pour le bruit, pour tenir l'adversaire à distance en espérant qu'il se lasse ou bien en arrive au bout de ses munitions, mais sans trop penser que l'on gaspillait les siennes propres. Car on croyait en avoir pour l'éternité, d'autant plus qu'un détachement de réguliers venu la veille avait apporté des dizaines de barils de poudre.

Les Canadiens aussi possédaient de bonnes réserves. Et ils avaient tout leur temps. Ils étaient cinq cents dont une moitié des Sauvages : des Chouanons, des Wendats, des Loups, des Abénakis et même des Iroquois, à crier sans jamais s'arrêter pour entretenir l'effroi au coeur des Virginiens eux-mêmes abandonnés par la plupart de leurs récents alliés indiens de l'affaire Jumonville.

Le plus vindicatif des Canadiens, celui qui avait à réclamer des Virginiens autant sinon plus que son chef de Villiers lui-même, Joseph Bernard ne vivait que pour le moment où le commandant ordonnerait l'assaut. En attendant, il tirait. Vite et bien ! En fait deux fois plus vite que les autres puisqu'il disposait de deux mousquets et de sa femme indienne qui veillait à les recharger à mesure.

Source-de-Vie avait acquis en la matière la même dextérité qu'en tous les travaux qui lui avaient été dévolus depuis sa tendre enfance. En un tournemain, elle mettait la bonne quantité de poudre, replaçait le bouchon de la corne avec ses dents tandis qu'elle tassait la poudre avec la baguette. Et enfin, elle introduisait la balle grossièrement enveloppée d'un petit morceau de chiffon gras jusqu'au bout, à l'intérieur du canon. Puis elle tendait l'arme sans sourciller ni sourire, en regardant son homme profondément dans les yeux comme pour lui recommander de viser juste.

Et Joseph avait la certitude qu'au moins trois hommes étaient tombés sous ses balles depuis le début du combat. Lorsqu'il tirait et qu'un homme tombait là-bas, il ne s'en attribuait que rarement le mérite, percevant que la fraction de seconde entre le coup et la réaction n'avait pas la longueur voulue. Mais ces fois-là où il avait abattu un ennemi, ses battements de coeur le lui avaient dit, confirmé. Encore que la confusion et une velléité de doute gardaient son âme à l'abri de certains remords futiles de celui qui n'a jamais tué un homme, si tant est que des êtres comme Half-King pouvaient être considérés au-dessus des bêtes. De plus, la distance le séparant du fort était trop prononcée pour lui permettre de voir en sa victime autre chose qu'une cible mouvante. Il avait donc grande hâte de s'approcher pour peut-être apercevoir ce Half-King et lui faire cadeau d'un pruneau canadien. Voilà pourquoi l'impatience lui donnait de la fébrilité, laquelle ainsi que sa tuque, lui faisaient couler sur les joues et le cou d'abondantes sueurs qui luisaient sous les rayons forts du soleil.

Sur le coup du midi, comme plusieurs autres désignés, il s'arrêta pour manger. Dans son grand sac de toile, Source-de-Vie avait ramassé durant les journées de marche plein de noix et noisettes. S'y trouvaient aussi les rations du jour en pain et en galette que le chargé des provisions distribuait à chaque aube. Au passage d'un marais, elle a eu le temps d'attraper une dizaine de grenouilles qu'elle a emprisonnées dans un petit panier spécial.

Suivie de son homme, elle rampa jusqu'à un feu sur l'autre versant de la colline où l'on se trouverait à l'abri des projectiles anglais, même perdus. Des miliciens s'y partageaient une pleine chaudronnée de haricots préalablement cuits au fort Duquesne, et qu'il avait suffi au marmiton de faire réchauffer.

Coulon de Villiers et Dumas s'y entretenaient de stratégie. L'un favorisait l'assaut immédiat; l'autre parlait d'une avance par à-coups criards propres à décontenancer tout à fait l'ennemi, à jeter l'affolement dans les coeurs faibles, tout en risquant le minimum de pertes. Lorsque s'amena Joseph, on lui demanda son opinion.

–Ma tête et mon coeur ne s'entendent pas, alors... répondit-il en touchant sa poitrine puis sa tuque sous laquelle chacun savait l'emplacement de son scalp.

Les deux autres sourirent et continuèrent d'argumenter. Joseph et sa femme s'adossèrent à un gros arbre. Elle sortit les grenouilles une à une, les empoigna par les pattes et les frappa, chacune d'un seul coup sec et létal, contre l'écorce. On les piqua sur le dos au bout de branches et on les fit cuire. Source-de-Vie laissait les cuisses à Joseph et se réservait les entrailles. On répéta le manège tant que durèrent ces vertes ressources.

Le couple demeura silencieux. L'un ne connaissait encore que bien peu de chose de la langue de l'autre. Les miliciens s'échangeaient des propos grivois à propos de l'Indienne. Joseph le devinait à leur air, et c'est pourquoi il se tenait à l'écart. Il avait juré que quiconque voudrait toucher à Source-de-Vie devrait d'abord lui passer sur le corps. Il en était arrivé à faire des yeux menaçants à tous ceux qui la regardaient de trop près. Cela avait créé un froid entre lui et Fafard qui ne pouvait comprendre qu'on pût vouloir garder une squaw pour soi tout seul.

–Je la maganerai pas, je l'userai pas, avait fait valoir le milicien plus crotté que jamais.

Joseph avait alors fait mine de prendre son mousquet.

–Bon, bon, chacun pour soi ! avait jeté Fafard en s'éloignant les bras levés au ciel et la tête basse.

Une demi-heure plus tard, Joseph retournait en première ligne, à la gauche extrême où se trouvait la position qu'on lui avait assignée. Les balles de l'ennemi paraissaient mieux dirigées. Elles venaient se ficher dans l'écorce des arbres, sifflaient un drôle d'air en passant. Une heure coula, vibrante, pétaradante. Des échanges peu dommageables ! Soudain, il fut ordonné une avance de trente pas. Puis une seconde. Les Indiens redoublèrent d'ardeur et de cris. Dans leurs narines enivrées, l'odeur du scalp enterrait déjà celle de la poudre.

Joseph s'inquiétait pour sa compagne à qui il avait montré à charger un mousquet en restant étendue, allongée sur le côté. Et il s'arrangeait toujours pour lui faire un rempart de son corps.

Mais le feu de l'action et sa volonté rageuse de voir le chef sauvage qui avait planté son horrible hache dans la poitrine de l'infortuné Jumonville vinrent s'emparer de ses pensées autant que des gestes qu'elles commandaient. Avec le canon de son arme, il écarta doucement un bouquet d'herbes hautes et, à sa grande surprise quand il pointa, une image presque familière lui apparut. En biais où il se trouvait par rapport à la palissade, il vit dans sa mire le colonel Washington en personne, celui-là même qui avait donné les ordres le jour de l'assassinat du diplomate Français, et que tous considéraient comme un criminel chez les Canadiens.

Quelle chance ! pensa-t-il, son coeur s'accélérant.

Et son doigt toucha la détente. Une dizaine d'idées entravèrent sa décision dont la plus nette était le rappel de la scène où Washington s'était penché sur lui et avait fait en sorte que sa misérable vie soit épargnée. De la reconnaissance ? N'étaitce point à un mort en sursis que le jeune colonel avait laissé la vie ? Trop faible pour voir une mort d'homme de trop près, même celle d'un ennemi ?

Washington avait un genou à terre et semblait en conciliabule avec des habits rouges et un homme ventru. Il paraissait écouter ce que les autres, tour à tour, disaient. Joseph eut le temps de lui trouver l'allure d'un grand adolescent efflanqué, débordé par les événements. Il lui supposa une Source-de-Vie quelque part de l'autre côté des montagnes et une mère comme la sienne qui aurait le coeur brisé d'apprendre sa mort.

Et puis après ? Il était l'ennemi : il était un assassin. Joseph lui remit fermement la mire sur la poitrine. Il l'aurait au même point de son corps où Half-King avait eu Jumonville. Ce ne serait que justice...

"Kill not this man ! Kill not this man !"

La parole se répétait en écho en son esprit. Il lui arrivait parfois d'entendre cette voix, comme issue d'un gouffre profond. Il ferma les yeux, les rouvrit. Le coeur de Washington était toujours au bout de son fusil. Il toucha la gâchette mais en même temps, il fit volontairement bouger le canon pour tirer, se disant : "Qu'un autre le tue ! Un autre le tuera bien. De toute manière, à la nuit, ils vont tous être morts et scalpés..."

Un des réguliers, accroupi sur ses jambes, se redressa puis tomba en pleine face au pied du colonel qui parut figer sur place tandis que les autres se jetaient sur le sol de tout leur long en criant des ordres à d'autres pour que l'on vînt renforcer la position.

Joseph retira son arme et la poussa derrière lui à sa compagne puis il rampa à reculons. Heureusement pour lui, car le tir essuyé alors par ce secteur fut d'une fort dangereuse intensité, comme si la moitié des Virginiens eussent voulu répondre sur-le-champ au nom de leur chef.

Dans son recul, il crut soudain qu'il avait heurté l'Indienne avec le talon de sa botte. La violence du coup lui fit réaliser qu'il s'agissait plutôt d'un projectile. Quand ils furent sortis de l'aire de concentration du tir ennemi, il constata à l'examen de sa chaussure qu'une balle en avait arraché le talon.

Il pourrait marcher quand même, mais la botte prendrait l'eau. Contrarié, il fit la moue. Vivement une paire de mocassins lui fut mise sous le nez. L'Indienne avait enlevé ses chaussures et les lui offrait avec des yeux contents. Il lui repoussa la main en hochant la tête et montra ses pieds :

–Non... Tu peux pas marcher nu-pieds.

Elle fit signe que oui en tendant à nouveau les chaussures.

–Non, j'ai les pieds trop gros pour ça.

Amples, les mocassins pouvaient fort bien lui aller, mais il cherchait toutes les raisons pour les refuser. Devant son insistance, il les prit, les mit sur le sol. Puis il la fit s'étendre sur le ventre et promena ses grandes mains rudes sur elle, dans son cou, sur son dos à demi nu, sa jupe en cuir, ses mollets et ses pieds qu'il caressa, massa. Chatouilleuse, elle eut maints sautillements ricaneurs.

Alors il se rappela de sa vie un an auparavant, suant sous le soleil de L'Islet à écouter les rires de satisfaction de la Geneviève Picoté. Il lui avait fallu venir au bout du pays, y laisser une partie de sa peau, se voir engagé dans une bataille où il pouvait la laisser entière, pour savoir qu'il avait trouvé ce qu'il eût cru ne jamais devoir exister : un amour total, partagé, fou.

Sans ce combat à reprendre, à achever, il se serait uni à elle là même, sous les balles anglaises et dans l'odeur de la poudre.

Il la rechaussa puis s'allongea près d'elle pour la cajoler

encore pendant un bref moment. Source-de-Vie plongea sans réserve au coeur de ses bras, fit couler sa main jusqu'à son sexe. Il fit signe que non en souriant. Alors elle s'empara de sa tête, l'emprisonna de son bras décidé et lui donna un violent baiser en pleines lèvres.

Le sens de son devoir et la pluie qui commençait à tomber furent plus forts que son désir. Il se détacha d'elle pour reprendre son mousquet. Et il se battit jusqu'au soir alors que par des gestes, l'Indienne lui fit comprendre que toutes les cornes de poudre étaient maintenant vides, et que le moment était donc venu de retourner en arrière pour faire le rapprovisionnement.

La réserve était hors de portée des projectiles, comme cela allait de soi, derrière la colline près de l'endroit où l'on avait mangé à midi, gardée par un milicien sec et nerveux et un Sauvage trépignant, humilié d'être laissé là tandis que ses frères moissonnaient les scalps.

Alors qu'on finissait de remplir les cornes comme on l'eût fait de pichets de vin, le feu se tut au loin. Quelques coups isolés encore puis ce fut le silence complet. Joseph se hâta vers le quartier général du commandant sis près du fort et protégé des balles par un arrachis. Il ne s'y trouvait qu'une table de fortune faite d'une plate-forme renversée, mise sur des pieux inégaux et entourée de barils pour s'asseoir. Audessus, un assemblage de perches, de peaux et de toiles faisait office de toit.

Une rumeur monta, témoignant de l'arrivée imminente d'un groupe d'hommes d'entre les arbres. Encadrés par une douzaine de miliciens et d'Indiens, parurent de Villiers, Dumas et un étranger, personnage de forte corpulence que Joseph se rappelait avoir déjà vu, et tout récemment. L'homme tenait dans une main une branche à laquelle pendait un morceau de tissu blanc et il s'adressait aux autres comme à de vieux amis.

–Ils vont capituler, lança Dumas en passant devant Joseph qui fut fort surpris, car il croyait, comme on l'avait si souvent affirmé au fort Duquesne depuis un mois, qu'on ne ferait pas de quartier aux Virginiens.

De plus, Joseph apprit que c'était le commandant lui-même qui avait offert aux Anglais de négocier.

–Comme son frère, il est un homme de paix avant tout, même s'il fait la guerre, soutint Dumas.

–Et son frère, qui c'est qui va le venger si c'est pas lui ?

–Ce qui doit être envoyé aux autorités de Québec puis au roi Louis XV, c'est la preuve officielle que les Anglais ont assassiné Jumonville. Y a rien de plus officiel qu'une confession signée par l'auteur même du crime.

–Ces choses-là, moi, je comprends pas trop.

–C'est pourquoi t'es pas commandant, blagua Dumas en poussant Joseph vers le quartier général où s'engageaient les échanges de part et d'autre de la table.

Le parlementaire déclara s'appeler van Braam. Son français sympathique et sa voix paterne eurent vite fait de détendre la petite assemblée formée, outre du commandant, d'un officier français, d'un chef indien et du capitaine Dumas.

De Villiers exposa le type de capitulation qu'il désirait, la déclaration écrite qu'il exigeait de Washington et la promesse des Virginiens de quitter le territoire.

–Il refusera de signer pareil document, s'objecta van Braam. Il a fallu cent morts pour qu'il accepte l'idée des pourparlers. C'est un jeune homme plutôt... entêté, vous savez.

–Quel choix a-t-il donc ? s'écria de Villiers en levant les bras au ciel. Un mot, un seul mot et c'est la boucherie. Si je laisse mes Sauvages attaquer, je ne pourrai plus les rappeler ensuite ni même les retenir de scalper les vivants, les blessés, les morts et même les chiens s'il s'en trouvait au fort. Le sang coulera partout, car je n'ai jamais vu des Indiens aussi remplis de frénésie guerrière.

Une heure plus tard, c'est le jeune colonel en personne qui se trouvait à la même table avec les mêmes gens et devant les mêmes arguments. Il lui arrivait souvent de regarder Joseph avec un oeil inquisiteur tandis que l'on discutait encore de l'affaire Jumonville.

–Nous ignorions qu'il s'agissait d'un... ambassadeur. Aucun signe visible ne le démontrait, protesta Washington à plusieurs reprises.

Pendant que van Braam traduisait, le colonel prit son drapeau dont la hampe était plantée dans le sol et il le brandit en disant :

–Voilà ce que nous aurions dû voir sur la tente de Jumonville ou du moins quelque part dans son camp.

–Comment, monsieur, aurions-nous pu arborer le drapeau blanc en pleine attaque surprise ? rétorqua de Villiers qui se livra à une charge verbale contre son adversaire, lui rappelant son lien de parenté avec l'ambassadeur assassiné, son désir de vengeance qu'il avait su dominer en offrant de parlementer.

–Nous, ces Français sanguinaires et plus barbares que tous les Indiens réunis, à en croire ce que disent vos politiciens et vos journaux, sommes capables d'une bien plus grande mansuétude que vous puisque nous vous donnons une chance que vous avez refusée à mon pauvre frère et à dix autres hommes.

–Jumonville fut abattu par un Sauvage sans discipline, répliqua Washington.

–Nous disciplinons les nôtres, fit péremptoirement de Villiers qui avertit son interlocuteur de l'extrême danger qu'il ferait courir à ses hommes s'il refusait la reddition.

Alors van Braam procéda à la traduction à haute voix du document rédigé plus tôt pendant que les commissionnaires se rendaient chercher le colonel.

–Pardicu ! jamais je ne signerai pareille déclaration menteuse ! s'écria Washington en tournant le dos aux Canadiens.

Van Braam se rendit aussitôt à lui, s'agenouilla et lui parla longuement à l'oreille à voix basse.

La nuit tombait aussi densément que la pluie. À l'aide de la crosse de son fusil, un milicien poussa sur la toile tendue afin de la débarrasser des poches d'eau qui s'y étaient formées et la creusaient entre les pieux de soutien. On alluma des torches et des lanternes que tinrent des hommes entourant les parlementaires. Joseph fut invité par Dumas à rester auprès de lui derrière le commandant. Et il garda Source-de-Vie sur ses talons.

Tandis que le Virginien gardait son attitude boudeuse, van Braam se remit à la table où, de leur côté, de Villiers et ses adjoints avaient conféré.

–Il signera si vous nous laissez partir du fort avec les honneurs de la guerre.

–Armes à l'épaule mais sans munitions, dit de Villiers. Et secondement, ce jeune homme doit se constituer prisonnier sur-le-champ. C'est vous qui retournerez au fort pour faire déposer les armes tandis que lui restera ici sous bonne garde.

Sans déférence, Washington prit le papier dans un geste sec et il le signa avec la même attitude impatiente et arrogante. Coulon de Villiers regarda tout autour, s'arrêta à Joseph, lui dit :

–Milicien, cet homme est ton prisonnier. Tu devras en

assurer la bonne garde jusqu'à demain matin.

Le Canadien fronça les sourcils. Dumas le rassura :

–Ce n'est que symbolique. Il ne cherchera pas à s'enfuir ni ne causera le moindre problème. T'auras qu'à veiller à répondre à ses demandes, à lui donner de la nourriture et un emplacement pour dormir.

–Mieux traité qu'un milicien, murmura Joseph.

–La politique, c'est plus compliqué que la guerre, dit Dumas d'une semblable voix retenue.

Van Braam repartit avec des ordres écrits. De Villiers donna les siens pour que chacun des miliciens encore en campagne se mette à l'abri de tentes qu'il faudrait d'abord élever. Les hommes se retrouvèrent par groupes de plusieurs dizaines alors que les Sauvages se dispersaient dans les bois avoisinants, y trouvant refuge en maints endroits protégés du gros de la pluie par l'épais feuillage.

De Villiers fut courtois envers le prisonnier. Il fit mettre à sa disposition un complet nécessaire à écrire. Et il donna des ordres à Joseph pour son repas. On lui apporta des haricots, le seul aliment disponible. Le prisonnier les mangea sans appétit ni intérêt, sans cesse préoccupé par ce qu'il écrivait d'une longue plume d'oie irritée. Parfois, il tournait la tête pour regarder Joseph et comme pour le questionner. Puis il retournait à son occupation accaparante.

Avec des brindilles sèches qu'elle avait su trouver Dieu sait où, l'Indienne alluma un feu qu'un milicien alimenta avec des cercles de barils défaits. Des restes de poudre collés aux planches, cachés dans des cavités, donnaient lieu parfois à des jets de flammes qui sifflaient comme des serpents en s'élevant dans la nuit noire et mouillée. Le toit et l'arrachis protégeaient le feu de la pluie de sorte qu'autour, on put faire sécher de nombreux vêtements imbibés d'un après-midi de toutes les averses.

Lorsqu'il arriva à Washington de déposer la plume et de s'envelopper les bras pour frissonner, Joseph, oubliant tout de lui sinon qu'il était un homme, s'approcha et lui fit comprendre par signes de lui confier son pourpoint, une belle pièce de vêtement de couleur bleu royal avec parements rouges et boutons d'argent. Le prisonnier acquiesça et dit des mots de reconnaissance que son gardien ne put que deviner. Joseph donna la veste à Source-de-Vie. Elle la mit à sécher sur un piquet.

Au retour de Dumas et du commandant partis en tournée des troupes, l'on fit distribuer des couvertures sèches. Le prisonnier fut gratifié du meilleur emplacement au centre de l'abri sous la double protection du toit et de la table. Il salua civilement tous ses hôtes en finissant par son gardien avant de s'étendre sur le sol où il s'endormit en quelques courtes minutes, ses longues bottes dépassant largement son ciel de lit.

Joseph et sa femme se collèrent l'un à l'autre à courte distance du feu déclinant. Dumas et le commandant se firent chacun un lit entre deux barils. Et bientôt, la guerre elle-même dormait dans la plus totale quiétude.

Au matin, la pluie avait cessé. Précédés de leur prisonnier, les vainqueurs entrèrent dans le fort. Joseph fut pris d'un haut-le-coeur à la vue du spectacle navrant que le lieu offrait. Partout des flaques de sang dans lesquelles il fallait prendre garde de ne pas glisser. Des cadavres boueux. Des groupes de miliciens hagards, hirsutes. Des réguliers indifférents. Des blessés soupçonneux qui transperçaient les arrivants de regards vengeurs.

Washington marchait en tête, suivi de son gardien et de l'Indienne. Venaient ensuite de Villiers, Dumas, les officiers, les soldats. À croire que le Virginien conduisait les troupes ennemies contre ses propres forces.

On découvrit que toute la poudre avait été rendue inutilisable à cause des nombreuses fuites d'eau dans la toiture du magasin. Il ne restait plus aucune nourriture disponible à l'intérieur du fortin. Que du rhum ! Et plusieurs des deux cents survivants s'en étaient déjà envoyé une tassée ou plus derrière le gargoton.

Au cours de l'avant-midi, les morts furent enterrés, et l'on bâtit des brancards pour les blessés qu'il faudrait transporter au-delà des montagnes. Joseph chercha parmi les vivants, les blessés et les morts, le personnage qu'il exécrait le plus au monde, mis à part le Sauvage inconnu qui l'avait scalpé, cet abominable Half-King qui avait massacré Jumonville de si cruelle manière. Mais ce fut en vain.

À midi, sous un ciel toujours à la grisaille, les Virginiens furent regroupés à l'extérieur de la palissade. Washington présenta son sabre à de Villiers qui le lui rendit. Le colonel salua sèchement de la tête, cria des ordres, et les hommes se mirent en marche en colonnes par deux. Il chercha du regard parmi les Canadiens qui surveillaient le départ, trouva Joseph, s'en approcha. Il lui demanda en anglais :

–Who are you, sir ?

Impressionné, ému, Joseph regarda les autres, à gauche, à droite. Non seulement n'était-il jamais parvenu à vraiment haïr celui qu'il considérait pourtant toujours comme le responsable de la mort de Jumonville et celui, indirectement, de la levée de sa chevelure, mais encore avait-il conçu envers lui une sorte de respect superstitieux. Quelque chose lui disait qu'un jour, un jour lointain, il aurait de bonnes raisons d'être fier d'avoir eu comme prisonnier ce George Washington que, pour l'heure, bien des gens y compris Dinwiddie considéraient comme apprenti-sorcier et conspuaient.

Subjugué par le regard profond du Virginien, il porta une main erratique à sa tuque et la retira. Washington retint une grimace dans la levée d'un seul sourcil à la vue de la blessure hideuse. Il dit simplement à mi-voix :

–I remember, I do remember...

Norwich, Connecticut

Benedict paraissait plus sombre que l'année précédente. Mais cette apparence n'exprimait somme toute que la carnation de sa peau que l'adolescence accentuait sensiblement. De plus, l'apothicairie était gardée volontairement sous éclairage retenu afin de conférer au lieu un cachet propre à inspirer le respect.

Les frasques du garçon avaient amené sa mère à faire appel à ses cousins qui avaient proposé de le prendre avec eux comme apprenti. Ainsi donc, Benedict travaillait à la pharmacie des Lathrop et il vivait sous leur toit et leur tutelle, dégageant Hannah d'une responsabilité à la lourdeur croissante faute de l'appui de son mari partagé entre ses voyages dans les îles et la dive bouteille.

Joshua avait attribué au jeune Arnold une grande chambre sous les combles et dont une lucarne donnait sur une rue fort animée de jour comme de soir. Son frère Daniel vivait encore en ce lieu, mais personne n'ignorait son dessein d'aller partager une autre demeure avec une jeune dame fort élégante qui lui rendait souvent visite à son cabinet malgré un état de santé qui n'accusait pas la moindre défaillance. Néanmoins Daniel continuerait de pratiquer sa médecine chez Joshua puisque leur association s'avérait des plus heureuses et fructueuses. La clientèle de la pharmacie avait triplé depuis l'arrivée du jeune docteur. La réputation de l'équipe leur valait des nouveaux patients chaque semaine, venus des quatre coins de la ville et des agglomérations avoisinantes, certains jusque de New London, à quinze bons milles au sud.

Ce matin-là de pluie fine et fraîche qui donnait un peu de répit aux deux frères, Joshua que Benedict aimait encore plus que Daniel à cause d'un feu intérieur émanant de son regard et du ton de sa voix, se fit faire la leçon par son jeune émule. Chaque jour depuis l'arrivée de Benedict, il lui avait transmis de ses connaissances sur les remèdes et les médications : il voulait savoir ce que l'adolescent en avait retenu.

Il s'appuya au long comptoir derrière lequel se trouvait l'apprenti et il le questionna. Que contient cette fiole ? Quel mélange faut-il concocter pour obtenir une médecine efficace contre la goutte ? Contre la grippe ? Combien de ceci ? De cela ? À quel prix ?

D'une voix lente et mesurée, au registre plutôt grave pour un garçon de treize ans, sûr de lui, Benedict fit une revue générale des médicaments en prenant chaque bouteille dans ses deux mains comme pour se mieux pénétrer de ses vertus mais aussi pour y glaner sur l'étiquette des renseignements aptes à lui rappeler des connaissances additionnelles sur le produit.

–Voici de l'atropine, un alcaloïde extrait de la belladone. C'est une substance antispasmodique. Voici de l'ergot, un fongus sec tiré du grain de seigle...

–Qui sert à ?...

–Contraction artérielle et musculaire.

–Très bien. Et là-haut, dans la poire bleue ?

Benedict s'étira sur la pointe des pieds et attrapa la bouteille qu'il mit sur le comptoir. Elle ne portait pas d'étiquette. Et lui était affecté d'un blanc de mémoire, car il savait pourtant fort bien ce qu'elle contenait. Il chercha à éliminer. Ce n'était ni du sang de dragon ni de l'acétate de zinc qui, tous deux, se trouvaient sur une tablette inférieure. Alors peut-être de l'antimoine ? Il se grattait la tête sous le bon sourire de Joshua lorsque la porte s'ouvrit, livrant passage à Daniel qui transportait avec lui une drôle de chaise en beau bois naturel.

–Dieu du ciel ! qu'est cela ? s'écria Joshua.

–Tu le sais bien, mon frère, je t'en ai parlé déjà. C'est une invention de monsieur Franklin.

–Quand Benjamin Franklin aura vécu, que restera-t-il à inventer ? Qu'est-ce que c'est d'autre qu'une chaise ?

–C'est bien une chaise, mais à bascule. Il suffisait d'y penser. Vois...

Daniel tira sur son manteau pour le coller contre lui et il s'assit en se donnant l'air d'aller trop loin vers l'arrière.

–Attention, tu vas te rompre le cou !

–Ne crains rien. Le poids est ainsi réparti qu'il faudrait le faire exprès pour tomber à la renverse. Essaie pour voir !

Joshua remplaça son frère et se berça un peu. Soudain, il se rapetissa un oeil, approcha la chaise du comptoir, se rejeta en arrière et accrocha ses pieds dessus en déclarant :

–Quel outil pour ceux qui sont pris de la podagre ! Soulagement garanti ! Et que dire de ceux qui ont mal au dos ? Et les malades qui respirent mal en position couchée ? On va l'appeler la berçante thérapeutique et on en vendra à la douzaine.

–J'avais surtout pensé au confort de nos clients qui attendent. Deux ou trois pour remplacer le banc de noyer près de mon bureau. Une ou deux ici dans la pharmacie pour ceux qui font remplir des ordonnances.

Benedict brûlait d'envie d'essayer cette nouveauté. Joshua le lut dans ses yeux.

–Viens prendre ma place, mon garçon. Ainsi, tu seras le

premier jeune homme, à part nous deux il va sans dire, à s'être assis sur la première chaise à bascule de Norwich.

Benedict accourut calmement. Il ne voulait pas montrer d'empressement. À ce que l'on disait, n'avait-il point atteint sa grandeur d'homme ? Le contrôle de lui-même ne devait-il point paraître proportionnel à sa taille ?

Pendant que Joshua s'approchait de lui vers l'autre bout du comptoir, Daniel sortit de la poche intérieure de son manteau un journal qu'il jeta devant lui à côté de la fiole anonyme.

–Un exemplaire du 'Maryland Gazette'. J'ai pensé que ça pourrait t'intéresser de le lire. La guerre est à nos portes; les politiciens grondent trop fort.

–Mais la guerre est déjà là ! s'écria Joshua en grimaçant de son petit nez pointu. Les Franco-Canadiens sont installés à deux cents milles de Philadelphie. Ils sèment la terreur par toutes les colonies avec leurs Indiens. Ils ont massacré cent des hommes de Washington au fort Necessity. Si ce n'est pas la guerre, alors qu'est-ce que c'est donc ? Leurs Abénakis sont venus massacrer les gens à nos portes, en plein Connecticut, à Charlestown. Les Huns n'étaient pas pires. Il nous a fallu former des compagnies de rangers pour les contenir et nous n'y arrivons pas.

–Ce sont des accrochages, des incidents de frontière. La guerre relève de Londres et de Versailles. La question est de savoir à qui appartient le hinterland américain. Les diplomaties pourront toujours finir par s'entendre sur les clauses du traité d'Utrecht et sur des frontières définitives à tracer.

Joshua s'empara du journal qu'il rejeta avec fracas sur le comptoir en disant d'une voix forte et ferme :

–Tout ça ne pourra se régler que par la guerre. Tu es resté trop longtemps à Londres : tu ne saisis plus très bien l'Amérique.

–Pourquoi la guerre quand il y a la paix, la parole, l'échange ?

–Parce que c'est la seule voie possible pardieu !

–En ce cas, tu seras heureux de lire la déclaration du gouverneur de la Caroline du Nord.

–Lis-la : avec ta voix paterne et médicale, ça va certainement me calmer un peu.

–Je trouve que ce cher Dobbs exagère.

–Lis, lis.

"*Donner aux Français le loisir de poursuivre l'exécution des projets qu'ils ont mis sur pied c'est préparer la perte inévitable des libertés, des biens et de la religion des colonies britanniques.*"

–Il parle ensuite des pressions que nous subirons à cause des Indiens d'un côté et de la marine de guerre et des corsaires de France du côté de la mer.

–Lis, lis.

"*Dans cette situation, il ne nous restera plus qu'à devenir les esclaves des Français, leurs scieurs de bois et leurs porteurs d'eau : et il nous faudra leur payer tribut au moyen d'énormes impôts.*"

Joshua frappa le comptoir de son poing déterminé :

–Il faut que le roi nous envoie des troupes, il le faut.

–Ils sont soixante mille au Canada; nous sommes plus d'un million et demi dans les colonies.

–Mais nous sommes divisés, divisés.

Benedict était devenu familier avec ces discussions politiques qui avaient cours chaque jour entre les deux frères dans la pharmacie. C'était pour eux comme un sport matinal, chacun exagérant ses idées afin de provoquer l'autre. Le garçon vibrait bien davantage aux envolées de l'oncle Joshua qu'aux rêveries pacifistes de l'oncle Daniel. Plus les propos de l'un s'enflammaient et plus les paroles pluvieuses de l'autre cherchaient à les éteindre, plus Benedict se donnait d'élan vers l'arrière. Si bien que la chaise finit par se renverser avec lui dedans, ce qui virgula la discussion.

"Tu t'es blessé ? Par chance que le dossier est élevé, ça pourrait être dangereux pour l'épine dorsale, cette invention-là. Toujours porté à l'exagération, hein, mon gars !? Rien à ton épreuve, hein ?"

Le garçon se releva en arborant deux sourires, l'un de satisfaction à cause de l'expérience de la pirouette et l'autre de séduction pour éviter les reproches de ses oncles. Ils se consultèrent, décidèrent de lui offrir la chaise qu'il pourrait emporter à sa chambre quand il le voudrait. Dès le lendemain, on en commanderait d'autres chez un habile charpentier noir qui avait fabriqué celle-ci d'après le modèle conçu par Franklin

Ce soir-là, Benedict s'installa dans sa chaise devant la fenêtre de sa chambre. Il rêva longuement à la vie de soldat, se demandant si on accepterait de l'engager dans l'armée, se disant que, peut-être, en mentant sur son âge à l'officier recruteur...

Une lueur à une fenêtre de la maison d'en face mit fin à ses randonnées imaginaires. Il y aperçut bientôt une silhouette troublant comme une sorte de mince fantôme blanc se promenant avec un bougeoir. Par maints signes, il finit par découvrir qu'il s'agissait d'une adolescente d'à peu près son âge. Il en eut confirmation lorsqu'elle écarta les molles vapeurs des rideaux et s'agenouilla à la fenêtre, semblait-il pour s'ennuyer d'avoir à se coucher si tôt alors que la rue était encore pleine d'animation joyeuse, de voitures se croisant sous l'éclairage fort de réverbères rapprochés, de passants se criant des salutations de part et d'autre de la voie, d'esclaves discrets cachés sous des fardeaux voyants, de chiens jappant leur appartenance.

Le temps s'était mis au beau et au doux à l'heure du souper. Après plusieurs journées humides, le goût de bouger avait poussé bien des gens sur cette rue, l'une des plus fréquentées de la ville.

Avec ses pieds, Benedict poussa sur le bord de la fenêtre afin sortir son visage d'un champ de reflets lumineux, de crainte d'être découvert par son agréable apparition qui eût pu prendre peur et lui boucher tout à fait la vue par un moyen drastique plus épais que les rideaux.

Dans les jours suivants, il prit l'habitude de l'observer, ainsi embusqué dans sa pénombre émouvante, lui prêtant des yeux foncés et des cheveux dorés que la distance et un capuchon de nuit l'empêchaient de distinguer. Durant la journée, il faisait en sorte de surveiller la porte de sa demeure, mais son travail ne le lui permettait guère. Toutes ces pâtes à préparer, ces herbes séchées et ces racines à pilonner et réduire en poudre, les arrivages de médicaments à répartir dans les bouteilles les courses de par la ville. Et puis Joshua s'absentait souvent qui pour assister Daniel lors d'interventions chirurgicales délicates ou pour l'établissement de diagnostics, qui pour se rendre à New Haven, Boston ou New York y effectuer des achats.

Au matin de la première neige, quelques jours avant Noël alors qu'il sortait de la pharmacie avec une bouteille mise dans un emballage de corde et se rendait la livrer à quelque distance, l'adolescent se retrouva nez à nez avec l'éblouissante jeune fille. Elle était accompagnée d'une dame en gris qu'il jugea être sa mère en raison des airs de famille évidents. Il les croisa sans sourciller, camouflant soigneusement son émotion.

Mais était-ce bien le fantôme de ses soirées que cette pâle jeune personne aux yeux noisette et aux cheveux d'or roulant en boucles sur ses épaules, habillée d'un long manteau évasé aux chevilles et vert comme les aiguilles d'un sapin foncé ? À quels signes avait-il donc pu la reconnaître, elle toujours si imprécise et lointaine ? se demandait-il en traversant la rue.

Il effectua l'aller-retour à la grande course afin de revenir avant qu'elles ne quittent la pharmacie. À sa rentrée, bernique !! Personne dans la place sauf Joshua qui dévorait un à un des journaux de toutes les colonies remplis d'articles incendiaires concernant les Canadiens et leurs Sauvages.

Benedict retourna se mettre le nez dans une fenêtre lorsque son oncle lui dit, sans lever les yeux de sa lecture :

–La petite demoiselle Norton que tu cherches peut-être est en ce moment dans le bureau de Daniel avec sa mère.

–Je ne cherche personne... je regardais dehors... la neige, dit-il avec hypocrisie.

–Tu as oublié de le faire durant ta course ? sourit le perspicace cousin. Bon... Je sais maintenant que ça ne t'intéresse pas, mais sache que la petite demoiselle s'appelle Isabella... Isabella Norton... et qu'elle te regarde souvent aller, cachée derrière les rideaux d'une fenêtre de sa maison. Son père est fonctionnaire au service de Sa Majesté. Dans quelques années, elle pourrait te faire une compagne de choix.

–Oncle Joshua, protesta véhémentement l'adolescent, je ne sais même pas de qui vous voulez parler.

–Les seuls mensonges permis sont ceux qui mettent un coeur à l'abri : aussi, je te pardonne volontiers le tien. Viens prendre ma place; tu rempliras l'ordonnance des Norton quand elles sortiront d'avec mon cher médecin de frère. Moi, je vais sonder les reins de nos bonnes gens quant aux dernières nouvelles.

Benedict voulut enterrer ses affaires sentimentales secrètes en menant l'autre sur une voie bien différente :

–Que dit le journal sur la guerre ?

Joshua répondit, triomphant :

–C'est officiel : Londres enverra en Amérique deux unités d'infanterie de cinq cents hommes chacune avec pour mission de recouvrer les territoires appartenant aux colonies et aux sujets de George 2, et d'en déloger les Français.

–Seront-elles commandées par George Washington ?

–Des réguliers commandés par un provincial ? Jamais ! Le roi a nommé à la tête des régiments un militaire de carrière, le major général Edward Braddock, Sans doute ton oncle Daniel l'aura-t-il connu du temps où il se trouvait à Londres !

–Je ne fréquentais pas beaucoup les militaires, dit Daniel qui émergeait du couloir. Et puis Braddock devait se battre quelque part sur le continent. Ceci dit, lequel de vous deux vient m'assister ? Je dois extraire une dent à la dame.

–J'y vais, dit aussitôt Joshua en adressant à son frère un clin d'oeil qu'il lui expliqua à voix retenue dans le couloir :

–On va envoyer la jeune fille à notre cher Benedict. Il reluque souvent du côté de chez elle...

D'un pas timide, Isabella entra dans la pièce. Elle dit aussitôt comme pour s'excuser d'être là :

–Je viens attendre ma mère.

–Ah ! oui... Je... Elle va... Prenez la berçante.

–Est-ce que ?... Quelle sorte de chaise ?... Ma mère va se faire enlever une dent.

Après avoir tous les deux bredouillé des demi-questions, ils s'enfermèrent dans un mutisme embarrassé. Isabella bougeait doucement sur la chaise qui craquait tandis que Benedict déplaçait des bouteilles en les entrechoquant.

L'apprenti décida de préparer ce que l'on prescrivait généralement dans des cas de dents malheureuses ou arrachées. Car l'extracteur, une sorte de tire-bouchon armé en son extrémité d'un crochet métallique, emportait souvent avec la dent un morceau sanglant de la gencive. Le bougre quittant le bureau du médecin avec une molaire en moins avait grand besoin d'une concoction calmante. Les Lathrop soutenaient qu'ils en avaient une à recette secrète dont l'efficacité contre la douleur n'avait pas sa pareille. Benedict pouvait faire le mélange, mais il ignorait la nature des éléments entrant dans la composition d'une des substances préparée d'avance et embouteillée par Joshua.

Il aligna les bouteilles, quatre en tout, à côté du mortier. Puis il vida les ingrédients d'une main leste et compétente. Et il remua trois fois plus longtemps que requis, pilonnant sans aucune raison des herbages déjà pulvérisés, jetant parfois un oeil vif à son public admiratif. De longs cris plaintifs parvinrent dans la pièce, et chacun eut un sursaut inquiet. Isabella se redressa dans sa chaise, cessa son mouvement de va-et-vient. Benedict plissa le front.

Pour prendre en main sa gêne et sa nervosité, elle dit la première chose qui lui passa par la tête :

–Ça sent les médicaments.

–C'est... normal, hésita-t-il.

–Oh ! ce n'est pas une mauvaise senteur, s'empressa-t-elle d'ajouter.

Sa phrase fut coupée par un grand cri de douleur se terminant par un râlement propre à faire frissonner les damnés de la couche infernale la plus profonde. Isabella s'avança les reins. Sa chaise émit des grincements. Benedict se sentait l'impérieux devoir de rassurer la jeune fille au nez rouillé. Cela faisait partie de ses fonctions d'apprenti.

–Plus ça fait mal, moins la dent est avariée. Et moins elle est gâtée, moins elle n'aura causé de maladies cachées. Parce que vous le savez, une dent à elle seule peut provoquer douze maladies de toutes sortes.

–Dieu du ciel !

–Et je peux vous les nommer. Il y a le rhumatisme, l'épilepsie, la fièvre intermittente, la dyspepsie, les ulcères, des maladies nerveuses etc.

–Une mauvaise dent peut donner tout ça ? !

–Sûrement ! Tenez, je vais vous lire ce qu'en dit le docteur Rush dans son dernier fascicule...

Il trouva la brochure sous le comptoir et lut la note médicale :

"*Quand nous considérons combien souvent la dent, lorsque cariée, est exposée aux irritations causées par les aliments et les liquides chauds et froids, aux pressions de la mastication, à l'air glacial, et combien directe est la connection entre la dentition et tout le système, je suis disposé à croire que la bouche est souvent la cause cachée des maladies en général et des maladies nerveuses en particulier.*"

Isabella écarquilla les yeux, se promettant de prendre désormais le plus grand soin de ses dents.

Les Arnold eurent un Noël triste en raison d'une situation financière catastrophique. S'y ajoutèrent les violences verbales du père envers la famille. Sa révolte et son désarroi ne trouvaient plus d'autre exutoire que le rhum rouge et la colère noire.

Son fils en fut moins affecté qu'auparavant. Son esprit

était resté chez les Lathrop. Un soir, il se confia à sa soeur. Le fit à travers les quatre cents pas autour de la table de la cuisine, avec force gestes et la fougue d'un chevalier en proie à la plus irrésistible des dévotions.

Hannah questionna avec le plus vif intérêt.

"Tu lui as dit ton sentiment ? Quel est son âge ? Ses yeux ? Son nez ?"

Et lui répétait ce qu'il avait déjà tout raconté. Quand il se fut calmé et rassis au bout de la table, près d'elle, il lui prit les mains et lui fit jurer le secret. Elle lui parla autant avec le ton de sa voix prévenante et son regard maternel que ses mots :

–Ne suis-je pas ta petite soeur ? Et ce que tu ressens dans ton coeur n'est-il pas la plus belle chose au monde ? Benny, je t'aime plus que tous. Autant que maman. Bien plus que nos soeurs qui sont mortes. Et bien plus que...

Elle ne termina pas sa phrase et regarda durement vers la porte menant à la grande pièce où l'on ne mangeait plus maintenant faute de domestiques, et pour alléger la tâche de la mère dont la santé paraissait fondre comme neige au soleil.

–N'as-tu encore personne dans ton coeur, toi, Hannah ?

–Personne, Benny, personne, soupira-t-elle.

–C'est le ciel, tu sais.

–Mais cela peut aussi devenir l'enfer, dit-elle en pensant à leurs pauvres parents.

–Non, ce n'est pas possible.

–Et pourtant...

Elle eut un autre regard vers la porte : désolé cette fois.

Benedict retourna chez ses précepteurs, le coeur coloré mais l'âme sur le qui-vive. Reverrait-il la si chère Isabella ?

Oserait-il aller chez elle ? Lui ferait-il signe depuis sa fenêtre comme il en avait souvent eu l'envie ?

Ses oncles l'accueillirent avec des sourires complices. Le lendemain matin, avant même l'ouverture de la pharmacie, on l'envoya en commission. À son retour l'attendait une heureuse surprise qu'il garderait au chaud de sa poitrine jusqu'à la fin de son existence. Derrière le comptoir, sous sa coiffe blanche frisée, Isabella souriait faiblement comme la petite flamme lointaine de son bougeoir. Elle s'inquiétait de l'inquiétude que pourrait concevoir Benedict de la voir à sa place.

Confus, l'adolescent cafouilla des salutations et se dirigea vite, de son pas solide, vers le couloir menant derrière, mais il ne put s'y rendre, ses oncles arrivant à la pharmacie.

–Ben, tu connais Isabella Norton ? C'est la jeune fille d'en face. À l'avenir, elle va travailler ici avec toi. D'abord deux journées par semaine et ensuite, on verra, dit Joshua. Tu vas lui enseigner tout ce que nous t'avons montré ainsi que les nouvelles choses que nous t'apprendrons.

–Tu devras être bon pour elle et patient, ajouta Daniel, car c'est une convalescente.

Benedict les questionna tous trois du regard.

–Elle a été malade, très malade, et maintenant, grâce à Daniel, elle est en bonne voie de guérison.

Tout n'était pas très clair dans l'esprit de Benedict. Si elle avait été malade, comment n'était-elle jamais venue chez les Lathrop sinon une seule fois et pour accompagner sa mère qui souffrait d'une dent ? Ça faisait tout de même plusieurs mois qu'il avait commencé son apprentissage.

–Malade ?

Isabella baissa les yeux, comme de honte.

–Je t'en ferai part lorsqu'elle sera tout à fait guérie, dit le médecin en faisant demi-tour. Bon... Tout le monde au travail, car la maladie, elle, n'attend pas.

Joshua dit :

–Étant donné qu'il y a beaucoup d'espace perdu dans cette pharmacie, j'ai décidé que nous y ajouterions une section de produits destinés aux dames qui veulent préserver leur beauté et leur jeunesse. J'ai demandé au charpentier Brown de venir aménager tout ce coin-là pour recevoir des marchandises que je vais aller acheter moi-même en Angleterre. Et c'est notre Isabella qui s'occupera de cette partie de notre clientèle. En attendant, ainsi que je le disais, elle va t'aider, Benedict, aux médicaments, cela deux journées par semaine, le temps pour elle d'apprendre de même que pour se rétablir complètement. Car il vient un moment où il faut sortir de son lit, n'est-ce pas, mademoiselle ?

Isabella fit un oui timoré du bout des lèvres. L'adolescent en fut bouleversé comme de tous ses moindres gestes par la suite. Il se sentait si aisément 'électrisable' en sa présence. Et il concevait de l'admiration pour la moindre de ses connaissances. Elle en savait tellement de ce merveilleux monde féminin qu'il n'avait jamais trop remarqué chez lui, comme tous les garçons de cet âge. Elle connaissait tous les ornements du beau sexe : chaînes, pendentifs, broderies, bracelets, éventails, rubans, plumes, eaux parfumées, poudres, collerettes, velours, guimpes, onguents, coquetteries de tous les noms, pièces de vêtement ou substances.

Ils s'enseignèrent donc l'un à l'autre. Les journées qu'ils furent ensemble filèrent comme des étoiles. Elle devina vite qu'il l'observait le soir par sa fenêtre, mais n'en dirait rien pour ne pas s'obliger à lui bloquer la vue. Quand elle se trouvait là, Benedict ne prêtait qu'une oreille distraite aux nouvelles commentées et discutées par les Lathrop concernant la petite guerre momentanément endormie sous la neige, et les préparatifs des belligérants.

Le matin du dernier jour de l'année, ils furent appelés tous les deux à assister Daniel qui devait effectuer une délicate intervention chirurgicale. Ce serait une première pour le jeune médecin qui, cependant, avait été témoin de pareilles opérations à Londres.

Il avait eu beau tenter de persuader son patient de se rendre dans un hôpital de Boston ou New York, l'homme s'était obstiné, arguant que si la mort l'attendait au détour, il mourrait à Norwich, dans sa ville, pas au loin. Et cette date curieuse avait été choisie parce que Joshua devait partir en voyage le deux janvier.

Depuis une chute de cheval l'année précédente, l'homme souffrait de violentes migraines. Les deux Lathrop avaient été unanimes : il avait eu une commotion cérébrale qui avait causé la formation d'un excès de liquide dans son crâne, sous la dure-mère. Le fond de l'oeil le corroborait. Il fallait donc une trépanation et une incision de la dure-mère pour faire vider la poche. Autrement, la céphalée chronique du patient finirait par le rendre fou.

Daniel lui a tout expliqué. Ce que serait l'opération. Les risques inhérents. Les chances de survie. Le pire ne pouvait être pire que les souffrances du pauvre homme, un marin d'eau douce qui faisait la navette entre New London et Norwich sur la Thames en tant que manoeuvre sur un sloop. Son mal l'avait rendu irritable au point qu'à la première occasion et au moindre motif, il avait attaqué un collègue dans une crise de folie furieuse et failli le tuer. On l'avait renvoyé. Chez lui, il avait battu sa femme et ses enfants sous les effets combinés du rhum et de la douleur. Dans ses moments lucides, il avait souvent songé à la pendaison. Puis il avait entendu parler du docteur Lathrop et de son haut savoir. La trépanation le sauverait d'une manière ou de l'autre, ou bien l'enverrait ad patres ou bien le guérirait et lui redonnerait un certain bonheur de vivre.

Il fut emmené en voiture par sa femme. Il refusa de la laisser entrer, car il voulait la savoir auprès des enfants et parce que sa présence à proximité n'eût pu que leur causer à tous deux des angoisses plus fortes. Et il entra prestement dans la pharmacie comme s'il se fut agi d'une taverne, comme s'il y fut venu pour y prendre un pichet de vin et placoter.

Joshua l'accueillit en lui serrant la main. C'était un petit homme fort maigre, aux vêtements rapiécés, à gilet moucheté, à souliers lacés caractéristiques des gens moins fortunés. Il portait un vieux tricorne attaché sous le menton par un foulard noir qui lui protégeait les oreilles du froid. Depuis les ailes du nez lui naissaient des plis énormes qui descendaient jusqu'au menton. Pas encore dans la quarantaine, il s'en lisait pourtant soixante sur son front parcheminé.

–Bonne et heureuse année, dit l'apothicaire sans réfléchir.

–Le premier janvier, c'est seulement demain, commenta l'arrivant.

Puis il se frotta les mains, comme d'aise, le visage animé d'un certain sourire malgré les ravages de la souffrance et sa présence évidente dans toutes ses rides crispées, et déclara :

–C'est aujourd'hui qu'on se fait trouer la tête.

–Oh ! ça ne sera pas un bien grand trou ! fit Joshua. Et puis le chirurgien est le meilleur Esculape de tout Norwich.

–Sa réputation est grande.

–Pas trop inquiet ?

–Aucune peur... aucune... J'ai hâte que...

–Vous savez quelles sont vos chances ?

–Une sur trois : c'est pas si mal.

–Elles sont aussi bonnes que celles de nos gens qui vivent dans les régions du nord à la merci des Français et des

Abénakis.

–Pardieu ! elles sont même meilleures par les temps qui courent !

Joshua le trouva fort sympathique, ce pauvre bougre que sa misère n'empêchait point de suivre les événements et développements politiques. Les adolescents le regardaient avec curiosité, chacun se demandant comment l'homme pouvait avoir le courage et la force de se présenter pour se faire perforer le crâne tout en devisant si plaisamment sur la question.

Vêtu de son éternel costume noir et coiffé de sa perruque à gros rouleaux s'avançant sur les tempes et les mâchoires, Daniel arriva de l'autre côté.

–Tout est prêt, fit-il simplement en désignant de la main ouverte la direction de son bureau.

–Benedict, tu vas fermer la pharmacie, dit Joshua. Isabella et toi allez nous assister, car ma chère épouse ne sera de retour que ce soir, et pas avant puisqu'elle est à New Haven.

–N'est-ce pas vous l'assistant, oncle Joshua ?

–Certes... Mais il nous faut quand même de l'aide. On n'ouvre pas un crâne comme on ouvre une barrique de mélasse. Il faut faire vite et surtout bien. Allons...

Benedict et sa compagne s'échangèrent des regards d'appréhension. Mais aussitôt, le garçon pensa qu'il lui faudrait se montrer fort pour deux. Il se rendit mettre la chevillette en place ainsi que la pancarte de fermeture puis il suivit Isabella qui, morte de peur, marchait vers le bureau du médecin où les trois hommes les avaient déjà précédés.

Ce n'était pas la première fois qu'elle y entrait et pourtant, chaque détail la frappait et s'inscrirait pour longtemps au coeur de sa mémoire tout comme dans la mémoire de son coeur.

La pièce avait des allures frustes quoiqu'elle fût vaste pour l'époque. Et elle comportait, outre les chaises, cinq meubles tous adossés à un mur ou l'autre : un lit sur lequel le patient avait déposé manteau et chapeau, une table garnie d'instruments, une autre sur laquelle se trouvaient des accessoires, le bureau du médecin dans un des angles et une sorte de dressoir large et haut, rempli de petites fioles sombres. Au mur, derrière le bureau, Daniel avait affiché ses diplômes à travers des illustrations de l'anatomie humaine qui avaient permis au jeune Arnold de se rassurer sur lui-même et aussi d'en connaître un peu plus au sujet du corps féminin.

Dans le coin le moins éclairé, à l'une des extrémités du lit, tournoyait très légèrement sur lui-même un squelette avertisseur de la brièveté de la vie, utile pour la publicité, pendu à une corde fixée en son crâne à l'aide d'un clou rouillé. Au centre, sous un puits de lumière, il y avait une chaise en bois carré qui servait entre autre, de fauteuil de dentiste.

–Ben, va chauffer toutes les cheminées, ordonna Daniel. Notre patient ne devra pas attraper un rhume de cerveau.

C'était de l'humour : la vraie raison tenait plutôt en la nécessité pour le chirurgien de ne pas avoir les doigts gourds, particulièrement au moment d'inciser la dure-mère, ce qui prendrait encore un certain temps.

–Et moi, je vais raser la tête de notre ami, annonça Joshua.

–Mais auparavant, messieurs, vous m'aiderez bien à installer la salle d'opération. Il nous faut rapprocher le lit et les deux tables dans un rectangle au centre de la pièce.

–Je serai couché ? s'enquit le patient.

–Non pas, mon ami, non pas.

–Qu'arrivera-t-il quand je perdrai conscience ?

–Vous serez attaché à la chaise que voici. Elle est solide

et fixée dans le plancher. Joshua vous tiendra la tête. Benedict travaillera avec les écarteurs. Isabella épongera. Vous voyez que vous êtes entre bonnes mains.

–Entre les meilleurs, je le sais fort bien, assura le patient en clignant de l'oeil à deux reprises.

–Isabella, pendant que nous déménageons les meubles, prends le nécessaire à rasage sur la table et prépare de la mousse avec l'eau et le savon, demanda Daniel.

Elle s'exécuta avec une nervosité manifeste, et c'était pour cette raison précisément que le médecin lui donnait à travailler si tôt avant l'opération.

On aménagea la salle. Puis vint le moment où Joshua, après avoir coupé les cheveux à l'aide de ciseaux, entreprit le rasage tandis que son frère vérifiait la solidité du trépan, s'assurait du bon affûtage des dents, car pour traverser le crâne le plus proprement possible, il fallait un instrument de toutes les qualités.

Benedict revint, une traînée noire sur la joue. Il se rendit auprès d'Isabella derrière la table aux instruments, face au patient excité.

–Non, vous avez vu, on dirait que c'est eux autres qui vont se faire jouer sous la chevelure, s'écria en ricanant l'homme qui avait commencé à boire à même une grosse bouteille d'un mélange de rhum et de poudre à fusil que lui avait donnée le médecin. Pardieu ! mais vous devez savoir que notre bon docteur perce mieux les sinciputs que le charpentier Brown lui-même ne peut découper le bois !

–Ils ont treize ans, vous savez, fit Joshua pour défendre les adolescents.

–Et la mort, chacun d'eux l'a vue de bien près, rajouta Daniel qui faisait allusion à la fièvre jaune de Benedict et au mal caché dont Isabella se relevait.

–Vous pouvez enfiler vos tabliers, dit-il ensuite à l'adresse de ses assistants.

Il ôta son pourpoint alors même que Joshua achevait de gratter la peau de la partie du crâne à opérer.

Un autre quart d'heure de préparatifs et l'intervention pouvait commencer. Daniel ordonna tout d'abord une répétition générale, Joshua personnifiant le chirurgien et lui-même montrant les gestes que chacun devrait poser. Puis les deux hommes attachèrent les membres du patient à la chaise de gros bois fort, solidement ancrée. Ses liens consistaient en des bandelettes de toile qu'aucune réaction violente à la douleur ne pourrait défaire ou briser tant il y avait d'épaisseurs entourant les bras et les jambes.

–Le mors, dit Daniel.

Joshua mit dans la bouche du patient une épaisse torsade de guenille et le fit mordre.

–Scalpel.

Isabella prit l'instrument posé dans un bac de bois et le tendit sans conviction.

Daniel et son frère travailleraient derrière le patient, l'un pour opérer et l'autre pour tenir la tête. Les assistants étaient devant, tremblants, presque torturés par l'oeil à demi fou de peur du patient qui, malgré les effets du rhum et peut-être à cause d'eux, n'arrivait plus à maîtriser ses sentiments profonds.

Benedict tenait les deux écarteurs comme des tisonniers et il s'efforçait de ne penser qu'à leur forme, regrettant précisément qu'un tisonnier ne soit pas ainsi fait, ce qui permettrait de faire mieux rouler les bûches dans la cheminée.

Isabella s'était chargé les mains de gazes grises. Et tellement que Daniel, avant d'inciser, le lui fit remarquer. Elle remit la moitié des linges à tamponner sur la table.

–Quand il seront imbibés, tu en prendras d'autres.

Mais ainsi, elle arrivait plus difficilement à cacher les tremblements qui agitaient ses maigres mains.

–Joshua, prêt ? Benedict, prêt ? Isabella, prête ? Tenez–vous bien et tenez bon, on y va...

Son scalpel pénétra la peau, glissa vers l'arrière, laissant à sa suite un sillon de sang foncé. Il ne cessait de parler afin de contenir l'attention de chacun.

–J'allais dire feu, mais comme je ne suis pas très favorable à la guerre... contrairement à mes chers assistants... Bien sûr, toi mise à part, chère Isabella...

Le patient s'était crispé, mais bien davantage par effroi qu'en raison de la douleur réduite grâce à la finesse de la lame, à l'alcool et surtout à une sensibilité limitée de la peau du crâne.

–Écarteurs.

Benedict serra les dents et mit les instruments au centre de l'incision comme il lui avait été montré à le faire. Il questionna le médecin du regard, et Daniel baissa des paupières approbatrices. Alors il tira fermement afin de procéder à la dénudation requise.

–Gaze, dit Daniel par-dessus un hurlement sourd du patient qui lui sortit à travers le nez et de chaque côté du mors.

Isabella concentra sa pensée sur les bras puissants de Joshua dont tous les muscles saillaient. Elle portait ses regards successivement de ses mains fortement veinées au crâne ensanglanté. Une première compresse fut traversée.

–Gaze, fit Daniel, ce qui voulait signifier de voir à changer les tampons.

–Gaze, dit-il une troisième fois, une quatrième.

Elle les enlevait à mesure qu'il l'ordonnait et les jetait

dans un seau sur la table. Il demanda ensuite qu'elle mît des linges de chaque côté, près des rétracteurs afin de laisser l'os à découvert. La zébrure leur apparut. Chacun approfondit son regard comme si tout devenait maintenant plus sérieux.

–Trépan.

Isabella prit l'instrument, l'échappa dans le bac, le reprit et le donna. Daniel le mit de suite en position en plein milieu de la ligne de fracture et il toisa chacun jusqu'au fond de l'âme.

–Prêt, dit Joshua.

–Moi aussi, dit le jeune Arnold.

L'adolescente esquissa un hochement de tête.

Daniel serra la poignée, pressa puis donna un coup de poignet en tournant. Les dents entamèrent la surface. Le patient émit un énorme, impossible râlement creux, étouffé, se finissant en plainte nasillarde. L'énergie entière qu'il possédait se pétrifia dans les bras de Joshua, des bras de métal, plus durs que le fer de la couronne du trépan, des bras sauvages, inexorables et qui ne faisaient pas de quartier. La main du médecin n'en fit pas davantage : elle se rajusta et tourna l'appareil en y exerçant une pression encore plus importante. Le patient foudroya Isabella du regard puis il ferma les yeux. Alors Joshua put relâcher son étreinte. Benedict encouragea Isabella à soupirer en le faisant lui-même. Elle gardait ses yeux rivés aux gazes rougies. Jusqu'aux taches de rousseur de son nez qui semblaient s'être estompées sous la pâleur verdâtre de son teint.

–Gaze.

Elle les changea.

Le trépan s'enfonçait mieux, maintenant que le plus dur était traversé. Daniel demanda à la jeune fille d'enlever les résidus d'os formés autour de la couronne.

Et tourne l'instrument, et tourne encore ! Et gruge les pariétaux dans un chuintement de vilebrequin qui pénètre du bois vert.

À chaque demi-tour, le médecin exerçait une pression inverse dans l'espoir de 'déboucher' le trou.

Tout comme les deux jeunes assistants, Joshua gardait un silence attentionné. Si toute sa personne paraissait plus virile que celle de son frère, si toutes ses idées comportaient un moindre raffinement, par contre la sensibilité de son âme était plus grande. Il avait l'estomac tenaillé à la vue de ce spectacle plus terrible encore qu'une amputation quoique moins sanglant. Il se demandait comment des adolescents pouvaient le supporter, et cette pensée redressait un peu son courage.

Ce qui donnait le plus de mal à Isabella, c'était l'odeur macabre de ce sang gras qui tenait son ventre au bord de la nausée et ses yeux au bord des larmes. Quant à Benedict, il figeait ses traits dans un orgueil de marbre. Car comment combattre un jour l'Indien et le Français si de simples gestes chirurgicaux lui eussent été insupportables ?

Le trépan s'inclina. Le médecin sentit que l'ouverture était faite. Il tira vers le haut. L'instrument se dégagea, laissa un trou rond de la grosseur d'un oeuf par lequel se pouvait apercevoir une membrane renflée confirmant de manière irréfutable le diagnostic qui avait conduit à l'intervention.

Isabella prit le trépan dont la couronne contenait le bouchon d'os, le déposa sur la table.

–Scalpel. Gaze... Tu as les bras morts, Benedict ? Change de tâche avec Joshua. Le patient en a pour trois jours au pays des rêves...

Benedict bomba le torse, hocha la tête. Il resterait là jusqu'au bout. Et solide !

Le chirurgien gratta les parois, raclant les morceaux d'os

qu'il essuyait sur les nouveaux linges. Finalement il incisa la dure-mère qui laissa s'échapper un liquide séreux plutôt transparent, légèrement jaunâtre et surtout abondant.

–Gaze, gaze...

Isabella en avait tout autour de la pensée, des gazes et ne savait plus si elle devait plonger les doigts dans ce trou ou bien n'éponger que le débordement.

Daniel la secourut en s'emparant des tampons après lui avoir remis le scalpel. Il achevait de vider la poche lorsque l'adolescente frémit puis fléchit doucement et tomba sans bruit.

–C'est pas le moment, dit le chirurgien. Joshua, prends la place de Benedict. Ben, emmène-la dans le couloir. Es-tu capable ? Elle aura plus d'air qu'ici... Assieds-la sur une berçante. On lui a un peu trop demandé, la pauvre.

L'échange fut fait. Benedict prit le corps fragile et léger, le souleva et sortit. Elle reprit à moitié ses sens, laissa tomber sa tête sur l'épaule de son porteur. Avec d'infinies précautions, il la déposa sur une chaise et commença à lui souffleter délicatement les joues.

Toutes les émotions qu'il avait refoulées dans la salle d'opération firent surface en même temps et se muèrent aussitôt en l'envie folle de promener sa bouche sur le visage d'Isabella. Il s'y adonna avec une frénésie que seul un cri du médecin parvint à freiner. On le réclamait. Isabella éternua discrètement comme un chaton. Il reçut sur le visage des gouttelettes adorées.

–Tout est presque fini, dit l'oncle Daniel. Prends le scalpel et utilise-le pour sortir la rondelle d'os du trépan. Il faut la remettre à sa place.

Frissonnant encore de ce qu'il avait fait à Isabella, Benedict procédait gauchement.

–Repousse-la au fond pour ensuite mieux glisser la lame derrière.

Ce qu'il fit. La rondelle tomba sur la table puis sur le plancher où elle roula sur une courte distance avant de s'immobiliser. Il s'empressa de la ramasser, souffla dessus, la donna à Daniel qui en racla le bord sur l'entier pourtour pour nettoyer un peu le diploé avant que de remettre le morceau à sa place.

On ôta les tampons et les écarteurs. La peau fut rajustée et suturée. Un foulard tel celui qu'il portait en arrivant fut assujetti autour de la tête du patient que l'on détacha pour le transporter sur le lit. À son réveil, on le bourrerait de médicaments parégoriques.

–C'est ainsi qu'on vous vide ça, un crâne, se félicita le médecin. La suite dépend du Tout-Puissant.

Benedict n'avait plus de pensée que pour Isabella. Il se dirigea vers la sortie, mais il fut interpellé par Joshua qui fouillait dans l'armoire aux médicaments.

–Tiens, fais-lui respirer ça, conseilla-t-il en lui tendant un flacon fumant.

Ce ne fut point requis, car la jeune fille reposait, les yeux ouverts. Elle sourit faiblement quand le garçon s'agenouilla auprès d'elle.

–Ça va mieux ? interrogea-t-il à mi-voix.

–Oui.

–Tu as tourné de l'oeil.

–Je sais.

–Tu as mal quelque part ?

–Non.

Elle leva une main, la porta au visage de son ami, le toucha précieusement. Lui se figurait que des scintillements longs naissaient d'un point de sa poitrine et enveloppaient la belle tête d'Isabella d'éblouissantes lumières multicolores.

Les Lathrop vinrent. Ils s'échangèrent des moues joyeuses à voir un peu de suie sur les deux visages.

Avant de s'endormir, ce soir-là, le garçon inscrivit en sa mémoire le dernier jour de décembre comme jour de chance, et celui-là particulièrement de 1754, comme le plus heureux des quatorze années de son existence.

Car il les aurait enfin, ses quatorze ans dans quatorze jours.

***

1755

Norwich, le 14 janvier

Joshua Lathrop vivait aussi une période d'effervescence. Sa jeune épouse venait de tomber enceinte. Un premier enfant. L'agrandissement de l'apothicairie drainait une bonne part de ses énergies. Revenu de voyage trois jours auparavant, il avait rapporté avec lui un bon lot de marchandises mais aussi un couple d'esclaves acheté à prix intéressant. Cela avait provoqué une vive discussion quand il les avait exhibés avec fierté devant son frère. Daniel condamnait les coutumes esclavagistes.

Joshua s'était défendu, arguant que les esclaves se trouvaient entre les mains d'un trafiquant, qu'ils n'avaient donc plus de maître, que, chez lui, ils seraient royalement traités pour des esclaves, et que, le moment venu, il leur donnerait leur liberté... s'ils la désiraient encore.

L'anniversaire de Benedict était une première et bonne occasion de provoquer l'unanimité sur sa décision. Il fit préparer un repas auquel furent conviés Daniel et sa fiancée, la famille Arnold et Isabella Norton. Les parents de Benedict se désistèrent, servirent de bonnes excuses par la voix de leur fille. La jeune Hannah eût été bien malheureuse de manquer la fête et surtout la chance de connaître cette nouvelle et immense flamme de son frère.

C'était un repas du soir, dans la cuisine d'hiver, sous l'éclairage de lanternes et de bougies. Les mets seraient fricotés sur place, dans la cheminée, à quelques pieds de la table. Le menu ne comprenait rien qui exigeât une longue cuisson. Jambon dont la viande avait été fumée à l'automne. Pain de blé d'Inde cuit la veille. Sirop. Tarte aux pommes préparée le matin. Seules les crêpes de sarrasin accompagnant le jambon étaient fabriquées au fur et à mesure.

La femme de Joshua avait fait en sorte que les jeunes esclaves ne soient pas assommés par des exigences excessives. Assise au bout de la table, elle les surveillait discrètement, prête à intervenir en cas de gaffe. Car la femme noire avait tout juste seize ans et son compagnon guère plus. Ils devaient avoir le doigté bien boiteux !

Pourtant, leur service était impeccable de discrétion et d'assurance sereine. Lui mettait la pâte dans les poêlons et veillait à la cuisson; elle servait les crêpes et le jambon tranché d'avance sur une table de service où l'on coupait aussi le pain. Un pain doré et odorant !

Les flammes des candélabres jetaient sur les choses et les visages des reflets dansants, et de façon tout étincelante dans les yeux d'Isabella qui s'était vu attribuer l'autre bout de la table, face à la maîtresse de maison.

La jeune fille avait vite trouvé en la soeur de Benedict une amie sincère et réceptive. Elles se parlaient avec animation des nouveautés offertes à la pharmacie et qu'Isabella lui avait toutes déjà montrées à son arrivée.

À gauche de sa pâle amie, Benedict s'entretenait avec son voisin, l'oncle Daniel qui lui baragouinait quelques mots de français après lui avoir répété pour la centième fois que cette langue pourrait s'avérer fort utile à celui qui voudrait se lancer dans le commerce. Pour étendre la gamme de ses fournisseurs et ainsi moins dépendre des seuls marchés et exportateurs britanniques.

Scandalisé, Joshua ne devait s'élever contre l'opinion de son frère que lors d'un silence s'installant entre lui-même et la fiancée de Daniel. Il dit alors :

–Je t'écoutais d'une oreille vague, mon cher frère, et, n'eût été du charme indicible de ta fiancée, je t'aurais déjà rabroué.

–Pourquoi ? Parce que j'instruis notre apprenti ?

–En quoi le français lui servira-t-il puisque les Français seront effacés, rayés de ce continent avant la fin de l'année ? En ce moment même, les troupes de Braddock font sans doute voile vers l'Amérique.

–Et tu crois que la France va se laisser évincer sans coup férir ni mot dire ? C'est là donner bien peu de valeur au royaume de Louis XV.

–Joshua, Joshua, dit son épouse avec des rides réprobatrices sur le front et aux coins des lèvres, ne gâchons point le repas d'anniversaire de Benedict avec une discussion politique aussi verbeuse que vaine !

–Et de quoi, très chère, voudrais-tu que nous parlions, nous, les hommes ? Dc soieries et de dentelles peut-être ? De ce que nous sommes en train de bccqueter ?

–De chevaux, Benedict adore, fit-elle l'oeil lumineux. Ou bien de commerce : il faut lui en montrer les voies.

–Pardieu ! c'est précisément cela que j'étais en train de faire, s'écria Daniel en portant à sa bouche un généreux morceau de crêpe imbibé de sirop.

–Puisque c'est le jour de son anniversaire, pourquoi nc parlerions-nous pas de l'avenir de Benedict, suggéra la femme de Joshua en promenant son regard autour de la table.

–Que voilà une excellente idée, Amélia ! approuva la fiancée du médecin.

–Chacun, à la manière des Indiens, va écarter les rideaux du présent et faire voir à monsieur Ben un morceau de son futur, fit Daniel. Qui commence ?

–Moi, dit Joshua qui poursuivit, péremptoire. Benedict sera le plus grand soldat que l'Amérique aura jamais connu. Grâce à lui, Québec tombera...

–Il faudrait qu'il se dépêche à s'engager dans l'armée, objecta Daniel. Il y a une minute, tu disais que les Français seraient refoulés dans la mer avant la fin de l'année.

Joshua avala, sans l'avoir très bien trituré, un morceau de jambon un peu coriace mais à bon goût prononcé. Il dit :

–Mettons deux ou trois ans... Et toi-même, Daniel, quelle est ton idée sur l'avenir de notre jeune ami ?

–Moi, je dis qu'il suivra les traces de son oncle Joshua. Apothicaire. Bon commerçant. Grand voyageur. Volubile discoureur et sans prétention.

Il y eut des rires dont ceux même de Joshua.

–Et toi, Hannah qui le connais depuis longtemps ? demanda Amélia.

–Moi, je le vois commerçant de chevaux, dit-elle de sa voix frêle et chantante.

–Eh bien, mon cher Benedict, ce n'est pas le choix qui manque, hein ? fit Daniel. C'est que tu es un être des plus éclectiques...

“Je serai tout cela”, se disait l'adolescent sans trop réfléchir en cherchant une réponse à la question dans le scintillement des feux de chandelles.

–Isabella, quelle est ton idée ? fit Amélia avec un sourire un peu espiègle.

Mal à l'aise, la jeune fille baissa la tête, murmura des mots que tous entendirent pourtant :

–Je ne vois rien... rien du tout.

–Croirais-tu que Benedict ne sera... que rien du tout ? s'étonna Amélia avec tous les autres de la réponse entendue.

–Ce n'est pas cela... C'est que... Je ne sais... Je suis incapable de voir plus loin que demain, moi.

–Isabella ne se sent pas bien d'être le point de mire de toute la tablée, intervint Daniel. Parlons d'autre chose. Car Dieu seul, après tout, sait ce que deviendra Benedict Arnold. Mais quoi qu'il lui arrive, ce sera bien, à moins qu'il ne se casse la pipe dans une de ses aventures rocambolesques.

Et le médecin fit avec humour et sur un ton laudatif le relevé des prouesses de Benedict en les décrivant : l'affaire de la roue à aubes, l'ascension de la colline de Hartford, l'histoire du cheval emballé et la plus dangereuse de toutes, celle du mortier.

–Ça me rappelle un jeu bizarre dont j'ai entendu parler quand j'étais à Londres. Ça venait de Russie, disait-on. Douze mousquets sont mis en position sur des supports et visent tous au même endroit. L'un d'eux est chargé par un aide à l'insu du joueur casse-cou qui, par conséquent, ignore lequel contient la balle. Il se met en cible. Se concentre. Un troisième prend la place de celui qui a chargé l'arme. Il ignore donc aussi quel mousquet contient le projectile. Alors le joueur visé crie un chiffre entre un et douze. Le tireur presse la détente de l'arme ainsi indiquée par ce numéro... On dit qu'à ce jeu-là, un participant sur douze y laisse sa peau.

–Mais c'est la chose la plus démente, la plus affreuse dont j'ai jamais entendu parler, s'écria la fiancée de Daniel, un être généralement silencieux et effacé.

–Non pas tant ! À ce qu'il semble, ce jeu de fou remplacerait souventes fois le duel. De cette manière, les deux antagonistes ont d'excellentes chances de s'en tirer. Le problème, c'est qu'il s'en trouve pour jouer sans aucune raison, juste pour la sensation que ça donne de risquer sa peau.

Benedict avait le coeur étreint par l'émotion. Par un tourbillon de toutes les vibrations. Cette folie qu'évoquait Daniel l'enchantait, chatouillait son regard, le piquant de lueurs bleutées. Et pourtant, aucun exploit imaginaire n'eût pu bouleverser son âme autant que la présence d'Isabella à ce repas de fête et surtout à la place la plus proche de la sienne qu'il eut été possible d'avoir à cette table. Face à face, ils eussent été séparés par la largeur de la table; voisins, par l'obligation de se parler pour se voir. Tandis que là, elle au bout et lui à sa gauche, sur le côté, ils se trouvaient en position stratégique pour des amoureux silencieux et platoniques.

Mais se logeaient aussi de sombres reflets dans les yeux de l'adolescent quand il lui arrivait de les poser sur sa fragile voisine. Quel terrible mal l'avait donc emprisonnée de ses griffes et quand donc en serait-elle tout à fait délivrée ? Pourquoi cette éloquente discrétion de ses oncles sur le sujet ? Tout ce qu'il avait appris se résumait au fait que la jeune fille avait bel et bien été soignée par Daniel à domicile par le biais de saignées et lavements, et qu'en novembre, il avait interrompu ses visites après avoir constaté que l'état de la patiente semblait s'améliorer.

C'est alors qu'on avait laissé entrer de la lumière et de l'air dans sa chambre. Isabella avait pu se lever, marcher. Et un soir, Benedict s'était laissé conquérir par son image blanche et sublime.

Parfois, il se disait qu'elle avait dû souffrir de consomption pulmonaire, une maladie que les familles des personnes atteintes préféraient taire à cause de la peur de la contagion et de l'ostracisme en découlant. Mais à tout coup, il rejetait l'hypothèse, car, le cas échéant, comment aurait-on pu engager l'adolescente pour travailler à la pharmacie avec lui ? Alors la fièvre jaune, qui sait ? Mais ce mal tue ou bien se résorbe. Même chose pour la petite vérole, le typhus, la dysenterie, la typhoïde ou la diphtérie. Rien non plus dans les médicaments emportés par elle n'avait pu le mettre sur une piste quelconque. Pas même le sirop béchique. Quand donc ce noir et douloureux mystère s'éclaircirait-t-il ?

Mieux valait pour le moment l'ignorer, s'abreuver des images exquises que la jeune fille offrait à profusion, de sa peau de satin que sa maladie avait rendue plus divinement blanche que celle des autres femmes les plus à la mode, de sa robe qui laissait deviner sous les frisons d'un mauve corsage des seins naissants, virginaux et...

Il dut fermer les yeux pour empêcher son coeur de sombrer dans la concupiscence. Voilà pourquoi c'est l'esclave noire qu'il regarda en les rouvrant. Avec sa tête enveloppée d'un foulard de lainc noué sur le front, ce long morceau d'étoffe lui enroulant les épaules et croisé par devant sur son immense tablier de coton, tout cela à tristes teintes grises, elle n'avait pas la moindre chance de faire bouillir son sang.

Il n'aurait pas pu en dire autant d'Amélia qu'il trouvait admirablement belle, qu'elle soit vêtue en dame à la mode pour aller au bal ou bien dans son flamboyant costume de cavalière ou plus simplement en femme de maison. Elle portait toujours dans ses cheveux de charbon un ornement à couleur vive qui conférait à la noblesse de son port dc tête une chaleur remplie des attraits les plus suaves. Comme maintenant, ce ruban orangé qu'une main habile avait arrangé dans sa chevelure.

Le soir, quand il arrivait que l'on prît une heure de repos et de veille devant le feu de la cheminée, Amélia et son mari sur un banc pour deux et se tenant la main, Benedict en biais face à la flamme, il comparait la beauté de la femme aux splendeurs de l'attisée, leur commune vivacité et parfois leurs joyeux éclats.

Amélia interpella l'adolescent rêveur :

–Benedict, tu ne manges pas davantage ? D'habitude, une tranche de jambon, ce n'est qu'une entrée pour toi. Ne serait-il guère à ton goût ?

–Au contraire, je l'aime beaucoup. C'est que mon esprit...

–Encore parti à l'aventure dans la sauvagerie ! fit Joshua.

–Non pas, non pas...

–On sait, on sait, dit Daniel en posant son regard narquois sur Isabella.

Ces allusions restaient plaisantes pourvu qu'elles ne dépassent pas la mesure, et toutes ces gens de bonne éducation connaissaient les limites à ne point franchir.

Le reste de la soirée fut heureux pour chacun. Joshua obtint la bénédiction de son frère quant à l'achat des esclaves. Et les esclaves comprirent qu'ils seraient bien traités chez les Lathrop.

Un matin de février, Isabella ne se présenta pas à son travail. Daniel se rendit chez les Norton.

–Un mauvais rhume, dit-il à Benedict à son retour. Elle va s'en remettre pour la semaine prochaine.

Ce soir-là et les suivants, l'adolescent ne put apercevoir à sa fenêtre que des lueurs vagues s'échappant à l'occasion depuis l'épaisse couche de rideaux que l'on avait, semblait-il, opposée à la rigueur extérieure, ce froid tenace et pénétrant qui avait obligé Benedict, exceptionnellement, à faire du feu dans la cheminée de sa chambre.

Sept jours plus tard, le médecin annonça que la maladie

durerait plus longtemps que prévu, mais qu'il venait d'entreprendre une médication choc et que, le soleil de mars aidant, elle serait sur pieds avec le printemps.

Amélia convia l'adolescent à une heure de veille en sa compagnie et celle de Joshua. Chacun se réfugia sous une couverture de laine, les jambes allongées vers l'âtre poussif dont la flamme paraissait misérable. Joshua s'en plaignit :

–Oliver aurait dû nous mettre des rondins de bois sec. Qu'il garde donc ce bouleau vert pour des journées moins glaciales ! Vois l'eau qui bouillonne au bout des bûches.

–Je le lui dirai, fit Amélia en ajoutant au feu des morceaux d'écorce frisée qui ravivèrent la flamme pour quelques instants.

On parla par longs silences entrecoupés de mots sans importance ni suite. Puis Amélia, après un long soupir, dit comme en le regrettant :

–Joshua, tu as quelque chose à dire à Benedict. Il serait temps que...

–Jeune homme, sais-tu qu'à ton âge, j'avais déjà enterré trois amours ? attaqua l'apothicaire sur un ton joyeux qui sonnait le fêlé. Et toi, quand tu étais chez tes parents, as-tu déjà été dévoré par un de ces feux de paille, lesquels font bien sourire... quand ils sont passés évidemment.

–Bah !... Mary Miller... Mais ça fait longtemps.

–Ceci pour te faire réfléchir sur la frivolité des sentiments de jeunesse. Parce qu'à mon âge, quand on a trouvé la femme de sa vie, ce n'est plus du tout la même chose, est-ce que tu comprends ?

Il sourit à Amélia qui lui répondit avec une touche mélancolique dans ses grands yeux brillants et confiants. Joshua reprit :

–Tu as oublié Mary Miller, et, dans quelque temps, tu...

oublieras aussi Isabella Norton.

Benedict sauta sur ses pieds, comme fouetté par des lanières de métal. Toutes ses appréhensions se concentraient en une seule qu'alimentait bien la manière des Lathrop de tourner autour du pot.

–Qu'est-ce qu'elle a, au bout du compte, pour l'amour du Tout-Puissant, que l'on me réponde enfin !

L'homme et la femme s'échangèrent des regards navrés. Joshua fit un signe désolé d'une main incertaine. Amélia dit alors :

–Elle a la consomption pulmonaire. C'était sa maladie. On la croyait guérie. Elle a fait une rechute il y a quinze jours.

–Va-t-elle mourir ? demanda posément l'adolescent.

–Très probablement, dit Joshua. Quelques semaines ? Un mois peut-être ?

–Bon !

Le jeune homme resta plusieurs minutes mains sur les hanches, le regard plongé dans les flammes froides, sans entendre les mots d'encouragement et les réflexions philosophiques du couple. Aucune pensée logique ne lui vint. En son esprit se succédaient mille images rapides et belles, souvenirs du merveilleux temps qui s'était trop vite évanoui entre le soir de la céleste apparition à la fenêtre d'Isabella et ce matin blafard où il avait attendu en vain son arrivée à la pharmacie.

Soudain, il rajusta par devant les pans de sa veste, fit demi-tour et s'en alla, sans répondre aux salutations des Lathrop. Il les quitta d'un pas assuré.

Le jour suivant, il acheta une boîte à musique nouvellement arrivée à la pharmacie et se rendit visiter la malade.

Elle reposait paisiblement quand il fut introduit dans sa

chambre par la mère d'Isabella qui se retira aussitôt afin de les laisser seuls. Son visage était le même malgré de profonds cernes de charbon autour des yeux.

Il approcha avec cette assurance d'homme qu'il s'était donnée depuis le moment où il avait appris l'insupportable vérité. Il déposa la jolie boîte noire à fleurs multicolores sur la table de chevet puis s'agenouilla près du lit dans le clair-obscur qui voilait en partie la maigreur désolante du masque de la jeune fille.

Comme ce jour de la trépanation où elle avait perdu conscience, il fut pris du désir insoutenable de couvrir son visage de tous les baisers de toutes les passions, pour lui communiquer à travers eux ses meilleures forces régénératrices.

Une pensée abominablement folle lui faisait hocher la tête sans arrêt : "Si au lieu de lui enlever du sang chaque jour, il avait été Dieu possible de lui transvider du sien qu'il sentait si chaud, nerveux et plein de vie !" Puis il se blâma : "Quelle prétention que de vouloir agir au contraire du savoir médical universel !"

Des mots suaves, comme une douce plainte, le ramenèrent à la réalité du moment :

–Bonjour, mon grand ami, murmura Isabella, le visage animé d'un sourire de gratitude.

–Je suis venu... te montrer... te donner un bel objet tout nouveau qu'on a reçu la semaine dernière.

Il ouvrit la boîte qui fit entendre son apaisante mélodie aux litanies de notes diamantées de toutes les couleurs. Isabella demanda qu'il la lui mît entre les mains. Alors elle sourit tant que dura la musique.

–Merci Benedict... Et maintenant, éloigne-toi de moi. Tu sais, j'ai la consomption... C'est une maladie contagieuse.

Et comme pour le mieux avertir, une légère quinte de toux

suivit, se terminant par des souffles lents.

Il lui enveloppa une main dans les siennes, s'écria à voix retenue :

–Jamais aucune maladie ne me fera bouger d'ici. Et si je l'attrape, tant mieux ! Alors nous partirons ensemble vers... vers la suprême aventure.

–Tu dois vivre, Benedict. Pour Dieu, pour ton pays, pour celle que tu épouseras un jour.

Isabella avait longuement réfléchi aux mots qu'elle lui dirait quand il serait à ses côtés. Des heures interminables lui avaient été données pour cela : des heures pourtant trop brèves. Car elle le savait bien qu'un jour ou l'autre, il viendrait la visiter. Et de toute façon, elle avait décidé de s'accrocher à la vie tant qu'il ne serait point venu.

–Je n'épouserai jamais personne d'autre que... que toi... Jamais !

Elle sourit finement :

–Quand je serai auprès du Tout-Puissant, je dirigerai sur ta route les plus jolies demoiselles de la province... et de Boston... et de partout.

–À chacune, je dirai : "Hors de ma vue ! Je n'aime qu'Isabella."

–Est-ce que tu m'aimes, Benedict ? Tu ne me l'as jamais dit. Est-ce... que tu m'aimes ?

Il fit un sourire limpide et bougea son corps vers la tête de la malade. Isabella se tourna dans le sens contraire pour éviter de se trouver trop près. Elle enfouit son visage dans ses draps et son oreiller. Lui recherchait un contact physique qu'elle refusait pour le protéger.

Il tira en douceur mais fermement sur le drap qui entourait sa tête menue dans ce grand lit gris. Et malgré ses signes négatifs et ses plaintes, il l'obligea par une délicate pression des doigts sous son fin menton, à l'envisager. Des larmes lentes roulaient sur ses joues.

–Ne pleure pas...

–C'est du larmoiement, pas des pleurs.

–Alors tu...

–Je suis contente, heureuse... Je n'ai plus peur de rien.

–Et moi donc ! fit-il en se penchant sur elle.

Il l'embrassa dans une sorte d'immense passion réfléchie et attentionnée, sachant relever la tête au bon moment pour ne pas la priver de sa respiration déjà trop courte. Elle garda sa bouche fermée, ses lèvres sèches; il les mouilla. Elle resta silencieuse; il lui murmura toutes les tendresses.

–Tu vivras, Isabella. Le soleil et mes prières te guériront. Chaque soir, après avoir invoqué le ciel, je te dirai bonne nuit par ma fenêtre... Tu sais que je t'ai souvent regardée en secret depuis ma chambre ?

Elle lui serra faiblement la main et acquiesça d'un léger signe de tête.

–Tu vas bientôt revenir à la pharmacie. Et dans quelques années, je... t'épouserai... Et nous ouvrirons aussi une pharmacie... Pas à Norwich pour ne pas nuire à l'oncle Joshua, mais à... Hartford. Ou peut-être à New Haven. On vendra des remèdes pour la santé du corps, et des livres pour celle de l'âme. Et nous aurons des enfants. Trois... Isabella, Benedict et un troisième dont tu choisiras le nom.

Entre chaque phrase, leurs lèvres se rejoignaient, s'unissaient dans un bonheur débridé. Isabella s'était abandonnée tout à fait au creux de sa voix, douillettement au chaud de sa force incommensurable. Et lui avait au coeur une volonté de tous les chefs de la terre, morts ou à naître, de vaincre le mal immonde qui s'acharnait sur l'être le plus délicat, le plus fragile et le plus doux qui soit au monde.

Mars commença en lui donnant raison. La jeune fille retrouva un certain souffle. Assez pour s'asseoir à sa fenêtre pendant quelques minutes l'avant-midi, l'après-midi et le soir pour espérer voir son fiancé. Car à la deuxième venue de Benedict, ils s'étaient secrètement promis l'un à l'autre.

Il venait deux fois la semaine. Il eût bien voulu la voir tous les jours, mais les parents d'Isabella et les Lathrop, au nom du bien de la malade, s'étaient entendus pour un maximum de deux visites hebdomadaires.

L'adolescent mettait toutes ses pensées dans ses désirs, dont le plus aigu, celui de l'apercevoir, le possédait, le transportait, lui donnait des ailes pour exécuter ses tâches, accueillir les clients à la porte et les reconduire jusque dehors afin de se donner l'occasion de lever la tête vers la fenêtre adorée.

Dans la seconde partie du mois, l'état de la malade demeura stationnaire. Le temps fut propice aux lavasses, au grésil et aux ciels chargés de noirs troupeaux éperdus se bousculant.

Le premier avril, un soleil impératif vint mettre son ordre dans un ciel limpide et obéissant. Tout était bleu dans les yeux de Benedict quand il porta son regard vers l'azur nettoyé en traversant la rue avec, sous le bras, un paquet soigneusement tenu.

Il offrit une longue-vue à Isabella, lui parla du printemps, du renouveau dans la nature, dans les arbres, les plantes et donc dans les corps, de l'eau pure venue des montagnes, de l'air doux faisant éclore les bourgeons. Elle toucha sa joue quand il s'apprêta à partir.

Le lendemain, Daniel fit une saignée. Le jour suivant, il fut rappelé en toute hâte auprès de la malade. Elle avait sombré dans le coma. Benedict obtint la permission d'une visite exceptionnelle. Il passa la nuit suivante à crier au ciel des supplications et des promesses innombrables.

À bout de pleurs, il fut emporté par le sommeil aux premières lueurs de l'aube. Il n'entendit pas qu'on ouvrait sa porte. Ni que l'on marchait vers son lit. C'est la douceur d'une main frôlant son front et glissant dans ses cheveux qui le fit émerger d'une somnolence tordue. Amélia était assise sur son lit et tâchait de lui parler avec des mines désolées et un silence oppressant.

Il était la proie de sentiments incompréhensibles. Il avait l'esprit mort d'inquiétude et pourtant, la chaude présence d'Amélia tout près, sur son lit, éclairait son visage, y effaçait la fatigue et les boursouflures de la peine. Elle mit sa main sur sa joue à la manière d'Isabella et dit d'une voix touchante :

–Mon pauvre ami, mon pauvre ami....

–Isabella est partie, n'est-ce pas ?

–Daniel et Joshua sont là-bas, fit-elle en répondant affirmativement d'un hochement de tête.

Il se couvrit le visage de ses mains.

–Tante Amélia, je voudrais mourir aussi... Aller sur une haute montagne face à la mer et m'envoler vers... vers les brisants pour la retrouver... à jamais.

Elle lui ôta les mains du visage et les attira vers elle. Il souleva le haut de son corps. Elle l'enveloppa de ses bras.

–Ainsi que Joshua le disait, quand tu seras vidé du plus gros de ton chagrin, ton coeur se rajustera à la vie. D'autres personnes croiseront ta route.

L'adolescent se remémora la folichonne promesse d'Isabella, et cela le fit éclater en sanglots sauvages.

Son mal intérieur n'arrivait pourtant pas à étouffer cet

immense et mal venu bien-être qu'il ressentait à se trouver au chaud creux de cette poitrine généreuse et vibrante qu'il sentait sur son cou et sa joue à travers le tissu de la robe de nuit d'Amélia.

Tout en son âme prit alors odeur de trahison. Le ciel lui avait ravi sa fiancée. Et lui n'avait pas le droit de tressaillir d'aise dans une douleur aussi folle : c'était trahir Isabella, c'était renier malgré lui son amour pour elle...

Il pleura longuement. Amélia pleura de le voir.

Le jour de l'enterrement, après de pénibles et solitaires adieux qu'il adressa à Isabella au cimetière, Benedict retourna chez lui. Il voulait voir plus clair dans son âme troublée. Il avait eu la permission de ses précepteurs et de sa mère de ne retourner chez les Lathrop que le dimanche suivant.

Chaque soir, devant la cheminée, il s'entretint longuement avec sa soeur. Pas une seule fois, il n'accepta qu'il soit question de la disparue. Sur sa tombe, il lui a juré qu'il ferait en sorte de la retrouver le plus vite possible sans pour cela s'enlever la vie comme il en avait conçu l'impensable idée à la nouvelle de sa mort. Car pareil geste de désespoir eût déplu aussi bien au Tout-Puissant qu'à ceux de sa famille, à ses précepteurs et à la morte elle-même. Alors il a mis son doux visage au coeur de ses souvenirs. Chaque matin de sa vie, il regarderait le ciel, y verrait l'image de sa fiancée dans un médaillon de nuages...

À son retour chez Joshua, il fut chagriné d'apprendre qu'Amélia était partie pour plus d'une semaine à New Haven. L'oncle n'avait pu l'accompagner à cause précisément de l'absence de Benedict.

Le lendemain, il pleuvait quand il regarda le ciel par sa fenêtre, un ciel à froides mélancolies et si bouché qu'il eut du mal à y discerner le visage d'Isabella.

Au déjeuner, Joshua donna les ordres du jour à Oliver. L'esclave devrait employer son temps à transporter depuis un quai de la Thames le plein contenu d'une barge de marchandises arrivée la veille de New London. Benedict se proposa pour aider l'esclave.

–Il n'aura qu'à se bien vêtir, objecta Joshua quelque peu décontenancé par cette proposition inattendue. Non, il est nécessaire que tu restes à la pharmacie. On ne peut pas compter sur l'aide d'Amélia non plus que sur celle d'Isab....

–Ce pauvre Oliver pourrait attraper une pneumonie, dit Benedict que le souvenir de la disparue inclinait à la commisération.

–Mais non, s'impatienta Joshua. Pas s'il est bien botté et encapoté. Qu'est-ce que cela ? Notre risque-tout tremble maintenant pour la santé d'un esclave fort comme un boeuf ?

Oliver crut bon d'intervenir en même temps qu'il servait à son maître une assiettée de gaufres noyées de sirop :

–Tout va aller, tout va aller.

–De plus, je devrai peut-être assister Daniel aujourd'hui, ajouta Joshua pour clore la discussion en rassurant tout à fait Benedict.

L'apprenti tâcha de tuer l'ennui de son avant-midi sans clientèle en lisant, sur conseil de Joshua, les journaux qui faisaient grand état d'une réunion capitale des gouverneurs des principales colonies et convoquée par le major général Braddock.

Il y avait dans les nouvelles du printemps de quoi réjouir tous les coloniaux. Février avait vu l'arrivée de Braddock lui-même à Williamsburg, Virginie, En mars, l'armada britannique tant attendue était apparue sur la baie Chesapeake. L'intervention massive de la mère patrie, bien au-delà d'une simple promesse, se traduisait bientôt en voiles sur le Potomac et en belles troupes fraîches, brillantes et rouges paradant aux abords d'Alexandria.

Au repas du midi, Joshua se sentit indisposé. Il en fit part à Daniel puis se retira dans sa chambre. Invoquant la température inclémente, le médecin quitta les lieux au coeur de l'après-midi. Alors Benedict, en mal d'oubli, se rendit aux cuisines où il prépara pour son oncle un grand pot de thé fort qu'il lui porta, cherchant par la même occasion, du regard et d'appels répétés, Lydia, la jeune esclave qui eût pu surveiller pour l'en avertir, l'arrivée de clients à la pharmacie. Elle resta introuvable.

En fait, il la trouva bientôt au bout de sa marche, dans le lit même de l'oncle Joshua. Et l'homme, trop accaparé par sa plaisante et coupable activité, ne se rendit pas compte que le garçon avait ouvert puis refermé la porte : sidéré, étouffé...

C'est à ce moment-là et pas avant que son immense douleur d'avoir perdu Isabella étreignit son coeur avec le plus de rage amère et noire. Il redescendit, laissa le pot au pied de la cheminée, courut à la pharmacie, l'oeil effaré. Il se couvrit d'une capote entoilée et sortit.

Il marcha, marcha, jusques à quitter la ville, jusqu'à la colline dominant la Thames, ses bottes calant dans la boue, les cheveux dégoulinants, le regard laudanisé. Au lieu qu'il aimait tant à l'époque de ses gamineries, il se mit un genou à terre dans la molle froideur du sol humide et laissa tomber sa tête sur son bras posé en travers de son autre genou. Alors il sanglota frénétiquement, répétant sans cesse les noms d'Isabella et... d'Amélia.

Alexandria, Virginie

La réunion avait eu lieu la veille au quartier général de Braddock. Les gouverneurs Shirley et Dinwiddie avaient quitté les lieux avec un enthousiasme amoindri. Non point parce que les plans exposés, modifiés et finalement retenus aient présenté un objectif contraire à leurs vues, car eux plus que tous désiraient le refoulement des Canadiens dans leur territoire en un premier temps puis l'invasion et l'élimination de cette gênante et séculaire menace nordique, mais plutôt parce que les moyens et la stratégie avancés ne leur paraissaient pas convenir à une campagne nord-américaine.

Quatre fronts seraient ouverts en même temps. Braddock et ses régiments repousseraient l'envahisseur de l'Ohio en prenant le fort Duquesne. Shirley reçut pour mission de déloger les Canadiens du fort Niagara, ce qui, un succès échéant dont on ne doutait pas, rendrait pourtant inutile et superflu l'assaut de Braddock, en coupant la ligne de l'Ohio. Le colonel William Johnson conduirait ses troupes sur le lac Champlain où l'on irait s'emparer du fort Saint-Frédéric. Et quatrièmement, Robert Monckton irait nettoyer Chignictou en rasant le fort Beauséjour.

Il s'agissait là des objectifs immédiats qui permettront, selon le plan directeur, de prendre pied à mi-chemin pour l'invasion finale du Canada.

Dans sa campagne planifiée au-dessus des cartes géographiques, Braddock s'était inquiété un moment de la voie Kennebec-Chaudière, la plus directe vers Québec. Shirley le rassura, soulignant que le seul danger par là eût pu provenir de Narantsouak, mais que les Abénakis avaient abandonné leur village à cause de l'érection du fort Halifax, et qu'en fin de compte, en raison de la sauvagerie, des cours d'eau difficiles et de l'absence de colonisation, cette voie, quoique la plus courte vers la forteresse canadienne, devenait en fait la plus longue, la plus ardue et périlleuse.

"*De plus nos forces sont déjà bien assez divisées*," osa ajouter l'impétueux gouverneur du Massachusetts.

"*Monsieur, il sera tenu compte de votre opinion*," rétorqua le major général à travers un sourire supérieur.

Mis au fait des pénibles exploits du populaire Washington qui avait quitté l'armée provinciale et cultivait maintenant le tabac sur sa ferme de Mount Vernon à quelque distance de là, Braddock le fit venir aux fins de l'incorporer à son armée pour l'expédition sur fort Duquesne.

Ce fut une rencontre intéressante pour le jeune Virginien. Une visite impromptue de sa mère, une femme autoritaire dont il n'eût jamais pris congé sans sa permission, le mit en retard, ce qu'il craignait devoir être considéré comme une insulte par le très britannique Braddock. Il marchait donc dans ses petits souliers bien que dans de longues bottes noires quand il fut introduit auprès du major général, un militaire aux allures étonnantes tant il différait de l'idée qu'il s'en était faite.

Braddock était un homme de petite taille, voûté, aux paupières tombantes sur un nez pansu comme le ventre. Le rouge lui seyait mal, donnant par contraste à son visage un air encore plus désabusé. Comme Dinwiddie, il laissait traîner sa voix pour lui donner l'accent de la hauteur, mais chez lui, cela sonnait fatigue et lassitude tout autant que britannique.

Penché sur un document, il finit de le signer puis le remit à l'aide qui présentait Washington.

–Faites suivre ceci.

Sans lever les yeux sur son visiteur, il lui tourna le dos et alla prendre place au bout d'une longue table de style Chippendale aux pattes à griffe serrant une balle.

–Jeune homme, dit-il sans sourciller, les soldats retardataires sont généralement ceux qui meurent les premiers.

–Je vous demande sincèrement pardon pour cette arrivée tardive. Si de vous dire que ma mère –le ciel la bénisse tout de même !– en est la seule responsable, accepterez-vous mes excuses ?

–Ça va, ça va.

Par un geste de la main, il ordonna à son visiteur de s'asseoir à l'autre extrémité de la table, et pendant l'exécution, il souleva un coin de sa blanche perruque pour y introduire un doigt de l'autre main et se gratter vigoureusement la peau du crâne.

–Vous avez raison, vous, les jeunes provinciaux, de refuser le port de ces artifices; on crève de chaleur là-dessous et quelque je-ne-sais-quoi vous y cause d'éternelles démangeaisons.

–Ils sont nombreux à en porter... Ça dépend des fonctions.

Washington haussa les épaules en rajoutant, l'oeil malin.

–Bien sûr, ce n'est pas l'accessoire idéal pour celui qui part en expédition dans la sauvagerie.

À son tour, Braddock haussa les épaules, répétant des oui remplis d'indifférence.

–Ainsi donc, monsieur... Washington... Quel est votre prénom déjà ?

–George.

–Un prénom assez... populaire par les temps qui courent.

–Dieu bénisse notre roi !

–Vous êtes donc celui sans qui je ne serais pas ici. Un coup de fusil dans la sauvagerie, un coup de fusil tiré par vous et pan ! me voilà en terre d'Amérique avec deux régiments sur les bras.

–Si vous permettez, monsieur, il n'y a pas eu que l'affaire Jumonville mais aussi celle de Necessity.

–Que voilà un jeune homme pur, celui qui sait évoquer si candidement une gaffe... historique ainsi qu'une défaite... comment dire... réparatrice de l'erreur qui l'a causée. Vous n'êtes pas sans savoir que nous allons marcher sur le fort Duquesne. Je voudrais connaître ce que vous avez certainement à dire sur le sujet. Quelles sont les difficultés à envisager ? Combien de temps nous faudra-t-il ? Quel matériel devrons-nous emporter ? Je vous écoute...

–Monsieur, il n'y a qu'une façon de se battre contre les Canadiens français et c'est d'employer leurs tactiques.

–Comme ?

–Harcèlement, dit Washington, l'oeil brillant. Ils arrivent de nulle part, frappent et disparaissent. Et souvent, ils tirent sans même se laisser apercevoir, comme leurs Indiens. Des régiments bardés d'habits rouges et de métal brillant, trop lourdement équipés, s'exposeraient à de graves dangers... j'ose dire... courraient à leur perte, à une défaite cruelle.

–Même à deux contre un ?

–Même à sept contre un.

Braddock explosa d'un rire excessif qui se termina dans une quinte de toux.

–Mon cher Washington, n'avez-vous point vu défiler nos régiments aux environs ?

–Oui, monsieur.

–Savez-vous sur combien de pièces nous pouvons compter et quels en sont les calibres ?

–Non, monsieur.

Et savez-vous qu'une de nos grosses pièces pourrait à elle seule raser un fort en bois en moins d'une demi-heure ?

–Si l'on parvient à mettre la pièce en position, monsieur.

–Et qui donc nous en empêchera ?

–Les montagnes, la distance, la forêt, les Canadiens et leurs Sauvages.

Braddock eut un second éclat joyeux avant de déclarer :

–J'aime vos réponses parce qu'elles sont naïves. Bien dirigé, et ma foi, on m'attribue un certain talent à la conduite des hommes, vous serez un élément intéressant de mon armée... Et vous-même, l'on vous dit capable de commander des provinciaux. En conséquence, je vous propose de joindre nos rangs.

–Parlant de rang...

–Je sais, je sais, vous avez quitté l'armée virginienne pour ne pas avoir à subir une démotion. Alors je vous prends à mon service personnel, comme aide-de-camp. Vous relèverez donc directement de moi. Pas de rang... mais des avantages certains. Vous voulez y réfléchir aujourd'hui ?

–Monsieur, c'est déjà tout réfléchi : j'accepte.

–En ce cas, mon cher, nous n'avons rien d'autre à nous dire pour le moment.

Washington se leva, entama une phrase :

–Pour ce qui est des tactiques...

–Je vous remercie, monsieur. Vous avez ma permission de quitter. Des ordres vous seront transmis ultérieurement.

Le jeune homme salua d'un geste sec de la tête puis il sortit de son pas long plein d'assurance et d'avenir.

Saint-François*, Canada

Peu à peu, Natanis avait supplanté la matrone comme chef de famille pour les décisions relatives à l'habitat et au par-

*Saint-François : village (abénaquis) sur la rivière du même nom.

tage des tâches. Et pourtant, l'esprit du jeune guerrier alternait depuis l'indécision jusqu'à des actions tranchées, irréversibles, définitives.

On s'est arrêté à la cabane de Sabatis. Ce lieu que Natanis connaissait déjà lui parut bon. L'on y serait à l'abri de tous les Anglais que l'esprit du mal pourrait envoyer encore sur les terres abénaquises. Aucune troupe n'eût pu se présenter par là autrement que par le lac puisque des marécages et des montagnes l'aurait interceptée. Impossible de les surprendre sans crever. Et puis, la montagne altière à dessus arrondi, au sud, garderait secret le lieu de leur campement.

La chasse fut heureuse : la pêche encore davantage. Natanis prit l'habitude de partager la couche de Petit-Soleil tandis que Sabatis couchait avec Front-Brisé. En ses jours de chaleur, la matrone empruntait l'un ou l'autre des guerriers, l'accoutumance ayant créé l'appartenance.

Mais un mois plus tard, Natanis s'inquiéta de devoir hiverner là, sans village autour, sans palissade, dans une froidure menaçante, et cela, malgré toute cette viande que les femmes faisaient charquer au fur et à mesure que les chasseurs en rapportaient.

Ce sentiment lui parut étrange; il n'était que nouveau. De sentir que les gens de la hutte dépendraient de lui surtout, car Sabatis aussi le traitait comme le sachem, l'empêchait de dormir en paix. Comment aurait-il pu s'expliquer qu'il avait besoin d'une coquille protectrice comme celle de la tortue, et que sans vingt, trente loges dans les environs, il se sentait nu comme un pin écorcé. Il fallait repartir. Suivre ceux qui, de Narantsouak, avaient déjà passé leur chemin tout droit vers le Canada : Tête-Brûlée, le père Lauverjat et tant d'autres. S'en aller vers un coin de pays plus accueillant, vers les amis du nord. Et ne pas attendre les gelées. Et se donner le temps, là où on s'arrêterait, de s'approvisionner pour la saison froide, car alors l'ours dormirait dans ses antres introuvables, la truite se cacherait dans des fonds inaccessibles, le chevreuil devancerait le plus souvent le chasseur en raquettes, lui ravissant son souffle.

L'on a donc repris la route mouvante. Puis traversé la hauteur des terres. La rivière bruyante née du lac Amaguntik les a conduits à Sartigan. D'autres s'y sont déjà arrêtés. Plusieurs. Le village, à l'embouchure de la rivière Mataka (Famine) a grossi depuis le récent passage de Natanis. Les cabanes ne se comptent plus. Des frères sont retrouvés. L'on y construit sa hutte. La forêt des environs est aussi prodigue que celle de Narantsouak. Québec est à un jour de marche. Et il y a même des amis blancs qui brassent la terre à quelque distance, à peine passé les sauts du Diable, à Saint-François*.

Pourtant Natanis n'y trouva point le contentement. Un soir, il lut l'avenir dans le ciel étoilé. Des configurations lui signifièrent d'aller plus loin, de poursuivre sa route. Les canots furent remplis et l'on repartit.

À Québec, l'on vécut trois jours sous la tente. Le temps d'une soûlerie. Puis d'une suerie au village huron. Appauvri de toutes les peaux ramassées depuis Narantsouak, l'on remit une fois de plus les embarcations à l'eau. Et c'est à Saint-François que ce même jour, l'on devait se fixer pour l'hiver.

L'on s'y érigea une belle loge solide et grande, et aux murs épais. Les deux hommes y travaillèrent avec grand soin. On y vivrait longtemps. On pouvait y faire deux feux en même temps sans craindre d'étouffer dans la fumée.

Durant l'automne, des prisonnières avaient été ramenées au village. Une dame Johnson et sa fille capturées à Charlestown. La cabane de Natanis offrait la meilleure logeabilité, et c'est là que, selon le missionnaire, les captives

*St-François de la Nouvelle-Beauce, sur la rivière Chaudière, maintenant Beauceville.

connaîtraient la plus douce hospitalité. L'on prit grand soin d'elles malgré les manies de la femme blanche de toujours chercher quelque chose à laver : ses mains, ses pieds, les chaudrons, les couteaux, le chien et même les enfants qui la mordaient pour l'en empêcher.

Petit-Soleil avait considérablement grossi. Avant chaque possession, Natanis, avec son sexe enflé, lui traçait des signes sur le ventre pour attirer sur l'enfant les faveurs du Grand-Esprit. Il savait qu'elle portait le fruit de John Winslow, ce qui le réjouissait fort. Et il priait l'esprit des Blancs pour que le bébé soit un mâle qui l'accompagnerait un jour dans des courses au pays des Anglais afin d'y lever chaque fois plus de chevelures que les deux mains et les deux pieds ne comptaient de doigts.

Avant l'aube du dix avril, la jeune Indienne eut ses premières douleurs. Le moment d'accoucher frappait enfin à la porte de son ventre. Le bébé viendrait au monde dans la loge même puisqu'à Saint-François, il n'y avait plus de cabane isolée, les missionnaires ayant obtenu que prît fin cette coutume qu'ils considéraient barbare.

Prévenue par Front-Brisé, la matrone réveilla les deux hommes et leur ordonna de quitter la hutte pour n'y revenir qu'après la naissance. On la leur ferait savoir par une sorte de collier d'épis de maïs accroché sur la porte, dehors.

Abrutis de sommeil, les deux guerriers disparurent dès qu'ils furent chaussés, emportant chacun leur mousquet et assez de poudre pour une journée de chasse, laissant derrière eux dans ses inutiles requêtes pleurnichardes pour les accompagner, le jeune garçon qui entreprit dès lors une marche de flânerie à travers les cabanes du village.

La matrone prit un rondin d'une petite cordée près d'un mur, en tisonna les braises bleues du feu somnolent puis l'y jeta avec quelques autres branches et copeaux secs. La flamme se montra aussitôt, jaune, grésillante, brûlant des bulles de résine.

Dans un des coins de la loge, son intimité protégée par des peaux tendues autour de l'aire qu'on lui avait attribuée, la prisonnière partageait sa couche avec sa fille.

Alertée par ce très matinal va-et-vient, elle a deviné ce qui arriverait. S'est vite débarbouillé le visage avec de l'eau froide dont elle garde toujours deux seaux à ses côtés, puis, vêtue d'une lourde robe qu'elle s'est fabriquée elle-même dans des peaux d'ours, elle accourut non point auprès d'une Indienne malade mais à l'aide d'une autre femme sur le point d'accoucher : solidarité féminine sans barrière raciale ni différence de statut et de toutes les époques.

Petit-Soleil se dévêtit entièrement. Elle s'étendit sur une plate-forme peu utilisée car trop proche du feu. Comme les autres de la cabane, ce lit a été fabriqué de pieux enfoncés dans le sol dans un alignement rectangulaire, pieux auxquels deux travers ont été cloués à chaque bout, et sur lesquels on a fixé un rang de rondins flexibles. Par-dessus, l'on a tendu des couches de peaux, de branches de conifères et de couvertures de laine.

Saisie d'un fébrile besoin d'agir, de bouger des choses, de mettre un ordre qui rendrait l'accouchement plus facile, la femme anglaise retourna dans son coin y quérir un seau d'eau ainsi que des linges qui lui servaient habituellement au nettoyage de son corps et de celui de sa fille. La matrone s'était assise près du feu, sur le sol, et se balançait le corps en avant dans un mouvement qui accompagnait une interminable mélopée à trois notes. C'est ainsi qu'en évoquant le Grand-Esprit, elle aiderait le mieux l'enfant à bien naître.

La fillette indienne n'avait jamais été témoin d'un accouchement. Elle n'en savait pas moins de quoi il s'agissait et depuis fort longtemps. Elle s'était donc rapprochée du feu avec le chien qui restait avec elle le plus souvent la nuit, depuis la mort du vieil homme. L'animal était couché entre ses jambes, et elle l'épuçait en attrapant vivement les insectes qu'elle écrasait aussitôt entre ses doigts pour ensuite essuyer la souillure sur la couverture déjà abominablement sale la recouvrant. Parfois, elle s'arrêtait, les moments où Petit-Soleil, sentant venir une tranchée, s'allongeait sur sa couche, écartait les jambes pour ainsi mieux contrôler la souffrance et donner envie au bébé de descendre.

L'éclairage ne suffisait pas à madame Johnson pour lui permettre de connaître l'état de propreté de la peau de l'Indienne. Elle présumait de ce qu'il pouvait être; aussi, imbibait-elle un gros chiffon dont elle frottait le ventre rebondi, le dos, la poitrine, le sexe. La peau frissonnait. Petit-Soleil gardait le silence, se laissait docilement manipuler, concentrait son esprit sur le mutisme à garder afin d'éviter de donner naissance à un lâche pour lequel toute la tribu n'aurait eu que du mépris.

Front-Brisé s'était mise à d'habituelles occupations de femme, soit de couper de la viande séchée en frappant les lanières avec le taillant d'une hachette puis en coupant les gros morceaux obtenus en de plus petits que l'on jetterait plus tard dans la sagamité. Elle travaillait près de la portière, sur une table longue encombrée d'objets dont la moitié n'avaient aucun rapport avec la cuisine : une pile de peaux à finir de tanner, aiguilles de métal, osselets, coquilles à wampum, mitasses, tuniques frangées... D'innombrables morceaux de viande pendaient au-dessus de sa tête et de la table, accrochés au toit de glui par des cordons de cuir.

La prisonnière ajusta son rythme à la monotonie du chant de la matrone. Son esprit s'envola une fois de plus vers son pays, sa maison, les siens, son mari et ses autres enfants dont elle était sans nouvelles depuis plus de six mois maintenant.

Elle se demandait avec angoisse combien d'habitants de Charlestown avaient été massacrés le jour de l'attaque dont elle se souvenait fort mal. Ce qui, de ce raid, restait en sa tête se résumait en des souvenirs sans suite : des images nettes, d'autres floues, des ombres, des cris affreux. Elle se trouvait dehors, dans les jardins, en plein soleil. Un coup violent l'avait projetée dans des plants de citrouille. Pas le moindre cri ne lui avait été permis tant le bâillon lui avait été vite appliqué sur la bouche ! Aucun geste défensif non plus puisque ses mains avaient été solidement attachées derrière son dos. Puis elle avait dû courir à la forêt, dans la forêt, entraînée par ses deux assaillants, des Indiens au visage bariolé de peintures intenses et effrayantes. Jetée parmi d'autres prisonniers plus terrorisés encore, elle avait trouvé la force de remercier le Tout-Puissant d'avoir été prise seule, sans d'autres membres de sa famille. Mais, une demi-heure plus tard, on avait ramené de la même façon sa fille aînée, une adolescente de quatorze ans à longs cheveux blonds comme les siens. Avait suivi l'interminable et pénible voyage. Pendant sept jours, on avait avancé vers le nord sur des rivières et des lacs, mais parfois à travers bois pour éviter d'être aperçu. Ni la femme ni sa fille n'avaient subi de mauvais traitements, ce qui, par bonheur, ne concordait pas avec la terrible réputation de leurs ravisseurs. Il était arrivé qu'un Sauvage se soit approché d'elles et ait touché aux cheveux d'or de l'une ou de l'autre en riant, mais cela n'avait été que par pure fascination.

Le convoi avait diminué d'importance. Les autres prisonniers avaient été dispersés dans des villages. Elles seules avaient été conduites aussi loin que le fleuve Saint-Laurent.

Deux jours après l'enlèvement, la femme avait compris qu'on épargnerait leur vie si elles pouvaient suivre sans devenir un poids à traîner. Ses espérances de garder leur vie sauve s'étaient décuplées quand on était arrivé aux premières habitations de Canadiens à la tête du lac Champlain. À n'en plus douter, elles n'étaient que de la marchandise, du butin que les Abénakis chercheraient à vendre. Mais où ? Et surtout quand ? Car la séquestration s'éternisait. Les guerriers qui avaient procédé à l'enlèvement et donc à qui l'on croyait appartenir, étaient repartis et n'avaient pas reparu à Saint-François depuis lors.

En fait, elles étaient la propriété de tous, et leur sort dépendait du bon vouloir du sachem qui n'avait pas tardé à oublier leur existence même. La seule personne avec laquelle il fut possible de communiquer un peu par le langage, le missionnaire, leur répétait sans cesse qu'à l'été, elles seraient envoyées à Québec où le gouverneur les verrait et déciderait de leur avenir, ce qui pourrait bien signifier un retour en leur pays.

Le souvenir de sa maison lui faisait monter les larmes aux yeux quand elle promenait son regard plein de répulsion autour de cette loge, pour elle abominable. Comment ne pas mourir asphyxié dans cette fumée qu'un semblant de soupirail n'aspirait qu'à moitié ? Et ces corps qui s'entremêlaient le soir aux yeux de tous ! Et ce brouet noir et infect dans lequel les enfants jetaient à l'occasion des vers de terre et des araignées. Depuis la début de leur captivité, elles n'avaient mangé que de l'ours charqué, de la poudre de maïs délayée par la femme elle-même, et des pommes.

Son âme voyageait si loin qu'elle n'aperçut pas Petit-Soleil qui introduisait ses doigts dans ses organes et entreprenait d'en faire se dilater l'ouverture. Lorsque l'Anglaise en prit conscience, l'Indienne avait toute la main à l'intérieur d'elle-même. Devant l'horreur que lui inspirait ce geste, la prisonnière tendit le bras pour l'empêcher de le poursuivre. La pauvre se briserait avec ses ongles, se souillerait de la plus épouvantable manière...

Mais elle-même fut retenue par Front-Brisé qui la repoussa doucement et fermement. Le visage impassible, Petit-Soleil exécutait à l'intérieur d'elle-même un brusque mouvement qui se répercuta dans son avant-bras et son coude. Alors elle retira sa main qui fut suivie d'un jet abondant de liquide amniotique. Puis elle se mit à respirer par petites saccades ininterrompues. Le chien courut au lit où il lécha dans un bruit de sape sur le morceau de soutien, les eaux de la jeune femme qui continuaient de couler.

La matrone chantait toujours, semblant indifférente à tout. La fillette observait de ses yeux bridés et froids. Madame Johnson épongea le front mouillé de sueur. Et Petit-Soleil s'étendit, genoux repliés, jambes ouvertes, mains agrippées aux montants du lit. Elle commença des poussées régulières des muscles du ventre en continuant sa respiration de chien. Front-Brisé chassa l'animal et s'agenouilla au pied de la couche. Elle prit les genoux de Petit-Soleil dans ses mains et attendit en balançant sa tête sur les tristes gammes de la matrone.

Une demi-heure plus tard, l'entrée du vagin s'étirait, se bombait, se transformait en cercle rond s'élargissant. La tête parut. Petit-Soleil donna un grand coup long commandé par toutes ses énergies. La tête sortit. Le reste suivit lentement et, sembla-t-il, facilement.

La prisonnière tâchait vainement de comprendre pourquoi l'accouchée n'avait laissé échapper aucun son, aucune parole, pas la moindre plainte. Son visage s'assombrit quand elle aperçut à travers les flammes, de l'autre côté du feu, le visage médusé de sa fille regardant ce bébé ridé et sanguinolent que recueillaient les mains de Front-Brisé.

À son tour, elle porta son regard sur le nouveau-né. C'était une fille.

Les hommes revinrent au coucher du soleil après bonne chasse. Une entière famille de castors troquée sur le chemin du retour contre deux bouteilles de whisky. Il fallait bien fêter l'arrivée d'un nouveau guerrier dans la cabane familiale. Et on a décidé de le voir, ce nouveau venu, avant que de boire en son honneur.

Le collier leur permettait d'entrer. Ils déposèrent les flasques à la porte et pénétrèrent dans la hutte.

–C'est une fille, leur annonça Front-Brisé sur un ton dépourvu d'émotion en leur montrant le bébé enveloppé d'une délicate peau de daim retournée pour que seule la toison soit en contact avec la peau du nouveau-né.

Debout à la table à tout faire, la jeune mère se reposait de l'accouchement en découpant des peaux, préparant ainsi des lanières de babiche. Car des émissaires de Québec étaient venus quelques jours plus tôt annoncer l'arrivée imminente au Canada de plus de trois mille soldats venus de France pour faire la guerre aux Anglais, et qui s'approvisionneraient de tous produits disponibles, au passage des villages indiens se trouvant sur leur chemin. Et puisque le roi payait bien, il fallait transformer les peaux en fonds de raquettes sans perdre de temps.

Les deux hommes se consultèrent du regard puis sortirent. Discutèrent un moment sur le fait que l'arrivée d'une fille était plutôt fichante et ne valait pas une gorgée d'eau-de-feu. Et pourtant, on avait le goût d'en boire. Et principalement Sabatis qui se sentait le gosier plus sec que le chicot creux qui craquait derrière la cabane quand le noroît l'attaquait.

Alors on garderait le whisky pour le jour du baptême qui ne saurait tarder. Car à Saint-François, le missionnaire jouissait d'une solide autorité que lui conférait l'attitude de Québec à l'endroit des Indiens, un prêtre et surtout un prêtre écouté de ses ouailles abénaquises leur donnant droit à des approvisionnements gratuits. Pour cela, il exigeait beaucoup des Indiens, par exemple, qu'ils fassent baptiser leurs nouveaux-nés dans les trois jours suivant leur naissance.

Le vol n'avait guère sa place à Saint-François, ce qui n'empêchait pas certaines disparitions de flacons d'alcool. Là comme en la plupart des tribus indiennes, la loi de la propriété consistait à garder pour soi un objet trouvé. Mieux valait bien cacher ce que l'on voulait conserver. À part Sabatis, un seul témoin vit Natanis dissimuler les bouteilles dans un creux fait dans la paille du toit de la hutte, et ce fut le garçon qui revenait de son ennui de la journée.

Lorsque les guerriers entrèrent pour manger, il sortit de la cabane. Sans bruit, il prit l'une des bouteilles et s'éloigna dans la demi-obscurité du village, vers la rivière proche.

Au matin suivant, on retrouva son corps sur la rive, la bouteille à moitié vidée encore attachée à sa ceinture. Selon des témoins, il était parti en canot. Et selon les apparences, il était parti pour se soûler comme un vrai homme. Mais il avait coulé comme une vraie pierre.

L'on transporta son corps à sa hutte où il fut déposé sur le lit de l'accouchement. La matrone dont il était le fils, chanta une complainte tout le temps que dura la manipulation du cadavre.

Front-Brisé et Petit-Soleil lui enduisirent le visage et le corps de peintures, du vert, du rouge, du bleu, du jaune, tandis que la prisonnière s'occupait du bébé. On l'enveloppa ensuite d'une robe en peau d'ours, la plus belle de la hutte, gardée exprès pour les grandes occasions. Puis les trois femmes indiennes et la fillette s'assirent autour du mort et entreprirent de lugubres lamentations chantées et cadencées. Les hommes restèrent debout, derrière le feu, tête baissée et enveloppée de leur robe, sans dire un mot ni faire le moindre éclat.

Plus tard, Natanis se rendit chez le sachem pour lui donner avis de la perte que lui et les siens venaient de subir. Celui-ci prit soin de faire publier la mort par tout le village. Des groupes se rendirent à la hutte endeuillée, chacun entourant la couche funèbre, écoutant la harangue de Natanis qui louait le défunt et le frappait sporadiquement d'une lanière pour que son âme s'éloigne au plus vite de son corps.

Le missionnaire, vieil homme crochu à voix de chèvre, vint aussi. Il s'entendit avec la matrone pour fixer le jour de l'enterrement au surlendemain en même temps que le baptême du bébé.

Le matin du troisième jour, Natanis et Sabatis fabriquèrent une civière de branches, y mirent le corps et l'emportèrent à l'église où le prêtre fit les prières rituelles.

Puis, tel que prévu, il baptisa l'enfant sur les fonts baptismaux tout juste à côté du mort. Il lui donna le prénom de Josephte choisi par lui-même au dernier moment malgré que Petit-Soleil ait manifesté le désir de l'appeler Jacataqua.

Le mort fut déposé dans une hutte de terre au milieu du cimetière avec trois autres corps pourrissants. Le sol n'était pas encore assez dégelé en profondeur pour permettre de creuser des fosses. La porte grinçante de la cabane fut soigneusement refermée par les soins lents de l'homme en robe noire afin de mettre les corps à l'abri des chiens et de la vermine.

La famille de Natanis y compris les deux femmes blanches, retourna chez elle. Il y aurait chants et danses autour du feu le soir même pour fêter le départ du garçon et l'arrivée de la fille. Pour Natanis et Sabatis, ce serait plutôt noyer leur peine pour avoir perdu deux fils en un seul jour : l'un mort et l'autre pas né.

Ils piétinaient depuis une heure autour de la flamme en s'échangeant la bouteille de whisky à laquelle ils s'abreuvaient souvent, sans se rassasier. Quand elle fut vidée, il prirent l'autre sous la couche funéraire, celle à moitié pleine encore et qui avait coûté une vie.

C'était au tour des femmes de rester silencieuses. Elles attendaient que les hommes parviennent à l'état d'excitation qui les pousserait à choisir l'une d'entre elles. Mais cela poserait un problème puisque Front-Brisé encore moins que Petit-Soleil, n'était en mesure de les recevoir; et parce que, de toute façon, aucun des guerriers n'eût voulu prendre l'une qui venait d'accoucher ou l'autre qui se trouvait dans ses incommodités.

Il eût été possible à la matrone de les recevoir tous les deux, mais elle ne le voulait pas à cause de son deuil et de son coeur endolori.

Il restait les femmes blanches retirées sous leurs couvertures, collées l'une à l'autre dans une insurmontable angoisse qui leur broyait aussi bien l'âme que l'estomac depuis que ces cris aigus de bêtes avaient commencé à remplir la hutte et ne devaient se taire qu'une éternité plus tard.

Et pourtant, le silence qui suivit décupla l'effroi au coeur des blondes captives.

Aucune ne réussit même à crier lorsque leur cloison de peau fut brutalement soulevée, déchirant ainsi leur abri de noirceur. La lumière du feu allumait dans les yeux rougis des deux guerriers des lueurs de convoitise. Natanis montra son sexe dressé et désigna la jeune fille, cherchant à lui faire comprendre ainsi qu'à sa mère, ce qu'il voulait.

La scène devenait insupportable aux yeux de la prisonnière reculée sur son séant jusqu'au mur que son dos eût défoncé si la construction avait été moins solide. L'excitation dans le visage de Natanis lui semblait la grimace d'un fou pervers. Elle n'avait pas trop songé d'avance qu'on veuille s'en prendre à sa fille, et c'est pourquoi, en plus d'être terrifiée, elle se sentait désemparée, murée contre ce mur. Tout d'abord, durant leurs cris avant qu'ils viennent, elle s'était promis de menacer tout intrus avec un couteau qu'elle gardait toujours sur elle. Puis elle a changé d'idée. On la désarmerait et, sans doute, la massacrerait. S'offrir pour protéger son enfant ? Quelle autre solution ? Vivement, elle prit sa couverture et la jeta sur sa fille, lui criant de s'envelopper par-dessus la tête et de ne plus bouger. Et sur sa lancée, elle s'assit devant l'adolescente pour la séparer d'eux. Puis elle s'agenouilla pour supplier qu'on les laisse tranquilles.

À voir ses hochements de tête, ses pleurs et ses mains tordues, Natanis crut bon d'envoyer Sabatis à la recherche d'un wampum à lui offrir, et qui ne manquerait pas de contenter la femme pour lui attirer ses faveurs. Ce fut peine perdue. Affolée, la prisonnière continuait de prier le ciel et ses agresseurs en se vidant de toutes ses larmes.

Alors les guerriers se donnèrent des coups d'épaule et ricanèrent avant de se retirer en titubant. Un Abénakis pouvait demander, presser, importuner, mais jamais, même soûl, n'aurait-il pris une femme contre sa volonté, fût-elle prisonnière... et blanche.

Ils firent deux pas, se heurtèrent presque à la fillette indienne qui adressa à chacun un sourire puis s'empara du sexe de Natanis. Il la conduisit à la couche de la naissance et de la mort et fit d'elle une femme ainsi qu'elle le désirait, devant les yeux contents des trois autres Indiennes.

Sabatis demanda son tour. Il l'obtint.

Parages de Terre-Neuve

Un homme au visage doux, aux traits fins et réguliers, s'accouda à la rambarde du gaillard d'avant. Son oeil semblait flairer quelque chose, une présence désagréable devant, sur la mer, une surprise déplaisante annoncée par le vent du nord-ouest. Quant à son nez, lui, il ne pouvait apercevoir que sel et varech.

Et pourtant, le regard bleu n'avait rien de marin. À peine l'homme avait-il traversé la mer à quelques reprises bien qu'il fût marquis et que le vaisseau de sa vie ait joliment dépassé le cap de la cinquantaine !

Son impression était basée sur la conjoncture politique. Elle le suivait depuis Brest, depuis le départ de l'escadre française dirigée vers le Canada par l'amiral Du Bois de la Motte, et qui, dans des vaisseaux convertis en navires de transport, emportait les trois mille hommes de troupe dépêchés par le roi Louis XV en réponse à l'envoi par George dans les colonies anglaises des unités commandées par Braddock.

Ce matin-là pourtant, l'homme essayait de s'expliquer son sentiment d'inquiétude relativement à ses fraîches fonctions de gouverneur général de la Nouvelle-France, poste auquel il remplaçait Duquesne déjà rentré dans la métropole.

C'était l'incertitude de la nouveauté qui lui faisait imaginer là-bas, dans un banc de brume, une flotte anglaise embusquée, prête à capturer les quatorze vaisseaux et quatre frégates qui, dans leur sereine lenteur, faisaient voile vers Québec.

Il était monté sur un pont supérieur tout à fait désert, sans ses flamboyants habits d'apparat, vêtu de sa seule chemise de nuit dont il avait enfoui la partie inférieure dans des culottes aux genoux, sans bas, pieds nus dans ses souliers à grandes boucles dorées.

–Mon cher marquis, vous allez prendre froid, dit soudainement derrière lui une voix staccato, sèche et gutturale.

Le penseur sursauta mais de l'intérieur seulement et d'un imperceptible mouvement des coudes sur le cuivre poli. Il avait reconnu la voix familière et unique du baron Dieskau, un Allemand au service de l'armée française qui avait le commandement des troupes de terre.

–Vous avez une approche digne du plus prudent et rusé des Indiens d'Amérique, mon cher baron, dit le marquis en se tournant vers l'arrivant, un homme au visage élavé et ossu, droitement parqué dans son habit militaire.

–C'est que, mon cher Vaudreuil, vous deviez être perdu dans des réflexions par trop profondes et lointaines. On dirait, ma foi, que votre oeil voyage à cent lieues d'ici.

–Non pas si loin.

–Vous paraissez inquiet.

–Je le suis.

–N'avez-vous point la plus grande confiance en les capacités de l'amiral ?

–Je ne doute aucunement de la Motte; c'est l'Angleterre qui me tracasse. Je suis certain qu'elle nous prépare bien des chieries.

–Vous dites ?

–Pardonnez ce vocabulaire terre à terre; pour des gens qui voguent sur l'eau, voilà qui est plutôt déplacé, n'est-ce pas ? Ma fonction exigera plus de discipline.

Dieskau n'avait saisi ni l'humour facile ni le mot de toute façon. Connaître les appréhensions du gouverneur, car il les partageait sans l'avouer, l'intéressait davantage.

–Craignez-vous un acte de guerre ?

Vaudreuil soupira, cracha vers l'eau foncée, tourna la tête

à moitié vers son interlocuteur.

–Ne croyez-vous pas que nous sommes en train de tenter le diable de la belle façon ?

–Laquelle ? fit l'autre hypocritement.

–La France expose une vingtaine de ses navires de combat alors que la guerre peut éclater d'un moment à l'autre avec l'Angleterre. Pour les Anglais, capturer cette flotte serait déclasser la France sur mer, et cela, dans un seul engagement. Seulement trois de nos bateaux sont munis de toute leur artillerie.

–Comment les Anglais sauraient-ils que nos vaisseaux ne sont pas armés en guerre ?

–Combien de temps nous faut-il à nous, pour connaître les faits et gestes de leur armée ou de leur marine ? Deux, trois semaines ? Les navires ont mouillé bien plus longtemps que cela à Brest. Et les Anglais ont des yeux partout. Voilà pourquoi je suis agréablement mais fort surpris que nous n'ayons pas été interceptés jusqu'ici. Mais Québec n'est pas encore à l'horizon, loin de là.

Les deux hommes échangèrent d'autres points de vue sur le conflit larvé entre les deux plus grandes puissances de la terre, et cela, jusqu'au moment où, confirmant leurs craintes, la vigie s'écria de sa voix pointue dirigée par ses mains en cornet :

–Voiles devant ! Voiles devant !

–Qu'est-ce que je vous disais, mon cher baron, qu'est-ce que je vous disais donc ?

À son poste là-haut, la vigie remit sa lunette en position et la promena sur l'horizon plus que laiteux. Elle cria :

–Voiles devant ! Voiles à bâbord ! Voiles à tribord !

–Et voilà ! Nous nous écrasons le nez en plein dans la flotte britannique, et qui se trouve là, sans aucun doute pour nous arraisonner... ou nous capturer... ou nous couler.

–Mais nous ne sommes pas en guerre ! s'écria l'Allemand.

–Qui sait, monsieur, si une déclaration de guerre n'a pas été signifiée à la France depuis notre départ ?

–Mais en ce cas, comment le sauraient-ils, eux, devant ? fit le baron en montrant les invisibles bateaux anglais.

–Voyons, mon cher Dieskau, ces choses-là ne s'improvisent pas, vous devriez le savoir.

Ce ton indisposa le baron. Se faire faire la leçon par un Canadien, fût-il gouverneur et de cet âge, avait de quoi ennuyer, contrarier fort du sang noble européen.

Il y avait de quoi se doguer, mais le marquis ne se souciait guère en ce moment des états d'âme de ce militaire somme toute son inférieur. L'important était d'éviter tout contact avec la flotte britannique en profitant du brouillard. Par chance, cette bruine vernale semblait s'épaissir de minute en minute depuis qu'il se trouvait sur le pont, au point qu'elle l'empêchait toujours d'apercevoir à l'oeil nu les navires étrangers. Mais la suite dépendait bien plus de l'amiral que de lui-même.

La Motte accourait justement sur le gaillard. Il y verrait plus clair là devant, ainsi que dans les décisions à prendre. Car le marin n'était pas très enclin à croire qu'il s'agissait d'une flotte anglaise. N'avait-il pas lui-même perdu contact avec le reste de ses navires depuis la veille ? Il dut l'avouer quand Vaudreuil suggéra que l'on s'esquive.

–En ce cas, fit le gouverneur en apprenant la vérité, signalons-leur de s'approcher.

Il fallait le faire au son, les signaux visuels ne pouvant être perçus par ce temps. L'amiral donna ses ordres. D'abord jeter l'ancre puis disposer la voilure de façon à contrer les effets du vent. Enfin, faire connaître leur présence aux inconnus. Des pas de course se mélangèrent aux cris des marins, et trois coups de canon, dont deux rapprochés, furent tirés à la verticale moins quelques degrés. La réponse aurait dû se faire entendre inversement, soit le coup isolé d'abord et les deux autres jumelés par la suite. Et cela dans les dix prochaines minutes.

Un quart d'heure d'anxiété cloua les trois hommes sur le pont dans un silence attentif, rompu seulement par le claquement sporadique de la voile de misaine et les craquements familiers de la structure causés par le tangage.

Chacun avait rivé son regard ou sa lunette sur les vapeurs complices qui se dissipèrent un moment, le temps tout juste de montrer que des voiles manoeuvraient en leur direction.

La Motte cria d'autres ordres. Cette fois, sur un ton d'urgence ! Par bonheur, la brume retombait plus dense encore, masquant les mouvements du vaisseau qui entreprit un long crochet par le sud. L'ennemi réussit à se mettre à sa poursuite. Finalement, c'est le brouillard qui, pour la France, gagna cette bataille silencieuse. Car le reste de la flotte, sauf les trois bateaux d'arrière-garde, eut tout loisir de se faufiler sans même qu'on ne se rende compte de la présence d'un ennemi à l'affût.

L'Islet

Le père de Joseph n'avait jamais vu de toute sa vie autant de voiles se suivre d'aussi près sur le fleuve. Comme toute la Côte-du-Sud, L'Islet savait que ces navires transportaient des régiments français de même que le nouveau gouverneur.

L'homme en discutait avec son jeune voisin venu prendre des nouvelles de Joseph. L'on fumait une pipée devant la maison en regardant la flotte glisser majestueusement sur l'eau scintillante par ce doux et brillant dimanche matin. À l'intérieur, les femmes se racontaient un hiver de laine, de cuir et de soin des animaux.

Pour être bien sûr que sa voix n'entre pas dans la maison, le père Bernard dit plus bas :

–Je pense qu'il ne reviendra pas cette année comme il l'avait dit.

–Ah ?

–On a reçu une lettre. Il s'est fait faire mal par un Sauvage. Rien de grave selon ce qu'il dit. Il semble qu'il n'y a pas rien qu'un Sauvage qui lui a mis le grappin au collet, il y aurait une femme sauvage itou.

–Avec les soldats français qui nous arrivent, on n'aura pas besoin d'autant de miliciens pour garder les frontières. Ça fait que Joseph, il va pas tarder à se pointer.

–Faut qu'il fasse son temps là-bas !

Grand-Jacques expulsa un crachat-fleuve qui se perdit à travers les bouillons de rosée accrochés aux tiges du foin. En portant son regard bien au-delà de l'escadre, il dit :

–Ça me rassure de voir que la mère patrie nous oublie pas.

–Eh bien moi, ça m'inquiète !

Québec

Les grands vaisseaux s'amarrèrent en calme et en silence. Mais le port entier bouillait de retenue. Tout l'état-major de la ville s'y trouvait : le baron de Longueuil, lieutenant général, de Ramsay, major, monsieur Péan, aide-major ainsi que plusieurs militaires et tous les officiers civils, l'intendant Bigot à leur tête.

Une chaloupe recouverte d'un flamboyant tapis rouge reçut bientôt le gouverneur alors même que la batterie royale et les canons de la citadelle se faisaient entendre deux lieues à la ronde. C'est le commandant de la ville qui souhaita la bienvenue à monsieur de Vaudreuil. Tout autour et jusque sur des toits de maison, une foule bigarrée et heureuse acclamait vigoureusement.

Le cortège se forma. Il s'engagea dans la côte de la Montagne bordée par une rutilante haie humaine formée de marins et de miliciens de la ville qui retenaient derrière leur ligne l'enthousiasme de la foule.

Les gardes du gouverneur ouvraient la marche, fusil à l'épaule. Puis venait Vaudreuil dans son uniforme chamarré d'or. Les officiers suivaient. On se rendit à la cathédrale où l'homme d'État fut accueilli par l'évêque revêtu de ses habits pontificaux, mitre dorée sur la tête et crosse d'argent à la main. Il y eut un salut, un Te Deum puis le cortège se remit en route pour le château Saint-Louis.

Tous les personnages de marque de la capitale, supérieurs des ordres, religieux et religieuses, gens de condition, vinrent rendre hommage au vice-roi.

La dévotion particulière du peuple venait du fait que le haut officier était le premier Canadien à le gouverner. Il était le fils du marquis de Vaudreuil, lui-même gouverneur de 1703 à 1725. Né à Québec, il a passé une grande partie de sa carrière au Canada. Il a servi dans les troupes de la marine, a été successivement major général, gouverneur des Trois-Rivières, gouverneur de la Louisiane. *Il a été longtemps désiré des Canadiens, fatigués d'être gouvernés par des Français qui ne savent ni gagner ni mériter leur estime et leur confiance, qu'ils détestent cordialement et dont ils combattent de leur mieux les opérations intempestives et souvent opposées aux besoins du pays.*

Le marquis était un homme de bonne apparence, plutôt grand, fier de ses habits et de sa noblesse. Serviable, bien intentionné, sincère, entièrement dévoué aux intérêts des Canadiens qu'il considère comme ses enfants, il possède certains défauts qui deviendront fort nuisibles aux intérêts de la colonie : on le dit faible, irrésolu et jaloux de son autorité. Les pires embûches lui seront jetées dans les jambes par les officiers français qu'il aura à commander. Et plusieurs craignaient que sa bonté ne soit exploitée par un entourage corrompu.

La marquise, son épouse, est également canadienne de naissance, née Fleury de la Gorgendière. Avant son mariage avec Vaudreuil, elle a été veuve d'un officier de marine dont elle a eu un fils, également dans les troupes. Elle a aussi une fille, belle-mère de Jumonville tué dans une embuscade l'année précédente *par les troupes d'un certain officier virginien nommé Washington...*

Trois nouvelles importantes et des plus graves parvinrent à Québec dans les jours suivants, masquant toutes les joyeuses espérances apportées par Vaudreuil-Cavagnal, Dieskau et les troupes françaises.

Deux des bateaux d'arrière-garde, le Lys et l'Alcide, ont été capturés par la flotte anglaise de Boscawen. Puis le fort Beauséjour est tombé sans résistance aux mains de Robert Monckton, suivi, deux jours plus tard, du fort Gaspereau dont le commandant capitulard s'est soumis par une simple lettre, laissant Chignictou entre les mains des Anglais. Et enfin, les Canadiens apprirent avec la plus grande stupéfaction que la plus grosse machine de guerre jamais vue en terre d'Amérique se dirigeait en ce moment même vers le fort Duquesne.

Pennsylvanie

Lentement et sûrement, elle progressait vers le nord-ouest, la formidable armée de Braddock. Rouge, rangée, disciplinée, équipée. Une véritable organisation militaire. Un système ! Deux mille hommes parmi les mieux entraînés du monde. Une interminable file de fourgons. Des troupeaux pour nourrir les soldats. Un lourd train d'artillerie. Le major général s'est muni de canons de siège et de massifs canons de marine qu'il a fait détacher d'un vaisseau de ligne amarré aux quais d'Alexandria.

Malade de dysenterie, le jeune Washington a fait attacher des oreillers à la selle de son cheval et, pour s'y mieux tenir. il s'y est fait attacher lui-même. Et il suit la troupe malgré l'avis de certains dont celui-là même de Braddock qui finit par l'assigner malgré lui à une voiture de queue ayant servi jusque là à transporter de l'approvisionnement.

Au fort Duquesne, on sait venir la machine de guerre britannique. Des éclaireurs indiens reviennent plusieurs fois par jour en donner une bonne appréciation. Mais il faudrait des évaluations plus précises sur tout ce dont dispose l'ennemi. On ne croit pas qu'il puisse faire passer ses pièces d'artillerie, aussi formidables par leur pesanteur que par la puissance de leur tir, à travers la forêt et au-delà des montagnes, sur un terrain dépourvu de routes carrossables et coupé de cours d'eau. Par bonheur, son entreprise audacieuse et quasi surhumaine ralentit considérablement son avance.

Contrecoeur tint un conseil de guerre réunissant de Beaujeu, Dumas, deux officiers français, le chef Pontiac et lui-même. Cela se passa dans ses quartiers dénudés à murs de billes écorcées et luisantes, autour d'une table en madriers grossiers.

–Messieurs, dit le commandant sur un ton oratoire, la seule chose qui me paraisse assurée, le seul avantage que nous laisse Braddock, c'est du temps. Trop lourde à tous points de vue, son armée progresse d'à peine quelques milles par jour. À ce train d'enfer, il se pourrait bien que le pauvre ne soit pas ici avant l'hiver... Mais si nous connaissons sa lenteur, a fortiori doit-il lui-même en être conscient. Tout de même, il avance. Et à toute heure, il peut décider de scinder son armée pour foncer sur nous avec des troupes plus légères.

–Il nous faut connaître quotidiennement son mouvement, soutint un officier, content de sa trouvaille.

–Je crois que le point capital est de savoir quelle est la valeur de ses approvisionnements, quelles sont ses réserves, dit Dumas. C'est avec ces données-là, plus celles concernant l'artillerie ayant franchi les montagnes que nous pourrons décider de l'accueil à leur faire.

–Vous avez raison approuva le commandant. Deux plans seulement peuvent être appliqués. Le premier consiste à prendre l'ennemi en guet-apens dans la forêt puis à nous retirer derrière les murs du fort et soutenir le siège. Le second serait de retraiter après l'embuscade vers le nord, brûlant le fort au passage, préparant à chaque vingt milles d'autres surprises à notre bruyant et voyant adversaire.

Seulement des renseignements précis et suivis permettraient d'opter pour l'un ou l'autre des projets. Dumas crut bon de proposer Joseph pour se rendre dans le secteur de l'arrière-garde de la colonne britannique y évaluer la qualité et la quantité de l'approvisionnement. Pour sa valeur en forêt, le milicien serait le meilleur espion. Mais surtout il le serait grâce à son Indienne qui pourrait peut-être arriver à fureter autour et même dans les fourgons à provisions.

Joseph et Source-de-Vie ne mirent pas trois jours à parvenir en vue de l'avant-garde de l'armée au coeur même des Alléghanys. La veille, ils avaient camouflé leur canot sur une berge du dernier ruisseau navigable. Quoique plus éreintante, leur avance à pied, depuis lors, n'avait pas été beaucoup moins rapide.

Ils évitèrent de s'approcher de trop près des habits rouges. Non par crainte d'être aperçus par les Anglais car pour le couple, c'était l'enfance de l'art d'arriver à se dissimuler à leurs très savantes et militaires observations de la sauvagerie, mais parce que les provinciaux, eux, avaient l'oeil plus exercé, et surtout que des Indiens, s'il s'en trouvait avec l'ennemi, auraient pu les découvrir. Par bonheur, ils n'en virent aucun.

Joseph avait pris soin de s'habiller en Indien malgré qu'il ait gardé sa tuque éternelle. Si le sort venait à les faire tomber aux mains ennemies, il nc dirait, en litanies, que les mots appris dans la langue de la jeune femme et qu'il s'était fait montrer le soir en goûtant ses caresses. Sa peau elle-même ayant été colorée par le soleil et une concoction de sa femme, on les prendrait peut-être pour un couple d'Ojibways passant par hasard et venu quêter de la nourriture.

Leur équipement se réduisait en leurs deux mousquets, baudriers et des munitions, cartouchière et poudre, plus un assortiment d'herbages et de linges à pansements que Source-de-Vie gardait toujours sur elle, dans une large ceinture entourant sa taille. Ils avaient aussi une hachette, une couverture de laine et de menus objets dont quelques bouts de chandelle. Et Joseph transportait des provisions de viande séchée pour sept jours, car il ne fallait pas investir de temps à courir le gibier nonobstant toute leur habileté à en dépister, et surtout ne pas faire entendre des coups de fusil qui, trop distants des Anglais, auraient paru des plus suspects. À l'occasion, mangeait-on de la grenouille crue et des vers choisis, trouvés sous des pierres et des racines.

La longueur du convoi fut simple à évaluer grâce à des précédents rapports d'éclaireurs et surtout parce que l'armée traçait dans la forêt un véritable boulevard conçu par les ingénieurs britanniques.

À partir du corps principal des fourgons d'approvisionnement suivant les troupes se détachaient des wagons remplis qui se pressaient vers l'armée. D'autres arrivaient chaque jour depuis le centre d'approvisionnement : fort Cumberland sur le Potomac. Quant aux vides, on les utilisait pour le retour des blessés et le transport des malades dont Washington était l'unique exemplaire pour le moment.

L'activité était bourdonnante tout le long de ce demi-mille de convoi arrêté pour la nuit. La travail était ordonné par les réguliers et exécuté par des provinciaux grognards qui acceptaient avec grande réticence l'autorité des pédants officiers de Sa Majesté. Et ceux-ci n'avaient pas une bien haute opinion de ces hommes sans discipline, joueurs, buveurs, qui se battaient entre eux comme des chiffonniers et couchaient avec toutes les Indiennes qu'ils croisaient sur leur route.

Partout, il se dessanglait, se dételait des chevaux que l'on menait à la rivière voisine pour les abreuver. On revenait les attacher sur le côté des bâches où ils mâchouilleraient des feuilles et la végétation du sol en attendant que passent les wagons à grains.

Joseph et sa femme avaient repéré une hauteur de l'autre côté de la rivière en un point où elle frôlait le convoi. De là, ils pourraient se faire une bonne idée, par les feux dans les lieux circonvoisins, du nombre des fourgons à provisions. Et on aurait deux autres jours pour recueillir le reste des données requises soit le nombre approximatif de wagons affectés à chaque transport : munitions, nourriture des hommes, sacs d'avoine. Également, il faudrait connaître l'importance du troupeau à viande.

À la brunante, le couple put se rapprocher jusqu'à un point où les voix anglaises devinrent audibles. Autour d'une table au milieu d'un cercle formé par la section du convoi et la rivière peu profonde, des habits rouges formaient un conciliabule. Sur un signe de l'un d'eux, un milicien en habits frangés, très grand et fort jeune, leur fut amené depuis une voiture, par deux soldats. Sans comprendre les paroles, Joseph sut qu'il s'agirait d'une sorte de procès, d'un jugement et que, par conséquent, l'assemblée était sans doute une cour martiale.

À la lueur du feu voisin, il pouvait discerner le profil froid de l'accusé, son regard indifférent, sa figure poupine et ses cheveux ramassés en une courte tresse sur le cou.

Un officier anglais, sans doute un témoin du méfait, vint parler. Il le fit avec des gestes outrés en fusillant du regard le milicien qui fut invité à prendre la parole. Sa défense ne dépassera pas les dix mots. La sentence fut prononcée par un officier toussoteux sur un ton qu'il cherchait en vain à rendre solennel. Alors un branle-bas plus bruyant qu'efficace mit en scène plusieurs miliciens dont certains plantèrent au milieu de la place deux piquets hauts comme un homme et à la distance de ses bras écartés, tandis que d'autres encadraient celui-là que Joseph devinait avoir été condamné à la peine du fouet.

Le prisonnier se dévêtit lui-même jusqu'à la taille. On l'attacha aux poteaux. Les officiers quittèrent les lieux. Un tambourineur se montra avec son instrument. De la même façon, venu de nulle part, apparut le bourreau qui fit claquer dans l'air un fouet à trois lanières. L'exécution de la sentence commença par un roulement de tambour suivi d'un silence interminable. Puis ce fut un premier ra suivi d'un coup de fouet qui cingla le dos et le cou du jeune malfaiteur. Pour le coup suivant, le bourreau, un soldat régulier, se recula d'un pas afin d'ajuster la distance de façon à éviter de frapper la tête.

Un genou à terre, Joseph compta quatre-vingt-dix-neuf ra, imaginant la douleur endurée par le condamné qui, à partir du dix-septième, ne montra plus de réactions sans pourtant paraître évanoui. Les premières couches de douleur le protégeaient des suivantes. Le bourreau ne lui fit pas de quartier, et chaque coup porta. Le visage devait grimacer mais Joseph n'en pouvait rien voir maintenant à cause de la noirceur.

Pendant tout ce temps, Source-de-Vie, debout derrière son homme, lui massa les épaules, de chaque côté et sous le sac attaché à son dos. Il lui arriva de lever la tête vers elle pour l'apercevoir, le corps rigide et le regard de glace, malgré cette infinie douceur que ses doigts répandaient à profusion dans tous les muscles de son dos.

Lorsqu'un long roulement de tambour eut mis un terme à la punition, deux soldats détachèrent le prisonnier et l'escortèrent en le soutenant à demi jusqu'à un fourgon recouvert de toile. Ils l'y firent monter. Un troisième lui jeta sa veste et son pistolet. Ce geste fit comprendre à Joseph que le milicien avait certainement été puni pour indiscipline. Il savait les frictions semblables à Duquesne entre provinciaux canadiens et officiers et soldats européens.

Le couple se trouvait dans une situation inconfortable. Il était en quelque sorte prisonnier de l'obscurité. On ne pouvait dormir là même sans le risque élevé de s'y faire repérer au lever du soleil. Pas question non plus d'allumer une bougie pour se guider dans la nuit noire sans éveiller l'attention. Il fallait donc retraiter en tâtonnant à travers les aulnes et les ronces, en se heurtant aux arbres, la main devant les yeux pour les protéger des branches, posant le pied dans l'incertain, se coucher n'importe où, s'endormir à l'écoute des hurlements des loups.

Les sens de Source-de-Vie avaient meilleure acuité dans le noir. Elle ouvrait la voie en progressant en biais, sa main droite dans celle de son compagnon qui se laissait conduire. Après quelques centaines de pieds, il jugea que le moment était venu de s'arrêter et il le lui fit savoir par une pression des doigts. Elle répondit de la même façon pour montrer qu'elle avait compris. Des pas de plus perçurent une légère montée, indice d'un arbre tout proche. Elle trouva la mousse qui leur servirait d'oreiller.

Le danger frôlé durant la journée les avait rendus fébriles. Ils se couchèrent et s'unirent dans un vibrant silence avant que de s'endormir comme des loirs sous la couverture.

Peu après l'aurore, Joseph se réveilla. Un grave accident lui sauta brutalement aux yeux. Son mousquet n'était pas appuyé contre l'arbre. Il pensa à son oubli... L'oublier comme il l'avait fait la veille pouvait porter à des conséquences terriblement fâcheuses pour eux. Source-de-Vie ne devait surtout pas l'apprendre, car son admiration pour lui en subirait le contrecoup.

Il avait commis une faute grave aux yeux d'un Indien. En fait, quand les Indiens entendaient parler d'un Blanc bon chasseur, capable de conduire un canot dans les rapides les plus dangereux, au fait de leurs ruses de guerre, qui voyageait sans guide à travers la forêt et supportait courageusement la faim, la soif et les fatigues, voilà qui les intéressait à un très haut degré. Ils disaient alors hautement leur admiration pour un si grand homme, affirmant qu'il était presque aussi habile qu'un Sauvage. Suivant eux, c'était le compliment le plus flatteur qui pût être adressé à un Blanc.

Le mieux à faire, c'était de laisser dormir Source-de-Vie.

De retourner sur la hauteur en rampant. Récupérer l'arme qu'il se rappelait avoir appuyée contre l'arbre qui les avait cachés durant leur observation des Anglais.

Par malheur, il y avait déjà un bon moment que le métal du mousquet avait révélé son emplacement à une sentinelle venue quérir de l'eau. Prévenu, un officier a constaté que l'arme était un Charleville des armées françaises. On mit des hommes à l'affût avant d'envoyer quelques éclaireurs reconnaître les parages. Et le faux Indien, dans la plus totale discrétion, vint reprendre son bien.

Il avait franchi cent pieds en se traînant sur les coudes et les genoux quand une voix menaçante lui cria :

–Halt !

Il tourna la tête à gauche, à droite, repéra les soldats aussi voyants avec leurs clinquants que sa propre cicatrice, tête nue, par grand soleil. Mais chacun le visait, et sans aucun doute avec la plus grande précision, car tous les deux avaient un genou à terre. Qu'ils tirent et l'un d'eux, à coup sûr, atteindrait sa cible.

Il ne pouvait plus compter que sur une intervention de sa compagne. Le cri l'avait sûrement alertée. Elle abattrait l'un des soldats; il ferait l'autre partie du travail. Il suffisait d'attendre, de tendre le mousquet à bout de bras, de rendre les Anglais plus confiants, de distraire un peu leur attention.

Rien ne se produisit tel qu'espéré. Il fut fait prisonnier, désarmé, emmené à bout de canons de fusil jusqu'au convoi. On lui ligota les pieds puis les mains derrière le dos et il fut jeté dans le fourgon de l'homme flagellé.

Durant toute l'opération, il a prêté l'oreille aux propos échangés et cru comprendre qu'on le prenait bel et bien pour un Indien. Voilà qui pourrait s'avérer pire pour lui si on le faisait interroger par de vrais Sauvages.

L'intérieur était si sombre qu'il mit un bon moment à discerner ce que la voiture contenait. Des seaux, des boîtes, des contenants métalliques, du cordage, des rayons de roue, un falot accroché à la toiture et deux personnages allongés, si immobiles qu'ils paraissaient morts. Ne fallait-il pas qu'ils le soient pour ne pas avoir entendu tout le vacarme qui venait de se produire aux alentours ?

L'un gisait à plat ventre, le dos à découvert et horriblement maché, avec des lambeaux de chair de chaque côté de multiples sillons se croisant et se recroisant. L'autre était étendu sur le dos, un bras replié sur le front et lui cachant les yeux. Joseph se sentit fort troublé par son aspect familier : cheveux hauts, uniforme, taille imposante...

Il travailla du dos contre la cloison et réussit à s'asseoir. Alors même qu'il y parvenait, la toile de l'autre côté bougea comme si un poing eût cherché à la faire céder. Il imagina aussitôt la main de sa compagne venue à sa rescousse. Nouvelle déception, car un surprenant hennissement révéla près de la voiture la présence d'un cheval qui se fit davantage deviner en se frottant vigoureusement contre la bâche, secouant le fourgon comme un fétu de paille.

Ses deux voisins donnèrent alors des signes de vie. L'un souleva le haut de son corps en grimaçant et se mit sur le côté. Il jeta sur Joseph un regard étonné. L'autre se découvrit le visage et promena tout autour ses yeux pâteux. Oubliant son déguisement, le Canadien s'écria tout à coup comme s'il venait de retrouver un ami :

–Mister... Washington...

Mais c'est le blessé qui réagit aussitôt :

–Who, the hell, are you, sir ?

Joseph ne répondit rien. Washington referma les yeux et parut plonger à nouveau dans un profond sommeil.

–Who are you ? lui fut-il demandé à nouveau.

Et pour l'encourager à répondre, l'homme ajouta :

–My name is Dan Morgan... What is yours ?

Joseph haussa les épaules d'une manière qu'il jugea aussitôt trop française pour paraître indienne. Alors il fouilla dans ses desseins et retrouva celui de parler comme un Sauvage, ce qui lui fit débiter aussi vite une litanie intraduisible et incompréhensible pour le diable lui-même.

Morgan leva les sourcils, moitié parce que l'autre le déroutait, moitié à cause de cet imbroglio de courants douloureux lui labourant la peau du dos. Ce serait pire, il ne le savait que trop, lorsque les plaies seraient devenues raides, mais il fallait qu'elles sèchent au plus tôt pour empêcher la putréfaction. Le mieux consistait à ne rien faire du tout, à rester là sans bouger, pas même le petit doigt.

En chacun des trois hommes, le silence devait se faire attente. Espérance de la délivrance, car chacun était prisonnier, l'un de sa maladie, l'autre de ses blessures et le troisième de ses liens. Le plus malheureux était le jeune Canadien à l'âme rongée de plus en plus par une inquiétude mortelle au sujet de sa compagne.

Quand Source-de-Vie a ouvert les yeux, Joseph était déjà rendu dans le fourgon. Elle a dormi une demi-heure de plus que lui et c'est l'absence de sa chaleur et de sa forte odeur d'homme des bois qui a fini par lui faire reprendre conscience. Alors elle a attendu sans bouger de façon à pouvoir écouter les environs.

Des trembles silencieux et des saules muets de même que les bruits du convoi, confus et lointains mais se faufilant jusqu'à elle à travers les aulnes, l'incitèrent à partir à la recherche de son compagnon.

Elle attacha ensemble sur son cou deux coins de la couverture qu'elle laissa pendre dans son dos comme une mante pour se mieux confondre avec la verdure environnante. Elle prit le mousquet et marcha à quatre pattes sur la piste de Joseph, la seule qu'il ait laissée, donc la bonne, et qui menait à la hauteur. Quand elle fut à leur poste d'observation de la veille, un chien bavard vint crier sa présence en sautillant dans l'eau peu profonde et en aboyant plus fort qu'un officier en train de se faire enlever une dent.

Les pistes montraient que son compagnon avait été capturé. Comment le rejoindre sans se laisser prendre aussi ? Qui saurait qu'elle était la compagne du Blanc ? Le mousquet pouvait la trahir. Elle le cacha sous des végétaux puis marcha résolument jusqu'à la rivière qu'elle traversa, se demandant si seulement Joseph se trouvait bien là-bas, si on avait découvert qu'il était un faux Indien, si...

Le chien jappait de plus belle en dansant par cercles nerveux pour l'empêcher d'aller plus loin. Elle recula la couverture, souleva sa robe de cuir, dégageant une gaine attachée à sa cuisse, en sortit un couteau et reprit sa marche en dévisageant la bête. Ce ne serait pas le premier chien qu'elle éventrerait s'il venait à vouloir la mordre.

Des soldats et miliciens s'attroupèrent dans un cercle, jacassant leur curiosité à la voir venir, se demandant lequel des deux battrait en retraite, misant moralement sur l'un ou l'autre, les miliciens optant pour l'Indienne, les réguliers pour ce chien de berger aux crocs jaunes et à couleur beigeâtre.

Après plusieurs bonds dans tous les sens, découragé de la voir sans cesse se diriger vers lui, l'animal courut cacher et grogner son faible courage derrière les rayons d'une roue de voiture.

L'officier qui avait fait arrêter Joseph, un homme à long nez rouge et busqué, s'amena et présuma aussitôt qu'elle était la compagne de l'autre, et venait fureter pour le retrouver.

Un soldat voulut la ligoter, mais l'officier s'objecta en expliquant l'inutilité du geste puisqu'il mettrait un homme de garde près de la voiture.

–Pardieu ! mais pourquoi avoir jeté le prisonnier pieds et poings liés dans le fourgon ? s'étonna l'homme.

–Qui a donné cet ordre ? Nos deux malades, ce Washington et ce Morgan... ne doivent-ils pas se rendre utiles à quelque chose ? Ne doivent-ils pas gagner leur sel eux aussi ?

L'officier n'aimait guère ces jeunes miliciens provinciaux et il avait plaisir à leur coller un couple d'Ojibways sur le dos. Qu'ils se débrouillent, eux qui prétendaient si bien connaître les Sauvages !

–Mettez-la dans la voiture. Déliez son compagnon. Et recommandez à Washington et Morgan de les avoir à l'oeil : ces deux-là ne sont pas encore morts que je sache !

–Dieu du ciel ! ils peuvent aussi bien se faire tuer par ces Sauvages.

L'officier sourit intérieurement. Il dit sèchement :

–Désarmez-les et qu'on n'en parle plus !

Les prisonniers furent fouillés. Elle se fit confisquer son couteau et lui sa hachette. Il fut délié. Et quand ils furent seuls avec un Washington comateux et un Morgan silencieux, il la prit dans ses bras et couvrit son visage de baisers.

Le geste confirma à Morgan ce qu'il avait perçu depuis un bon moment soit que l'Indien n'avait de sauvage que sa compagne et qu'il était en réalité un Canadien déguisé. Car quel homme de quelle tribu aurait démontré pareil attachement envers une femme ? Il était donc sûrement un espion...

Il sourit des épaules. Il ne fallait surtout pas compter sur lui pour le dénoncer. Pas maintenant en tout cas. Il avait trop d'amertume à finir d'avaler pour rendre le moindre service à ces farauds d'Anglais qui l'ont fait fouetter parce qu'il a dit son fait puis assommé d'une mornifle un soldat baveux aux commentaires superflus et méprisants sur son travail de transporteur à la solde de l'armée. On a confondu en le prenant pour un milicien engagé alors qu'il n'était qu'un entrepreneur privé louant ses services à Braddock comme fourrageur et convoyeur. Quelqu'un le paierait bien s'il devait rester dans les mêmes dispositions.

Washington sortit à nouveau de sa pitoyable somnolence. Ses yeux enfiévrés firent le tour de la pénombre. Pour la seconde fois, il crut rêver, revivre l'affaire Jumonville ou bien la bataille de Necessity. Ou était-ce une suite, une prolongation de l'une ou de l'autre ? Était-il jamais retourné à Williamsburg, à Mount Vernon ? Le souvenir de Braddock, la vue de Morgan dissipèrent quelque peu les brumes de son cerveau. Il regarda Joseph avec toute l'intensité qu'il put et murmura enfin :

–I remember... I remember... You... you have been... scalped.

–Who is that man ? lui demanda Morgan.

–Just... a... a kind of friend.

Joseph était rassuré par cette présence mais inquiété par le questionnement de l'autre. Il songea à une façon de l'amadouer. Alors il montra son dos blessé à Source-de-Vie. Elle défit sa ceinture, l'étendit sur la fonçure et l'ouvrit, laissant voir six pochettes fermées par des lacets. De l'une, elle sortit un contenant de bois long et plat. C'était sa meilleure pommade à effet cicatrisant, et grâce à laquelle Joseph avait survécu à sa coupe de cheveux à l'iroquoise.

Elle s'enduisit les mains de cette graisse noire puis marcha à genoux vers le blessé qui lui mit aussitôt le canon de son pistolet entre les deux yeux.

–Be quiet ! marmonna Washington. She will not harm

you...

–Ça va te guérir, fit imprudemment Joseph.

–This man is... French ! s'écria Morgan qui avait dû se tordre pour lever son arme, ce qui inscrivait dans les traits de son visage des signes évidents de grande douleur.

–But they are not all bad, dit le malade.

Morgan hésita pour la forme. Il avait envie de faire confiance. Il abaissa son pistolet et se laissa retomber sur le ventre et les bras.

Quand la main prit contact, il sursauta légèrement. Puis il se décrispa au gré de la friction tournoyante. Lorsque les plaies furent tout à fait enduites, elle montra à Joseph le falot et le seau d'eau. Il comprit qu'elle désirait de l'eau chaude pour y faire infuser des herbages et fit le nécessaire. Il mit la lanterne sur la plate-forme, en alluma la bougie. La laissant ouverte, il remplaça le capuchon par une tasse d'étain remplie d'eau. Elle y noya un savant mélange. On laissa bouillir pendant que les malades s'entretenaient en les montrant parfois.

Il leur fut apporté des aliments par un très jeune adolescent qui avait certainement triché sur son âge pour s'enrôler dans la milice. Des biscuits presque blancs, grands et minces. Sauf Washington, incapable d'ingurgiter le moindre solide, les autres mangèrent dans un silence qui se cassait de temps à autre avec les galettes sous la dent.

À travers un linge à pansement, l'Indienne coula la tisane dans une seconde tasse qu'elle tendit à Washington. Il hocha la tête. Non point par refus, car il montra sa faiblesse en laissant retomber sa main levée sur sa poitrine. Source-de-Vie s'assit sur ses jambes auprès de lui, souleva doucement sa tête et le fit boire par petites gorgées aussi longtemps qu'il resta du liquide dans la tasse. Le malade ne tarda pas à se rendormir.

Une rumeur à l'extérieur fit comprendre aux prisonniers que le convoi se mettait en marche. On attelait un cheval à la voiture. Bientôt une tête de milicien s'introduisit sous la toile en mâchonnant la tige d'une petite feuille verte. L'homme à l'espièglerie accrochée aux coins des lèvres annonça le départ imminent. Il blagua sur l'Indienne et surtout sur Braddock et l'avance prévue pour ce jour-là : un bon gros quatre milles. Par gestes, il demanda à ses passagers indiens de voir à mettre les couvercles sur les contenants d'eau et à les attacher solidement.

Difficile pour Joseph et sa compagne, le cheminement était insupportable pour les deux Virginiens. Ils enduraient sans maugréer, ne se parlant qu'aux arrêts de la voiture, ce qui, heureusement, se produisait avec une rigoureuse régularité.

Quand la chaleur augmenta, Morgan se mit péniblement sur les genoux, s'appuya sur le hayon arrière et glissa une main vers le bas à l'extérieur pour défaire les noeuds y attachant la toile. Puis il voulut la relever jusqu'à la toiture afin de laisser entrer l'air et la lumière. Mais l'effort l'avait vidé, pour le moment, des forces requises pour se mettre debout et finir d'accomplir sa tâche.

Joseph lui prêta secours. Il fixa un coin au dernier montant de la bâche. Alors qu'il s'apprêtait à fixer l'autre, le canon d'un fusil lui fut piqué dans les côtes et le soldat anglais qui l'en menaçait cria :

–Your are not allowed to do this.

–Let... him... do, dit Washington en détachant chaque mot.

–But I have orders...

–In this wagon, I am the commander in chief... Let... him... do.

–But your fever, sir ?

–My fever needs fresh air. Let... him... do.

–Yes sir, fit l'Anglais sur un ton de soumission en retirant le canon de l'arme.

Joseph put finir sa manoeuvre. Il retourna auprès de l'Indienne. Durant la journée, elle allaita son compagnon à deux reprises devant les minces sourires embarrassés des deux autres. Et par deux fois, elle abreuva Washington de ses tisanes revigorantes. Si bien que le jeune homme semblait plus fort chaque fois qu'il émergeait de sa somnolence. Et à l'arrêt du soir, elle frotta à nouveau le dos de Morgan. L'homme ne se laissa pas prier, sachant bien tout le soulagement qu'elle lui prodiguerait.

Comme Joseph, elle s'alimenta à même leurs provisions de viande séchée et d'autres biscuits apportés par le milicien. Morgan avala de gros morceaux de viande charbonneuse. Washington poursuivit son jeûne forcé.

Le jour suivant fut une répétition du précédent. Quatre milles de route cahoteuse. Deux convalescents cherchant à rattraper leurs forces dans un demi-sommeil sans cesse bousculé, arrêté, remis en marche, tordu. Même alimentation ! Mêmes visites : le conducteur, le soldat de garde, l'officier responsable, des miliciens curieux et espérant voir l'Indien sucer les mamelles de sa squaw, des amis de Morgan et de Washington, un certain Charles Lee, hautain, moqueur, étique.

Jusque là, aucune occasion ne s'était présentée à Joseph pour l'inciter à prendre la clef des champs. Ce n'était pas possible en plein jour sans se faire abattre comme des bêtes. Et pas non plus quand Washington et Morgan étaient à l'état de veille. En plus du soldat de garde toujours posté à l'arrière du fourgon, les environs du convoi grouillaient de sentinelles. Seul, peut-être ! Mais à deux ?... Que l'on tue Source-de-Vie à cause de lui et il ne voudrait pas lui survivre !

D'un autre côté, il n'avait pas beaucoup à craindre de Washington et de Morgan. Sinon ils l'auraient déjà dénoncé comme espion français. Mais pour combien de temps se tairaient-ils ? Quelle serait la durée de leur reconnaissance à Source-de-Vie pour les avoir si bien soignés ? Nul doute qu'ils avaient discuté de la question. En tout cas, ils avaient souvent parlé à leur sujet : cela se voyait. À quoi s'attendre d'amis ennemis ? C'était si facile dans les livres d'histoire : les bons face aux mauvais avec des solutions qui finissaient toujours par se décanter nettement. Mais dans une voiture partagée depuis deux jours avec un milicien américain fouetté sur ordre de réguliers britanniques qui l'avaient laissé sans soins, avec un homme à qui il devait déjà la vie mais qui avait ses devoirs à remplir, avec deux jeunes gens apprivoisés mais faisant partie d'un camp adverse, qu'espérer ?

Et puis au fort Duquesne, on avait besoin des renseignements qu'il était venu quérir. On l'avait choisi parce qu'il était le plus apte à les rapporter. De lui, du succès de son entreprise, de son effort, dépendrait peut-être la vie de plusieurs Canadiens ? Il lui arrivait de sentir que la sécurité même de sa patrie reposait sur ses épaules. L'enjeu de la bataille en perspective : l'avenir même de tout le continent qui serait ensuite ou français-canadien ou anglais-américain. Tout Duquesne en avait la conviction, et c'est pourquoi tout Duquesne était entré en ébullition quand la machine de Braddock s'était mise en branle.

Tels étaient les sujets de la réflexion du jeune Canadien qui trouvait ardu de devoir songer aux divers aspects mis en cause, mais par-dessus tout en dégager une ligne de conduite qui soit la bonne. Il n'avait jamais été homme de décision pour n'en avoir pris qu'une seule vraie et grande dans toute sa vie : celle de garder avec lui Source-de-Vie. Toutes les autres, y compris son enrôlement, avaient été dictées par des circonstances indépendantes de sa volonté. Même celle de ne point abattre Washington à Necessity, car il avait eu alors un réflexe du coeur, spontané.

Il s'endormit dans une valse d'hésitations sous la lumière blafarde de l'avaricieux falot aux rayons maigrelets dispensés par son enveloppe de tôle trouée.

Quelque part au coeur de son sommeil, et que son instinct d'homme de la nature lui fit situer à trois heures avant l'aube, il fut réveillé par la main de Morgan qui le toucha à l'épaule.

Cette main devait lui parler longuement ensuite sous les chuintements de la pluie contre la toile. Tout d'abord, par ses doigts marchant dans l'air et par lesquels Morgan lui fit comprendre qu'il pouvait s'évader. Joseph montra Washington. L'autre ferma ses mains et mima un oreiller sous sa tête pour montrer que le malade dormait.

Après un bref moment d'hésitation, Joseph réveilla Source-de-Vie. Par des gestes habiles, le Virginien lui expliqua comment s'enfuir. Il fallait partir par devant, ramper jusqu'à la prochaine voiture en évitant les pattes des chevaux, bifurquer vers la forêt, emportant le falot pour s'éclairer une fois rendu dans le bois.

Morgan décrocha la lanterne qu'il tendit. Le faux Indien la garda un moment à bout de bras pour chercher à lire la sincérité dans le regard de l'autre. Il y trouva aussi de la reconnaissance. Alors il voulut lui dire adieu selon les règles de la politesse et. pour ce faire, il ôta sa toque. Morgan frissonna un peu avant de serrer la main ouverte.

Joseph et sa femme enjambèrent l'homme couché. Washington ne broncha pas. Il paraissait reposer dans la plus totale quiétude, le bras replié sur le front.

Le Canadien mit la lanterne dans son sac. Le fourgon fut

plongé dans une totale obscurité. S'il avait la chance que la flamme ne s'éteigne pas, leur fuite serait beaucoup plus rapide lorsque assez loin, on pourrait éclairer la voie. Sinon il faudrait s'arrêter pour la rallumer; et avec cette pluie...

Avant d'entreprendre l'évasion, il dit à voix basse :

–Merci, merci, mons... messieurs.

–Good luck ! fut-il chuchoté dans le noir.

–Good luck ! fut-il dit une seconde fois par une autre voix...

Au matin, l'officier chargé des prisonniers fut prévenu. Il s'amena sous la pluie persistante en écumant de colère. Il fit relever la toile arrière et, de sa voix remplie d'arrogance, fonça sur les deux Américains assis :

–Comment est-il possible que deux Indiens s'évaporent sous votre nez sans même que l'un de vous ne s'en rende compte ?

–Nous dormions, répondit Washington.

–Vous devrez en répondre devant le commandant. Vous auriez pu, vous auriez dû avoir l'oeil ouvert sur ces prisonniers.

La voix de Washington frappa comme un pic :

–Monsieur, je suis au service du major général Braddock en personne, pas au service de cette armée. Je n'ai d'ordres à recevoir que de lui. Quant à monsieur Morgan, il ne fait pas partie non plus de cette armée, et vous n'aviez aucun droit de le faire fouetter. En conséquence, c'est vous qui devrez répondre de vos actes devant le major général. Sur ce, que l'on prépare mon cheval, je dois aller reprendre mon service auprès du commandant Braddock.

L'officier se radoucit et protesta sur un ton bienveillant :

–Monsieur, les ordres sont de vous retenir ici tant et aussi longtemps que vous ne serez pas sur pied.

Washington se leva à moitié, mit la main sur le hayon et sauta à terre à côté de l'officier. Il dut alors contrôler les effets d'un étourdissement, demanda, la voix qui flageolait moins que les jambes :

–Et ça, est-ce que c'est un homme sur pied ?

Puis il respira l'air humide à pleins poumons. Il regarda le ciel pour mieux sentir sur son visage les grains de pluie quasiment aussi doux que les reflets chatoyants dans le bleu des yeux de Sally Fairfax, la femme de son meilleur ami et proche voisin de Mount Vernon...

Morgan mettait sa chemise, le visage grimaçant et narquois.

Fort Duquesne

Seul Pontiac était resté debout, perché sur ses jambes longues, droites et dures. Pour compenser, le commandant avait pris soin de lui donner la meilleure place à l'autre bout de la table, face à lui-même. Pour le chef indien, les deux postures courantes lors d'un conseil de guerre étaient de s'asseoir en cercle par terre avec les autres membres ou bien de rester debout. Les Français préféraient s'installer autour d'une table sur des bancs de bois afin de pouvoir mieux boire en discutant et pour s'obstiner au-dessus de cartes bien inutiles pour l'Indien. Car son pays, il le connaissait sur le bout des doigts et des pieds pour l'avoir parcouru dans tous les sens et par toutes ses rivières. Quant à l'eau-de-vie, il ne l'avait touchée qu'une seule fois et il s'était rendu compte qu'elle le rendait fou; elle était donc mauvaise pour lui.

Non seulement respectait-il quand même les usages français, mais encore, était-il un fidèle allié des Franco-Canadiens dont tant de missionnaires, coureurs de bois et explorateurs avaient adopté le mode de vie à l'indienne dans le passé. L'ardeur de sa fidélité aux Français avait un côté farouche et augmentait d'autant sa haine des Anglais. Ses harangues aux guerriers contenaient toujours une série de raisons incitant à la bravoure contre les uns et pour les autres.

Après une levée de chopes à la santé de Vaudreuil-Cavagnal et du roi Louis XV, Contrecoeur déclara l'assemblée ouverte. Il offrit aussitôt la parole à Pontiac, mais l'Indien refusa par un signe de tête.

Pour la nième fois, on fit le bilan des forces de l'ennemi à l'aide de chiffres plus exacts que les précédents grâce aux rapports d'éclaireurs s'ajoutant aux renseignements d'espions en poste dans les colonies anglaises de même que l'importante appréciation du milicien Bernard tout juste revenu de sa mission.

Une moitié de l'assemblée, celle à droite du commandant comprenant Dumas, Beaujeu et Lignery, favorisait une sortie immédiate de toutes les forces vives de Duquesne et une bataille en forêt. Les officiers français et Contrecoeur préféraient qu'on attende et que l'on reste à l'abri des palissades, continuant d'envoyer chaque jour des petits pelotons pour harceler les Anglo-Américains.

–Nous n'avons pas la moindre chance en restant à l'intérieur, s'écria Dumas demeuré silencieux jusque là. Ils vont raser, scier un à un chaque piquet des palissades avec des boulets de canon. Des boulets, ils en ont dix fois autant qu'il y a de billes dans la construction de ce fort.

–Il faudrait pour cela qu'ils réussissent à les mettre en position, ces pièces, sourit paternellement un officier français.

Pour mieux retenir son impatience, Dumas projeta en avant ses épais sourcils noirs.

–Savez-vous seulement le calibre de leurs pièces ?

–Qu'ils en installent une, et un quart d'heure plus tard, ils se feront déloger.

–Ce n'est pas aussi facile, fit de Beaujeu qui, contrairement au taciturne Dumas, arborait dans les situations les plus graves son plus séduisant sourire. Le capitaine Dumas sait de quoi il parle. À soutenir le siège, nous perdrons autant d'hommes qu'eux tandis qu'en forêt, en manoeuvrant à la canadienne ou si vous préférez à l'indienne, nous aurions les meilleures chances de remporter la victoire dans un seul engagement.

–Combien de chances ? demanda l'autre officier aux paupières désabusées.

–Trois fois, quatre fois plus qu'en attendant paresseusement derrière nos murs.

L'autre se cabra :

–Nous sommes toujours les premiers sur les champs de bataille. Nous disposons des meilleurs soldats d'Europe, à l'égal des Hessiens et supérieurs aux Anglais.

Il reprit son souffle et termina, le visage blanc comme sa perruque :

–Qu'on ne tente point de nous taxer de relâchement ! Et surtout, qu'on sache que nous, Français, ne donnons pas tête baissée dans le feu de l'ennemi avant d'y avoir réfléchi par deux fois.

–Dieu du ciel ! messieurs, ne nous divisons pas entre nous, dit Contrecoeur. Envisageons le problème autrement qu'en nous entêtant sur la sempiternelle question de savoir si la guerre à l'européenne est supérieure à celle à la canadienne.

–Moi, je propose qu'une décision soit prise en fonction de nos effectifs et de leur rendement sur le champ de bataille, fit Dumas en mordant vigoureusement dans chaque mot.

–Que voilà une intéressante idée ! s'exclama Contrecoeur.

–Voici ce que nous avons... Cent cinquante soldats, cent cinquante Canadiens et les six cents Sauvages du chef Pontiac. Il y a donc deux Sauvages pour un seul d'entre nous. Avez-vous déjà entendu parler d'un Indien qui fait la guerre caché derrière des murs, emprisonné pendant des jours ? Le chef vous dira qu'un brave est un brave chez lui c'est-à-dire dans le bois et dans sa liberté. C'est pareil pour les Canadiens. De plus, les Indiens n'aiment pas trop les canons et ça, vous savez ce que ça veut dire.

Comme tous, Dumas n'ignorait pas que les Indiens avaient tendance à fuir comme des poules mouillées quand ils entendaient de trop près le grondement d'une pièce d'artillerie. Mais il se garda de le dire à mots découverts pour éviter que le chef ne prenne ombrage. C'est pourquoi il enchaîna sans faire de pause :

–Allons-nous nous battre comme le voudraient les officiers et les cent cinquante réguliers de ce fort ou comme le désirent les sept cent cinquante autres hommes ? Et les réguliers, leur a-t-on demandé leur avis ? Ils voudront peut-être sortir eux aussi ?

–C'est le conseil et le commandant qui décident, pas les simples soldats, objecta un officier. Et encore moins...

Contrecoeur sut le couper à temps, enterrant son propos pour donner la parole à quelqu'un d'autre :

–Monsieur de Beaujeu.

–J'ai les chiffres précis de nos forces. Six cent trente-sept Indiens et cent quarante-six Canadiens. Qu'ils forment un détachement auquel pourront s'ajouter des réguliers volontaires, les autres assurant la défense du fort en cas d'attaque surprise, et que l'on se rende accueillir Braddock avant qu'il ne franchisse la Monongahéla.

–Monsieur de Lignery...

–Cette proposition me paraît fort judicieuse.

–Messieurs...

Les officiers haussèrent les épaules jusqu'à leurs perruques.

–Qu'en pense le chef ? Après tout, ce sont ses forces les plus importantes, dit le commandant en s'adressant à Pontiac le silencieux.

L'Indien parla d'une voix étonnamment claire :

–C'est dehors que nous voulons combattre. C'est dans la forêt que les Odawas et les Ojibways savent faire la guerre. Laissez-nous notre liberté et nous lèverons toutes les chevelures anglaises qui s'en viennent vers nous.

–Messieurs, je crois bien que voici venue la conclusion à notre débat. Il nous reste maintenant à déterminer le moment de l'attaque... Laisserons-nous les Anglais traverser la rivière?

–Non, non, ce serait trop près d'ici, se dirent entre eux les partisans d'un assaut en règle et immédiat.

Cette parlotte militaire dura jusqu'au coucher du soleil.

Trois jours plus tard, le sept juillet, Contrecoeur n'avait toujours pas bougé. Tout Duquesne savait maintenant que Braddock, du moins l'avant-garde de son armée, franchirait la Monongahéla le jour suivant, au plus tard le neuf.

Quand tomba le soir, Dumas n'y tint plus. Il se rendit seul voir le commandant qui l'accueillit un livre à la main et ordonna son attention avec un doigt levé pour lire :

"On lui met sur-le-champ les fers aux pieds et on le mène au régiment On le fait tourner à droite, à gauche, hausser la baguette, remettre la baguette, coucher en joue, tirer, doubler le pas, et on lui donne trente coups de bâton : le lende-

main il fait l'exercice un peu moins mal, et il ne reçoit que vingt coups : le surlendemain on ne lui en donne que dix et il est regardé par ses camarades comme un prodige."

Dumas s'approcha de la table où le commandant lisait en cherchant le meilleur éclairage d'une longue chandelle. Il annonça :

–Braddock arrive, monsieur.

–Ce cher Voltaire a des idées bien particulières sur les soldats et la discipline, vous ne trouvez pas ? Il ridiculise ce qui fait pourtant les hommes capables et forts.

–Monsieur, si nous ne sortons pas, les Indiens vont s'enfuir... Je le sais par l'Indienne de Joseph Bernard. Et s'ils partent, aussi bien hisser tout de suite le drapeau blanc !

–Je sais, je sais...

–Qu'est-ce que nous attendons ?

–Plus ils avancent, moins ils ont de canons et même d'hommes... Il y a de la maladie dans leur camp et c'est justement votre ami, le milicien Bernard qui l'a lui-même rapporté.

–Mais c'était un seul homme : Washington. Et l'Indienne l'a remis sur pied.

–Que dites-vous là ? Elle l'a...

–Soigné...

–Quelle drôle d'idée de soigner un ennemi quand on devrait le scalper !

Sauf votre respect, commandant, ils ont soigné deux Américains et ça leur a valu de s'échapper pour nous ramener des renseignements...

–Je sais, je sais...

–I know, I know, dit Braddock ennuyé lorsque Washington prit congé de lui et quitta sa tente après avoir adressé son sec salut.

À un milicien qui l'attendait, il dit à travers des soupirs de désolation :

–Notre commandant est plus intéressé à lire son livre de Sénèque qu'aux tactiques des milices canadiennes. Espérons que là-bas, au fort Duquesne, les dirigeants sont aussi des adeptes des grands penseurs philosophiques.

Le lendemain midi, compte tenu des derniers rapports sur l'avance britannique, Contrecoeur convoqua son état-major. Il lui annonça pour le matin suivant le départ du détachement qui compterait tel que prévu le maximum d'hommes. Au début de l'après-midi, on fit le décompte final : aux six cent trente-sept Indiens et cent quarante-six Canadiens, se joindraient soixante-douze soldats français.

Les hommes de Pontiac s'inquiétèrent d'apprendre que la moitié des réguliers resteraient derrière. Ils furent doublement troublés de savoir que Beaujeu, le commandant du détachement, était allé à confesse et avait fait ses dévotions.

Au petit matin alors que de Beaujeu adressait ses recommandations aux hommes regroupés dans l'enceinte et que d'autres s'approvisionnaient massivement de munitions, un Sauvage parlant français lui rappela ses religiosités de la veille, terminant :

–*"Quoi, mon père, tu veux donc mourir et nous sacrifier?"*

Le sourire matinal de Beaujeu ensoleilla la confiance des plus timorés et endormis. Il répondit vaillamment :

–*"Quoi ? Laisserez-vous votre père seul ? Je suis sûr de les vaincre."*

Puis il déclara que l'embuscade serait tendue aux abords même de la Monongahéla. On atteindrait la rivière avant midi si on se mettait en route à huit heures.

Le temps avait au coeur la même inquiétude oppressante que les hommes. Des nuages rapides voilaient et dévoilaient le soleil qui aussitôt après avoir étendu sa douceur matinale sur le fort, la retirait pour céder le pas à une brise donnant le frisson aux âmes frileuses.

Joseph et sa femme n'auraient pas senti un vent si bénin avec leur peau faite à de bien pires intempéries, et emportés qu'ils étaient par leur confiance en l'avenir. Il restait six mois à courir de son engagement donc de son service obligatoire. Ensuite, il retournerait à L'Islet et emmènerait Source-de-Vie avec lui. Et là-bas, on irait voir un prêtre. Il ne serait ni le premier Blanc ni le dernier à épouser une Indienne. Ses parents ne l'en blâmeraient pas. Sa mère surtout comprendrait.

Avant le départ, Pontiac harangua son monde. Car subsistaient des courants d'hésitation parmi les Sauvages. Plusieurs ne croyaient guère en leurs chances de battre les Anglais et se disaient que la récolte de chevelures serait bien maigre. Car c'est sur le nombre de scalps rapportés qu'on les rétribuerait.

Ils acceptèrent néanmoins de se mettre en campagne, sachant qu'ils pourraient fuir au premier coup dur et qu'en forêt, les Anglais pourraient toujours courir : ils ne réussiraient ni à les encercler ni à les attraper. Il suffirait de rester caché, de se battre au mousquet et de ne sortir la hache pour le corps à corps que si l'ennemi en venait à battre en retraite.

Une trentaine d'officiers réguliers et de la milice se dispersèrent parmi les hommes. Au signal du capitaine de Beaujeu, la grande porte de l'enceinte fut ouverte dans un long craquement qui imposa à tous un pesant silence. Le flot humain d'Indiens à demi nus et à moitié habillés de substances multicolores, et de Canadiens en chemise s'écoula hors du fort sans ordre ni rangs. Le seul commandement connu : direction commune, la Monongahéla. Là-bas, les forces se déploieraient. On y attendrait tranquillement que Braddock tombe dans le guet-apens.

Joseph marchait avec sa femme, selon son habitude, le jour. Il ne devait point presser le pas pour deux bonnes raisons : à leur rythme naturel, ils auraient vite fait de dépasser tout le monde y compris la plupart des Sauvages, et puis Source-de-Vie avait le souffle un peu raccourci depuis quelque temps comme il l'avait bien constaté lors de leur retour de leur mission de reconnaissance.

Avant qu'on ne quitte la zone déboisée, Dumas s'approcha d'eux, histoire de se rapprocher un peu l'esprit de la Côte-du-Sud. On se parla un peu du curé de Saint-Thomas puis le capitaine suggéra à Joseph de laisser sa compagne au fort :

–On sait pas ce qui nous attend là-bas, argua-t-il.

–C'est pas la première fois que je te le dis : elle pis moi, on vit ensemble pis on veut mourir ensemble.

–C'est selon ton bon vouloir, mon cher ami... Et un peu selon la volonté du Seigneur.

–Possible !

–Parce que si on bloque pas les Anglais à la rivière et si les Sauvages, comme j'en ai peur, se sauvent, Duquesne est perdu. Mais elle pourrait aisément se cacher aux alentours du fort.

Joseph s'arrêta pour attendre l'Indienne qui suivait, la tête dans ses pas. Il lui enveloppa les épaules de son bras ferme en disant :

–Pis comment c'est que je la retrouverais ? Elle peut pas retourner avec sa tribu. Elle s'en irait de l'autre bord des montagnes ? Au sud ? Au nord ? Où ? La laisser en arrière ?

Non...

–Quant à ça...

–On a combien de chances de...

–De s'en sortir ? De très bonnes. Suffit de lever les voiles quand c'est le temps, si ça chauffe trop. Pour ce qui est d'arrêter l'avance de Braddock...

Dumas qui marchait, le mousquet posé sur la nuque comme un joug, hocha la tête pour signifier que les chances, en ce cas, étaient inexistantes.

Il n'y paraissait pas que se trouvaient là tout autour, plus de huit cents hommes tant leurs couleurs se confondaient. Ils se répandirent dans la forêt silencieuse tandis qu'à moins de cinq milles, une bruyante colonne s'arrêtait au bord de la Monongahéla. C'était l'avant-garde de la grande armée anglo-américaine qui attendait d'être rattrapée par le gros de la troupe, l'infanterie, la cavalerie, l'artillerie, le bétail et les voitures à provisions. Car Braddock a prévu, pressenti que le choc se produira à la traversée de la rivière. Il dit que les Franco-Canadiens voudront frapper là. Et, pour une fois, Washington est de son avis. Et pourtant, des éclaireurs reviennent en annonçant qu'il n'y a pas âme qui vive jusqu'à deux milles devant.

Gage, qui conduisait l'avant-garde, n'en crut pas ses oreilles. Et son supérieur encore moins que lui quand, sur son cheval, avec Washington à ses côtés, il arriva au milieu de ses colonnes brillantes qui maintenaient le pas et la cadence malgré les taupinières, les aulnes et parfois les ornières boueuses creusées par les sabots des chevaux.

Le cadeau inespéré fit rire Braddock et se frotter les mains d'aise. Par-dessus le tumulte, il cria à son voisin :

–Vous avez surestimé ces Canadiens, jeune homme. Semble-t-il qu'ils préfèrent rester cachés derrière leurs murs. Eh bien soit ! Le fort Duquesne sera bientôt la souricière Duquesne. Espérons seulement qu'ils n'abandonneront pas la place avant notre arrivée. Peut-être que ces gens-là ne se lèvent pas de très bon matin ?

Washington contint les muscles inquiets de son front. Braddock ordonna une heure d'arrêt. Il négligea d'envoyer de suite de nouveaux éclaireurs. Beaujeu ne pensa pas davantage à prendre cette élémentaire précaution. De la sorte, moins de dix minutes après que l'avant-garde britannique eut franchi la rivière et repris sa marche en forêt par un étroit chemin montant, elle se heurta aux éléments franco-canado-indiens.

La surprise fut aussi grande d'un côté comme de l'autre. Mais Beaujeu fut le plus prompt à réagir. Il cria à pleins poumons :

–Soldats, en avant !

Quinze pas plus loin, il commanda comme pour tout le pays :

–Tirez !

De partout, les mousquets crachèrent la mort dans la colonne britannique. Et aussitôt, les Sauvages se lancèrent sur ceux qui n'étaient pas tombés. Grisés par leurs propres cris gutturaux, ils se mirent à fracasser les têtes ou à faire périr de la façon qu'ils préféraient, en scalpant vivant l'homme affolé en fuite. Ainsi, la récolte de cheveux était plus expéditive et on ne perdait pas de temps à achever le moribond qui crèverait quand même.

Une vingtaine de soldats anglais emportés par la terreur, des jeunes hommes au regard fou, aux gestes désordonnés, à la course erratique, parvinrent à retrouver l'armée dont plus de la moitié avait déjà traversé la rivière. D'aucuns criaient le mot embuscade; d'autres pleuraient. L'un détalait comme une poule en riant et en cacassant de peur. D'autres, jeunes cadets joyeusement partis vers l'aventure américaine quelques mois plus tôt, et qui ont aperçu leurs compagnons se faire arracher la peau du crâne, hurlaient en des mots inintelligibles ces visions intolérables pour eux sorties tout droit de l'enfer.

Mais tous crevaient les rangs sans modérer leur allurc, comme pour s'assurer de mettre un écran humain entre eux et les impensables bêtes fauves qui avaient haché leur détachement d'avant-garde.

Un splendide esprit de discipline empêcha la panique de se communiquer comme un poison mortel pour tuer l'assurance tranquille qu'on avait de balayer l'ennemi et qui réconfortait chacun. L'on comprenait bien qu'une cinquantaine d'hommes pouvaient se faire massacrer dans une embuscade tendue par un ennemi perfide, mais pas deux mille. En fait, le sacrifice de l'avant-garde galvanisait les Anglo-Américains bien plus qu'il nc les effrayait. Et Braddock avait tout son temps pour distribuer ses ordres à ses officiers. Trois lignes d'attaque et les troupes de protection des flancs se mirent en position. L'on mit en batterie un petit canon, la seule pièce d'artillerie ayant déjà franchi la rivière.

Alors les Canadiens arrivèrent dans leur course terrifiante, hurlant, tirant à qui mieux mieux dans le premier rang anglais qui, un moment disloqué, riposta. Beaujeu fonça, criant aux hommes de le suivre. Une seconde décharge partit des rangs ennemis. Mais les balles se perdirent encore. Beaujeu s'élança à nouveau. La troisième ligne anglaise mit en joue, attendant l'ordre de tirer. C'est en se félicitant du comportement de ses hommes que Braddock le donna.

Entre deux coups de feu, Joseph, comme beaucoup de Canadiens, suivait du regard les mouvements de Beaujeu; et, comme eux, il le vit se faire éclater la tête d'un projectile ennemi. Il eut du mal à se contenir. Mais Dumas, le géant canadien, était là. Debout près du corps de l'officier, le dos tourné aux Anglais comme pour les mieux défier, il agitait les bras. Vers la gauche. Puis vers la droite. Les Sauvages comprirent et se déployèrent. Il cria ensuite aux miliciens de mettre l'ennemi en joue et lui-même se coucha au sol pour éviter de se faire abattre par une balle de son propre camp.

Orgueilleusement confiante, l'avant-garde britannique venait au pas de charge. Elle fut criblée, hachée. Grêlèrent en sus les coups portés par les Sauvages invisibles sur chaque flanc.

Décontenancés, les rangs décimés se replièrent en désordre sur le corps principal conduit par Braddock qui, avec le revers de son épée, frappait ceux qui reculaient en leur enjoignant d'aller de l'avant comme de véritables et authentiques soldats britanniques.

–Laissez-moi conduire mes hommes dans la forêt, lui hurla Washington dont le cheval nerveux ne cessait de se cabrer. On va les prendre à leur façon...

–Qu'ils se battent là comme de vrais soldats anglais répondit dédaigneusement le major général.

Joseph s'est mêlé aux Indiens répandus sur la droite. D'où il est, sur la petite colline, protégé par les arbres, il peut voir tout ce qui se passe sur le chemin à découvert. Pontiac est avec eux. Mais le chef ne fait plus office que de symbole. Nul homme n'a besoin qu'on lui dise quoi faire. Et le recul précipité de l'ennemi ravive la confiance de tous.

La souricière Duquesne n'est pas ce que Braddock avait prévu. C'est lui et ses hommes qui s'y trouvent piégés. Mais il ne le réalise toujours pas. Les balles viennent de trois directions à la fois. L'adversaire demeure invisible. Ce qui était un combat se transforme en boucherie. Des rangs entiers tombent à la fois. Les sentiments, tout comme les hommes, se poussent, se pressent, avancent, reculent, pêle-mêle. La peur, la rage, la folie, l'horreur, la haine, le courage vain explosent dans tous les sens. Le rouge des tuniques anglaises dégoutte de sang. Le bleu des uniformes américains s'empourpre. Les cris deviennent des hurlements qui tournent et qui tournent...

Joseph abattit quatre hommes. Une fois de plus, il eut Washington dans sa mire : il sourit à se demander si cela ne deviendrait pas une habitude. Et il se dit que non, convaincu maintenant que personne en bas ne s'en sortirait vivant, car même si les Anglais se rendaient, les Sauvages seraient intenables. De plus, il n'avait vu tomber aucun homme de son propre camp à part Beaujeu qui s'était offert témérairement en cible. Il calcula que pas moins de dix adversaires tombaient chaque minute et qu'à ce rythme, l'armée britannique serait exterminée dans moins de deux heures.

Et vive le Canada ! rit-il entre deux coups de mousquet, à penser qu'une poignée d'hommes était en train de scalper les colonies anglaises et de donner un formidable coup de pied au cul de la très orgueilleuse Angleterre.

Parfois une balle perdue chantait à son oreille. Mais pas très souvent. Source-de-Vie était à ses côtés, à l'abri d'un grand orme et, comme à Necessity, elle lui tendait les fusils rechargés.

Le petit canon avait beau s'époumoner à tirer, il semblait que ses boulets s'évanouissaient dans un ciel devenu bleu et calme, comme attentif au sort de l'Amérique que tenaient entre leurs mains des Sauvages inconscients de leur immense pouvoir.

Déjà insuffisantes pour protéger efficacement l'armée, les troupes de flanc avaient pour la plupart abandonné leur poste. Les morts et les blessés ne se comptaient plus. D'autres, pris de panique, se ruaient vers la rivière. Ceux qui restaient encore concentraient leur tir droit devant en réponse à la plus intense mitraille.

Joseph pensa que nul n'était mieux placé que lui pour s'emparer du canon. À part quelques Sauvages, il en était le plus près. Mais leur peur superstitieuse de l'artillerie, il ne le savait que trop, les empêcherait tous de bouger. Il faudrait donc que le canon soit pris par des miliciens ou des soldats.

Et pourquoi pas par lui, au nez et à la barbe de ces réguliers imbus d'eux-mêmes ?

Quel coup à porter à l'ennemi si on pouvait arriver à tourner contre lui la seule pièce engagée dans la bataille ! se disait-il à chaque tir. Et quel stimulant pour les Sauvages !

Il goûtait à la griserie d'une superbe victoire que tout disait déjà : la confusion chez cette masse mouvante, désordonnée, désorganisée. La mort plus encore que le soleil du matin, étendait son voile sur toutes les lignes brisées des Américains et des habits rouges, empêchant les officiers de transmettre à leurs hommes les ordres du major général; elle tuait les courages et rendait inutiles tous les livres d'exercices militaires au monde, et condamnait par avance toute manoeuvre, si savante soit-elle, à se retourner contre celui l'élaborant. Quand la faucheuse pactise avec un côté, tous les malheurs sont bons pour le camp adverse.

Joseph roula sur lui-même vers Source-de-Vie qui lui disait son bizarre amour par la froideur fidèle de ses yeux. Puis il roula à l'inverse vers la joyeuse tuerie, cherchant la cible qu'il avait préalablement déterminée : un des trois artilleurs. Il épaula, visa la perruque. Le soldat s'affala sur le canon, la cervelle s'écoulant en écume sanglante par le canal de l'oreille que la balle avait suivi dans sa course létale.

Un volontaire répondit à l'appel des deux autres, et le soldat mort fut aussitôt remplacé. Et prestement abattu par un second bon tir du Canadien. Autre relève. Coup de canon.

Mise en joue par Joseph. Il n'eut pourtant pas à tirer. Deux des artilleurs s'écroulèrent, victimes d'autres balles canadiennes. Le troisième courba l'échine pour mieux prendre ses jambes à son cou et il fonça tout droit vers une balle venue de chez lui qui lui trancha net, mieux que ne l'eût fait un hachoir aiguisé, les organes sexuels qui lui coulèrent entre les cuisses dans un mélange de sang, d'urine et d'humeurs innommables. Il se mit les mains entre les jambes dans un effort désespéré pour retenir avec lui le principal argument de sa vie masculine, puis s'écroula.

Par signes qu'il accompagna de mots, car elle semblait comprendre le français de plus en plus, Joseph dit à sa compagne de l'attendre là même.

–Toi, rester ici. Rester couchée par terre. Protéger ta tête, ton coeur et... ton ventre.

Et il lui posa un doigt affectueux sur le nombril.

Elle sourit.

Il lui donna un vif baiser. Elle lui parla par un regard intense.

Et sans plus attendre, il se jeta à plat ventre. Il mit son couteau entre ses dents puis, mousquet en travers à bout de bras, il rampa vers le canon abandonné. Ce que voyant, Pontiac fit de même, sachant bien que ses braves redoubleraient d'ardeur quand ils verraient la pièce pointer vers les Anglais.

Dans l'infernale cohue, Washington cherchait à s'approcher de Braddock, convaincu que son chef comprenait maintenant qu'il était devenu impérieux, vital, de sonner la retraite. Ses provinciaux se comportaient mieux que les réguliers. Sans eux et leur feu nourri, l'armée entière serait déjà taillée en pièces. Mais poursuivre le combat dans ces conditions voudrait dire les sacrifier. Trop d'hommes avaient perdu la vie à cause de son entêtement à Necessity; cela ne devrait plus jamais se reproduire.

Mais ses cris se perdaient au bout de ses bras désordonnés. Mais son cheval se déroba soudain sous lui et il se retrouva couché sur le côté, la jambe prisonnière sous le poids de la bête abattue. Un soldat venu à son secours fut tué raide d'une balle au coeur, et son corps s'affala sur lui. Un dernier sursaut de l'animal lui permit enfin de se libérer juste à temps pour apercevoir Braddock se pencher subitement sur sa monture, frappé d'une balle en pleine poitrine.

Le Virginien se fraya un chemin parmi les corps tombés, les blessés réclamant pitié, les hennissements désespérés des bêtes à l'agonie, les soldats détalant, emportés par la folie, les odeurs de poudre et de sang frais, la fumée et les mousquets, et réussit à parvenir à Braddock, mais pas assez vite pour pouvoir le retenir sur son cheval. Tombé face contre terre, le général tâchait misérablement de se relever en redisant sans arrêt une phrase assommée :

–Pourquoi tout ça ?

Puis à Washington qui lui faisait un rempart de son corps et l'aidait à se mettre sur le dos, il dit en suppliant :

–Sauvez mes hommes, sauvez mes hommes...

Washington le prit comme un remise de commandement. Dès que son chef fut confié à un charretier, il entreprit d'organiser la retraite. Il fallait retraverser la rivière en catastrophe, laissant aux Sauvages des centaines de têtes à scalper, ce qui donnerait aux fuyards le temps requis pour se mettre à l'abri d'une distance respectable.

Joseph n'avait plus que la moitié de l'espace à parcourir quand il perçut le mouvement général de l'ennemi qui tournait le dos. Il jugea que le risque ne serait pas bien grand de courir le reste debout mais plié en deux. Ce qu'il entreprit de faire quand il sentit sur son genou comme un formidable coup de bâton qui le faucha net. Une balle avait fait éclater sa rotule pour ricocher et se ficher quelques pouces plus haut dans le bas de la cuisse.

Assise sur ses mollets à le surveiller, Source-de-Vie se détendit comme un ressort. Entre les arbres et les aulnes, elle courut comme une flèche rapide vers son homme, sans s'inquiéter des tireurs anglais heureux d'apercevoir enfin une cible. Bien que la mitraille fût moins vigoureuse, elle demeurait soutenue, assurée par les troupes chargées de protéger la retraite.

Joseph avait la mort dans l'âme de la voir ainsi offerte, dévalant la côte comme une biche en fuite, ses nattes brillantes lui battant le dos. Sa peur se mua bientôt en espérance. Dans dix pas, elle serait auprès de lui et alors, elle forcerait à sortir de sa jambe cette atroce douleur qui la broyait.

Son prochain pas fut le dernier. Il crut qu'elle avait buté contre une racine ou un objet quelconque, un boulet peut-être ? Non, plutôt son couteau qu'il avait laissé choir quand le projectile l'avait frappé. Le mousquet traînait par là aussi...

Dans sa chute, le corps de l'Indienne tourna sur lui-même comme s'il avait perdu tout poids. Il sembla planer avant de toucher le sol puis glisser sur les végétaux.

"Pourvu qu'elle se soit pas tordu la cheville !" pensait-il en rampant vers elle, traînant une jambe qu'il croyait devoir se détacher de son corps à chaque pouce franchi, tant énorme était le tribut de souffrances qu'elle cherchait à lui arracher.

Il toucha sa main chaude, fit un ultime effort, soulevant son corps pour mieux la voir tout entière. Ses mocassins étaient intacts, ses jambes n'avaient rien, ni son ventre, ni sa poitrine, non plus que sa bouche entrouverte et ses yeux fixant le ciel... Son visage avait toujours son ardente beauté froide si ce n'était qu'à la lisière du bandeau ceignant le front, il y avait une rougeur de la grosseur d'une cerise... Une abominable rougeur ronde... aux abords éclaboussés de filets pourpres...

Il ferma doucement les yeux. De toutes les forces qui lui restaient, il menaça la mort, l'enjoignant de revenir sur ses pas, lui ordonnant de ne point s'éloigner avec Source-de-Vie sans l'emmener lui aussi avec elles.

Alors de longs souffles aux navrantes saccades escaladèrent sa poitrine. Il ramassa ses énergies pour essayer de se mettre debout, pour défier l'Anglais et la mort, pour livrer sa vie aux canons des mousquets... Mais la douleur et le sang perdu enfonçaient sa jambe dans le sol comme l'auraient fait deux lourdes masses.

Lui passèrent mille idées incongrues devant les yeux, idées-images avec en fond, immensément grande, celle d'un canot glissant sur les eaux du Saint-Laurent et les emportant tous deux vers L'Islet.

Sa décision de l'emmener au Canada, il l'avait prise quelques jours auparavant quand elle lui avait fait comprendre, terrifiée de le lui apprendre, qu'elle portait un enfant de lui, sa montée laiteuse s'étant tarie quand ils avaient été capturés et à leur retour de cette mission. Il avait alors montré une joie si grande, couvrant son visage de baisers, dansant autour d'elle, que l'Indienne avait laissé couler des larmes de faiblesse comme elle en avait vues parfois sur des joues de femmes blanches.

Le coeur à l'abandon, déserté, vidé, Joseph posa sa tête sur le ventre de sa femme pour écouter mourir son fils...

Et lui-même sentit qu'il s'enfonçait dans un lac noir à la profondeur sans fin.

Quand il reprit conscience, la nuit l'environnait. Il n'avait plus d'entrailles à écouter, plus aucune chaleur autour de lui, plus que le vide en partage. Seul avec des hurlements atroces venus de son genou et retenus derrière ses lèvres. Seul avec le temps déchiré. Seul avec un silence éternel.

Et pourtant, il y avait les bruits d'une fête tout près, les cris d'une soûlerie sauvage nourrie par l'ivresse des scalps frais et du tafia brûlant.

Il se devinait au lieu même de son réveil après l'affaire Jumonville. L'odeur. Le fin filet de lumière sur la gauche. Une présence... Il se souvint avoir cru que l'Indienne était une ennemie, une Iroquoise chargée de le soigner pour le mieux faire supplicier par la suite. N'en était-ce point une après tout ?

Cette pensée tira de sa gorge nouée des rires rauques, incisifs, qui allaient piquer son genou et sa cuisse tels des couteaux pointus et rouillés.

Quel bourreau l'avait ainsi laissé seul avec son âme démolie, l'esprit traqué, pris en embuscade par mille douleurs, l'oreille aux portes de l'enfer ? Pourquoi pas même un bougon de bougie, une étincelle de flamme dans cette fosse à regrets ? De quel malheur voulait-on encore le protéger en lui assassinant la vue ?

Une plainte longue comme un sanglot, pénible comme un souffle à moitié coupé, ajouta sa tristesse à sa pitoyable détresse, creva l'air noir, le pénétra ainsi que la balle qui avait défoncé l'oreille de l'artilleur.

Il eût voulu tuer cette lamentation futile ou bien l'éparpiller aux quatre coins des colonies anglaises et de l'Angleterre, ou encore la noyer d'hiver.

La porte s'ouvrit soudain, permettant à des éclats de la lumière tant espérée de se ruer sur lui, dardant ses yeux pour faire taire ses larmes.

Deux miliciens entrèrent derrière des bougeoirs de fortune faits de soucoupes métalliques supportant deux chandelles chacune. L'un, médecin envoyé par Québec au printemps à fort Duquesne avait transformé la pièce en infirmerie. S'y trouvaient quatre blessés. Pansés. Deux agonisaient. Le troisième se plaignait doucement.

Joseph reconnut ensuite la silhouette du capitaine Dumas, de son ami si grand qu'il frôlait le plafond de sa tignasse épaisse. Il se demanda pourquoi Dieu permettait une si cruelle répétition d'événements comme si tout avait été réfléchi pour décupler son mal intérieur, sa désespérance.

–Le docteur a profité du temps que tu te trouvais inconscient pour aller chercher la balle que t'avais dans la cuisse...

–Quand on est sans connaissance, le muscle ne se contracte pas et ainsi, c'est plus facile, dit le docteur, un jeune homme blond aux sourcils toujours froncés de compétence.

–Tu as pris l'habitude de recevoir des coups, dit Dumas. Mais c'est au nombre de cicatrices qu'on reconnaît les héros.

Ce discours-là, Joseph l'avait déjà entendu. Il ne lui restait plus qu'à apprendre qu'il avait été ramené par Dumas. De peur qu'on le dise, il maugréa :

–Pourquoi c'est faire qu'on m'a pas laissé là-bas, avec ma femme ? Pourquoi c'est faire, Dieu du ciel ! ?

–C'est que ta femme...

Mais Dumas, le plus brave des miliciens canadiens, n'eut pas le courage de finir sa phrase. Sa vaillance contre l'ennemi n'avait d'équivalent que sa faiblesse envers les amis et son dévouement envers ses hommes.

–Qu'est-ce qu'on a fait de son corps ? demanda froidement le blessé.

Ses visiteurs s'échangèrent des regards désolés. Le docteur répondit :

–Le chef Pontiac s'est occupé de la faire inhumer en même temps que les autres Indiens tués.

–Le missionnaire de sa tribu viendra bénir les tombes demain ou après-demain.

–Et voilà ! Reste plus qu'à rendre grâce au Seigneur, s'exclama Joseph en crispant les poings.

–Tout le monde a de la peine pour toi...

–Tout le monde ? se surprit Joseph en jetant un bref regard vers l'ouverture fermée d'où venait grand tapage.

–Je parle des Blancs, fit Dumas.

–Quand est-ce que je pourrais m'en aller ? Y a-t-il des hommes qui s'en iront à Québec bientôt ?

–Dès demain, mais...

–Je vas aller me remettre sur pied chez nous. Après, j'irai finir mon service à Québec.

–T'auras pas à le terminer.

–Faut vous dire que votre jambe... ça ne se replacera sans doute pas comme avant.

–En d'autres mots, je serais un soldat fini ?

–À Québec, peut-être que non ? Mais pour courir la sauvagerie comme avant...

–Et la bataille ? On les a eus ?

–On les a battus comme des draps pleins de poux, fit Dumas, l'oeil brillant. Les Sauvages ont récolté 977 chevelures. Ils nous ont laissé quatre cents chevaux, du bétail, des vivres pour au moins un an pour les gens de Duquesne. C'est le plus beau coup de poing que les Anglais ont jamais eu sur la margoulette.

–Nous autres ?

–Trois officiers, cinq miliciens, quinze Sauvages : en tout, vingt-trois hommes.

–Vingt-trois ?

–Les seuls blessés qu'on a eus sont tous ici, fit le docteur en balayant l'air de sa main.

–C'est la plus grande victoire jamais remportée par la France en Amérique. Quand je dis la France, c'est une manière de parler parce que les vainqueurs, c'est pas trop nous autres... Sans les Sauvages...

–Le grand gagnant s'appelle Jean-Daniel Dumas, fit le médecin en s'agenouillant près d'un blessé. Monsieur de Contrecoeur est resté ici et monsieur de Beaujeu s'est fait bêtement tuer aux premiers coups de mousquet.

Mal à l'aise, Dumas voulut changer le sujet et intéresser Joseph, disant :

–Pas de trace de ton ami Washington. Moi tout seul, j'ai tiré sur lui dix fois. Ou bien il est de fer, ce bonhomme-là, comme un chevalier du Moyen-Âge ou la main de Dieu le protège.

Joseph avait le coeur et la mémoire dans le fourgon de Daniel Morgan. S'il n'avait pas fait soigner Washington, le combat eût été bien différent, et Source-de-Vie serait encore là.

C'était pourtant si simple dans les livres d'histoire avec les bonnes gens du côté français et les mauvais de l'autre...

Saint-François

Le village était en ébullition. Quand il est passé avec ses troupes, Dieskau a fait appel à tous les Abénakis disponibles. Quelques-uns seulement y ont répondu. Mais voilà que maintenant, il y avait des regrets dans l'air. D'une part, on venait d'apprendre que Vaudreuil avait fait monter les prix offerts pour les chevelures anglaises. Et deux jours auparavant, des estafettes dépêchées à Québec par Contrecoeur ont fait part aux Indiens de l'inimaginable victoire remportée à fort Duquesne sur l'invincible armée britannique et ce, grâce à la bravoure des Sauvages.

Lors de son recrutement, Dieskau a annoncé qu'il se rendait déloger l'ennemi de fort Oswego sur le lac Ontario; mais des rumeurs parvenaient à Saint-François depuis Montréal où se trouvaient encore les troupes, et voulant qu'on se rende plutôt guerroyer sur le lac Champlain afin d'y défendre les positions canadiennes dont la principale, le fort Saint-Frédéric menacé par une autre armée importante sous la conduite du colonel William Johnson.

Mais ce qui agitait le plus fortement les esprits et les coeurs venait du village même, du nouveau missionnaire, le père Virot qui, depuis son arrivée après la mort du père Aubery deux mois auparavant, n'a cessé d'exhorter les Abénakis à quitter leur bourgade pour aller s'installer en Ohio.

Devant le refus général, chaque semaine, il a augmenté la pression, harcelant les villageois quand ils venaient faire leurs dévotions, menaçant le chef Atécouando, faisant valoir maints avantages, réels ou imaginaires, que l'exode signifierait.

Mais voilà que le gouverneur lui-même était sur le point de venir, de s'arrêter à Saint-François dans sa tournée des bourgades indiennes afin d'y lever le plus de guerriers possible et les faire rejoindre Dieskau. Car Vaudreuil a été avisé des insuccès du baron auprès des Sauvages tant de Saint-François que de Sault Saint-Louis et Deux-Montagnes. De plus, les papiers de Braddock trouvés à Duquesne faisaient état de l'envoi imminent à Saint-Frédéric des provinciaux menés par Johnson. Il fallait donc vider Québec, Montréal, les campagnes et les bourgades de tous les hommes valides pour les envoyer combattre les envahisseurs sur le lac Champlain.

Le grand Conseil s'est réuni sans le missionnaire et a décidé de se plaindre à Vaudreuil lui-même de l'attitude du père Virot. De plus, à la lumière des récents événements survenus en Ohio, plusieurs braves désiraient maintenant aller se battre, ce qui ne manquerait pas de plaire au gouverneur et de le convaincre, s'il ne l'était déjà, que les Abénakis étaient plus utiles en demeurant à Saint-François qu'en s'exilant dans l'Ohio lointain.

Natanis et Sabatis convoquèrent le Conseil de famille où même la fillette aurait droit de parole. Car elle était devenue femme. Non pas qu'elle ait eu encore ses incommodités, mais parce qu'elle connaissait l'homme.

La cabane était grande et vide, maintenant que le garçonnet était mort et que les prisonnières avaient été envoyées à Québec et, de là, retournées chez elles. C'est cela que Natanis fit surtout ressortir dans sa longue harangue visant à obtenir l'assentiment de tous quant à leur éventuel départ pour aller combattre.

La réunion avait lieu au milieu de la hutte, autour de l'emplacement habituel du feu, une surface noircie sur le sol. L'été, on n'allumait que dehors. Et puis on avait pris toutes les cendres pour la charrée dont on avait fabriqué du savon vendu à l'armée.

La matrone fut la première à acquiescer à la proposition du jeune chef. Elle le fit en silence en remettant simplement un wampum aux pieds de Natanis, ce qui constituait la commande d'un prisonnier. Il n'eut pas à le lui faire dire pour savoir que la femme voulait un garçon assez jeune, un adolescent ne dépassant pas quinze ans, pour prendre la place de son fils noyé.

Front-Brisé passa une commande, elle aussi. Elle déclara vouloir une fillette blonde d'une hauteur de trois ans. Petit-Soleil fut ravie à l'idée qu'une petite Blanche ferait une compagne à Jacataqua.

Quant à la fillette, désireuse d'imiter les femmes, elle déposa aussi un wampum. C'était un collier grossier fait de petites pierres grises et de morceaux d'os qu'elle avait mis des semaines à percer.

L'on ne pouvait refuser de considérer sa demande, mais l'on n'y répondrait que si la course le permettait en s'avérant fructueuse.

–Et que veux-tu payer avec ceci ? lui demanda Natanis en ramassant le collier qu'il déposa dans un sac en peau de daim attaché à sa ceinture.

–Je veux un vieil homme pour remplacer Orambeche, dit l'enfant d'une voix nette et décidée.

Dès lors, Natanis sut qu'il ne pourrait ramener les trois prisonniers voulus. Un garçon pouvait marcher longtemps en forêt, mais une petite fille et un vieil homme feraient un poids trop grand, et il faudrait abandonner l'un ou l'autre en chemin. Néanmoins, par des gestes inintelligibles de ses doigts et de ses mains, il se promit de faire tout en son pouvoir pour respecter les demandes.

Ce jour se termina par plusieurs fêtes au village. D'autres conseils de famille ayant accepté le départ d'autres braves, il se fit plusieurs feux en plein air soit devant soixante-cinq maisons. Le chef se promena avec ses plus belles plumes. Il visita toutes les cabanes en liesse. Il félicita les partants. Et il les dénombra, Atécouando sachant lire et compter. Il répéterait dix fois, cent fois s'il le fallait, à Vaudreuil, le nombre d'hommes que sa tournée lui avait permis de compiler : cent dix. Mieux, les braves seraient rassemblés devant le gouverneur afin de recueillir ses voeux. Ainsi Vaudreuil ne pourrait pas douter de sa parole.

À midi, le jour suivant, le navire lège transportant le gouverneur jeta l'ancre au large et bientôt s'en détachèrent trois canots qui ne tardèrent pas à s'engager sur la rivière Saint-

François vers le village. Le second contenait Vaudreuil assis entre deux solides pagayeurs,

Tout Saint-François pavoisait depuis le matin. L'on s'arrêta quand des guetteurs vinrent signaler l'apparition sur le fleuve de la voile blanche venue de l'est et arborant le drapeau fleurdelisé. Le père Virot fit alors sonner la cloche du beffroi, ce qui rassembla une grande foule au bord de la rivière.

Empanaché, mousquet tenu par le canon, crosse au sol, les pieds écartés, Atécouando salua de la main gauche ouverte dès que Vaudreuil eut mis le pied sur le petit quai de billes de cèdre.

L'uniforme gris chamarré de vert, aux bandes de taffetas liserées d'or, éclatant sous le soleil ardent, pour le plus grand plaisir des spectateurs, le gouverneur compta huit pas solennels et prudents sur le quai chambranlant puis le caillebotis avant de s'arrêter pour livrer ses mots de salutation :

–Mes chers enfants de Saint-François, mes enfants chéris, c'est votre père, le grand roi bien-aimé Louis XV qui m'envoie vers vous. Je vous fais part de toute son affection, de son éternelle affection. Je viens passer une journée dans le plus grand village indien du Canada, pour vous voir, vous connaître, vous parler et vous chérir. Si vous regardez mes canots, vous les trouverez bien vides, mais d'autres viendront avant le coucher du soleil et apporteront des présents pour chacune des familles...

Et il se remit en marche, accompagné du chef, poursuivant les embrassades verbales. Il fut conduit à la maison du père Virot, voisine de la chapelle, emmené là par le missionnaire lui-même, un homme à tête chauve et à la peau blanche, qui ne sortait de sa demeure que pour se rendre à l'église.

Au milieu de l'après-midi, plusieurs Sauvages dont Natanis

et Petit-Soleil, furent à nouveau attirés au bord de l'eau par l'arrivée de deux canots que l'on croyait à tort être ceux des présents. Outre les pagayeurs, chacun contenait un blessé dont Joseph Bernard. Leur voyage de retour avait été trois fois plus lent que celui des courriers envoyés par Contrecoeur le jour même de la victoire de la Monongahéla.

Un milicien aux ordres du gouverneur vint enquêter puis il dépêcha un compagnon à la maison du missionnaire afin que Vaudreuil soit instruit de l'arrivée impromptue de ces héros de fort Duquesne.

Le gouverneur demanda au missionnaire que les blessés soient hébergés chez lui. Il leur ferait raconter leur histoire puis les citerait en exemple en les montrant aux Abénakis conviés au feu de camp du soir et à la fête qui suivrait.

Joseph n'avait revu aucun Indien depuis son départ de Duquesne. Malgré lui, il chercha des yeux dans la petite foule lorsque les miliciens l'aidèrent à monter sur le quai. Un troisième lui ajusta ses béquilles sous les bras. Il dut baisser les yeux pour que ses bâtons de soutien ne se coincent pas entre les billots. Et sans trop s'en être rendu compte, il se retrouva entre deux haies humaines. Tout chacun le touchait comme s'il avait été un demi-dieu. On voulait s'accaparer d'une parcelle de son courage. S'il avait été un ennemi, on l'aurait tué pour dévorer son coeur.

L'idée lui vint d'ôter sa tuque qu'il gardait calée jusqu'au dessus des yeux. Il avait l'impression qu'elle masquait une honte alors que la cicatrice de son scalp eût dû le rendre fier. Non point de lui-même, mais de Source-de-Vie qui lui avait apporté la guérison et l'amour avec tant de fidélité et de générosité.

Il se trouvait alors à mi-chemin du couloir humain. Il se tourna dans un mouvement de torsion sur ses béquilles afin que tous le voient : regards ébahis, bouches ouvertes, admiratives. C'est à ce moment qu'il vit sur le deuxième rang le visage radieux de Petit-Soleil. Il la regarda avec une telle insistance qu'elle le prit comme une menace. Et, malgré la présence protectrice de Natanis, elle fit demi-tour pour s'en aller. Joseph vit alors sur son dos, dans son berceau ambulant, la tête mollement tombée de son bébé endormi. Le coeur piqué, il tourna vivement la tête et reprit sa pénible marche sans plus regarder tout ce monde à moitié nu, une nudité dont il prenait déjà plus grande conscience, maintenant qu'il se trouvait au bord du Saint-Laurent. Il y avait des plumes pourtant, mais il ne les voyait guère : de cygne, de canard, de dinde, de poule, d'outarde. Les pagnes, les cuirs, les peaux, les mousquets dans les baudriers, des robes de femme blanche à couleurs vives, tout cela n'avait plus rien à lui dire...

À vingt pas derrière, sur des béquilles aussi, venait le second éclopé, un milicien à la jambe cassée, plaignard, mais dont la blessure ne serait plus qu'un souvenir au bout d'un mois. Et devant, un aide de Vaudreuil pressait le pas vers la maison du missionnaire pour annoncer leur venue imminente.

Le soleil plaquait au sol des odeurs pestilentielles, mélange d'excréments, de détritus pourrissants et de poisson qui sèche. Entre deux cabanes, un gros rat gras se dressa sur ses pattes arrière pour envisager un chat noir et blanc plus adipeux encore. Le félin maugréa à plusieurs reprises son mécontentement, bomba son dos large en tournoyant puis trouva mieux à faire dans une autre direction. Des chiens pressés croisèrent le rongeur sans même le voir.

La maison du missionnaire se distinguait des cabanes indiennes par son toit pointu, sa vastitude et la propreté qui l'environnait. Par ses matériaux, son faîtage, ses dimensions, elle s'apparentait aux autres maisons canadiennes bordant par milliers les deux rives du fleuve depuis le golfe jusqu'aux lacs. Faite de pierre calcaire, pièce sur pièce, lambrissée de planches d'épinette, le toit en bardeau et surmonté de deux larges cheminées de pierre avec plusieurs fenêtres à petits carreaux, elle disposait du confort requis pour gîter convenablement un dignitaire en voyage.

Assis à chaque extrémité d'une table nappée d'une toile de lin, le gouverneur et le prêtre discutaient aimablement en se partageant l'une des bouteilles de vin que l'homme d'État avait offertes au jésuite à son arrivée.

–Croyez-vous qu'il soit séant de laisser des miliciens venus tout droit de la sauvagerie cohabiter avec votre Excellence ?

–Cher père Virot, ces miliciens constituent l'épine dorsale de notre système de défense. La France ne sera pas toujours présente ici, j'en suis absolument certain. Il y a là-bas une sorte de vent anti-Canada alimenté par des gens influents comme ce Voltaire. Ce monsieur pontifie. Il en a constamment contre le Canada dont il dit n'importe quoi. "*Pays qui coûte beaucoup et rapporte peu, pays couvert de place et habité par des barbares et des castors, sujet de guerres presque continuel, le plus détestable des pays du nord*" Ses dernières trouvailles ont été : "*Je voudrais que le Canada fût au fond de la mer glaciale.*" et "*La France peut être heureuse sans Québec*"

–Un tel esprit n'est pas de nature à incliner le roi en notre faveur, soupira le jésuite.

–Peut-être qu'à Versailles, on pense déjà à laisser le Canada se débrouiller par lui-même et, est-ce pour cette raison qu'on a voulu nommer un Canadien à la gouverne de la Nouvelle-France ? En tout cas, c'est ainsi que je raisonne, moi. Et c'est la raison pour laquelle chaque Canadien devra devenir un guerrier, que toutes nos frontières devront être gardées, défendues. Un seul couloir laissé vide et l'Anglais s'infiltrera comme de la mauvaise herbe. Il nous faut protéger ce pays, et vous savez que vous pouvez nous y aider...

L'échange fut interrompu par le bruit d'une jointure osseuse sur la porte ouverte et l'entrée de l'aide du gouverneur, un homme sec et lorgnant. Il annonça l'arrivée des blessés.

–Vous avez leurs noms ? s'enquit le gouverneur.

–Joseph Bernard de L'Islet et Pierre Hubert de la Pointe-Lévy. Bernard est aisément reconnaissable : il porte la cicatrice d'un scalp.

–Bernard, vous dites ? fit Vaudreuil en se levant.

–Joseph Bernard... Le voici justement.

Joseph s'arrêta sur le pas de la porte. L'aide lui fit signe d'entrer. Le milicien ouvrit de grands yeux inquisiteurs qu'il promena sur la pièce entière comme si, de toute sa vie, il n'eût jamais vu l'intérieur d'une maison canadienne.

Vaudreuil perdit son sourire quand il aperçut ce profil marqué de la plus hideuse manière, comme si quelque monstrueuse pelle eût creusé autour de sa tête une horrible rigole...

–Qu'on me présente ce héros ! s'écria-t-il pour ne pas laisser paraître son sentiment.

Joseph dirigea son regard vers la gauche. On lui avait bien appris au quai la présence du nouveau gouverneur et dit que Vaudreuil désirait le rencontrer chez le missionnaire, il avait eu beau apercevoir le bateau sur le fleuve, il hésitait encore à le croire comme à chaque occasion où il avait été en présence de personnages importants tels Bigot, Duquesne ou monseigneur de Pontbriand.

Il se laissa gagner par l'émotion et l'énervement, étirant de ses pouces fébriles sa tuque crasseuse où la couleur beige originale ne se retrouvait plus que dans quelques poils du pompon.

–Qu'on me laisse serrer la main qui a tiré sur l'Angleterre ! fit Vaudreuil en oubliant tout à fait la tête ignoble du milicien pour ne plus voir que ses yeux profonds.

Joseph serra la main en disant :

–Je vous demande pardon pour la révérence, mais avec ces béquilles, vous comprenez...

–Joseph Bernard, venez partager notre vin. Il y a mille questions qui vous attendent dans la bouteille.

À l'étonnement de tous, le gouverneur aida Joseph à prendre place en tirant sa chaise tandis que son aide supportait le blessé et que le prêtre s'occupait de déposer les béquilles contre le dos d'une autre chaise.

–Ainsi donc, vous...

Mais Vaudreuil fut aussitôt interrompu par l'entrée du second milicien. Il se rendit l'accueillir comme il l'avait fait pour Joseph. L'homme ne l'inspirait guère; il demanda qu'il attende dehors pendant qu'il recevrait l'autre, arrivé le premier.

Le missionnaire avait déjà remis sur le tapis le sujet du scalp, mais Joseph s'était fait évasif. Au retour du gouverneur, il devint plus loquace, comme si le devoir le commandait maintenant. Il raconta l'affaire Jumonville comme il l'avait vécue, celle du fort Necessity et il termina par la bataille de la Monongahéla. Pas une seule fois, il ne mentionna le nom de Source-de-Vie. Et quand le missionnaire s'étonna de sa guérison, il répondit en fixant un lointain connu de lui seul :

–Un miracle, pour sûr !

–Un miracle certain ! approuva le prêtre.

Ce qui intéressa au plus haut point le gouverneur fut d'apprendre que la victoire sur les troupes de Braddock avait été assurée par les Indiens et les Canadiens, et que les soldats français n'y avaient pris qu'une part négligeable. Et chaque fois que Joseph parlait en ce sens, il adressait au jésuite un regard signifiant : "Vous voyez ce que je disais !"

L'on assigna une chambre aux deux blessés. Ils purent s'y reposer alors que se poursuivait la conversation dans la grande pièce claire.

–Il fallait un fils du pays pour accepter de passer une nuit en la compagnie d'hommes des frontières.

–Ainsi que je vous le disais, père Virot, les temps changent. Vous êtes là; le père Aubery dort de son grand sommeil...

–Dieu ait son âme ! Voyez l'aspect vétuste de cette demeure. Tout est vieillot ici, à l'image du père Aubery.

–Il a bien connu monsieur de Frontenac, vous le saviez ?

–Je ne serais pas surpris d'apprendre qu'il a connu Samuel de Champlain, tant ce pauvre père Aubery était vieux.

Vaudreuil sourit négligemment, car son esprit voguait bien autre part.

–L'époque de Frontenac, c'était le bon temps. Une course par trois ans de nos bons Sauvages au pays des Anglais, et la paix était assurée. Tandis que maintenant, avec l'Angleterre aux portes du pays...

–Votre Excellence prend ses fonctions trop à coeur.

–C'est que nous sommes entrés dans une époque à nulle autre pareille. Par exemple, les terres commencent à se faire rares le long du Saint-Laurent; les fils d'habitant doivent donc s'éloigner dans la sauvagerie pour coloniser, ce qui met nos ennemis sur les dents. Ou bien les jeunes gens viennent engorger Québec. Saviez-vous que du temps de Frontenac, il y avait deux mille citoyens à Québec et qu'il y en aura bientôt dix mille ? Que surviennent une ou deux mauvaises récoltes et qu'alors les secours du roi soient interceptés et saisis par les britanniques comme ils ont fait du Lys et de l'Alcide, et voilà notre population de Québec dans la misère noire. Surviendra une famine terrible avec son cortège de maladies... Je n'ose y songer.

–Monsieur le gouverneur, ce que vient de raconter Joseph Bernard n'est-il pas de nature à remplir votre coeur des espérances les plus grandes ? Ou bien me faudra-t-il remplacer votre vin par du népenthès ?

Vaudreuil ne répondit pas sur-le-champ. Il poussa de longs soupirs avant de dire à mi-voix en gardant ses yeux dans son vin tournoyant :

–Mon cher père, la puissance ne s'invente pas. Le Seigneur, qu'il me pardonne de le dire, n'arrête pas toujours de sa main divine les boulets de canon de l'ennemi. Vous savez, les Anglais des colonies sont persuadés eux aussi que le Tout-Puissant est de leur côté. Mes services de renseignements m'ont rapporté que ces jours derniers, un magistrat a fait un discours aux législateurs du New-York pour le rétablissement des positions anglaises en Amérique et ce, "*sous l'oeil de Dieu et avec les moyens que le ciel nous a donnés*." Ils ont le nombre, ils prétendent avoir Dieu : s'il fallait que la flotte anglaise s'en mêle...

–Et si, comme vous le pensez, la France veut, elle, s'en mêler de moins en moins...

–Vous comprenez pourquoi il nous faut entourer le Canada de murailles infranchissables, quitte à sacrifier tout l'ouest et la Louisiane ?

Vaudreuil approcha de lui toutes les chopes de la table et il les mit en position.

–L'Anglais peut frapper par quatre chemins. De l'est par le fleuve. Par la voie Kennebec-Chaudière. Via le lac Champlain. Par l'ouest sur le fleuve vers Montréal. Louisbourg que voici lui ferme la porte à l'est. En second lieu, la sauvagerie du Maine est impénétrable pour une armée. Tertio, en plus de notre ligne de forts, nos amis sauvages servent de verrou à l'ouest où se trouve cependant une douloureuse épine au pied de la Nouvelle-France : Oswego. Et enfin, nous allons construire sur le lac Champlain une forteresse imprenable en un lieu stratégique situé à quelques lieues au sud de Saint-Frédéric.

Fatigué du voyage et, après avoir écouté pendant un moment à travers la cloison les stratégies du gouverneur qui ne dataient pas de la veille et se discutaient souventes fois à tous les échelons de la milice et dans toutes les places publiques, Joseph plongea dans un sommeil qu'aucune souffrance physique ou mentale n'aurait pu empêcher.

Devant le feu, Vaudreuil fit lui-même la distribution des présents aux chefs de famille. Il y avait des robes européennes, des catalognes fabriquées par des femmes d'habitant, des chaudrons de fer, des tricornes à rubans criards, des baudriers, des colliers de perles satinées et jusqu'à des chaussures à boucles. Et pour que le choix en soit un de bon père, le gouverneur fit de la répartition un jeu. Deux aides venaient déposer devant lui un coffre au trésor contenant les cadeaux destinés à une famille. À ce moment, Atécouando appelait par son nom un chef en particulier qui s'approchait, ouvrait le coffre et en prenait le contenu pour les siens. Sagesse de Salomon faisant appel au hasard.

Ensuite, il fit un discours solennel comme cela plaisait tant aux Indiens. Il leur montra Joseph, exalta son courage, exagéra ses aventures et ses témoignages.

Les Sauvages avaient gardé un silence religieux depuis le début, mais au chapitre des scalps, ils se figèrent comme des statues de pierre sur leurs jambes, qu'ils soient à croupetons comme ceux des premiers rangs ou bien debout comme ceux des derniers.

Le visage et l'uniforme remplis d'ombres dansantes, le geste vaste comme le pays, Vaudreuil déclara mot par mot :

–Des braves, là-bas, ont récolté autant de chevelures qu'il y a de doigts sur les deux mains. Et vous pourrez faire une meilleure récolte encore si vous accourez, avec vos frères de Missisquoi, au lac Champlain, vous battre sous les ordres d'un chef valeureux que j'ai rappelé de la Belle-Rivière pour cette raison. Il a pour nom monsieur Legardeur de Saint-Pierre. Vous avez tous vu la vaillante armée de monsieur Dieskau. Elle est si puissante qu'elle va pouvoir balayer les Anglais, les vaincre et les pourchasser jusqu'au grand lac du Grand-Esprit. Qui donc ramassera les chevelures si vous n'êtes pas avec elle ? Qui ? Les Wendats ? Les Iroquois ? Les Micmacs ?...

Joseph s'éloigna discrètement. Il a cherché vainement du regard dans l'attroupement des Sauvages les yeux brillants de cette jeune mère qu'il avait aperçue sous le soleil à son arrivée. Peut-être qu'en explorant le village, il pourrait la revoir ? Par une lune aussi forte, il n'aurait aucun mal à la reconnaître, même en s'éloignant de la grande place devant l'église où se tenait la réunion et, donc, où se trouvait le feu.

Il promena longuement sa solitude blafarde, tête nue, ruminant des souvenances. Parfois, sa jonglerie bifurquait à cause de l'aboiement d'un chien inquiet.

Seule Petit-Soleil était restée à la hutte. Et Jacataqua qui dormait à poings roulés. Elle entendit venir ce pas traînant qui ne pouvait être celui d'un brave ou même d'un homme blanc ordinaire. Alors elle devina, au rappel de l'arrivée des blessés, qu'il devait s'agir de l'un d'eux, de ces hommes marchant appuyés sur des branches. Elle s'embusqua derrière la porte ouverte pour surveiller par l'interstice et reconnut bientôt Joseph par sa cicatrice luisant sous les rayons de lune. La peur la visitait et pourtant, elle désirait qu'il entre et vienne la prendre sur sa couche. Car elle devinait son affection pour les Indiens.

Il s'arrêta devant la cabane, scruta le trou noir de la porte, eut l'étrange sentiment qu'elle se trouvait à l'intérieur de cette hutte et non pas d'une autre.

Un regard vers le ciel le mit en quête d'une étoile. Deux adolescents passèrent subrepticement devant lui, dans une course presque silencieuse. Il baissa la tête, fit demi-tour et reprit son pas abracadabrant tandis que Petit-Soleil sortait de la cabane et s'exposait aux lueurs jaunes de la nuit.

Il regagna la place. Le sachem vibrait au coeur de sa harangue. Atécouando fit venir les braves qui partiraient combattre et il assura Vaudreuil de tous les courages et de toutes les fidélités comme elles avaient été acquises aux Français depuis tant de générations.

À la danse, Natanis fut infatigable. Il abandonna le dernier l'espace entre le feu et la plate-forme des dignitaires. Vaudreuil se leva enfin et mit un terme à la fête en disant :

–Mes enfants chéris, mon coeur est rempli de reconnaissance et le sera pour toujours.

Après avoir été excusés, les deux blessés avaient regagné leur chambre. Hubert ronflait quand le missionnaire ramena son illustre invité. Joseph, lui, cherchait toujours l'étoile, mais la portion de la voûte céleste qu'il pouvait examiner par sa fenêtre était bien trop exiguë.

Malgré lui, comme précédemment, il fut témoin de la conversation qui eut lieu entre le jésuite et l'homme d'État, et il en fut bientôt estomaqué.

–Le chef s'est plaint de votre conduite, mon cher père, chantonna le gouverneur.

–Je n'ai fait que mon devoir. Je n'ai fait que ce que mon

bon père supérieur et vous-même m'avez commandé de faire.

–Recommandé, père Virot, recommandé Dieu du ciel ! je le sais, je le sais bien. Permettez-moi de vous rappeler nos raisonnements sur cette question d'envoyer nos Abénakis de Saint-François vivre en Ohio. Nous savons bien que Montréal et Québec peuvent se défendre sans eux, et que si elles ne le peuvent, quatre ou cinq cents Indiens n'y changeront pas un iota. Tandis que dans la sauvagerie de l'Ohio, ils nous seraient beaucoup plus utiles, par exemple sous la direction de notre fidèle Pontiac. Vous avez entendu ce que nous a rapporté ce Joseph Bernard ? Ce sont les Indiens qui ont bloqué Braddock. Voilà qui prouve de façon éclatante que notre pensée à leur sujet est juste. Les Abénakis sont souvent un poids pour le pays; ils doivent constituer plutôt un élément efficace de notre stratégie militaire.

–Je ne saurais vous demander ce que vous avez répondu au chef, mais vos paroles impliquent-elles que je doive continuer de leur recommander le départ ?

–J'ai dû rassurer le chef. Je lui ai dit que je m'entretiendrais avec vous, que je ne saurais vous approuver, qu'il devait comprendre que vous agissiez pour le mieux-être de la nation. Dieu me pardonne d'avoir ainsi menti, mais ce sont des enfants : ils se sentiraient abandonnés, rejetés s'ils apprenaient que leur paternel gouverneur souhaite les voir s'éloigner.

–Votre Excellence, ce discours n'est-il point de nature à les soulever contre leur missionnaire ?

Vaudreuil resta muet un moment. Il se racla la gorge à deux reprises, cracha quelque part... La question demeura sans réponse. Il dit :

–Peut-être pourriez-vous refuser les sacrements et l'entrée de l'église à ceux qui s'entêteront ? Les familles qui n'enverront pas de guerriers au lac Champlain devraient commencer le plus tôt possible à déménager leurs pénates en Ohio. Vous insisterez donc davantage, père Virot. Il y va du bonheur même des Sauvages. Notre devoir ne nous commande-t-il point de penser qu'ils courent les plus grands dangers à vouloir demeurer ici pour le cas où Dieskau, Dieu nous en préserve ! connaîtrait la défaite ? Une armée anglaise en route pour attaquer Québec ou Montréal par la voie du lac Champlain ne risquerait-elle pas de raser Saint-François d'abord ? En plus d'être nos alliés séculaires, nos Abénakis sèment l'épouvante plus que jamais dans les colonies anglaises, vous devez le savoir.

Joseph bouillait de colère. Pareille collusion lui paraissait indigne d'un gouverneur de la Nouvelle-France et d'un père jésuite. Et pourtant, tous les arguments exposés s'appuyaient sur des fondements indéniables qu'il était condamné à reconnaître. D'ailleurs, comme pour lui répondre, Vaudreuil poursuivit, disant :

–Ce projet en est un de bonne politique bien qu'il pourrait sembler odieux à certains coeurs par trop sensibles.

–Il y a aussi le sang des Canadiens déjà trop mêlé...

–Vous touchez là au coeur de ma pensée profonde, cher père Virot. Nous avons pris les qualités des Sauvages, leur courage, leur fierté, leurs attitudes hospitalières, leur propension à la fête, leur habileté en forêt; mais si leur sang devait se renforcer dans nos veines, alors nous acquerrons leur indolence, leurs difficultés à contrôler leurs impulsions et peut-être leurs us et coutumes les moins enviables. Sans compter cette inclinaison à toujours en réclamer de l'État, du roi en somme...

Joseph ne voulut pas en entendre davantage. Il tâtonna d'une main à côté de son lit, par terre, finit par trouver sa tuque. Il se l'enfila jusque par-dessus les oreilles. Et réussit à s'endormir en se reprochant d'avoir écouté aux portes. Il mettrait une grosse nuit profonde entre les pensées du gouverneur et les siennes.

Peu après le départ de Vaudreuil pour le lac des Deux-Montagnes, Joseph s'embarqua pour Québec et L'Islet. Il avait gardé sa tuque.

Ce jour-là, Natanis, Sabatis et une cinquantaine d'autres braves mirent leur canot à l'eau.

Petit-Soleil les vit s'en aller alors qu'elle travaillait comme une fourmi à confectionner des mocassins.

Norwich, Connecticut

Les terribles nouvelles affluant de Pennsylvanie et de Virginie concernant, outre la défaite de Braddock, les incursions meurtrières des Sauvages et des Canadiens jusqu'aux portes même de Williamsburg remplissaient la maison des Lathrop de stupéfaction, d'horreur et de colère. Le très modéré Daniel se rangeait de plus en plus souvent de l'avis de son frère.

Et Benedict Arnold continuait d'apprendre en silence.

Un matin au temps douteux du commencement d'août, l'esclave noire vint à la salle à manger prévenir Amélia de l'absence de l'adolescent. La jeune femme dramatisa la situation à la table du petit déjeuner. Joshua la rassura avec sa certitude que Benedict avait dû se rendre chez lui sans avertir, qu'il rentrerait dans les prochaines heures.

Mais il ne reparut point de la journée, de la soirée ni même de la nuit.

Contrarié par cette fugue inattendue, culpabilisé, Joshua s'occupait à faire de la lixiviation de racines de sassafras pulvérisées lorsque sa cousine Hannah fit son entrée dans l'apothicairie.

Atterrée mais faisant bonne contenance par ses extérieurs coquets et son visage calme, Hannah s'empressa d'excuser et son cousin et son fils :

–Ce n'est la faute de personne ni même de la sienne. Tu sais, la mort de la jeune fille d'en face l'a tant bouleversé...

À l'aide d'une tasse, Joshua écopait le liquide s'écoulant par une rigole depuis le bac en bois et le rejetait dans le petit bassin de façon à augmenter sa concentration, croyant à tort que ce produit était plus lourd que le reste parce que chargé d'éléments.

–Faut-il croire qu'il n'était pas heureux avec nous ? soupira-t-il sans lever la tête.

–Au grand contraire ! Chaque fois qu'il venait à la maison, il ne tenait guère en place tant il avait hâte de revenir ici. Il m'arrivait même de m'en attrister.

Joshua conversa sans grande attention. Il s'intéressait encore moins à son travail. Sa pensée allait vers le silence malheureux de Benedict quant à sa conduite après qu'il l'ait surpris avec Lydia. Il l'avait porté sur ses épaules, dans son dos, à son insu, ce pesant silence plein de reproches, mais n'avait pu le cacher tant il parlait fort. Et pour ajouter à tout cela, la mort du bébé d'Amélia avait paru lui assener un autre grand coup. Trop jeune pour contrôler son tempérament de feu, Benedict n'avait plus supporté de rester avec eux.

Tous ses raisonnements ne révélaient pas cependant vers quoi l'adolescent s'était dirigé dans sa fuite. Chacun avait d'abord pensé à l'armée de William Johnson pour laquelle on recrutait des miliciens. Mais l'officier recruteur rassura Joshua venu lui rendre visite. Il n'avait pas vu Benedict et, secondement, à cause de son âge, on ne l'accepterait pas dans l'armée ni à Norwich ni plus à New London ou à New Haven.

Le garçon s'était dirigé vers le nord. En fait vers le nord-ouest soit Hartford, et cela pour deux raisons souvent ressassées. En allant à Hartford, il prenait la direction d'Albany, New-York où se trouvait l'armée de Johnson. Et puis, on ne s'imaginerait pas chez les Lathrop ou chez ses parents, qu'il ait pu aller s'enrôler là-bas et on le rechercherait à Norwich, New London ou New Haven. Il avait vu juste.

Mais le recruteur, assisté d'un vieil homme édenté, refusa sa candidature, lisant dans son regard qu'il mentait sur son âge. Déçu et humilié, l'adolescent quitta le bureau en maugréant. Il s'assit dehors sur un banc d'attente et réfléchit, la tête dans les mains. Une botte trouée, un raclement de gorge, un crachat noir dans la poussière rouge du sol et une puanteur hircine le ramenèrent à la réalité du moment. Il aperçut devant le soleil le vieil homme à l'oeil fermé et à la bouche évidée qui mâchouillait du tabac.

–D'où viens-tu, mon gars ?

–De Norwich, répondit Benedict qui n'avait plus guère envie de raconter des histoires.

–Et tu veux aller te battre ?

–Pour le roi et pour ma patrie.

–Tu as quel âge ?

–Quatorze ans et demi.

–Tes parents le savent-ils que tu te trouves ici ?

–Je ne vis pas chez mes parents.

Le vieil homme loqueteux pensa aussitôt que le garçon était quelque orphelin en apprentissage chez des gens aisés, car ses habits montraient une qualité éloquente.

–Ton nom ?

–Benedict Arnold.

–Je vais te dire quelque chose, Benedict Arnold. Si tu

veux t'engager, peut-être que les compagnies indépendantes du major Rogers te prendraient.

–Je veux m'engager dans la vraie armée du colonel William Johnson.

–Dans ce cas, le mieux à faire, c'est de t'embarquer sur un bateau qui va t'emmener à New York. Et à New York, tu en prendras un autre remontant l'Hudson jusqu'à Albany.

L'oeil du garçon s'éclaira. Mais son front se rembrunit vite à l'idée qu'il manquerait d'argent pour le voyage, ce qu'il évalua en fouillant dans sa poche de veste. L'homme comprit et le rassura :

–Tu sais, mon gars, y a toujours des petites choses à faire sur un bateau. Offre-toi comme moussaillon. Les capitaines vont te prendre.

L'adolescent sauta sur ses pieds et dit fermement :

–Merci monsieur !

–Y a pas de quoi ! fit l'autre entre deux crachats bien roulés dans sa bouche.

Et le vieil homme le regarda courir en direction des quais de la rivière Connecticut, se disant que ce jeune Benedict Arnold avait dans les yeux la flamme d'un futur grand soldat, et en s'excusant donc au nom de cette idée de lui avoir montré le chemin menant au coeur de l'action, à Albany. Encore que là-bas, on le refuserait peut-être aussi.

Au cours de son voyage, Benedict fut fort impressionné par ce virage à quatre-vingt-dix degrés de l'Hudson alors que la rivière s'encaisse dans de hautes collines fortifiées où les bateaux doivent ralentir considérablement leur course pour éviter de s'échouer sur les berges sablonneuses. Il en retint le nom : West Point.

L'armée de Johnson, prévue depuis le départ à la conférence d'Alexandria, à cinq mille hommes, ne grossirait pas selon les voeux de son commandant. Pire, Shirley a fait en sorte de l'amputer de plusieurs centaines d'hommes qu'il voulait pour son propre corps expéditionnaire chargé d'aller s'emparer de Niagara. De plus, la défaite de Braddock a plaqué au sol bien des ardeurs, les Canadiens et les Sauvages faisant maintenant figure de guerriers invincibles. Des centaines d'hommes ont déserté; d'autres sont tombés malades...

En route, Benedict a sali exprès ses vêtements et son visage afin de convaincre mieux les gens du recrutement. On le prendrait pour un errant et donc on lui poserait moins de questions. En tout cas, on l'avait convaincu de cela sur le bateau de l'Hudson.

C'est ainsi qu'il se présenta au bureau de recrutement devant un milicien au visage sanguin, au regard soupçonneux et aux vêtements plus désordonnés encore que les siens, et qui chantonnait la finale de ses phrases sur deux notes pointues.

–Quel est ton nom, jeune homme ?

–Benedict Arnold.

En écrivant le nom sur la feuille d'engagement, il demanda :

–Arnold... avec ou sans H ?

–Sans.

–D'où viens-tu ?

–Du Connecticut.

–Et tu connais l'âge requis ?

–Oui, monsieur.

–Et... quel âge as-tu ?

–J'ai l'âge requis, monsieur.

L'homme inscrivit seize ans de deux traits bruyants d'une plume en mal d'encre.

–Si tu meurs, qui faudra-t-il aviser au Connecticut ?

–Joshua Lathrop à Norwich.

Sans questions additionnelles, l'homme griffonna les mots puis il fit signer la formule sous sa propre signature. Il poudra la feuille, souffla, la plia en deux parties, disant :

–Tu vas te présenter au quartier général du colonel Johnson à quatre maisons d'ici, sur cette rue, vers la gauche en sortant. Quelqu'un te donnera ton affectation.

–Oui monsieur, fit l'adolescent en donnant à son corps et à ses jambes une rigidité toute militaire.

–Tu peux y aller immédiatement.

–Oui monsieur.

Il fit demi-tour, le visage rayonnant d'un étonnement joyeux. Il marcha vers le quartier général sans voir l'activité intense de par tout le camp qui s'étendait dans une pente descendante vers la rivière. On s'affairait aux préparatifs du départ.

Des Indiens nonchalamment assis gardaient l'entrée de la maison. Cela tenait au fait que le colonel Johnson "était le genre d'homme qui se rencontrait plutôt chez les Canadiens que du côté anglais. Il vivait avec les Indiens et jouissait parmi les Agniers d'un prestige égal à celui du baron Saint-Castin chez les Abénakis."

Benedict entra sans être inquiété. Puis il pénétra dans la première pièce où il discerna une présence. Il se tint droit dans l'embrasure de la porte, déclina :

–Je suis Benedict Arnold du Connecticut. Suis venu m'enrôler. On m'a envoyé ici.

Un gratte-papier à nez rond et rouge et à lunettes, leva la

tête et réprima une grimace de voir l'âge de ce blanc-bec. Il dit d'un ton distrait en remettant toute son attention à ses dossiers :

–Dépose ta formule là, sur la table. Ensuite, tu te présenteras à l'officier...

Il fut interrompu par Johnson lui-même dont le bureau était adjacent. Par la porte ouverte donnant sur le sien, il avait entendu cette voix fluette affectant une virilité qui manquait encore en partie à la personne.

–Monsieur Arnold, venez dans mon bureau, dit le colonel, soldat aux épaules démesurées et habillé en homme des frontières.

Et il tourna aussitôt les talons.

Benedict obéit, surpris. L'autre était déjà rassis derrière une table étroite jonchée de cartes du pays. Il dit sans lever les yeux :

–Donnez-moi votre feuille d'enrôlement.

L'adolescent se sentit nu comme un ver, démasqué. Il tendit la formule, recula de trois pas et garda la tête haute. Car devait-il se montrer honteux de vouloir combattre pour sa patrie et pour le roi ?

Pendant que Johnson lisait, il se demandait quoi répondre si le soldat en venait à contester son âge. Mais l'homme ne souffla mot. Il se leva, sortit de la pièce puis de la maison. Il revint peu après, parla enfin :

–Benedict Arnold, vous pouvez vous asseoir là.

Le garçon prit la chaise désignée. Johnson s'intéressa à autre chose. L'attente fut interminable. Mais elle prit fin lorsque le colonel leva les yeux et esquissa un sourire à l'égard de quelqu'un se trouvant hors de la pièce, derrière Benedict lequel résistait à la tentation de tourner la tête.

Johnson se leva une autre fois en déployant la même énergie rapide et en faisant signe à l'arrivant d'entrer.

–Viens, viens...

À hauteur de Benedict, il tendit la main et reconduisit devant la recrue, un jeune Indien paraissant du même âge et qu'il guidait par l'épaule nue.

–Thayendenagea, voici Benedict... Benedict qui ?

–Arnold, dit Benedict en se mettant droit debout.

–Monsieur Arnold, vous serez avec Thayendenagea affecté à mon service personnel, sous mes ordres et ceux de mon secrétaire Philip.

Les deux garçons se dévisagèrent en silence et en froideur, chacun se demandant si l'autre chercherait à le commander.

On disait que le jeune Indien était le protégé de Johnson; il s'agissait là d'une manière toute britannique pour dire élégamment qu'il était son fils.

Grand-Pré

Deux mois auparavant, par un splendide matin de soleil frais, Marguerite Leblanc rendait visite à son fiancé.

Son père lui avait attelé à la charrette un gros boeuf noir et blanc. Elle emportait des couvertures, des travaux de broderie et du tricot. C'était le prétexte qu'avait trouvé Jacques pour la faire venir en coeur de semaine. Aussi, pour connaître mieux ses futurs beaux-parents, elle se rendait de plus en plus souvent dans cette maison où elle commençait déjà à mettre un peu de sa main à côté de son coeur bien en place, lui, au moins dans la cuisine.

L'escargot à cornes lui donna tout le temps et le plaisir de se soûler d'air sec. Un air immobile, net, bleu-vert sur l'eau dans le lointain, et serein jusqu'au fin fond de sa vue.

Qu'il était rare dans ce pays de grands vents, de voir, aussi tranquille, perché sur sa colline insouciante, le moulin à vent qui semblait prier dans ses grands bras en forme de croix !

Si l'Anglais pouvait donc se calmer ! pensa-t-elle en courbant la tête. Mais son coeur la lui fit relever. N'était-ce point une journée de joie qui commençait ? Et d'espérance ? Pourquoi des lamentations vaines et stériles à deux petits mois de son mariage ? Jacques s'emparait de l'avenir à pleins bras, lui ! Il l'avait fini, son aboiteau de l'année passée. Restait qu'à attendre une année de plus pour que l'eau de pluie dessale le sol emprunté à la mer, et il s'achèterait deux nouvelles bêtes à cornes. Et il en projetait d'autres, des digues, tout au long de sa vie future pour la baliser. Et il en parlait chaque fois qu'ils se voyaient comme autant de serments d'amour et de fidélité. Elle n'aurait jamais de misère, la Marguerite, à ses côtés. Jamais !

Elle l'aperçut de fort loin, là-bas, en bas, affairé autour d'un parc à poissons qu'il devait vider des aloses, sardines, gaspéreaux et carrelets qu'il capturait en abondance en les faisant prisonniers derrière un barrage quand la marée baissait.

Il la vit de suite et lui adressa de grands mouvements des bras pour lui crier des sentiments puissants. Sûr qu'il remplirait la moitié d'un tonneau, et cela ajoutait à son contentement de la voir venir. En se dépêchant, il pourrait sans doute la rejoindre avant la maison.

Elle y fut la première. L'accueillit le bon sourire de la mère de Jacques, une femme boulotte et chaleureuse qui avait une hâte au moins égale à celle de son fils de voir la maison réchauffée par Marguerite et la marmaille qui ne manquerait pas de s'ensuivre d'une aussi belle fille du pays.

Le boeuf fut laissé à paître entre la maison et la grange.

La jeune fille prit toute sa lingerie à bras-le-corps, d'un seul coup, et marcha vers l'autre femme qui accourait sans courir, en se dandinant sur ses hanches larges.

–Pas besoin de venir, j'ai toute.

–Tu veux pas que je t'aide pareil ?

–Ben non, ça pèse pas plus qu'une plume de perdreau.

Pour se rendre utile et se faire encore plus accueillante, la femme à cheveux blancs lisses, mit sa main sous le coude de Marguerite et la conduisit en placotant des mots de bienvenue jusqu'à la porte entrouverte qu'elle poussa.

–Mets ça sur la table. On va étendre chaque morceau pour pas que ça vienne tout plissé, hein ?

–C'est ben plié.

–J'en doute pas, mais y a itou que j'ai pas mal hâte de voir ce que t'as aujourd'hui.

Marguerite se débarrassa en laissant échapper un soupir de soulagement.

–T'aurais dû m'en laisser. Non, mais regardez-moi donc les belles couvertes : c'est doux comme du duvet de petit poussin.

–Je les ai copiées par ma fenêtre cet hiver, sur la belle neige qui tombait dehors, dit Marguerite avec tendresse.

–Donne-moi ta capuche, là. Jacques sera pas long à venir si il t'a vue passer.

–Il m'a vue.

–À matin, il était fou comme un foin. Quand il est pour te voir dans la journée, on dirait qu'il serait capable de labourer toute l'Acadie à lui tout seul...

–Ou ben de chasser tous les Anglais pour l'éternité, ajouta une voix d'homme quelque peu frileuse venue d'une chambrette voisine.

–Bon matin, monsieur Babin, fit Marguerite qui, de la table, pouvait apercevoir le vieil homme grabataire cloué à son lit depuis des années à cause d'un accident et d'une blessure à l'épine dorsale.

–Tu viendras me voir aujourd'hui quand t'auras le temps.

–J'y manquerai pas, j'y manquerai pas.

–Ton père, il va ben ? Sa santé pis toute ?

–Il est fort comme la marée haute : y a rien qui peut l'arrêter.

–Pourquoi c'est faire qu'il se cherche pas une veuve quelque part, vu que tu vas te marier ?

–C'est ça que tout le monde lui dit, mais on dirait qu'il a le coeur au ciel avec ma mère.

Marguerite fut interrompue par la mère de Jacques qui revenait à la table.

–Bon, laisse-moi regarder tout ça. C'est-il assez ben travaillé un peu ! J'examinais ce que t'as mis dans la grande armoire l'autre fois, t'es habile de tes dix doigts comme...

–T'oublieras pas de venir ? insista l'homme à la voix haut perchée.

–Certain !

Aux approches du repas du midi, elle devait lui faire, sa visite.

–J'ai pas besoin d'aide, va voir le père, il s'ennuie comme la dernière pomme d'un verger quand les neiges prennent, dit la femme en commençant les préparatifs. Pis toi, Jacques, va avec, adressa-t-elle à son fils revenu depuis un bon moment avec sa pêche, et qui placotait avec les femmes.

–Avez-vous besoin d'eau ? lui demanda-t-il.

–J'ai ce qu'il faut.

–Voulez-vous que j'arrange les poissons ?

–C'est quoi, tu veux pas accompagner ta fiancée pour aller voir ton père ? rit-elle.

–C'est pas ça, vous savez ben, rougit-il.

–Si tu veux absolument te rendre agréable, prépare-nous une bonne tasse d'eau d'épinette.

Jacques s'approcha de sa fiancée, lui dit doucement :

–Va voir le père pis je t'arrive que ça sera pas long.

Le vieil homme avait gardé l'oeil vif malgré tout ce labeur inscrit en larges rigoles sur son front. Ses cheveux flottaient sur l'oreiller en épaisses vagues blanches se confondant avec une barbe propre, ondulée, lumineuse.

Sans cette cassure au dos, il travaillerait encore tant il y avait d'harmonie dans toute sa personne, dans ses bras nus aux muscles visibles malgré l'inaction.. Pas l'inaction totale, car ses bras, il les faisait travailler tous les jours en se soulevant le haut du corps à au moins cent reprises. Depuis son accident, il redisait à qui voulait l'entendre que le ciel finirait par l'exaucer en lui rendant l'usage de ses jambes et qu'alors, il bâtirait toutes les digues que le Jacques voudrait.

Non seulement avait-il transmis sa force physique à son fils, mais aussi sa foi en l'avenir, cette confiance si grande qu'un jour, sur un bateau pris dans la tempête, elle était devenue témérité... Pour lui, les Anglais ne seraient jamais plus qu'une menace agaçante à condition qu'on ne les provoque pas. Leur colonisation de la côte est irait lentement en raison de terres plutôt médiocres. Après Lawrence viendraient d'autres gouverneurs plus bienveillants comme il y en avait eu quelques-uns depuis 1713, dont Hopson, le précédent. Et puis, l'Angleterre, pays de haute civilisation, s'en prendrait-elle à un petit peuple aussi pacifique ?

Les gens de Grand-Pré avaient repéré en Jacques Babin toutes les qualités de son père, y compris son bon sens politique, et c'est pourquoi ils l'ont choisi comme député avec mission de se rendre à Halifax transmettre au gouverneur une requête pour qu'on laisse aux Acadiens leurs armes et que soit levé l'ordre de ne plus transporter de marchandises par voie d'eau.

C'est sur ce sujet que porta leur conversation après que le vieux Jean eut félicité Marguerite pour ses travaux et l'eut questionnée sur tout chacun de chez elle.

Trop timide pour élaborer sur quoi que ce soit, la jeune fille recula imperceptiblement de quelques pas, puis retraita derrière sa tasse, y buvotant des gorgées drues en écoutant des propos qu'elle jugeait trop confiants.

À la table, elle continua de se faire discrète, comme toujours quand il y avait plus d'une personne avec elle, se contentant de jeter des coups d'oeil par-dessus les occupants, sur cette pièce où elle aurait à vivre et à travailler jusqu'à sa mort sans doute. Elle compta les marmites et les gros ustensiles accrochés aux larges pièces de bois équarri du mur d'en face. Plus bas, sous une table à tréteaux, il y avait quatre chaudrons supplémentaires plus gros ceux-là, et alignés comme des soldats disciplinés.

–C'est-il mangeable ? lui demanda soudain la vieille dame.

–Oui, oui...

Elle avait servi du poisson frais du jour, frit dans l'huile, du pain et du beurre. Les paroles échangées étaient un mélange de considérations politiques rarement commentées par les femmes, mais qui valaient parfois des interventions criées par le père, lui-même en train de manger et de propos plus féminins tout en soieries et dentelles.

–Anglais ou pas, le vingt-trois juillet, la cloche de l'église de Grand-Pré fera savoir à tout le bassin des Mines que la Marguerite Leblanc vient d'épouser le Jacques à Jean Babin, fit joyeusement le jeune homme pour clore le repas.

Et il enveloppa de sa main celle de sa fiancée négligemment posée sur la table à côté de son assiette où il ne restait plus que des arêtes blanches.

Elle rapetissa sa main pour ne pas qu'il en sente les quelques rugosités. L'hiver avait requis un tribut à sa jeunesse et, de connivence avec ce qu'elle avait fabriqué, savon, chandelles, avec le cardage et le filage, avec tout ce qu'elle avait frotté, lavé, il avait écrit, inscrit sa date sur sa peau comme il le faisait chaque année sur les arbres sans qu'il n'y paraisse trop avant quelques années.

Une semaine plus tard, dans les trois villages des Mines, une réunion fut tenue. Il fallait approuver le texte final de la requête. À chaque endroit, l'on fit ajouter des "Monseigneur" et des "Votre Excellence" à l'endroit du gouverneur.

Le dix juin, Jacques Babin se rendit à Halifax en compagnie du député de Piziquid. Il avait l'âme à l'espérance tant le texte qu'il porta exhalait de soumission respectueuse.

Un subordonné se rendit porter la lettre à Lawrence qui en prit aussitôt connaissance pendant que les visiteurs en discutaient les grandes lignes en attendant réponse du gouverneur.

"Monseigneur,

Les habitants des Mines, de Pisiquid et de la Rivière aux Canards prennent la liberté de s'approcher de Votre Excellence pour lui témoigner combien ils sont sensibles à la conduite que le gouvernement tient à leur égard. Il paraît, Monseigneur, que Votre Excellence doute de la sincérité avec laquelle nous avons promis d'être fidèles à Sa Majesté Britan-

nique. Nous supplions très humblement Votre Excellence de considérer notre conduite passée, elle voira que bien loin de fausser le serment que nous avons prettés, nous l'avons maintenu dans son entier malgré les sollicitations et les menaces effrayantes d'une autre puissance. Nous sommes aujourd'huy, Monseigneur, dans les mêmes dispositions les plus pures et les plus sincères à toute épreuve pour Sa Majesté, de la même façon que nous l'avons fait jusqu'ici, tant que Sa Majesté nous laissera les mêmes libertés qu'elle nous a accordés à ce sujet; nous prions instamment Votre Excellence de vouloir nous informer des intentions de Sa Majesté sur cet article, et de vouloir bien nous donner des assurances de sa part.

Permettez-nous, s'il vous plaît, Monseigneur, d'exposer ici les circonstances gênantes dans lesquelles on nous retiens au préjudice de la tranquillité dont nous devons jouir. Sous prétexte que nous transportons notre Bled ou autres denrées à la pointe de Beauséjour et à la rivière Saint-Jean, il ne nous est plus permis de faire le moindre transport de Bled par eau d'un endroit à l'autre; nous supplions Votre Excellence de croire que nous n'avons jamais transporté aucune provision de vivre ni à la pointe, ni à la rivière Saint-Jean... Nous espérons qu'il plaira à Votre Excellence de nous rendre la même liberté que nous avions cy-devant en nous rendant l'usage de nos canots, soit pour transporter nos besoins d'une rivière à l'autre, soit pour faire la pêche, et par là subvenir à notre nourriture...

De plus, nos fusils, que nous regardons comme nos propres meubles, nous ont été enlevés, malgré qui nous sont d'une dernière nécessité, soit pour défendre nos Bestiaux qui sont attaqués par les Bêtes sauvages, soit pour la conservation de nos Enfants et de nous-mêmes... Il est certain, Monseigneur, que depuis que les Sauvages ne fréquentent plus nos Quartiers, les Bêtes féroces sont extrêmement augmentées et que nos Bestiaux en sont dévorés presque tous les jours. D'ailleurs, les Armes qu'on nous enlève sont un faible garant de notre fidélité, ce n'est pas ce fusil que possède un habitant qui le portera à la Révolte, ni la privation de ce même fusil qui le rendra plus fidel, mais sa conscience seul le doit engager à maintenir son serment.

Il paroit un Ordre de par Votre Excellence, donné au Fort Édouard le 4 juin 1755... signé A. Murray, par lequel il nous enjoints de transporter les fusils, pistolets au Fort Édouard : il nous apparoit, Monseigneur, qu'il nous seroit dangereux d'exécuter cet ordre (dans le supposé qu'il s'en trouva encore quelques-uns qui avaient échappés à la recherche exacte que l'on a faite) avant de vous présenter le danger auquel cet Ordre nous expose, les Sauvages peuvent venir nous menacer et nous saccager en nous reprochant que nous avons fourni des Armes pour les tuer, nous espérons, Monseigneur, que bien loin de nous le faire exécuter avec tant de danger, qu'il vous plaira au contraire d'ordonner que l'on nous remette ceux que l'on nous a enlevées, et nous procurer le moyen par là de nous conserver nous et nos Bestiaux.

Nous supplions Votre Excellence de vouloir nous communiquer son bon plaisir avant de nous confisquer et de nous mettre en faute. Ce sont les grâces que nous attendons des bontés de Votre Excellence, et nous espérons que vous nous ferez la justice de croire que bien loin de vouloir transgresser nos promesses nous les maintiendrons en assurant que nous sommes, Monseigneur, vos très humbles et très obéissants serviteurs.

Signé par vingt-cinq des sudits habitants au nom de tous."

Les deux députés-messagers qui n'avaient par ailleurs été investis d'aucune mission parlementaire, durent reprendre le chemin du retour sans avoir rencontré le gouverneur.

Quelques jours plus tard, le Conseil déclara à l'unanimité que la dite requête "*était hautement arrogante et insidieuse, insultante pour l'autorité et le gouvernement de Sa Majesté et digne d'un châtiment exemplaire.*"

Sur les entrefaites, Beauséjour et Gaspereau capitulèrent devant les deux mille provinciaux de Monckton. Trois cents Acadiens y furent faits prisonniers et auraient risqué d'être pendus pour haute trahison sans un article de la capitulation stipulant que, puisqu'ils "*avaient été forcés de prendre les armes sous peine de vie, ils seraient pardonnés.*" Ce qui signifiait qu'ils ne seraient pas mis à mort.

Effrayés par les conséquences possibles et inquiétés par la réception de leur requête par le Conseil, les députés se réunirent à nouveau, et l'on rédigea une seconde requête à l'intention du gouverneur.

"*Monseigneur,*

Tous les Habitants des Mines, de Pisiquid et de la Rivière aux Canards supplient Votre Excellence de croire que si dans la Requette qu'ils ont eu l'honneur de présenter à Votre Excellence, il se trouvait quelque faute ou quelque manque de respect envers le gouvernement, que c'est contre leur intention et que dans ce cas les Habitants qui l'ont signé ne sont pas plus coupables que les autres. Si quelquefois il se trouve des Habitants embarrassés en présence de Votre Excellence, ils supplient très humblement de vouloir excuser leur timidité; et si contre notre attente, il se trouvait quelque chose de dure sur la dite requette, nous prions Votre Excellence de nous faire la grâce de pouvoir expliquer notre intention, ce sont les faveurs qu'il plaira à Votre Excellence de nous faire en la suppliant de croire que nous sommes très respectueusement, Monseigneur, votre très humble et très obéissants serviteurs.

Signé par quarante-quatre des susdits habitants au nom de tous."

Le premier juillet, les signataires de la première requête furent convoqués pour le surlendemain à Halifax afin d'y être introduits devant le Conseil.

Le matin suivant, Jacques partit de noirceur à pied pour arriver à l'heure à l'église du village où les cinq délégués de Grand-Pré s'étaient donné rendez-vous. L'on ferait les soixante-dix milles à parcourir dans une longue charrette. Et le lendemain, frais et dispos d'un coucher à Halifax, on rencontrerait les membres du Conseil et le gouverneur que l'on craignait plus que jamais.

Le jeune homme avait tout calculé son temps de façon à pouvoir s'arrêter une petite demi-heure chez Marguerite. Elle lui avait promis du thé, des galettes et des crêpes.

–Ça sera tout chaud quand t'arriveras, lui a-t-elle crié quand ils se sont quittés la veille.

Il regardait se découper les bâtisses sur la surface grisâtre du bassin des Mines. Son coeur était rempli d'ombres imprécises. L'affaire des trois cents pris à Beauséjour préoccupait toute l'Acadie au plus haut point. Plusieurs regrettaient d'en avoir laissé d'autres céder aux pressions françaises transmises et appuyées par les prêtres. Lui-même avait été sollicité pour aller défendre le fort, mais il avait refusé de se battre, favorisant, comme son père, une neutralité absolue. Ne prendre les armes ni contre l'Anglais qui est le maître, ni contre le Français qui est le sang : voilà la ligne sage à suivre, s'entendaient à dire les délégués à l'instar de l'écrasante majorité des Acadiens.

Le jour était presque net quand il se présenta chez Marguerite. Il n'eut pas à frapper à la porte. Sa fiancée était déjà sur le seuil. Toute en sourires de bonheur et d'inquiétude ! Les autres enfants dormaient encore. Le père mangeait déjà. Il s'en excusa auprès de l'arrivant :

–Le temps que tu vas déjeuner, je vas aller atteler. Parce que je te laisserais pas faire le reste du chemin à pied, hein !

–Dérangez-vous pas; c'est pas moins vite à pied.

–J'ai un jeune boeuf fringant et qui a bon pas, tu vas ben voir par toi-même.

L'homme eut tôt fait de s'en aller en recommandant à Jacques de le prévenir quand il serait prêt; lui resterait aux bâtiments pour voir à l'ordinaire.

Le jeune homme parla de son voyage. Les délégués seraient conduits en voiture par son ami Antoine Bourgeois. On coucherait dans une auberge confortable où il avait été hébergé lors de son précédent voyage là-bas.

–C'est ben propre. Les Anglais, faut leur donner leurs qualités, sont ben méticuleux. Dans l'auberge, y a des affiches de règles sur les murs. Ça dit : pas plus de quatre personnes dans le même lit; pas de bottes pour se coucher; pas de chiens dans les cuisines. Des affaires de même... Ah ! ils nous aiment pas gros, mais ils prennent notre argent pareil. Avec de l'argent, tu fais ton chemin partout, hein !

Assise en face, Marguerite l'écoutait distraitement. Elle dit soudain :

–J'ai peur, si tu sais pas !

–Peur de quoi ? fit-il avec un étonnement feint puisque lui-même ressentait les pénibles torsions du doute dans sa poitrine.

–Que tu reviennes pas, répondit-elle, les yeux baissés.

–Faudrait que le ciel me tombe sur la tête pour pas que je revienne ! T'as dû mal rêver.

–Avec tout ce qui se passe...

–Écoute, ils vont toujours pas nous jeter en prison. Y a une loi anglaise qui nous protège; ça s'appelle l'habeas corpus. Ils peuvent pas nous arrêter sans motif valable. Pis si ils nous arrêtent pareil, ils vont juste avoir la peine de nous relâcher. On a pas commis de crime. Crains pas, je vas être là pour le vingt-trois. Je voudrais pas manquer mon mariage même pour l'amour de notre bon gouverneur Lawrence.

–Justement, un motif, c'est pas dur à bâtir quand on est gouverneur.

–Si tu me promets de dormir ben dur sur tes deux oreilles, je vas te rapporter un beau châle... Un vrai de beau ! Pas en grosse laine du pays comme icitte, mais en fine laine d'Angleterre. Le dimanche, tu vas pouvoir t'enorgueillir comme les élégantes d'Halifax pis de Boston pis de Londres.

–Gaspille donc pas ton argent pour des 'fanferlouches'. Si tu veux à tout prix m'acheter quelque chose, que ça soye une ou deux poêlonnes : ta mère en manque.

–Je veux ben. Pis une petite fantaisie grosse comme ça, fit-il en montrant deux doigts collés.

Elle accepta par un sourire.

Des propos badins roulèrent jusqu'à la fin du repas. À regret, il s'apprêta à partir.

En elle, une grande tristesse montait comme les marées du pays, et elle ne parvenait pas à l'endiguer. Elle le laissa aller jusqu'à la porte tout en se levant de table dans des gestes mesurés, retenus.

–Bon, ben à dans deux jours !

–À dans deux jours ! dit-elle en contournant la table, la tête penchée de réflexion et d'hésitations lourdes.

–Merci pour ton hospitalité, dit-il sur un ton à l'accent interrogatif.

–Jacques...

Il laissa retomber la clenche pour se faire plus attentif.

–Dis-moi que tu vas revenir.

–Juré devant Dieu !

Ces mots de mariage tombèrent sur l'âme de la jeune fille comme des grosses pierres dans l'eau, lui éclaboussant le coeur de larmes angoissées. Elle courut à lui, donna des ordres amoureux par ses gestes tremblants. Posa sa tête sur sa poitrine comme si souvent déjà pour la relever aussitôt... Vers lui. Vers la sienne qu'elle prit dans ses mains, dans ses doigts fébriles. Lui demanda le ciel par ses yeux suppliants.

–Juré devant... voulut-il redire.

Mais elle avait posé ses lèvres sur les siennes, des lèvres qui exigeaient la vie, l'avenir, et dont le feu n'avait cure des défenses des prêtres. Qu'importe le péché si l'homme de sa vie ne devait jamais revenir !

Surpris et troublé, Jacques répondit à sa fougue en la serrant contre lui à l'écraser. Elle eût voulu encore davantage, étouffer, disparaître en sa substance.

Il n'avait pas imaginé que leur premier vrai baiser d'amoureux se produirait en de pareilles circonstances. L'heure lui touchait l'épaule. L'Acadie le voulait ailleurs. Malgré l'intense bonheur qu'il sentait sur lui et dans sa chair, il dut s'arracher à l'amour et ouvrir la porte.

–Jacques... fit-elle comme sur une note de désespoir.

–Deux petites journées, dit-il en détachant les syllabes.

Et il partit.

Elle s'adossa à la porte et pleura doucement. Il y avait en elle la certitude qu'elle ne le reverrait plus, ne lui toucherait plus, ne l'entendrait plus, ne s'abreuverait à ses yeux qu'en regardant la mer, et cela aurait goût de sel. Puis la honte d'avoir cédé à sa chair poussa d'autres larmes derrière les premières. Elle irait au confessionnal. L'abbé Chauvreulx comprendrait. Dieu pardonnerait...

Le voyage fut court. Il faisait beau. On avait débâché la charrette. Les chevaux d'Antoine, repus d'avoine et bien bouchonnés, avaient fière allure. Les heures furent hachurées de propos frivoles.

Quand une occasion qui permit le secret se présenta, Jacques s'enquit à propos de ses armes qu'il a confiées à Antoine lorsque l'ordre de confiscation a été lancé après la saisie-surprise ordonnée par Lawrence le six juin, et qui n'a donné à Murray qu'une maître récolte de quatre cents fusils.

–Pas un Anglais pourrait jamais mettre la patte dessus. Sont au fond d'une tasserie sous quinze pieds de paille.

–On ferait mieux de les remettre à Murray.

–Jamais !

–Plus on va faire les têtes fortes...

–Ils le savent pas, eux autres, si on a des fusils ou pas.

–Tout le monde sait que les Acadiens ont vingt fois plus de fusils que ce qui fut saisi.

–Jacques, occupe-toi de politique pis laisse-moi m'arranger avec les fusils.

La jeune député avait le coeur en guenille quand s'ouvrirent les deux grandes portes solennelles de la pièce où était réuni le Conseil. Par chance, il entra l'un des derniers.

Le lieu était éclairé par des fenêtres étroites mais fort hautes comme celles de l'église de Grand-Pré. Le long des murs longitudinaux, il y avait deux rangs de chaises brunes et luisantes; mais les Acadiens ne furent pas invités à s'asseoir.

À part Jacques, tous voûtèrent un peu le dos par réflexe de soumission humaine. Un fonctionnaire les plaça sur deux rangées au bout de la table où siégeaient les cinq conseillers réguliers sous la présidence de Lawrence. Sans le vouloir, Jacques hérita du point le plus central face au gouverneur.

Il y eut d'abord un long et terrible silence où chaque partie fut en mesure de sonder l'autre, au moins superficiellement comme cela se produit généralement lorsque se rencontrent des sangs qui se soupçonnent,

Le jeune homme ne put supporter l'oeil froid de son vis-à-vis, mais il garda la tête haute et porta les yeux au-dessus du gouverneur.

Par la voix de l'interprète et bien que Lawrence connût la langue française, les membres du Conseil furent présentés : le capitaine Cotterell, le capitaine John Collier, Benjamin Green, érudit et Trésorier de la province, John Rous, ancien corsaire de Boston et Joshua Mauger, marchand d'Halifax possédant des entrepôts à Piziquid et aux Mines. Paraissait aussi un non-membre, le juge Belcher, consultant juridique du Conseil.

Tous sérieux. Sourcils froncés à l'image du président. Accusateurs.

Lawrence demanda ensuite qu'on fît l'appel nominal des signataires de la requête. Il en manquait dix. Ils furent déclarés malades par le principal porte-parole des Acadiens, un homme qui avait la réputation d'être le plus fin renard des Mines. Un regard argenté à sourire engageant. Nul mieux que lui n'eût pu transmettre aux autorités la douce fermeté des Acadiens dont l'Angleterre s'était accommodée depuis quarante ans. Il répondit au nom de Charles Thibodeau et fit alors un profond salut de la tête et du dos courbé ainsi que la révérence à l'anglaise.

Lawrence traînait ses R pour leur donner plus d'arrogance, déclarant tout d'abord que la requête dont il était question avait été trouvée insolente et hostile à l'endroit du gouvernement de Sa Majesté et passible de châtiment.

Puis l'on procéda à l'analyse en profondeur et en filigrane de la dite requête. Et à chacun, les députés furent sévèrement réprimandés pour avoir eu l'audace de signer et présenter un document aussi impertinent.

"*Blessés par les procédés du gouvernement à votre égard?*" se surprit le joufflu Cotterell. "*Mais vous avez toujours été traités avec douceur et tendresse. Vous avez joui de plus de privilèges que les sujets britanniques. L'on vous a concédé le libre exercice de votre religion, donné droit de consulter vos prêtres, protégé votre commerce et vos pêcheries, exemptés du serment d'allégeance. Pouvez-vous citer un seul cas de dur traitement infligé par le gouvernement ?*"

"Nous avons été traités avec douceur," fit Thibodeau de sa grosse voix soumise au nom de tous.

"*Vous demandez que l'on considère votre conduite passée ?*" s'exclama le sec Collier. "*Le gouvernement a le chagrin de vous dire que votre conduite a été à l'encontre de vos devoirs envers Sa Majesté. Vous avez assisté les ennemis du Roi. Vous avez fourni des provisions à l'ennemi. Et quand vous avez consenti à vendre au gouvernement, vous avez exigé trois fois le prix des autres marchés. Vous avez été indolents pour cultiver vos terres. Vous n'avez été d'aucune utilité à la Province. Citez un seul cas de service rendu par vous au gouvernement.*"

"Nous n'avons aucune réponse à vous donner." se désola le porte-parole.

"Vous supposez que le gouvernement suspecte votre sincérité" s'étonna Green, le réservé. *"Qu'est-ce donc qui vous a fait supposer cela ? Ne serait-ce pas plutôt l'indice qu'au fond de vos âmes, vous avez conscience de manquer vous-mêmes de sincérité ?"*

Les Acadiens restèrent muets.

"Vous vous dites disposés à prouver votre fidélité à Sa Majesté pourvu que Sa Majesté vous laisse jouir des mêmes libertés qu'Elle vous a accordées," s'indigna Rous, le coléreux. *"Il n'appartient pas à des sujets britanniques de formuler des termes à la Couronne. Votre 'pourvu que' constitue un proviso des plus insolents qui soient."*

Silence !

Vous désirez utiliser vos canots pour porter les provisions d'une rivière à l'autre et faire la pêche," sourit le rusé Mauger. *"Ne serait-ce pas plutôt pour approvisionner l'ennemi ? Savez-vous qu'une loi de la Province défend de transporter des provisions d'un fort à l'autre ?"*

"Et vous demandez à ravoir vos fusils," soupira Lawrence. *"Saviez-vous que de par les lois anglaises, tous les catholiques romains ont défense d'avoir des armes et qu'ils encourent des peines si l'on en trouve dans leurs maisons ? Saviez-vous que les bêtes féroces ne se multiplient pas comme des mouches en l'espace de quelques semaines, ce que vous ne pouvez ignorer du reste, et que pareil argument, plus que spécieux, comporte insulte pour celui qui le reçoit ?"*

"Enfin vous osez affirmer que ce n'est pas le fait de posséder un fusil qui pourra conduire un habitant à se révolter, ni la confiscation de cette arme qui le rendra plus fidèle au gouvernement, mais que c'est sa conscience seule qui peut l'engager à garder son serment," termina le gouverneur sur un ton neutre. *"Vous prétendez, de manière indigne et méprisante, expliquer au gouvernement la nature de la fidélité. Si*

vous étiez sincères dans votre devoir à l'égard de la Couronne, vous ne craindriez pas de remettre vos armes quand c'est la volonté du gouvernement du Roi de vous les demander pour le service de Sa Majesté."

Il se fit un long et lourd silence dans les deux camps. Le gouverneur reprit lentement :

–Le Conseil a bien voulu considérer votre seconde requête et vous faire grâce pour l'insidieux et insolent contenu de la première. Telle est notre bonne volonté ! Mais vous, puisque l'occasion ne peut être meilleure de prouver votre obéissance au gouvernement, pourquoi ne prêtez-vous pas sur l'heure, devant le Conseil, le serment d'allégeance selon la forme ordinaire ? La question vous est posée.

–Nous voudrions en délibérer, demanda Thibodeau.

–Faites, faites... Éloignez-vous si vous le désirez.

Quelques minutes après, Thibodeau déclara qu'ils n'étaient pas prêts à donner une solution au Conseil en la matière.

–La chose vous fut souvent offerte dans les six dernières années, et chaque fois, vous avez éludé la question sous divers prétextes également frivoles, leur dit Lawrence. Vous avez été prévenus qu'un jour ou l'autre, l'on exigerait de vous ce serment. Nous sommes convaincus que vous connaissez les sentiments des habitants en général et que vous avez eu tout le temps de considérer vous-mêmes la question, et que vous avez pris une détermination personnelle à cet égard.

–Nous désirons retourner chez nous... Pour consulter notre monde. C'est pas possible pour nous de prêter serment comme ça sans connaître les sentiments de ceux qui nous ont envoyés pour les représenter.

Il y eut un échange de vues en anglais entre les gens du Conseil puis le gouverneur parla comme un juge :

–Il ne vous est pas permis de repartir à moins que vous ne déclariez maintenant votre intention, pour ce qui est de vous personnellement. Il est raisonnable après un si long délai que vous en arriviez à une conclusion sur ce point.

Thibodeau demanda qu'on leur accorde une heure pour fins de délibérations, ce qui leur fut consenti. Ensuite, par sa voix, les députés donnèrent tous la même réponse, soit qu'ils devaient consulter la population d'abord.

–Mais nous acceptons, Votre Excellence, de prêter le serment selon la forme que nous avons déjà jurée.

–Nous ne pouvons désormais accepter de votre part d'autre serment que celui que les autres sujets de Sa Majesté sont obligés de prêter. En conséquence, nous vous donnons jusqu'à dix heures demain matin pour en venir à une résolution.

Le gouverneur frappa alors la table à deux reprises d'un coup de maillet en disant :

–Sur ce, le Conseil s'ajourne jusqu'à l'heure dite.

À leur auberge, les députés s'assemblèrent dans la chambre de Thibodeau et sous sa présidence. Tout d'abord, les avis furent partagés. L'argument qui l'emporta fut celui voulant qu'on attende au tout dernier moment pour prêter le serment, de ne le faire qu'une fois la tête carrément sur le billot. Thibodeau formula la proposition finale quant à cette ligne de conduite, et chacun fut appelé à la sanctionner.

Quatre étaient assis sur le lit à paillasse épaisse et bruyante. Les autres, à terre le long des murs. Le président au centre sur une chaise retournée. Il fit l'appel nominal d'une voix traînante.

“Ça marche depuis 1713, ça va marcher encore,” grommela Charles Leblanc, un homme renfrogné qui n'envisageait jamais personne.

“Y a l’habeas corpus,” dit Emmanuel Mirande en allumant une longue pipe anglaise.

“Si Lawrence avait voulu pour de vrai nous faire plier, il nous aurait pas fait venir icitte,” argua Alexis Trahan en pointant chacun du doigt.

“Moi, je pense qu’ils vont toujours pas emprisonner les dix mille Acadiens; ils manqueront de place dans les geôles du Roi,” farça Germain Boudrot.

Pendant tout le temps des délibérations, Jacques se rappelait la scène de son départ de chez Marguerite. Sans pourtant en saisir la raison profonde, cela le portait vers une opinion différente de celles de ses pairs.

–Pourquoi pas le prêter, ce maudit serment-là pour qu’ils nous laissent en paix sur nos terres ? Après tout, c’est rien que des mots. Ce qu’on pense pour de vrai, c’est pas pareil.

–Non, non, c’est pas rien que des mots, murmurèrent des voix.

–Ça veut dire que demain, ils pourraient te mettre un fusil sur le dos pis t’envoyer tirer sur le monde de Québec, affirma Girouer de Piziquid.

–Au pire aller, tu tires en l’air, répliqua le jeune homme afin de noyer sous un certain humour inopportun ce qu’il regrettait déjà d’avoir avancé.

À l’heure prévue, le jour suivant, le porte-parole fit part au Conseil de leur décision maintenue.

–Puisque vous refusez de prêter le serment, le Conseil ne peut plus vous considérer comme sujets de Sa Majesté britannique mais bien plutôt du Roi de France, et vous fera traiter comme tels.

Les Acadiens furent priés de se retirer puis réintroduits.

–Nous déclarons que des mesures seront prises pour déporter hors de la province tous ceux qui refuseront de prêter le serment, leur fut-il déclaré.

–Nous acceptons maintenant de prêter le serment, dit Thibodeau au nom de tous les délégués qui opinèrent de la tête.

Lawrence répondit sèchement :

"Vu qu'il n'y a aucune raison d'espérer que votre soumission soit sincère, que cette soumission provient de la contrainte et de la force, elle est en opposition avec une clause de l'Acte du Parlement en vertu de laquelle toutes personnes ayant une fois refusé de prêter les serments, ne peuvent ensuite être admises à le faire. Permission de prêter serment ne peut donc plus vous être accordée.. Ordre est donné pour que vous soyez emprisonnés jusqu'à ce que le Conseil ait statué sur votre cas. De plus, le capitaine Murray ordonnera aux habitants de choisir de nouveaux députés dans les plus brefs délais."

–Faut pas s'énerver, c'est pour faire peur à toute l'Acadie qu'ils font ça, pis forcer tout le monde à se mettre à genoux, dit Thibodeau aux députés découragés quand ils se retrouvèrent dans un hangar qui servirait de prison après que toutes les ouvertures en eurent été bloquées avec des planches clouées en travers et qu'on eut assigné douze soldats pour patrouiller autour et garder l'entrée principale.

Venu les prendre pour les ramener à l'auberge, Antoine Bourgeois fut informé de la nouvelle inquiétante. Mais il ne fut pas autorisé à voir les prisonniers. Alors il jugea bon de faire le voyage de retour à dos de cheval, à bride abattue, afin d'aviser les prêtres qui sauraient ce qu'il faudrait faire, eux qui savaient toujours...

Il l'annonça lui-même à Marguerite. Elle le prit sans broncher. Submergée dans une mer de tristesse, elle savait que c'était le commencement seulement de ses larmes, et qu'elle ne serait sans doute point la seule Acadienne à en verser.

–Trois jours pis ils vont nous laisser partir, dit Jacques à Germain Boudrot. Le temps qu'arrivent les nouveaux députés.

–Fait noir icitte-dans. Ils auraient pu laisser une fenêtre au moins.

–De la manière que ça sent le cheval, ça devait ben être une écurie, icitte.

–Va-t-il falloir coucher sur la terre nue ?

–L'important, c'est qu'ils savent asteur qu'en dernière limite, on peut leur prêter, leur maudit serment.

Des voix sans couleur volaient dans l'antre sombre.

–Si faut que ça dure, je me demande qui c'est qui fera mes récoltes, moi.

–Ça durera pas, es-tu fou, Ernest ?

Le dimanche quinze juillet, les habitants de la rivière d'Annapolis, conformément aux ordres de Lawrence, se réunirent pour choisir leurs députés et répondre à la question du serment. Elle fut négative et signée par deux cent sept au nom de tous. Semblable réponse le vingt-deux juillet par les habitants de Piziquid et signée par cent trois au nom de tous. Même décision des habitants des Mines et de la Rivière aux Canards le jour suivant.

Ce matin-là d'un jour venteux à ciel bousculé, Marguerite se rendit chez les Babin en quête de courage et de réassurance que le père de Jacques, par son discours toujours empreint de sagesse, saurait bien lui donner.

Mais l'homme était effondré. Il craignait le pire maintenant. La rumeur d'une possible déportation générale était parvenue jusqu'à lui. Elle avait meurtri son habituel bon sens : il avait été l'un des premiers de toute l'Acadie à croire que l'impensable se tramait, lui qui pourtant ne sortait pas de sa chambre. Il n'en dit mot cependant ni devant elle, ni devant son père ou Antoine Bourgeois qui venaient souvent, depuis le départ de Jacques, afin d'assurer l'ordinaire, ce pourquoi ils travaillaient donc en double.

La jeune fille pleura avec la mère de Jacques sur son mariage tant attendu et maintenant reporté à Dieu savait quand.

À Halifax, Jacques y songeait aussi depuis l'aube. Mais sa tristesse s'habillait et se réchauffait d'espérance. Les dix-neuf jours de captivité avaient été très supportables. On les avait bien nourris. L'officier chargé de leur garde parlait français et venait à l'occasion leur faire part des dernières nouvelles. Il en apporta de fort mauvaises ce jour-là.

D'abord, ce fut celle du refus des habitants de la vallée d'Annapolis et de Piziquid de prêter serment. Puis les bruits quant à une déportation générale et non plus seulement des députés, qui se répandaient en se renforçant. À midi, l'officier apporta une nouvelle qui eût dû faire applaudir tout le monde, mais qui, au contraire, bouleversa chacun d'eux : la défaite de Braddock à la Monongahéla. Il y avait là de quoi aigrir les membres du Conseil. Trois heures plus tard, il vint leur annoncer leur transfert prochain à l'île George où ils seraient détenus dans l'attente de leur déportation en France.

Jacques voulut le prendre à la blague. Il monta sur un établi qui lui avait servi de lit et il dit à l'intention de ceux qui l'ignoraient encore :

–Mes amis, je devais épouser la Marguerite Leblanc aujourd'hui. En cadeau de mariage, le gouverneur veut m'offrir... Paris et rien de moins.

Des applaudissements fusèrent. Des applaudissements plutôt jaunes...

Tout ce qui avait besoin d'être autorisé, rédigé, mis en place, prévu pour la déportation fut discuté dans les jours suivants au Conseil. Car si le judiciaire achevait de faire son lit, le politique, lui, avait encore des cartes à jouer. Ou plutôt à ne point jouer. Londres et même les gouverneurs des colonies anglaises, sauf celui du Massachusetts, ne devraient apprendre la déportation qu'après coup comme l'avait conseillé Shirley lui-même l'année précédente. Quant aux Acadiens, on ne leur révélerait la vérité qu'à la toute dernière minute pour ne pas leur donner l'occasion de se soulever. À cette fin, il fallait une bonne machine militaire. Elle était justement en Acadie, ces jours là. Et puissante !

Le vingt-huit juillet, cent députés des quatre coins de l'Acadie parurent devant le Conseil et refusèrent de prêter le serment. Ils furent emprisonnés au même endroit que leurs prédécesseurs, tous rendus maintenant à l'île George.

Tous sauf Jacques Babin qui s'évada le soir même précédant le transfert et marcha de nuit les soixante-huit milles le séparant des Mines, craignant à chaque tournant se faire cueillir par un parti de soldats. Vaine inquiétude puisque sa disparition n'avait même pas été signalée à Halifax, l'officier de garde la taisant pour s'éviter des sanctions.

Passé midi, alors même que les portes du hangar noir d'Halifax se refermaient sur le destin d'un peuple, celles de la grange à Antoine Bourgeois s'ouvraient, laissant se ruer une lumière violente à la face d'un dormeur. Jacques ouvrit des yeux d'abord effarouchés puis ombrageux, puis d'une si terrible détermination qu'un observateur eût pu penser que le sort de l'Acadie n'était peut-être pas tout à fait scellé encore.

–Où c'est qu'est mon fusil ? s'écria-t-il dès qu'il eut reconnu Antoine.

–Mais de quoi c'est que tu fais icitte, toi ? fit l'autre agréablement surpris.

–J'ai faussé compagnie aux Anglais. Faut que je me cache en attendant que...

–T'es là depuis quand ?

–Arrivé à matin au lever du soleil.

–De quoi c'est qu'il s'est passé là-bas ?

–J'ai proposé aux autres de s'évader. Ils ont refusé, ont dit que ça serait dangereux, que ça pourrait nuire à notre cause autant que... que ceux pris à Beauséjour. Mais moi, je crois plus en rien de ce que disent les Anglais. Faut prendre tous les fusils qui nous restent pis se soulever de contre eux autres.

–Pas asteur, c'est pas le temps.

–Pas tant qu'ils auront pas pris une décision, tu vas me dire. Mais on va toujours pas se laisser déporter sans se battre !

–C'est sûr, mais faut attendre. Tu vois ben asteur pourquoi je voulais pas remettre les fusils à Murray.

–Des fois, ça prend du temps à s'ouvrir les yeux.

–T'es pas allé chez vous ? T'as pas vu Marguerite ?

–Ils devront pas savoir que je suis icitte.

–Les Anglais vont rappliquer chez eux.

–C'est pour ça qu'ils doivent rien savoir. Comme ça, ils pourront rien dire.

–De quoi c'est que tu vas faire ? Veux-tu rester icitte ? Quant à moi, tu peux rester tant que tu voudras. Mais pas dans la grange avec les animaux, tu vas venir à la maison.

–Je vas peut-être aller me cacher dans le bois en attendant. Pis non, faut que je sois au courant de ce qui va se passer à Halifax.

–Savais-tu que les cent nouveaux députés sont rendus làbas ?

–Pour faire le serment ?

–Non, pour pas le faire...

Jacques refusa l'offre de son ami de se loger dans la maison. Il resterait là, proche des fusils, et ainsi ne ferait courir de risque à personne. Et que s'approchent les Anglais !

Antoine dut mettre ses parents au courant. Son père l'accompagna après la messe, le lendemain, pour apporter au fugitif aliments et réconfort. Hélas ! ils durent aussi lui faire part d'une nouvelle pire que toutes les précédentes soit l'emprisonnement de cent députés.

–Mais que faut-il faire pour rien faire pantoute ? s'écria le jeune homme.

–Le Seigneur va-t-il nous abandonner à tout jamais ?

–L'abbé Chauvreulx dit qu'il faut attendre sans toutefois prêter le serment. Pis surtout, surtout prier ben fort, soupira le père d'Antoine, un homme chauve à la voix chaude.

Ce fut une semaine quelque peu apaisante pour le fugitif. Rien de noir venu d'Halifax ne plana dans l'air. La mère d'Antoine, sachant trop la misère morale de Marguerite, lui révéla la présence chez eux de son fiancé.

Un midi, la jeune fille vint le surprendre. Il l'aperçut dans la lumière éblouissante de la porte ouverte, fine dans sa robe qui balayait les pavés de la batterie, soulevant les brins de foin et un peu de poussière qui retombait aussitôt. Elle portait au bras le même panier recouvert d'un linge blanc de leurs nombreuses excursions dominicales, rempli de laitages et petits pains et morceaux de sucre et pièces de son coeur.

–Tu vas m'excuser de pas avoir été là pour le mariage ? dit-il en se levant du mulon de paille où il était étendu, et en espaçant vers elle son indécision par petits pas inquiets.

Ils s'arrêtèrent à dix pieds l'un de l'autre comme si quelque muraille invisible les avait empêchés de s'approcher davantage.

–C'est que j'ai pas pu y aller non plus, fit-elle émue. Je t'ai apporté à manger.

–Les Bourgeois me laissent pas mourir de faim, mais ce que t'as sera meilleur, ben meilleur...

–J'ai du lait-câilles comme tu l'aimes.

–Faudrait ben mettre la table, hein ?

Elle inspecta des yeux autour de lui.

–J'en ai une, crains pas, une table; mais je la défais après les repas. Regarde : les chevalets sont là pis la fonçure est en-dessous de la paille, icitte...

En même temps, il s'affairait à composer le meuble grossier sous le regard à l'anxiété amoureuse de sa fiancée immobile et triste.

–L'affaire, c'est qu'il faut manger debout. À moins que... Je vas aller emprunter deux chaises...

–Non, non, coupa-t-elle. C'est sombre icitte... Tu veux pas qu'on aille manger dehors avec la mer devant pis le soleil, pis le petit vent comme... comme avant ?

Il haussa les épaules, baissa la tête et murmura, les yeux à terre :

–Y a plus rien comme avant ! Qui c'est qui aurait cru que ça pouvait nous arriver tout ça ? Pis selon moi, le pire est encore à venir...

–Demain, c'est demain, fit-elle avec une tendre fermeté.

–Tu... tu viens pas dans mes bras comme...

–Comme avant ? Pis toi ?

–Ça sera peut-être que j'ai peur... Peur d'être heureux une journée, une heure, pour ensuite tomber du haut du ciel dans l'enfer tout droit, l'enfer anglais... Si je t'avais pas aimée, j'aurais été moins malheureux dans ma prison d'Halifax...

–C'est pareil pour moi... Mais pourquoi c'est faire qu'on attendrait pas à demain pour pleurer ?

Il sourit, roula les yeux en un mouvement circulaire comme l'eût fait un enfant content, courut lui prendre le bras en disant :

–Allons dehors nous chauffer la couenne au soleil.

L'abbé Chauvreulx répéta ce qu'il avait dit le dimanche précédent dans son sermon : patience et prière. Il venait de retourner à l'autel lorsqu'un paroissien venu de la sacristie gravit nerveusement les marches jusqu'à lui sans même précéder son geste d'une génuflexion et lui parla à l'oreille. Le prêtre se tourna à demi, sembla regarder les fidèles, haussa les épaules et murmura une réponse à l'homme qui repartit aussi vite qu'il était apparu. Plusieurs assistants se tournèrent aussi vers l'arrière comme si devait s'y trouver la raison de cette intrusion du paroissien au coeur du choeur.

Marguerite ne sortit point de son état de prière profond. Elle avait l'âme blanche d'une confession générale quelques jours auparavant. Sa confiance, son coeur, son esprit : elle offrait tout aux mains de la sainte Mère du Seigneur dans le recueillement de ses yeux fermés.

Des bruits insolites lui parvinrent tout à coup. Des voix lointaines, la grande porte qui s'ouvre... Des pas secs, mesurés et pressés de chaque côté... Des coups sur le plancher. Une rumeur dans l'assistance.

Elle ouvrit les yeux, se tourna : stupéfaction ! Se tenaient de long de chaque mur une rangée de soldats à l'attention, fusil à terre tandis que deux officiers passaient dans l'allée centrale pour se diriger vers le choeur, suivis d'autres soldats qui se déployèrent bruyamment de chaque côté de l'autel.

Plus terrible encore fut le silence qui suivit. Le prêtre avait poursuivi sa messe comme si de rien n'était. Les fidèles se parlaient les uns les autres par des regards atterrés. Marguerite avait le coeur étreint, fou d'inquiétude : sûr qu'on venait par surprise pour capturer Jacques. Ne l'y trouvant pas, on fouillerait les fermes. Elle voulait courir à lui, le prévenir... Sortir, on la suivrait sûrement. Pourquoi s'était-il donc enfui d'Halifax ? Il pouvait le payer de dix années de bagne. La déportation, passe toujours, on peut finir par se retrouver, mais les murs d'une prison sont plus épais qu'un pays à traverser, qu'une mer à franchir.

Quand la messe fut terminée, les fidèles ne bougèrent point. Alors un officier, embarrassé du devoir à accomplir, lut au prêtre le mandat d'arrêt qu'il avait à remplir à son sujet.

–Puis-je dire un mot à mes ouailles, demanda l'abbé.

L'officier acquiesça d'un geste de la main et se mit en retrait. L'abbé dit alors d'une voix qui résonna sous la nef, sur les frises et dans les vitraux :

–Mes frères, me voilà convoqué par Son Excellence le gouverneur de la province... Sachez qu'Halifax ne me gardera pas bien longtemps sinon Londres me fera délivrer comme seront libérés bientôt tous nos députés. Les portes de l'enfer ne prévaudront point contre elles. Et les portes de l'église vous resteront ouvertes. Si je ne suis pas de retour dimanche prochain, venez tous prier comme aujourd'hui. Nommez quelqu'un pour lire le saint Épître, l'Évangile et pour vous adresser la parole; ainsi, le Seigneur sera au milieu de vous. Ayez confiance ! Notre-Seigneur qui a protégé l'Acadie depuis quarante ans continue de veiller sur vous, sur nous tous. Je vous bénis...

C'est à Piziquid que le prêtre fut conduit. Il y rejoignit le curé de l'endroit, lui-même en détention au fort Edward.

Monckton reçut les instructions de Lawrence quant à la déportation qu'il devait organiser. D'abord la préparer en usant de tous les stratagèmes pour s'emparer des chefs de famille, car *"une fois les hommes détenus, il n'y a guère lieu de craindre que les femmes et les enfants tentent de s'enfuir et d'emmener les bestiaux."*

Le lendemain de l'enlèvement de l'abbé Chauvreulx (il en avait été ainsi de tous les autres prêtres d'Acadie sauf un) le colonel Monckton convoqua l'un de ses adjoints, le lieutenant-colonel John Winslow. Il lui lut les décisions d'Halifax.

À une phrase, Winslow sourit. Monckton le remarqua et lui dit :

–Notre gouverneur a du style.

Puis il la relut :

"Il est toujours facile de trouver un bâton pour battre un chien, surtout de tels chiens."

Dans la région de Beaubassin, les habitants furent sommés de se rendre au fort Cumberland pour *"prendre des arrangements concernant leurs terres."*

Le onze août, Winslow pouvait écrire : *"Les portes du fort se sont fermées sur quatre cents hommes."*

C'était trop peu. Il manquait la majorité des chefs de famille. Une rafle générale fut ordonnée. Plusieurs détachements furent envoyés dans toutes les directions : Chipoudy, Tintamard, Baie Verte, Pointe aux Bourgs...

Les transports ne tardèrent pas à commencer d'arriver dans la rade de Beaubassin.

–Ce qui me fait lever le coeur chez ces gens, c'est leur basse et plate soumission, confia Winslow à un officier quand ils arrivèrent à Grand-Pré ce vingt-deux août.

Il établit son camp entre l'église et le cimetière et se logea lui-même au presbytère inoccupé. Quant à l'église, elle fut transformée en place d'armes. Autour du camp, il fit construire une enceinte palissadée pour éviter toute surprise.

Ce soir-là, il écrivit à un ami, marchand de Boston, lui confiant en fin de lettre :

"Nous avons entrepris de nous débarrasser de l'une des plaies d'Égypte."

L'homme n'avait pas changé depuis l'année précédente. Même poids, même allure, mêmes idées que lors de son voyage à Narantsouak. En fait, il était le même depuis toujours : un être à multiples facettes souvent contradictoires. Le puritain en lui cédait parfois le pas au mâle aux prises avec d'impérieuses soifs de femme; et ses paternités éparpillées n'auraient pas éveillé en lui le moindre remords, la plus petite inquiétude.

Quant à sa pensée profonde, elle avait rarement le meilleur sur le constant souci qu'il avait de son image publique. S'interrogeant sans cesse sur ce que dirait l'Histoire à son sujet. Exécuteur fidèle de n'importe quel ordre venu d'en haut. Angoissé par l'opinion que ses supérieurs pourraient avoir de lui. Riant aux blagues de ses amis et lui ajoutant du sien, fussent-elles du plus mauvais goût. Autoritaire mais en éternelle recherche d'une plus grande popularité auprès de ses hommes. Bref, l'ambivalence en uniforme de milicien !

C'est ainsi qu'il faisait les gorges chaudes sur le fait qu'il occupait le presbytère, s'attribuant pour rire les fonctions du curé, et que, le moment venu de s'endormir, un remords superstitieux lui disait que cela ne lui porterait pas chance.

Les jours passant, il devint évident qu'Halifax ne faisait pas rechercher le fugitif. Antoine et son père durent retourner là-bas aux fins d'y quérir leur second cheval et la charrette. Ils s'y adonnèrent à une enquête discrète, virent bien qu'il n'était fait état nulle part d'un député manquant et recherché. Et sans doute que ses compagnons d'infortune s'étaient entendus pour garder secrète son évasion de peur des conséquences fâcheuses certaines pour eux tout comme pour lui.

Le jeune homme voulut s'enhardir, mais les Bourgeois lui firent comprendre qu'il devait continuer à vivre dans la clandestinité tant que le climat ne serait pas redevenu sain pour l'Acadie. Et puis quelqu'un pourrait le dénoncer sans même le vouloir. Cependant, on obtint qu'il restât dans la maison et non plus dans la grange inconfortable.

À sa prochaine visite aux parents de son bien-aimé, Marguerite leur dévoila la vérité pour qu'ils cessent, eux aussi, de se morfondre. Quant à son fiancé, elle le vit deux bonnes fois par semaine.

Il travaillait tant qu'il le pouvait sur leur ferme afin de remettre aux Bourgeois le temps qu'eux-mêmes donnaient sur sa terre à lui. Il ne s'arrêtait pas de redire que la situation politique s'aggraverait, que tout cela tournerait à la tragédie, invoquant l'enlèvement des prêtres, l'emprisonnement des députés. Un soir, lors même d'une visite de Marguerite venue souper avec lui, la discussion reprit à table.

–Ce qu'ils veulent, soutint le père Bourgeois, c'est un soulèvement. Ils s'en serviraient pour montrer à la face du monde qu'ils ont raison de nous jeter en prison pis de nous déporter. Mais l'Acadie se laissera pas prendre à ce jeu-là. Demande à ton père, Jacques, il les connaît, les Anglais, lui itou.

–Ils en veulent même plus de serment.

–Ils sont allés le plus loin qu'ils pouvaient aller. Les prêtres, les députés pis asteur l'armée au village autour de l'église. Là, il faut qu'ils attendent Londres. Pis Londres peut pas les laisser faire. George 2 est pas un barbare. Ils savent ben là-bas, en Angleterre, qu'on est du monde tranquille, nous autres, les Acadiens.

–Au pire du pire, s'il faut s'en aller au Canada, on s'en ira pis on recommencera à zéro. C'est mieux que la mort, hein ? fit Antoine, influencé lui aussi par l'opinion générale aux Mines.

–Il reste pas de place le long du fleuve à ce qu'il paraît, objecta Jacques.

–Mais voyons, c'est plein de rivières qui se jettent dans le fleuve. Les fils d'habitants des côtes remontent à l'intérieur des terres. Six ans passé, j'étais à Québec pis j'ai vu justement des familles qui se préparaient à monter dans ce qui s'appelle la Nouvelle-Beauce. C'est du long d'une rivière qui arrive pas loin de Québec : le Sault-de-la-Chaudière. Il y aurait là une belle vallée verdoyante pis fertile...

–Mais pas de mer, mais pas de pêche, mais pas de bateaux, mais pas d'aboiteaux pis de prairies comme icitte.

Marguerite avait la larme à l'âme d'entendre son fiancé décrire pays aussi terriblement triste.

Ces jours-là, six goélettes arrivèrent aux Mines : l'Industry, l'Endeavour, la Mary, la Neptune, l'Elizabeth et la Leopard. Les habitants furent bouleversés. Certains se rendirent à bord et tâchèrent de connaître la destination des navires. On leur répondit qu'ils étaient là pour l'usage des troupes.

Le lendemain, Winslow se rendit à Piziquid conférer avec le capitaine Murray. Il fut décidé de convoquer les Acadiens en l'église de Grand-Pré dans les plus brefs délais. On rédigea le texte de convocation aussitôt traduit par Deschamps, un employé suisse du marchand Mauger.

Deux jours plus tard, les habitants eurent communication de l'avis.

"Le lieutenant-colonel John Winslow, écuyer, commandant des troupes de Sa Majesté...

aux habitants du district de la Grand'Prée, rivière des Mines, rivière aux Canards, lieux adjacents, y compris les vieillards, les jeunes gens et les adolescents.

Attendu que Son Excellence nous a instruit de sa récente décision concernant les propositions faites aux habitants et nous a ordonné de leur en faire part nous-mêmes; car, Son Excellence, désirant que chacun soit mis au courant des intentions de Sa Majesté, nous a ordonné de vous les communiquer telles qu'elle les a reçues.

En conséquence, j'ordonne et enjoins strictement par les présentes à tous les habitants des districts sus-nommes et tous autres districts, tant vieillards et jeunes gens que garçons de dix ans, de se trouver à l'église de la Grand'Prée le vendredi 5 courant à trois heures de l'après-midi afin que nous puissions leur faire part des instructions que nous avons ordre de leur communiquer. Je déclare qu'aucune excuse, sous aucun prétexte, ne sera admise, et ce, sous peine de confiscation des biens et effets à défaut d'autre fortune.

Donné à la Grand'Prée, le 4 septembre de la 29e année du règne de Sa Majesté. Anno Domini 1755."

John Winslow

Pour apaiser les craintes des gens qui doutaient de ses intentions, Winslow fit circuler la rumeur voulant qu'on les convoquait pour leur faire renouveler leur ancien serment d'allégeance.

–Vous devez pas y aller ! Au grand jamais ! s'écria Jacques Babin lorsque ses hôtes apportèrent la nouvelle au soir tombé alors que la pièce avait été laissée dans une pénombre aux accents rendus lugubres par les propos échangés.

–Sous peine de confiscation des biens et effets, disait la communication, fit le père Bourgeois.

–C'est en plein le temps des moissons : s'ils vous enferment pour deux, trois semaines... avec les gelées qui retarderont pas, on va tout perdre.

–Ben non, étira le père.

–De quoi c'est qu'on peut faire d'autre ? se demanda le fils.

Jacques mit des heures à s'endormir, tournant et retournant mille questions en son esprit. Lui qui avait été si modéré déjà n'hésiterait plus maintenant à prendre les armes contre l'Anglais. Mais que faire contre tous ? Comme Winslow, cette soumission des siens l'écoeurait. Pourtant, il leur pardonnait volontiers, car qui avait eu sa chance ou sa malchance de rencontrer le Conseil et de lire tout ce mépris dans les yeux de ces gens-là ? Peut-être que les Acadiens n'avaient pas assez souffert dans leur propre chair ? Fallait-il donc qu'ils se bouchent les yeux volontairement pour refuser d'additionner les faits, ce qui conduisait irrémédiablement à une certitude d'exil prochain. Ils faisaient bien de se garder les mains sur les yeux sinon l'arrivée des bateaux les aurait crevés.

Malgré toute la conviction qu'il mit dans ses propos le jour suivant, les Bourgeois père et fils, se rendirent avec quatre cent seize des principaux habitants mâles à l'église, à l'heure dite. Quand ils furent tous regroupés dehors, devant, on ouvrit les portes. Ils défilèrent entre les rangs des miliciens armés. Les portes se refermèrent.

Devant, derrière une table, il y avait l'ambigu Winslow dans un uniforme net, et deux officiers ainsi que cet homme que les Acadiens connaissaient bien puisqu'il était l'employé de Mauger, ce Deschamps douteux. Dans un silence de mort fut lu l'impossible message que le Suisse traduisait à chaque paragraphe d'une voix cléricale et monocorde.

"Messieurs,

J'ai reçu de Son Excellence le gouverneur Lawrence les instructions du Roi que je tiens en main. C'est par ses ordres que vous êtes convoqués pour apprendre la décision finale de Sa Majesté à l'égard des habitants français de sa province de Nouvelle-Écosse où, depuis près d'un demi-siècle, vous avez bénéficié d'une plus grande indulgence qu'aucun de ses autres sujets en aucune partie de son empire. Quel usage vous avez fait de cette indulgence, vous le savez mieux que personne. Le devoir qui m'incombe, quoique nécessaire, est très désagréable à ma nature et à mon caractère, de même qu'il doit vous être pénible à vous qui avez la même nature. Mais ce n'est pas à moi de critiquer les ordres que je reçois, mais de m'y conformer. Je vous communique donc sans hésitation, les ordres et instructions de Sa Majesté, à savoir que toutes vos terres et habitations, bétail de toute sorte et cheptel de toute nature, sont confisqués par la Couronne, ainsi que tous vos autres biens, sauf votre argent et vos meubles, et vous devez être vous-mêmes enlevés de cette Province qui lui appartient.

C'est l'ordre péremptoire de Sa Majesté que tous les habitants français de ces régions soient déportés. J'ai des instructions, par suite de la bonté de Sa Majesté, pour vous autoriser à emporter votre argent et vos meubles pour autant que les navires où vous entrerez n'en seront pas surchargés. Je ferai tout ce qui est en mon pouvoir pour que tous ces biens vous soient assurés et que vous ne soyez pas molestés dans leurs transports : je veillerai aussi à ce que les familles s'embarquent au complet dans le même vaisseau et à ce que cette déportation qui, je le sens bien, doit vous causer beaucoup de peine, s'accomplisse aussi facilement que le permet le service de Sa Majesté et j'espère qu'en quelque partie du monde où vous puissiez vous trouver, vous serez de fidèles sujets, un peuple paisible et heureux ! Je dois aussi vous informer que c'est le bon plaisir de Sa Majesté que vous restiez en sécurité sous la surveillance et la direction des troupes que j'ai l'honneur de commander."

John Winslow

La réaction ne fut pas celle qu'attendait Winslow. Il lui sembla que les Acadiens ne se rendaient pas compte qu'ils allaient être positivement expatriés. Et il quitta les lieux sans parler à quiconque, pour se rendre à ses quartiers, laissant à ses officiers les charges requises par la "cédule".

Après s'être consultés, les prisonniers déléguèrent les plus anciens auprès du lieutenant-colonel. Ils exprimèrent au nom de tous leur regret d'avoir encouru le mécontentement de Sa Majesté et leur crainte que la nouvelle de leur emprisonnement allait porter un coup terrible à leurs familles. Ils demandèrent que l'on garde un certain nombre d'entre eux comme otages et que l'on permette au plus grand nombre de retourner chez eux.

Winslow réunit ses officiers, et l'on discuta de la demande. Il fut décidé de ne laisser partir que vingt d'entre eux. Ils annonceraient ce qui s'était passé, diraient aux femmes et aux enfants qu'ils étaient en sûreté dans leurs demeures en l'absence des chefs de famille. De plus, ces délégués ont été investis à leur insu d'une mission d'espionnage camouflée soit de s'assurer du nombre des absents et d'en faire rapport le lendemain. Enfin, l'on ferait savoir à toutes les familles qu'elles devraient voir à fournir leur nourriture aux prisonniers sans quoi ils auraient à souffrir de la faim, car le gouvernement ne se chargerait pas de les approvisionner.

Assise dans le tombereau, y attendant son père, Marguerite fut la première femme à connaître l'affreuse nouvelle. Deschamps vint lui en faire l'annonce laconique. Elle reprit le chemin de la maison, le coeur courbé, mais sans verser de larmes inutiles.

Cependant, à son arrivée chez les Bourgeois, en serrant son fiancé dans ses bras, elle ne put les retenir davantage.

–Ils ont arrêté tout le monde, confia-t-elle dans un blanc murmure.

–Je le savais, je le savais, soupira-t-il en se tournant à demi vers la mère assise à la table de la cuisine, une femme dans la cinquantaine presque muette en tout.

Marguerite sanglotait maintenant :

–Ils vont nous déporter tous dans les colonies anglaises. L'Acadie, c'est perdu, perdu...

Jacques eut un hurlement de bête, sourd et rauque, comme né d'un coup de poing au coeur. Il dit, la voix blême :

–Ça peut pas se passer comme ça. Faut se battre, faut se battre, faut...

–Avec nos mains nues, nos pieds nus pis nos corps nus ? fit la mère comme dans un cri refoulé depuis un siècle.

–Y a des fusils partout encore. On va les ramasser pour leur foncer en pleine face à ces animaux féroces d'Anglais.

–Qui c'est qui va les porter, les fusils, les femmes ?

Il plongea son regard dans un lointain dur, bien plus encore que la poutre à surface inégale qui barrait le mur audessus de la porte. Sa main caressante dans les cheveux de Marguerite calma doucement la fureur de ses sanglots.

Dès la nuit suivante, il entreprit sa cueillette. Dans tous les foyers, on le reçut avec surprise et émotion. Et puisqu'il avait été député, et puisqu'il s'était évadé, et puisqu'il promettait la victoire finale, on lui faisait confiance.

"J'ai su que Boishébert a envoyé des émissaires à Québec; nos frères du Canada vont pas laisser faire la déportation. Y a une flotte française arrivée là-bas : la France laissera pas faire la déportation. Pis si nous autres, on relève la tête, on laissera pas faire la déportation," répétait-il partout.

Dans une semaine, probable qu'il aurait trois cents fusils tous réunis en un seul endroit. Quant aux bras pour les porter, il avait son plan...

Il ne put, hélas ! trouver que trois armes aux douze maisons qu'il visita. Au petit matin, il se rendit chez ses parents. Son père approuva sa démarche tout en lui recommandant la plus grande prudence. Sa mère ne sut qu'en dire.

Pendant trois semaines, déguisé en femme, il courut tout le secteur, travaillant nuit et jour, sermonnant, discourant, pour ne recueillir en fin de compte que trente-huit mousquets et l'équivalent de trois petits barils de poudre.

Dès la deuxième semaine, il fut trahi. Winslow apprit par Deschamps, l'ayant su lui-même d'une femme qui voulait négocier le retour de son fils, qu'un homme ramassait des armes et de la poudre. De fil en aiguille, l'enquête discrète du commis suisse lui révéla l'identité de la tête chaude ainsi que le lieu de la cache d'armes.

–Qu'il continue, déclara le lieutenant-colonel à son espion venu lui apporter les plus récents renseignements. Et qu'on ne l'inquiète surtout pas, car il accomplit pour nous une tâche dont nos miliciens n'ont pas réussi à bien s'acquitter.

–Mais cela pourrait devenir dangereux.

Winslow s'esclaffa :

–Et qui mettra l'arme à l'épaule ? Ce Babin n'en peut porter qu'une seule ou deux. Quant aux femmes de ce pays, elles m'apparaissent très... réservées. Trop même, car l'ennui que je trouve ici augmente chaque jour et commence à me peser. Et puis l'embarquement ne saurait tarder maintenant.

Presque toute l'Acadie resta digne tant que dura l'emprisonnement. On garda la foi. Après les larmes des premières journées de septembre, on se reprit d'espérance. Les femmes finirent seules d'engranger. Récoltèrent fruits et légumes, barbotèrent des confitures, empotèrent, enfouirent des carottes dans le sable. On voyagea fidèlement entre les fermes et l'église pour assurer le ravitaillement, l'échange de lettres.

Le spectre de la déportation restant encore à l'état de menace seulement, le temps commençait à l'user. On attend Londres, se disait-il de plus en plus. Es-tu folle, Antoinette ? se répétait-il encore. Et Jacques, tel un quêteux malodorant, obtenait de moins en moins bonne réception. On souriait bien à le voir, mais l'on n'avait rien à lui confier. Et l'on souriait davantage à le voir partir.

Les hommes manifestèrent plus d'inquiétude et c'est pourquoi ils adressèrent à Winslow une pétition dans laquelle ils demandaient, s'ils devaient abandonner leurs propriétés, à être envoyés là où ils pourraient trouver des compatriotes. Ils s'engageraient à se déplacer à leurs propres frais et demandaient pour cela un délai raisonnable.

"Cette faveur nous permettrait de conserver notre religion à laquelle nous sommes profondément attachés et pour laquelle nous sommes contents de sacrifier nos biens."

Winslow jugea bon de ne point répondre. Au lieu de cela, il fit son décompte officiel, écrivant :

"J'ai sous la garde de mes 360 soldats 530 hommes, y compris les cent derniers députés revenus d'Halifax soit 300 prisonniers et 230 embarqués, bref, tous les habitants mâles, sauf 30 vieillards invalides dont je ne me soucie pas de m'encombrer. Ces hommes avec leurs femmes et leurs enfants forment une population de 2000 personnes, sans parler des populations de Cobequid et Piziquid et sans compter près de 6000 bêtes à cornes, 8000 moutons, 4000 cochons et 500 chevaux. Voilà la liste de toutes les personnes que j'ai sous ma garde : hommes, femmes, garçons et filles et bestiaux de toutes sortes."

Au début d'octobre, le pessimisme des hommes gagna leurs familles. Les tristesses du ciel s'ajoutèrent à celles de la terre. Il y eut de grands vents, de fortes pluies, des fraîches subites...

Jacques cessa de courir l'inutile. Ce qu'il avait déjà d'armes pourrait fort bien constituer l'embryon d'un système de défense. On s'en irait en forêt pour y attendre l'ennemi et lui faire la guerre à l'indienne. Ou bien on rejoindrait les troupes de Boishébert qui continuaient, elles, de tenir bon de cette manière.

Il fallait recruter les hommes là où ils se trouvaient. Les faire évader. Cette fois ils ne refuseraient pas. Il était bien connu que les prisonniers passaient beaucoup de temps dehors, dans l'enceinte palissadée. L'on savait également que les Anglais ne mettaient pas leur nez dans les vivres apportés par les femmes et dans les lettres échangées. Sauf... dans ce qui était destiné aux Bourgeois, ce qui permettait de surveiller les agissements du rebelle solitaire.

Jacques écrivit à Antoine. Il lui parla des meilleurs bras, d'une corde à noeuds passée par-dessus la palissade, de la nuit du quatre... C'était naïf.

Embusqués hors de l'enceinte, les miliciens laissèrent passer une vingtaine d'hommes avant de se déployer tandis que des dizaines allumaient des lanternes. Le grand responsable fut pris et aussitôt reconduit devant Winslow. Le lieutenant-colonel écrivit longtemps sans lever la tête avant de s'intéresser à l'arrivant encadré par deux géants aux yeux remplis d'ombres vindicatives.

–Évasion d'Halifax, collection de fusils en contravention avec les ordres de Sa Majesté, complicité d'évasion, rébellion : vous vous adonnez, monsieur, à des jeux passablement dangereux, baragouina Winslow dans un français laborieux. Cela pourrait vous valoir la peine de mort. Une cour militaire se penchera sur votre cas demain matin. En attendant, vous serez enfermé dans le confessionnal de l'église : vous pourrez réfléchir à vos fautes.

Et d'un signe, il ordonna aux hommes de disposer du prisonnier comme il l'avait énoncé. Il reprit son travail, s'inquiétant un peu du sort de ce malheureux, certainement le plus admirable et valeureux Acadien qu'il ait rencontré jusque là. Il ferait de son mieux pour qu'il ne soit pas mis à mort.

"Jacques Babin, ce tribunal vous condamne à la confiscation de tous vos biens de même qu'à assister à la destruction par le feu de la maison de votre famille et de ses dépendances. L'exécution de votre sentence aura lieu ce jour même au coucher du soleil."

Le rebelle fut quand même soulagé d'apprendre qu'on ne le pendrait pas. Mais une fois cette idée assimilée, il pensa à ses parents qui mourraient de chagrin, son père surtout, de voir l'anéantissement de l'oeuvre de leur vie entière. Par sa faute à lui qui avait voulu battre l'Angleterre tout seul !

“De toute manière, toutes les bâtisses des habitants français vont y passer, même les églises. Ce n’est pas une bien grosse punition pour des crimes passibles de quatre peines de mort,” se disait le lieutenant-colonel en arrivant au lieu de l’exécution de la sentence en compagnie de trois autres cavaliers.

Il ne manquait presque plus rien au décor. Que le coucher du soleil et la torche ! Des miliciens ont conduit le prisonnier sur place. On l’a mis debout sur le plus haut point d’une éminence, poings liés derrière le dos, encadré par les mêmes gardiens menaçants qui ont empêché Marguerite de s’approcher de lui.

Elle s’est appuyée à une pagée de clôture plus loin, le dos tourné à cette terrible mise en scène, pleurant en solitaire.

Sur le chemin, il y a une charrette attelée, le seul bien que les miliciens venus s’occuper des préparatifs ont permis aux Babin de prendre plus quelque couvertures et des vêtements. Tous les animaux sauf un cheval ont déjà été conduits au village où ils seront parqués avant d’être abattus pour l’approvisionnement de l’armée.

On a permis la voiture à cause de l’infirmité du père. Il a tout d’abord refusé de sortir de chez lui. On l’a transporté malgré lui et à travers ses copieuses insultes à l’Anglais et au roi. On l’a jeté sans trop de précautions sur un tas de paille dans la charrette. Sa femme l’y réconfortait maintenant.

Deschamps et un officier accoururent auprès du lieutenant-colonel resté en selle. Il se fit dire ce qui s’était passé. Mais n’y prêta guère attention. Son regard explorait les horizons, s’assombrissant d’un entre-chien-et-loup qui lui donnait le frisson. Il aperçut alors la gracieuse silhouette de Marguerite, questionna :

–C'est elle, la fiancée ?

–Elle a voulu aller auprès de lui, mais on l'a repoussée.

–Et pourquoi donc ? Craignez-vous qu'elle le fasse évader au nez et à la barbe de vingt soldats ?

–C'est que... c'est un prisonnier.

–Et qu'un prisonnier doive forcément souffrir ?

–L'exemple, soutint Deschamps.

–L'exemple, soupira Winslow, le regard toujours rivé sur la jeune fille, Faites-la venir.

Le Suisse courut la chercher.

Elle lui jeta de loin des oeillades agressives, mais plus elle s'approcha, plus elle garda la tête courbée.

Du haut de sa monture, Winslow la vit en plongée d'une façon qu'il ne voyait pas souvent une femme. Il fut troublé par ces cheveux si beaux dans leur désordre, au-delà de sa cape, et par sa poitrine si accentuée de ce point de vue. Mais il ne laissa rien grandir en sa chair et s'empressa de poser des questions par l'intermédiaire de Deschamps :

–Quel est votre nom ?

–Marguerite Leblanc.

–La fiancée du prisonnier ?

– Oui.

–Vous devez nous trouver bien... cruels, n'est-ce pas ?

Elle haussa les épaules et ne dit mot.

Il se fit un long silence entrecoupé par le seul hennissement de certains chevaux plus nerveux que les autres. Winslow cherchait quoi dire. Il trouva :

–Si vous relevez la tête et me regardez, je vous permettrai de rejoindre votre fiancé pour la durée de l'exécution de la sentence.

Elle obéit lentement, encore plus humiliée d'avoir à regarder haut. Et terrorisée. Peur de désobéir. Peur d'accepter quelque chose voulu par l'Anglais. Peur pour Jacques. Peur pour l'avenir. La peur qui avait poussé dans les jardins, dans les champs, qui avait pris d'assaut les aboiteaux, peur envahissante qui poussait à vouloir rendre à Sa Majesté la mer ce que, par son violent ressac, elle affirmait lui avoir été extorqué, peur de l'inconnu et de la certitude, de l'amour autant que de la haine, et de soi-même par-dessus tout.

Pour leur redonner un semblant de fierté, elle essuya ses yeux avec les doigts de ses mains ouvertes, ne parvenant qu'à les faire plus rougeoyants des reflets d'un soleil liquide, honteux comme l'Acadie entière.

Elle vit l'Albion nonchalamment assise sur sa monture, dans sa puissance placide et lourde, prête à distribuer à l'humanité les fruits de sa magnanimité. Ah! qu'elle reluisait dans ses bottes noires et ses boutons d'or, sa gaine cuivrée et son oeil satisfait !

Deschamps, lui, s'était revêtu de tous les contraires : tunique noire sur culottes grises, bas jaunis et tordus, allures broussailleuses sous des sourcils inquiets. Mais quand il parlait dans ses gros airs bonhommes à la complicité sans faille appuyée de mains dans le dos et d'intonations plus apaisantes que le roulis d'un berceau, on lui donnait une confiance qu'il ne saurait jamais se mériter, pas plus du Français que de l'Anglais.

L'homme à cheval fut à nouveau troublé, cette fois par la beauté lamentable, si tendre et sombre, suppliante mais fière, qui l'envisageait comme il l'avait voulu.

–Quel âge as-tu, Marguerite Leblanc ?

–Dix-huit ans.

–Tu nous penses cruels, n'est-ce pas ?

–Oui monsieur !

Alors Winslow sourit, comme satisfait par cette réponse attendue. Il scruta le gris du ciel, trouva la première étoile, scintillante et solitaire.

–Va avec ton fiancé puisque tu te l'es mérité.

Il la suivit des yeux et d'un désir renaissant. Elle courut comme une folle, rasant de trébucher à chaque pas, s'arrêtant pour relever un peu sa robe qui l'enfargeait. Les gardiens du prisonnier s'interposèrent encore. Des ordres leur furent criés de loin par l'officier. Ils ôtèrent l'Angleterre du chemin de l'Acadie... Pour une heure !

–Qu'on en finisse au plus vite ! demanda Winslow en descendant de cheval.

Quatre hommes allumèrent des torches au commandement de l'officier puis ils marchèrent par couples vers la grange et la maison dont ils ressortirent vite après avoir créé à l'intérieur de chaque bâtisse une demi-douzaine de foyers d'incendie.

Jean Babin et sa femme tournèrent le dos à leur demeure et dévisagèrent le bourreau dans un silence qui, pour Winslow, enterra tous les bruits environnants. Il s'avança d'une dizaine de pas pour ne plus les voir.

Malgré tout cet amour blotti sur sa poitrine, Jacques se fit la promesse solennelle et rageuse qu'il expédierait au moins quatre Anglais en enfer; son goût de vengeance décupla quand ii vit les flammes, en une grosse gerbe lourde, sortir par les portes de la grange restées ouvertes, et que les vitres de la maison se mirent à éclater. Il les aurait par la ruse, à l'indienne, et même si cela devait arriver en pleine rue de Londres. Si chaque homme d'Acadie avait seulement levé le bras et frappé quatre chiens d'Anglais, trois même, l'armée entière de Monckton eût été rayée de la surface de la terre comme elle l'aurait mérité. Mais la pitoyable Acadie s'était faite brebis et avait offert sa gorge au loup : voilà qui l'enrageait plus encore que les exactions de tous les Lawrence, Winslow, Murray et Monckton réunis.

Pendant que le feu s'empiffrait de foin et de blé, de couvertures et de meubles, du trousseau de Marguerite et des souliers neufs que Jacques avait achetés chez Mauger pour ses noces, des harnais et charrues, des sueurs et des espoirs, des pommes et des carottes, Winslow s'entretenait à mi-voix avec Deschamps. Il questionna sur Marguerite. Des questions puritaines qui ne révélaient rien de ce qu'il aurait voulu dire. Le Suisse savait lire entre les lignes; c'était là le secret de son efficacité chez Mauger.

Trois quarts d'heure plus tard, tout le district pouvait apercevoir les premières de bien des lueurs sanglantes qui allumeraient le ciel du bassin des Mines dans les semaines à venir.

Après les premières flammes, Jacques a pris son parti d'ignorer tout à fait l'incendie. Les fiancés se parlèrent du Saint-Laurent qu'ils sauraient trouver même si on les déportait en Louisiane. Aucun exportateur de bétail humain ne pourrait quoi que ce soit contre un canot et un ruisseau, et des bon bras de pagayeur.

–Pourvu qu'ils nous séparent pas ! redit-elle vingt fois.

–On peut s'attendre à tout avec des chiens enragés. Si ça devait arriver, prenons rendez-vous asteur, à soir même.

– Où ?

–Aux Ursulines à Québec Si t'es là avant moi, tu leur diras ton nom pis le mien. Pis le lieu où c'est que tu vas t'en aller rester. Que ça prenne deux ans, trois, je reviendrai des colonies anglaises pis j'irai me rapporter moi-même aux Ursulines.

–C'est que je pourrai pas abandonner mes frères pis mes soeurs.

–Il va falloir si tu veux me revoir. C'est entendu que tu pourras pas les laisser dans la misère noire; mais ton père et pis la Jeanne veilleront ben au grain comme ça devait se faire pareil d'abord qu'on devait se marier le vingt-trois juillet. Tu prendras le temps qu'il te faudra. Je vas t'attendre. Je vas t'attendre l'éternité si tu veux...

Jacques souhaitait que l'incendie durât un siècle pour garder sa fiancée dans ses bras. Mais les brasiers commencèrent à décliner. Les ordres de retour à Grand-Pré furent donnés. Les torches et les lanternes s'agitèrent.

–Merci de t'occuper de mes parents, murmura Jacques entre leurs deux derniers baisers.

–Les Ursulines, cria-t-elle quand on emmena le prisonnier.

–Les Ursulines, répondit-il dans la nuit...

Elle donna aux Babin la chambre de son père. Ils seraient son réconfort en attendant l'embarquement. Le mot Ursulines était déjà devenu un talisman de bonheur mis au chaud de sa poitrine.

Peu de temps après son retour à la maison, une monture fut entendue venir. Puis l'on frappa.

–Mademoiselle Marguerite, je veux vous parler, c'est monsieur Deschamps.

Elle lui ouvrit. Il entra avec un courant d'air froid, roupie au nez, falot à la main, l'oeil petit.

–Vous savez, j'en connais pas mal sur ce qui se passe là-bas et j'avais la chance de pas être vu, j'ai donc décidé de venir vous parler en passant... au sujet de votre fiancé.

Soupçonneuse un moment, Marguerite reprit confiance dans la voix engageante, confidente, qui désirait l'entretenir de l'être le plus cher au monde.

–Approchez de la table pis prenez place. Voulez-vous boire du thé chaud ? J'en ai du frais.

–De ce que je vous trouve aimable ! s'exclama le Suisse qui cherchait parfois à copier le langage acadien sans trop y parvenir. Vous savez que je connais très bien votre père. Un homme travaillant comme les Babin, comme les Bourgeois, comme tous les habitants de ce pays.

–Étant donné que ça concerne Jacques, je voudrais avoir ses parents avec nous autres, dit Marguerite, interrogative.

Deschamps grimaça, argua qu'il ne pouvait s'attarder sans risquer bien des questions par Winslow.

–C'est qu'ils sont icitte. Là, dans la chambre.

–Si vous voulez, consentit l'homme en se disant que la partie serait plus difficile.

–J'ai qu'à les prévenir pis à laisser leur porte ouverte. Comme ça, ils vont entendre.

L'homme confia sur un ton bas :

–Ce que j'ai à vous dire n'est pas très drôle. Ça serait leur faire du mal inutilement.

–De quoi c'est qu'il pourrait nous arriver de pire que ce qui nous tombe sur la tête ?

–Vous savez bien qu'il peut arriver pire que la déportation ou la confiscation des terres.

–Y a que la mort !

–Justement, il y a la mort !

–Ils pourront toujours pas tuer l'Acadie.

–Pas l'Acadie, mais votre fiancé.

–Mais il a été jugé ! s'écria-t-elle dans un éclat incrédule qu'elle modéra ensuite, obéissant aux simagrées que faisait l'autre pour l'inciter à baisser la voix.

–Il a été jugé pour rébellion et puni pour cela... Pour faire exemple... Mais l'autre chef d'accusation tient toujours.

–Je comprends pas, fit-elle, la gorge nouée.

–Comme je vous l'ai dit, il a été jugé pour rébellion. Et il le sera maintenant pour trahison. Et le crime de trahison peut conduire... conduit à une sentence de...

–Pourquoi me dites-vous ça ? Il me l'a dit lui-même tantôt qu'on l'avait jugé à matin pis qu'après le feu des bâtisses, il serait un prisonnier comme les autres à l'église.

–Non pas... Il sera emprisonné dans le confessionnal en attendant d'être jugé à nouveau... pour trahison... pour haute trahison,

–C'est faux. C'est impossible,

La porte de la chambre s'ouvrit brusquement, La femme Babin surgit, jaquette blanche sur fond de nuit, protestant :

–Il a été jugé... Il a été jugé... Ils ont pas le droit.

–Madame, mademoiselle, je ne suis pas venu vous jeter la mort dans l'âme rien que pour rire. Je ne suis pas un homme d'une telle méchanceté, C'est que... peut-être que tout n'est pas perdu. Venez vous asseoir, madame. Laissez la porte ouverte pour que votre mari puisse entendre. Mademoiselle Marguerite, faites-nous la faveur d'une tasse de thé.

Il avait parlé avec tant de bonté apparente et dit des mots si remplis d'espoir pour des êtres aussi abattus que les femmes se calmèrent, Au point que la mère se rendit au dressoir y prendre des tasses qu'elle mit sur la table tandis que Marguerite allait à la cheminée retirer la théière du feu lent qui avait fait infuser le breuvage depuis le départ des miliciens venus porter l'infirme dans sa chambre.

Quand elles furent de nouveau à table, Deschamps, pour introduire petit à petit l'idée qu'il voulait faire accepter à Marguerite, commença à parler de Winslow, Il souligna la répugnance du lieutenant-colonel pour les ordres qu'il recevait. Dit que Winslow avait déjà sauvé la tête de Jacques par son intervention personnelle le matin même au procès, Rappela qu'il avait permis à la jeune fille de rejoindre son fiancé sur la butte de la punition. Fit ressortir que l'homme faisait tout en son pouvoir pour adoucir le sort des Acadiens malgré les pénibles devoirs de sa tâche.

–Comment un tel homme pourrait-il laisser condamner mon fils ? dit la femme à la fin de l'exposé.

–C'est qu'il ne peut pas tout faire, vous comprenez, Une accusation de trahison, c'est grave. C'est automatiquement la peine de mort.

–C'est pas possible, souffla Marguerite,

–Deux hommes ont été fusillés à Beaubassin dernièrement... il y a moins de trois jours.

–Dieu du ciel ! s'écria la mère.

Deschamps se frotta les mains comme pour les réchauffer, rapetissa son regard pour dire :

–Peut-être que c'est possible de sauver votre fils ?

–Comment mais comment ? Parlez !

–Il suffirait que... mademoiselle Marguerite rende visite au lieutenant-colonel...

–Taisez-vous, taisez-vous, taisez-vous, répétait sans arrêt la femme Babin en hochant misérablement la tête.

–Quel mal y a-t-il pour une jeune fille aimante d'aller demander la grâce de son fiancé ?

La femme se leva et courut jusque derrière Marguerite dont elle enveloppa les épaules comme pour la protéger des pires malédictions.

–Taisez-vous... Vous parlez comme Lucifer.

–Une simple visite à Winslow, rien de plus. Il est sensible au charme de... Mais il ne faut pas attendre que le second procès soit instruit, qu'une sentence de mort soit prononcée...

La femme Babin se mit à sangloter et à se lamenter. Soudain, elle se rendit compte de l'étrange silence qui lui parvenait de la chambre. Comment son mari n'avait-il pas crié sa rage à Deschamps comme il l'avait hurlée à toute l'Angleterre depuis la proclamation lue par l'officier de la milice et traduite par le Suisse à midi chez eux ?

Par ses mains, elle voulut transmettre de sa force à Marguerite en lui serrant fort les épaules puis, déchirée par toutes les appréhensions réunies, elle s'empara du falot de Deschamps et courut à la chambre sous le regard atterré de la jeune fille et inquisiteur de l'homme.

De la pénombre mouvante et blafarde surgit soudain un hurlement de bête blessée. Marguerite accourut aussitôt, suivie du Suisse. Sur le lit d'épouvante, la femme tirait lamentablement sur la chemise de son mari sans obtenir de réponse ni aucune autre réaction.

Il avait la mort figée dans les cheveux tordus, dans ses yeux révulsés et comme gelés dans une souffrance éternelle. Lui, si bel homme malgré son âge et son handicap, avait, dans la mort, un visage d'horreur.

Dans un autre mouvement imprévu et incroyable, la femme se ressaisit. Elle tendit la lanterne à Deschamps, fit un signe de croix et joignit les mains pour prier.

–Que le Seigneur te reçoive dans son grand paradis où c'est que y a pas de guerre, de déportation pis de haine ! T'es peut-être le plus heureux de tous les Acadiens, Jean Babin, mon mari... Notre Père qui êtes aux cieux...

Effrayé par un si grand malheur, Deschamps se comporta avec correction. Pendant un jour...

Jacques obtint la permission d'assister à l'enterrement pourvu que son père soit mis en terre le lendemain même de sa mort soit le six octobre. Winslow voulait ainsi éviter que l'exposition du corps ne donnât lieu à un rassemblement, n'eût-il comporté que des femmes, des vieillards et des enfants. Car les ordres d'embarquement commenceraient d'être diffusés le sept, et l'entreprise de remplir les navires serait entamée systématiquement à compter du huit. Il fallait donc prévenir les moindres mouvements de passion de la populace.

Puisque la famille avait été dépossédée de tous ses biens, Winslow fit acheter la tombe chez Mauger au nom de l'armée. Il désigna six miliciens pour porter la dépouille jusqu'au lieu de sa dernière demeure. Des volontaires parmi les prisonniers acadiens creusèrent la fosse dès l'aube.

La requête de la femme Babin pour obtenir la présence d'un des prêtres emprisonnés à Piziquid fut rejetée sous le faux prétexte de leur transfert imminent à Halifax. À la place, Deschamps fut proposé pour lire les prières de la mort; cela fut accepté pour éviter que Jean Babin ne soit enterré comme un chien.

Un vent pénétrant aux tourbillons cruels emportait dans ses rafales poussière et végétaux, balayant un coin du cimetière pour en mieux garnir un autre. Le soleil donnait l'air de se hâter vers un abri pour ne plus voir cette terre d'Acadie si froide et abominablement triste.

Les porteurs n'attendirent personne. À leur arrivée à la fosse, ils déposèrent sans précautions sur le tas de terre la bière en planches de saule vaguement noircies. Elle se mit à glisser. On crut qu'elle se rendrait de suite au fond du trou mais elle se coinça sur une pierre, resta indignement penchée dans une position précaire qui disait le manque de respect des miliciens. Ils s'échangèrent des blagues puis se retirèrent en attendant que Deschamps en finisse.

Jacques fut conduit au bord de la fosse par ses gardiens inexorables. Sa mère et Marguerite se tenaient ensemble, à l'autre bout. Les rejoignaient un à un d'autres assistants, femmes écrasées par l'angoisse et vieillards malheureux ainsi qu'une dizaine d'enfants insouciants, parfois rappelés au silence par des gestes dépourvus d'autorité.

Deschamps s'était calé profondément un chapeau noir à rebord large qui retroussait aux coups de vent. Il se mit un pied haut sur la terre comme pour gravir le tertre, mais il resta ainsi, livre à la main, les yeux fermés comme dans le plus total recueillement. Parfois, il jetait un bref coup d'oeil pour se rendre compte de l'arrivée des assistants. Quand il en eut compté une douzaine, il commença à lire les prières appropriées.

Depuis une fenêtre du presbytère, Winslow observait la cérémonie. Il préparait mentalement ce qu'il dirait à Marguerite qu'il avait convoquée par l'intermédiaire de Deschamps. Quant aux fenêtres de l'église donnant sur le cimetière, elles étaient toutes occupées par des Acadiens. Ils s'y relayaient pour se recueillir, chacun son tour, pleurant et priant.

Après une veille infernale, Marguerite avait passé une nuit cauchemardesque. La fatigue, la peur et la douleur ravageaient ses yeux enflés, cernés, figés. Elle n'osait les lever, même sur son fiancé. Rôdait aussi dans sa poitrine et sur son front une honte injustifiée d'avoir à rencontrer l'un des bourreaux de son peuple. Que voudrait-il d'elle en retour de la tête de son fiancé ? Irait-il jusqu'à l'horrible sous-entendu soulevé par Deschamps ? Un Anglais civilisé, homme de discipline par profession et de culture puritaine par surcroît voudrait-il abuser de sa puissance et de la faiblesse d'une jeune fille désemparée ? Elle se le demandait non par ces mots mais par des images. Il lui arrivait de rêver qu'elle cachait une arme, couteau ou pistolet, dans les replis de sa jupe... Folie ! On se vengerait sur tous les Acadiens déjà si meurtris. Et ce serait comme si elle enfilait elle-même le noeud coulant autour du cou de Jacques. Non... elle ferait sienne la vieille méthode acadienne : sourire autant que possible et attendre.

–...in nomini Patris et Filii et Spiritu Sancti ! termina solennellement Deschamps transi par le froid et dont le claquement des dents s'accordait avec le froissement des pages du livre.

–Amen ! dirent des voix.

Aussitôt, les miliciens s'approchèrent. Ils tendirent des câbles en travers de la fosse, chacun des quatre tenant une extrémité tandis que les deux autres faisaient glisser le cercueil, grommelant sans gêne à travers leurs difficultés haletantes.

Jacques fut emmené sans même avoir vu la bière s'enfoncer, n'emportant avec lui qu'un regard fugitif de sa fiancée et une simple phrase que sa mère avait énoncée en plein cours des prières du Suisse :

–Les Anglais pourront plus te tuer asteur qu'ils ont fait mourir ton père !

Au fond, elle n'en était guère assurée. On saurait mieux après la visite à Winslow. Car elle accompagnerait Marguerite sous tous les prétextes et le plus loin qu'elle pourrait.

Elle fut priée d'attendre dans une pièce étroite près de la porte d'entrée tandis que la jeune fille et Deschamps étaient conduits par un milicien de l'autre côté de la maison, l'arrière, qui donnait sur le cimetière, et où le lieutenant-colonel s'est fait aménager une chambre en bureau.

–N'ayez pas de crainte, fit Deschamps en poussant doucement Marguerite à la suite du milicien qui annonça les visiteurs.

Winslow encadrait toujours la fenêtre de sa corpulence élargie par ses bras sur ses hanches et qui évasaient sa tunique bleue. Il se disait qu'après tout, l'Histoire ne pourrait juger que ce qu'elle pourrait lire et qu'il lui suffirait de continuer à l'abreuver d'excuses.

–Faites asseoir, dit-il sans se retourner.

La jeune fille prit place directement en face du bureau. Deschamps se vit désigner une chaise en retrait.

–Le jour tombe, faites-nous de la lumière, ordonna Winslow d'une voix froide.

Lorsque le calme fut revenu, il se sortit en soupirant de sa solitude pour marcher en silence jusque derrière son bureau où il resta debout, empilant soigneusement des volumes déjà plus ou moins empilés.

Durant l'attente, Marguerite avait fixé sa pensée sur un merveilleux souvenir que lui rappelait le beau mobilier du prêtre : la demande de publication des bans.

De tout le temps que Jacques et elle avaient été devant ce meuble, elle avait gardé la tête basse, lourde du plus grand des bonheurs, admirant ce bureau à large bordure de cuivre au devant et pattes fleuris. Pourtant les mots n'avaient jamais été prononcés par l'abbé Chauvreulx à cause de la remise du mariage. Elle les imaginait dans des flots de lumière à l'église quand Winslow vint rompre le charme.

"Jacques Babin, fils de Jean Babin et Marie Aucoin de cette paroisse, et Marguerite Leblanc, fille de Antoine Leblanc et Jeanne Martin de cette paroisse, se sont promis l'un à l'autre en mariage. Si quelqu'un connaît quelque empêchement à ce mariage, qu'il nous en avise au plus tôt ou bien qu'il se taise à tout jamais !"

–Je vous prie d'accepter mes sincères condoléances que vous voudrez bien transmettre à madame la veuve, dit-il par l'entremise de Deschamps.

–Vous pourrez le faire vous-même, elle est avec moi au presbytère.

Winslow questionna du regard le Suisse qui acquiesça d'une moue désolée.

–Il vaut mieux que cet homme soit mort. Il aurait été un poids pour les siens. Vous savez, mademoiselle, que les Indiens tuent les vieillards ou les infirmes pour leur éviter des souffrances ?

–Il est mort à cause de vous, dit Marguerite sans lever les yeux.

–Peut-être... peut-être... Sachez que c'est le sort qui a fait de moi l'officier en charge ici. Un autre à ma place et votre fiancé serait déjà mort lui aussi. Avez-vous pensé à cela ?

Elle resta muette.

–Y avez-vous pensé ? insista-t-il à voix retenue.

–Oui.

–Soyez-en remerciée, soupira-t-il en s'asseyant.

Et il poursuivit :

–Mademoiselle, votre fiancé est passible de cinq fois la peine capitale. Pour quatre accusations, il n'a récolté que la confiscation de ses biens... Peine tout à fait symbolique Avez-vous pensé à cela ?

–Monsieur Deschamps me l'a expliqué.

–Et demain matin, nous devons le juger pour trahison. Ce procès devait se dérouler aujourd'hui, mais nous avons voulu respecter son deuil : le saviez-vous ?

Elle releva la tête, le dévisagea, énonça clairement :

–Dois-je dire oui ou non ?

–Dites ce qui est, ce qu'il y a dans votre tête. Ne jouez pas à l'hypocrite comme tous vos compatriotes dans l'espoir vain de gagner quelque chose.

–Y a quoi à gagner pour nous autres avec les Anglais ?

Winslow rougit encore plus que sa complexion naturelle déjà d'un rose accentué. Il se leva brusquement, marcha jusque derrière ses visiteurs où il fit le pied de grue en discourant, ne s'arrêtant que pour permettre la traduction et reprenant aussitôt avec le même emportement :

–Vous aviez tout à gagner en vous comportant en bons sujets britanniques, en gratifiant votre roi de votre amour et de votre dévouement. Rien de plus que ne donne un autre sujet de Sa Majesté. Donner, donner, qu'est-ce que les Français de ce pays ont donné au roi depuis 1713 ?

–Notre soumission, notre loyauté pis nos différences.

–Hum ! quels beaux mots ! Appris par coeur de la bouche de vos prêtres ? Et quand on vous a demandé de prêter le serment d'allégeance, qu'avez-vous fait ? Vous avez refusé. Vous avez cent fois refusé. Avez-vous donné au gouvernement une seule bonne raison pour éviter tout ce qui arrive ? Mais à quoi bon en parler puisque tout est compté, pesé, divisé ! Il est question maintenant de votre fiancé. Vous-même, mademoiselle, pouvez-vous me donner une raison, une seule bonne raison pour que j'intervienne encore une fois pour sauver sa tête ? Par exemple, je pourrais faire reporter à plus tard son procès, ce qui reviendrait à dire qu'il n'aurait jamais lieu. Mais pourquoi le ferais-je ? Comment voulez-vous que ma conscience me le dicte puisqu'il y a eu haute trahison ? Qu'est-ce qu'une pareille tête chaude pourrait faire sur un navire ? Une pomme pourrie gâte toutes les autres.

C'est pour cela qu'il y a deux gardes en permanence devant le confessionnal où il a été mis. Avez-vous réponse à toutes ces questions ?

–Non monsieur.

–Il serait très important d'y songer. Et de réfléchir avec plus d'intelligence que vos compatriotes.

–Que voulez-vous de moi ? demanda-t-elle sans broncher.

–Moi, mademoiselle, mais je ne vous demande rien du tout. Si vous avez quelque chose à offrir spontanément, c'est à vous de le faire. Il vous appartient de déterminer ce que vous voulez offrir. John Winslow n'est pas un escroc, ni un suborneur, ni un profiteur. Pas plus que vous, je ne désire le voir pendu au bout d'une corde dans le tambour de l'église ou bien à la vergue d'un bateau.

Elle éclata en sanglots. Par-dessus son épaule, les deux hommes s'échangèrent des regards désolés. Winslow retourna à la fenêtre de sa réflexion où il attendit que se passe le plus gros de l'orage.

–Quand je vous parle, finit-il par dire sans bouger, c'est à tout votre peuple que je m'adresse. Pour moi, vous êtes devenue l'Acadie elle-même. Le destin a fait se rencontrer votre pays et un chef militaire capable de penser, capable de s'émouvoir.

Alors il marcha à pas mesurés vers son bureau, dit en donnant l'impression de peser minutieusement chaque mot :

–Un autre à ma place dans n'importe quelle guerre, n'importe où dans le monde, aurait imposé son pouvoir dur. Quel chargé de pouvoir, depuis toujours, aurait été d'aussi bonne composition que moi avec des gens considérés comme des ennemis ? Et pour certains, des traîtres, comme par exemple votre fiancé.

Il réinstalla sa lourde personne sur la chaise craquante,

prit l'allure froide d'un fonctionnaire pour terminer :

–S'il y a procès, ce sera demain. Car demain, c'est aussi jour de l'annonce de l'embarquement massif qui commencera après-demain. Dans deux, trois jours au plus, les premiers bateaux vont lever l'ancre... La déportation... beaucoup d'Acadiens ne veulent pas y croire encore... ou bien ferment les yeux pour ne pas y faire face. Mais elle est là, bien là. Je vous remercie, mademoiselle, de m'avoir gratifié de votre... charmante présence.

Deschamps reconduisit la jeune fille à la salle d'attente, lui soufflant :

–Vous lui avez fait une bonne impression. Revenez plus tard... ce soir... et soyez un peu... gentille avec lui. Ne laissez pas votre fiancé se balancer au bout d'une hart. C'est ce soir ou jamais.

Et à la femme Babin, il confia pour expliquer les éclats de voix qu'elle ne pouvait pas ne pas avoir entendus, de même que pour l'état lamentable de Marguerite :

–Il l'a fait pleurer, mais les chances sont excellentes pour que votre fils soit sauvé.

Dehors, la nuit s'était installée; mais les environs restaient discernables à cause de la lune et de multiples torches et lanternes aux quatre coins du campement et autour de l'église. Et là, par une fenêtre, un guetteur cria aux prisonniers :

–Y a la femme Babin pis la Marguerite Leblanc qui sortent du presbytère.

Il pouvait l'affirmer par déduction pour les y avoir vues entrer plus tôt et aussi parce qu'il s'agissait de toute évidence de silhouettes féminines.

Dans son réduit noir, petite pièce de huit pieds de longueur sur quatre de largeur dans l'abside et qui servait non seulement de confessionnal mais de garde-robe pour les vêtements sacerdotaux, Jacques entendit. Il se répéta ce qu'il s'était dit à leur entrée chez Winslow, que sa mère et sa fiancée étaient allées déposer une requête quelconque aux pieds du lieutenant-colonel, ce qui s'avérerait sans doute profitable pour eux tous.

C'est dans semblable réduit que Marguerite s'enferma chez elle après avoir confié la famille à l'autre femme. Elle monta par une échelle dans l'étroit grenier sous le comble, là où elle avait si souvent isolé sa peine quand elle était enfant. Voir ainsi le noir absolu sans fermer les yeux lui faisait apprivoiser la mort. Elle y demeura une heure à se reposer, à se rappeler son enfance. Pas une seule fois, elle n'accepta dans son esprit une idée, une image lui rappelant les récents événements.

Ce n'est que de retour dans sa chambre qu'elle prit sa décision. Distinguant les choses dans la pénombre créée par la lune, elle trouva dans un coffre, sa mante des beaux dimanches et se l'attacha au cou. Puis elle descendit à la cuisine où elle sourit tristement à la tablée bruyante.

–Où c'est que tu vas ? demanda le plus jeune garçon, un bambin effroyablement loucheur.

–Aider quelqu'un, répondit-elle à tous.

À la cheminée, l'autre femme brassait un brouet. Elle resta accroupie, manoeuvrant sa louche sans se retourner. Marguerite lui jeta un coup d'oeil et comprit qu'elles ne pouvaient ni se parler ni même se regarder.

–Y a une charrette qui s'amène au presbytère, cria le guetteur de l'église.

–Qui c'est ? dirent des voix.

–Sais pas... On dirait que c'est une femme.

–Ça serait-il pas une Acadienne qui va se vendre à Winslow ? dit une voix noire mais qui porta jusqu'au confessionnal.

–Elle arrive à la porte... Je la vois mieux... Elle a une cape sombre... Minute... pis des parements... rouges comme l'enfer.

–Ça serait-il pas une Acadienne qui va se vendre à Winslow ? répéta mot pour mot une seconde voix noire.

–Es-tu fou, Ernest ?

Jamais Winslow n'avait été aussi anxieux d'en finir avec la déportation qu'en ce matin du sept octobre. Dans toutes les directions partirent des miliciens avec leurs copies de l'ordre d'embarquement. Deschamps a travaillé jusqu'au petit jour pour les rédiger, les multiplier.

Chez les Leblanc, c'est la femme Babin qui eut à lire le contenu du papier que l'homme de Winslow lui mit sous le nez. Quand la porte fut refermée, elle regarda en l'air en soupirant, comme pour plaindre Marguerite.

La jeune fille passa la journée au lit. Enterra meurtrissures et flétrissures dans le noir et le sommeil. Lorsque la mère de Jacques vint lui porter à manger et lui annonça qu'il fallait s'apprêter à partir, elle poussa un soupir... presque d'aise. Jacques était sauvé. Et ainsi que l'avait promis le lieutenant-colonel, ils se retrouveraient tous les deux sur le même bateau. Mieux, on tâcherait de les envoyer au Canada par l'île Saint-Jean. Il lui suffirait, se disait-elle, de laver le passé, de le brûler plus résolument que les Anglais se préparaient à le faire pour leur si chère Acadie.

–Les prisonniers seront embarqués parmi les premiers, dit la femme Babin. Dispersés dans les six navires ! Les familles seront refaites si elles sont là. Les retardataires risqueront de se voir séparés des leurs.

–Ben nous autres, on sera là pas longtemps après le soleil, assura Marguerite, vidée de ses coutumières hésitations.

Il fut décidé de n'emporter que des vêtements et le peu d'argent contenu dans la cassette familiale. L'on convint que le reste, quoi que ce soit, si chère fût la chose, ne pourrait que ralentir les mouvements et encombrer inutilement.

–Survivre pour revivre ! déclara la femme Babin comme pour tout essuyer dans le coeur de Marguerite.

À l'aube du huit, on arrivait en vue de l'église, les enfants prêts pour l'aventure, piaillant dans la charrette, et les deux femmes se reprenant d'espoir en l'avenir.

Un homme à cheval apparut au loin et se rapprocha rapidement. À train d'enfer, tel un cavalier de l'Apocalypse, il croisa la voiture Leblanc sans regarder personne comme s'il avait été poursuivi par le diable... ou bien qu'il eût été le diable lui-même.

C'était John Winslow.

Il était parti sous le prétexte de constater de visu le degré d'obéissance des familles acadiennes. Mais c'est d'une course folle dont il avait besoin, d'une équipée sauvage, sans retenue, de par la plaine pour faire aérer ses scrupules et fendre le vent cru d'une détermination à rebâtir.

Sous une tente, un gratte-papier nota le nom Leblanc puis il raya d'un X sur la carte détaillée qu'il avait sur sa table, l'emplacement de leur ferme, ce qui voulait dire destruction des bâtisses dans les jours à venir pour ainsi décourager toute tentative des anciens propriétaires d'y remettre jamais les pieds.

Une douzaine de grosses barques mouillaient sur la grève, moitié dans l'eau, moitié sur terre. Chacune pourrait transporter douze personnes soit dix prisonniers et deux miliciens. Elles assureraient une navette incessante de la terre aux vaisseaux, et cela, d'un soleil à l'autre. Trois jours au plus et le secteur des Mines serait à moitié désert.

Tout a été orchestré par Winslow en personne. Il fallait vider d'abord l'église et les maisons du village afin que les colons anglais venus de l'est puissent se loger en attendant de prendre possession de leur part des troupeaux, chacun d'entre eux ayant droit aux deux tiers du cheptel d'une ferme pourvu qu'il vienne le prendre et qu'il s'occupe de l'autre tiers demeurant propriété du gouvernement.

Au soir, toutes les fermes nettoyées de leurs occupants et des bestiaux seraient incendiées. Et ce manège durerait aussi longtemps que la déportation. Car si l'essentiel de la besogne serait accompli en quelques jours, Winslow savait que des gens avaient fui dans les bois et que d'autres s'évanouissaient dès qu'un parti de miliciens s'approchait de leur secteur.

Après avoir dételé et mis le cheval dans un enclos préparé la veille pour les besoins de la cause, Marguerite rejoignit les siens. Son père fit partie du second groupe de prisonniers à être emmené sur le rivage. Il lui fut permis de retrouver sa famille.

–L'important, c'est d'être tous ensemble, dit-il en pleurant quand il serra Marguerite dans ses bras.

–Papa, il manque Jacques...

–Il viendra... Il nous suivra... hésita l'homme en baissant la tête.

–Je partirai jamais s'il est pas là.

–Il viendra dans le prochain groupe... ou l'autre, dit l'homme sans conviction et n'osant envisager ni sa fille ni la femme Babin.

–Qu'est-ce qu'il y a ?

–De quoi c'est qu'il s'est passé ? renchérit la mère de Jacques.

–Hier soir, il a voulu... s'évader pis...

–Pis quoi ? supplièrent-elles ensemble.

–Ben... ils l'ont frappé... Il s'est fait faire mal... Un peu... Il est pas mort, craignez pas... mais il s'est plaint jusqu'au matin. Winslow en personne est venu le voir tantôt. Jacques a voulu s'en prendre à lui... Il était féroce, enragé... ce qui montre qu'il était pas trop blessé, hein ?

Un moment, Marguerite pensa que le lieutenant-colonel pouvait avoir révélé à son fiancé l'épouvantable vérité à leur sujet et que, pour cette raison, Jacques avait cherché à s'évader. Mais puisque la tentative d'évasion a eu lieu avant la visite de Winslow... Et puis avant d'accepter de se donner à l'Anglais, ne lui a-t-elle pas fait jurer le secret éternel ?

Les miliciens pressaient les gens de s'embarquer. Vint le tour des Leblanc. Le père demanda un délai pour attendre Jacques. On le lui refusa. Toute la famille trouva place dans l'embarcation, y compris la femme Babin. Sauf Marguerite malgré les ordres. Et quand on voulut la faire monter de force, elle cria de toute sa rage aux miliciens qui la poussaient :

–Je veux voir Winslow.

Un officier hocha négativement la tête. Qu'on la tue, se dit-elle, ouvrant les bras, fonçant sur les hommes et criant :

–Je veux voir Winslow.

–Laissez-la faire, dit l'officier. C'est elle qui va payer : elle sera séparée des siens.

Marguerite se pressa vers l'église. Personne ne l'arrêterait ! Personne sauf le rappel des siens dont l'embarcation voguait déjà vers les bateaux. Elle pensa tout à coup que dans la confusion et les événements précipités, elle avait omis de s'enquérir du nom du navire vers lequel sa famille était dirigée. Ce fut un autre choc pour son coeur déjà serré : elle pourrait ne plus jamais revoir les siens. Encore qu'elle ait dû envisager la chose l'avant-veille quand Winslow avait soulevé la possibilité d'assurer sa déportation et celle de son fiancé vers Québec.

Elle s'arrêta net et se tourna vers la mer. Jeanne lui envoyait la main. Ou bien était-ce Joseph ? Ou Étienne ? Madeleine peut-être ? Elle leva la sienne à demi pour répondre puis se raidit. Quand Winslow tiendrait sa promesse, que Jacques serait à ses côtés, on retrouverait bien le bon bateau... Les gratte-papier devaient noter la destination de chaque famille. L'Anglais était bien trop méticuleux pour négliger d'inscrire d'aussi élémentaires données.

Elle reprit sa course. Croisait des gens poussant des petites charrettes remplies d'objets de toutes sortes, des vieillards poussifs regardant avancer leurs pieds pour essayer de comprendre, des femmes s'arrêtant parfois pour se reposer un peu du poids d'un enfant ou de sacs gonflés de vêtements, tout en lorgnant derrière pour tâcher d'apercevoir un dernier lambeau de pays avant que de replier l'échine sous le fardeau à transporter ou à pousser ou à traîner, le dos cassé par l'avenir.

Elle rencontra un autre détachement de prisonniers bien encadrés. Aux mains libres. Mais que valent des mains libres quand elles sont nues ? dirait la femme Bourgeois. Certains flattaient la tête de leurs petits retrouvés et que les gardiens laissaient aller jusqu'à eux. Les autres tournaient la tête dans tous les sens, lentement, espérant apercevoir quelque part leur famille venue les rejoindre, certains sûrs d'avoir vu leur femme loin devant, près du rivage parmi la foule grandissante, priant pour qu'elle ne soit pas embarquée avant eux.

Le malheur et la désolation s'étiraient ainsi jusqu'à la place de l'église. Marguerite y apprit que Winslow n'était pas revenu. On ignorait où il se trouvait. Elle voulut voir Deschamps. On ne pouvait troubler son sommeil; l'homme avait trimé trop dur ces derniers jours et il a ordonné qu'on le laissât récupérer.

Elle courut à l'église; on lui en interdit l'accès. Restait à attendre sur le parvis. L'éternité au besoin. Si son fiancé devait être emmené, il passerait forcément par là. Si Winslow apparaissait, elle le verrait quand il entrerait au presbytère.

Une heure s'écoula. Froide et venteuse. Des familles à charrettes pleines arrivaient incessamment. Mais il fallait tout laisser à côté du cimetière, dans un champ qui, en d'autres circonstances, eût donné l'air d'un grand marché de bric-à-brac. Seulement les voitures mues par traction humaine avaient libre passage vers le rivage. On permettrait à certains ce dernier espoir tout aussi vain que les précédents, car au bord de l'eau, on leur annonçait qu'aucun meuble ne pouvait être embarqué. Que des vêtements et des couvertures dans des ballots à volume limité, déterminé par l'oeil arbitraire d'un milicien sévère !

C'est son fiancé qui parut le premier, de ces deux hommes qu'elle espérait tant voir. Elle fut dardée au front et au coeur quand elle l'aperçut, les bras attachés à un joug à boeuf mis en travers de ses épaules, et la tête enveloppée d'une guenille grise imbibée de sang. Il avait l'oeil hagard et lui jeta à peine un regard quand elle prononça son nom. Elle eut un mouvement vers lui. Un gardien la menaça de son mousquet affublé d'une baïonnette luisante. Quelle importance ! Elle n'avait qu'à suivre de près. Ils seraient bientôt sur la même barque puis sur le même bateau. Et s'il fallait que le navire soit différent de celui de sa famille, alors elle le suivrait quand même, lui, son homme pour lequel l'Écriture lui disait de quitter père et mère. Les siens n'étaient-ils pas sous la bonne garde de son père et de la mère de Jacques ?

Tout l'être de Jacques Babin ne constituait plus qu'un amas de meurtrissures. Bourdonnements dans les oreilles. Étourdissements. Perte de sang affaiblissante. Douleurs à la tête. Et l'âme, elle ! Par morceaux comme le pays. Brûlante de rage. Sanglante de révolte. Rongée par le doute. Non pas tout à fait comme le pays... Mais humiliée par l'impuissance comme lui. Un agglomérat bestial et fangeux d'émotions désordonnées.

–Mon père pis toute la marmaille sont rendus sur un bateau. Ta mère est avec eux autres, cria Marguerite dans le dos de son fiancé.

"Les bateaux, il faut les détruire, les couler," pensa-t-il.

–Je vas leur demander aux Anglais, sur quel bateau ils les ont envoyés.

Il resta prisonnier du morne silence environnant, tragiquement accentué par des ordres criés au loin, en bas, au rivage, et les chocs métalliques de casseroles dérisoires emportées par une vieille femme sèche et courbée en deux.

–Si on peut pas les retrouver, on va peut-être ben pouvoir partir pour le Canada.

"Il faut avertir le Canada, lui crier de venir au secours de l'Acadie," disait une voix dans le crâne du prisonnier.

–Pis comme on va être ensemble, on aura pas besoin d'aller aux Ursulines... Mais on ira pareil, juste pour remplir notre promesse. Ça sera comme des fiançailles renouvelées.

"Fiançailles... Courir au presbytère... Voir l'abbé Chauvreulx... Faire publier les bans..."

–On s'ouvrira une terre sur la rivière de... de la Chaudière...

Elle poursuivit ce dialogue auquel il répondait à coups de

silences. Mais elle entretiendrait le feu jusqu'à l'eau, et rien ne pourrait l'éteindre. Elle parla de soleil, de lait-câilles, de la protection du Seigneur...

Une barque finissait de se remplir quand le prisonnier et ses gardiens atteignirent le rivage.

–Ôtez-lui son entrave et faites-le monter sur celle-là, ordonna un officier.

Marguerite ne comprit pas ces mots. Et puis elle devait parler au registraire qui, elle le savait déjà, comprenait le français :

–La famille Leblanc... à quel navire ?

–I don't know, coupa l'homme impatienté, tiraillé de tous côtés par des demandeurs de renseignements.

Elle insista. Il répéta d'une voix tranchante après s'être soufflé dans les mains pour les réchauffer :

–I don't know and I don't care.

Cette inquiétude de la jeune fille lui coûta de précieuses secondes au cours desquelles Jacques fut mis dans la barque et enjoint de ramer comme les autres passagers : des prisonniers pour la plupart. Elle eut beau courir, jouer du coude, elle ne put arriver à temps, et l'embarcation glissait déjà sur l'eau quand elle y accéda elle-même. Alors elle se jeta en avant, marchant dans l'eau, se trempant les pieds et les jambes jusqu'aux genoux, criant :

–Je dois monter... Attendez-moi... Attendez Je dois être avec mon fiancé... Il me l'a promis... Winslow l'a promis... Il l'a promis...

Ses derniers mots agonisèrent dans l'impuissance, coulèrent dans sa gorge tels des noeuds durs.

–Vous êtes ben pressée de vous faire déporter, lui dit une voix bourrue tandis qu'elle regagnait la terre pour y chercher une solution.

–Ta boîte ! Jos Héon, cria une autre voix que la jeune femme reconnut.

Antoine Bourgeois la prit par les épaules et dit :

–Faut te changer, Marguerite, tu vas prendre ton coup de mort.

–Mais Jacques ! fit-elle en grimaçant.

–La même barque fait l'aller-retour toujours au même bateau. Dans vingt minutes, elle sera là, pis je me chargerai de te la faire prendre même si faut que j'assomme dix Acadiens pis vingt chiens d'Anglais.

–J'ai rien... Mon père a emporté mes effets.

–Mon paqueton est là-bas, pas loin. J'ai des bons gros bas de laine dedans. Aussitôt que toutes les barques seront parties, je vas aller t'en donner.

Ces mots eurent pour effet de calmer un peu la jeune femme qui, encore une fois, se laissa gagner par des lueurs d'espérance.

–C'est pas si frette, dit-elle en retroussant légèrement sa jupe trempée.

–Mais tu peux pas rester de même pareil !

–Comment ça se fait que t'es pas...

–Ils m'ont réquisitionné pour aider le monde à grimper dans les barques pis pour les pousser à l'eau. Je t'ai pas vue quand Jacques est parti, autrement...

–Tu dois te mouiller toi itou ?

–L'accoutumance, ça endurcit.

–Ton père, où c'est qu'il est ?

–Toute la famille est sur la Neptune, justement le même bateau où c'est que Jacques s'en va. Pis ta famille est là itou. Ça fait que... laisse pas pleurer tes beaux yeux. À soir, on va se retrouver ensemble, tous ensemble...

Avant que l'ordre ne soit donné de voir à remplir une autre barque, Antoine eut le temps d'expliquer à Marguerite où se trouvait son sac. C'était un peu plus haut, en retrait de la cohue. Elle s'y pressa, plus pour revoir son fiancé de loin que pour se mettre les pieds au sec.

Il l'avait mis, son sac, près d'une grosse pierre grise à la surface poinçonnée, comme atteinte de la petite vérole. Avant de fouiller, elle repéra la barque rendue à mi-chemin. C'était bien celle de Jacques parmi trois autres, avec son passager au front bandé.

Elle trouva les bas de grosse laine jaune, s'assit sur la pierre, commença à se déchausser. Elle finissait d'ôter sa première botte, jetant de fréquents regards vers la Neptune lorsque soudain, l'embarcation fut le théâtre d'un désordre difficile à saisir. Il y avait des hommes debout, des bras hauts, des mousquets s'agitant... Quelqu'un sauta à l'eau... Ou bien avait-il été poussé ? La crosse d'une arme fut tendue. Pour repousser ou bien pour tendre la perche ? L'homme tombé se mit à nager à grands bras vigoureux en travers de la rade, vers l'est, vers une pointe qui lui donnerait peut-être la liberté.

Marguerite se leva. Les bas qu'elle avait mis sur sa jupe tombèrent. L'un fut emporté par une rafale qui souleva sa mante et sa chevelure. C'était lui, son rebelle têtu : elle ne le savait que trop ! Le bandeau qu'il portait le lui confirma.

Emportée par une folle angoisse, elle se mit à marcher parallèlement à l'avance du nageur. Elle boitillait comme une infirme. Par bonheur, une épaisse couche d'herbes sèches protégeait son pied déchaussé. Soudain, elle s'arrêta. Il fallait qu'elle le couvre, qu'elle se fasse complice de son évasion; autrement, des miliciens courraient à la pointe. Ne pas trahir sa fuite... Bizarrement, les hommes dans l'embarcation ne faisaient que s'agiter et crier à leurs collègues du rivage sans chercher à les prévenir en tirant en l'air.

Pour ne pas risquer d'affrontements entre les déportés et ses hommes, Winslow avait donné des ordres formels : aucun mousquet ne devrait être chargé, et les baïonnettes ne pourraient servir qu'advenant une attaque massive des prisonniers. "Tout peut se régler avec la crosse des fusils," a-t-il déclaré. "Et ceux qui ajouteront à la détresse des déportés en les frappant sans raison seront eux-mêmes fouettés." Voilà pourquoi les mousquets continuaient de se taire.

Mais il y avait sur Jacques Babin une griffe autrement plus dangereuse que celle de l'Anglais, et c'était sa vieille maîtresse, la mer aimée. Tout était trop mélangé en son coeur et dans sa tête pour qu'il fût en mesure d'évaluer avec discernement les dangers mortels qu'il courait en se jetant à l'eau à aussi grande distance du rivage, dans un corps aussi affaibli et par une température aussi basse.

Sa fiancée, elle, mesurait correctement ces choses. Et cela tuait son âme tandis que lui se vidait du peu de forces vives qu'il avait regroupées pour se lancer dans son entreprise insensée.

Il disparut une première fois. Marguerite perdit ses pensées. Il réapparut, fit quelques brasses encore. Elle figea sur place, incapable du moindre geste, toute sa chair se pétrifiant, son âme chutant dans un désespoir inexorable. Il lui parut alors qu'une autre s'évadait d'elle-même pour courir sur le rivage vers la pointe et l'entraîner, lui, par l'exemple...

Jacques s'arrêta, resta en suspens quelque part entre la déportation et la liberté, entre la rage et la résignation, entre l'hier et le jamais, entre l'alpha et l'oméga... le regard vers sa fiancée qu'il ne voyait pas, trahi par des bras pourtant bâtisseurs d'aboiteaux, enfargé par la mer aimée qui lui rendait la monnaie de sa pièce. Son corps cala doucement, disparut avec le bandeau sans même que la main ne troue la surface de l'eau.

L'être issu de Marguerite changea sa direction, fonça sur la mer pour lui intimer des ordres. Mais la mer intraitable la repoussa calmement.

À dix milles de là, imprévisible comme un accident, irresponsable tel Ponce-Pilate, l'Anglais chevauchait de Piziquid à Grand-Pré sur une nouvelle monture, fraîche et puissante, capable de le transporter aux confins de l'Acadie. Il a réglé des affaires au fort Edward, et sa cavalcade en a ajusté d'autres dans son cerveau.

Dans une chambre du presbytère, Deschamps ouvrit les yeux, bâilla. Il écouta le silence, tourna la tête. Il avait envie de dormir encore en attendant Winslow.

La mer reconduisit l'être de Marguerite jusqu'à elle-même et les confia toutes deux à l'horreur. Et l'horreur plaqua sa main hideuse sur sa poitrine. Horreur aux ricanements muets qui pressa, oppressa...

La vue brouillée, la jeune femme recula vers nulle part, ne sachant pas ce qui se passait devant, ni derrière, ni aux environs, ni ailleurs. Elle recula jusqu'à la grosse pierre usée.

Plus tard, une éternité ou bien un instant, elle entendit vaguement des voix discutant d'elle, de sa déportation vers Québec... sans doute...

Winslow a su. Il est venu. Il l'a trouvée en état de choc, hébétée, murmurant des incohérences parmi lesquelles revenait souvent le mot Ursulines. Il s'entretenait maintenant avec Deschamps mais plus encore avec lui-même. Et avec l'Histoire. S'il se sentait peu de responsabilité dans la mort de Jacques Babin, par contre, la jeune femme remuait son sens du devoir.

–Il y a un dénommé Bourgeois là-bas qui voudrait qu'elle soit embarquée sur la Neptune avec les siens.

–Elle ne paraît pas en état de faire un long voyage. On ne sait trop la misère qui les attend au bout. Il vaut mieux qu'elle reste ici, le temps de se remettre. Ensuite, elle partira pour Québec.

–Comment ?

–Qu'une famille soit soustraite à la déportation générale ! Un jeune chef, fiable, fort... Une femme dévouée... Qu'ils soient logés au presbytère avec elle ! Vous-même trouverez refuge ailleurs, au village... Le moment venu, ils partiront pour le Canada par l'Ile Saint-Jean... ou l'Ile Royale...

–Colonel, votre sens humanitaire vous honore, mais ne trouverait-il pas plus grande satisfaction à la voir partir avec sa propre famille ? L'embarcation qui relie la Neptune à la terre ferme fera plusieurs voyages d'ici le coucher du soleil.

–C'est d'un fiancé dont elle a besoin, pas des tracas de frères et soeurs à prendre soin. Elle devait se marier : sa famille peut donc s'arranger sans elle.

Pour une fois, Winslow s'inquiétait du fait qu'une femme pût être enceinte de lui. Le cas échéant, les siens ne pourraient que lever sur elle des doigts accusateurs et toute sa vie durant. Tandis que seule au Canada, elle passerait pour une veuve... Tous les papiers, registres ou autres ne seraient-ils point brûlés avec l'église de Grand-Pré ?

–Il me faut une famille qui ne la connaisse point.

–Et qui la recueillera à Québec ?

–Je ne sais.

Deschamps attacha le bouton supérieur de sa tunique pour mieux couper le vent. Il marmonna :

–Peut-être les Ursulines, elle en a parlé tantôt en divaguant ?

–C'est ça, les Ursulines...

Au matin suivant, la Neptune mit les voiles. Le père de Marguerite regarda une partie de l'Acadie qui montait au ciel par grosses colonnes de fumée noire. Toute la nuit, les horizons avaient brûlé des cent feux de maisons et granges. La femme Babin, qui avait vu mourir son fils, ne montrait pas de signes de sa douleur. Assise sur le pont au milieu des enfants qu'elle avait regroupés, elle leur racontait des histoires d'avenir.

Marguerite avait une forte fièvre. Les Cormier, couple sans enfants assigné à sa garde, la soignèrent avec dévotion. Mais beaucoup en elle restera vague, imprécis pendant les semaines à venir. Trois, au cours desquelles se succéderont un interminable cheminement en charrette, un autre à pied, un embarquement, un séjour à l'Ile Saint-jean, un second embarquement et un long voyage sur l'eau à travers les brumes froides de novembre.

Québec

La rue des Jardins était jonchée de feuilles rouge sang, pourrissantes. Les mains tremblantes, frileuses et vides, Marguerite avançait dans l'indifférence. Elle commençait à oublier son pays qu'elle n'oublierait jamais, son fiancé qu'elle portait en sa poitrine tandis que son ventre abritait l'étranger, l'Anglais qui lui avait tout ravi pour ensuite lui imposer un sang et un destin. Car elle était enceinte de Winslow. Car Winslow lui avait garni une cassette pour qu'elle se rebâtisse au Canada. Car l'Anglais avait tout prévu, tout calculé. Jusqu'à choyer les Cormier pour s'assurer qu'ils verraient à tous les détails.

Ils suivaient leur protégée, se rappelant ce qu'il fallait dire, croyant que c'était la pure vérité. Cormier fut prié d'attendre dehors. “L'entrée du monastère est interdite aux hommes à moins d'une permission écrite et spéciale de l'évêque," lui dirent les yeux sévères d'une religieuse posés sur un étroit judas.

La porte grinça, s'entrouvrit lourdement pour laisser passer les deux femmes et la main de l'homme qui déposa à l'intérieur le gros sac contenant tous les biens de Marguerite, c'est-à-dire des vêtements au milieu desquels se trouvait cachée la cassette.

Le long d'un couloir bordé de cellules étroites aux portes ouvertes, Marguerite eut une impression de paix. De grande paix. Ce sentiment avait commencé à mijoter en elle à la vue des fortifications de la ville, et durant l'exploration qu'elle avait faite en compagnie des Cormier la veille et l'avant-veille. "Jamais d'Anglais à l'intérieur de ces murs !" a dit et redit le jeune homme pour consolider son intention de s'installer lui-même à Québec. Et voilà que ce monastère abriterait aussi son coeur et ses souvenirs. Car tous les hommes qui tenteraient de s'approcher d'elle désormais deviendraient des John Winslow, des intrus... C'est avec ses amours évanouies en la mer d'Acadie, dans le bassin des Mines, qu'elle désirait vivre le reste de ses jours.

Pendant son alitement, Winslow et son interprète sont venus la voir à deux reprises pour entraîner son esprit et y faire germer l'importance pour elle de se présenter aux Ursulines en tant que veuve.

"Pour votre avenir, en cas de mariage..."

Ce n'est pourtant pas pour cette raison qu'elle laisserait la femme Cormier raconter ce que l'Anglais lui avait recommandé de dire, mais pour éviter qu'on la repousse à cause de son état.

Elle a offensé le Seigneur en vendant son corps pour payer la vie de son fiancé. Le Seigneur l'a rejetée pour cela et terriblement punie. Le vrai salaire de son péché a été de perdre tous ceux qu'elle aimait, de la déshonorer à ses propres yeux et de créer en elle l'indésirable fruit du bourreau. C'est à ces choses qu'elle a songé durant sa fièvre et tout le voyage en bateau, fixant l'eau noire de ses yeux effarés, retenue de s'y jeter par la peur de perdre son âme par l'ajout de l'ultime faute mortelle à la faute charnelle. Elle s'est accrochée à la rambarde et au désir de se cacher ensuite pour le reste de ses jours dans sa vie intérieure en espérant que le Seigneur consente à la délivrer au plus tôt de ces temps sans espoir.

La vivacité communicative de la femme Cormier et la vigueur de sa propre jeunesse malgré les blessures, ont fortifié sa persévérance. Mais voilà que ce monastère aux rigoureuses froideurs réchauffait quelque peu son coeur mort.

La soeur portière, petite, nerveuse et joyeuse, n'a pas demandé le but de leur visite. Elle s'en doutait bien par les indices : la différence d'âge entre les deux femmes, la timidité de Marguerite, le sac. Et la tristesse de cette jeune fille aux yeux plus rouges que sa mante !

Elle ne leur adressa point la parole tout le long de leur marche, mais elle fredonna 'En roulant ma boule' à bouche fermée dans l'espoir de dérider la pitoyable jeune fille aux joues creuses et au teint si pâle qu'elle semblait souffrir de consomption.

–Qui dois-je annoncer ? demanda-t-elle soudain en se retournant dans un bruit camouflé de chapelet à grains s'entrechoquant dans les replis de sa robe noire, alors que le corridor se terminait par un autre le barrant.

–Cécile Cormier pis Marguerite Leblanc, dit la femme Cormier, un être aussi petit que la soeur, rouillé, front rouge et cheveux blonds enveloppés d'une capeline couleur crème.

–Laissez-moi deviner, dit la soeur en détaillant les vêtements de chacune. De Kamouraska... Non, de... de... la Baie-Saint-Paul... Qu'est-ce que je dis là ? Votre accent et tout...

–De nulle part, sourit la femme Cormier.

–Ah! je vois... C'est près d'ailleurs, n'est-ce pas ? renchérit la soeur avec un petit rire vif et bon. Et puis ça ne me regarde pas... non, pas du tout... Pas du tout, pas du tout.

Et elle reprit sa marche en se parlant à elle-même pour aller frapper discrètement à une porte blanche qui sonnait lourd. Sans attendre de réponse, elle ouvrit, penchant la tête à l'intérieur pour dire de sa voix maintenant flûtée :

–Mère Supérieure, j'ai cru vous entendre dire d'entrer... Je vous amène deux belles demoiselles venues... du bout du monde.

Et elle ouvrit la porte toute grande, et d'une main encore plus généreuse, elle montra aux visiteuses le chemin de cette pièce toute blanche dont le bois verni du plancher fit à leurs pas un écho autrement plus engageant que celui, caverneux, des dalles de granit du corridor.

–Mère de la Nativité, voici Cécile Cormier et Marguerite Leblanc.

–De la belle visite de notre belle Acadie ! s'exclama la supérieure qui se rendait d'un prie-dieu à son bureau.

Elle s'empressa vers les arrivantes tandis que la portière approchait une chaise pour chacune, cherchant à savoir comment Mère Supérieure pouvait affirmer que les visiteuses venaient d'Acadie.

–De Grand-Pré, région des Mines, précisa la femme Cormier.

–Comment une Cormier et une Leblanc, avec ces vêtements et votre accent, pourraient-elles venir d'ailleurs que...

La religieuse s'interrompit. Son front se coupa de rides douloureuses et son regard de tristesse.

–Vous êtes donc des déportées ? La terrible nouvelle est parvenue à Québec voilà sept jours. Qu'est-ce qu'ils ont fait de notre belle Acadie ? Venez, venez me dire, si vos coeurs le peuvent... Venez, mes soeurs, mes filles...

Elle serra fortement la main de chacune comme pour y recueillir un morceau de peine et le partager. Quand elles furent assises, elle retourna derrière son bureau, non sans avoir remarqué dans les yeux de l'autre soeur un intense désir de rester et de savoir.

–Mère Sainte-Barbe, je vous permettrai de rester avec nous cinq minutes, pas une de plus, si ces bonnes dames veulent bien vous accepter à les ouïr.

Les Acadiennes s'empressèrent d'acquiescer. La petite portière pimpante s'approcha le plus près qu'elle put pour mieux sustenter sa curiosité plus large que le fleuve.

–Nous avons prié pour vous, que nous avons prié ! dit la supérieure, femme gravement laide par un nez long et crochu, mais éclatante de bonté.

L'autre soeur approuvait par de petits signes de tête.

–Il y a des milliers de drames affreux que vous allez nous raconter par le vôtre...

–Il y a mon mari qui va geler là-bas...

–En Acadie ? Ou bien... Qu'est-ce que c'était que cette histoire de venir du bout du monde, Mère Sainte-Barbe ?

La femme Cormier sourit :

–Je lui ai dit que nous arrivions de... nulle part.

–Ah !... Et votre mari donc ?

–Il est icitte, dans la rue à nous attendre.

–Ne vous inquiétez pas trop pour lui. Les hommes s'en sortent toujours. Ils finissent tout le temps par trouver un refuge pas loin. Vous savez, jamais un seul ne fut retrouvé dans la rue des Jardins gelé comme une... comme un... même pas empesé comme le tissu de ma cornette.

Et elle secoua la tête, ce qui fit éclater de rire soeur Sainte-Barbe et la femme Cormier. Marguerite sourit. La supérieure reprit vite son sérieux et se mit à l'écoute de Cécile qui narra son histoire et celle de sa protégée.

Winslow trouva une certaine grâce dans le coeur des religieuses. Sa préoccupation de l'Histoire commençait déjà à lui rapporter des dividendes.

–Bref, vous êtes venue nous confier madame... Babin ? Je croyais qu'on avait dit Marguerite Leblanc.

–C'est mon nom de fille.

–Oui, oui, bien entendu. Vous n'avez donc été mariée que deux mois ? s'inquiéta la supérieure en pensant que la jeune femme pouvait être enceinte.

–Oui, répondit l'autre en baissant la tête pour cacher sa honte de mentir.

Mais la supérieure le prit pour l'expression de son chagrin et elle reporta à plus tard son questionnement.

–Alors bienvenue au monastère des Ursulines. Nous vous acceptons comme pensionnaire. Et vous n'aurez rien du tout à payer.

–Ça coûte combien pour être pensionnaire ? demanda la Cormier.

–Cent vingt livres par an; mais je le redis, pour Marguerite ce sera gratuit.

–J'ai de l'argent...

–Mais vous le garderez pour vous refaire, pour vous recomposer une âme... ou devrais-je dire une certaine joie de vivre si cela est possible. Un avenir quoi ! Vous savez lire et écrire ?

–Oui madame.

–Vous pouvez m'appeler Mère... Ah! et puis appelez-moi

comme vous voudrez, qu'importe après tout ! Ici, vous apprendrez un peu d'arithmétique, à mieux lire et écrire si c'est possible, mais surtout *"à parler correctement et avec facilité, à vous présenter avec grâce, à vous former aux moeurs honnêtes des plus sages et vertueuses chrétiennes qui vivent dans le monde."* De plus, vous perfectionnerez les sciences ménagères qui ne doivent pas vous faire défaut non plus : couture, tricot, broderie, confection de vêtements, et pourrez-vous vous adonner aux arts d'agrément comme le chant, le dessin, la peinture et même la musique.

Plus tard, la supérieure chassa gentiment Sainte-Barbe restée là depuis dix fois cinq minutes, et elle conduisit les deux femmes à la chapelle pour rendre grâce au Seigneur. Tout le temps qu'elle y fut, Marguerite garda ses yeux fixés sur le retable au faîte duquel se trouvait une statue de saint Joseph tenant l'Enfant Jésus...

À son départ, la femme Cormier promit à Marguerite de revenir le dimanche suivant. La supérieure lui dit de partir l'âme en paix et la félicita d'avoir pris aussi bon soin de la jeune veuve.

–Elle est ici sous la protection de Dieu et du roi; rien ne saurait lui faire de mal ! conclut-elle, bienveillante.

Et Marguerite reprit le chemin de sa nouvelle vie avec mère de la Nativité qui ne cessait de jacasser :

–Ma pauvre enfant, il y a donc une éternité que vous n'avez pas pu vous approcher des saints sacrements... Que c'est dommage ! Mais on peut y remédier. Monseigneur vient justement nous confesser aujourd'hui, vous pourrez en profiter pour vous confier à lui.

Marguerite cessa d'écouter. Oui, elle avait grande hâte de se laver l'âme, mais que penserait l'évêque ? On la chasserait du monastère, c'était certain. Ou bien fallait-il continuer à mentir ? Et passer sa vie entière dans cet insupportable état de péché mortel ? Et si la mort survenait comme elle le souhaitait tant chaque jour, chaque heure... Elle se tortura ainsi d'indécision, de peur, de regrets, tout le jour, jusqu'à l'arrivée à sa cellule de soeur Sainte-Barbe accompagnée d'un jeune prêtre souriant.

–Monseigneur est alité et il nous a gentiment envoyé l'abbé Maisonbasse pour le remplacer.

Dieu ou diable, qui préside au destin ?

Le prêtre obtint aussitôt l'entière confiance de Marguerite. Elle mit toute son âme devant lui. Mais c'est à Dieu tout naturellement que l'abbé rendait hommage en écoutant les tristes confidences de la pauvre déportée. Car lui revenait constamment en mémoire cette autre confession qu'il avait recueillie de la bouche d'un autre éclopé de la vie quelques mois plus tôt à Saint-Thomas alors qu'il y assistait le curé Le Chasseur malade.

Ce Joseph Bernard, honteux de lui-même comme Marguerite, et qui n'épouserait jamais une femme blanche, et qui avait vécu dans le péché avec une Sauvage... Le prêtre échafauda un plan. Puisque les Ursulines ne pourraient garder en leurs murs une femme enceinte, il emmènerait Marguerite à Saint-Thomas sous le prétexte de confier l'abbé Le Chasseur à ses bons soins. Puis il arrangerait les choses, ferait en sorte que Joseph et Marguerite se rencontrent... par l'intermédiaire, tiens, du seigneur Couillard ou bien par celui du curé de L'Islet... ou, s'il le fallait, en s'arrêtant lui-même, par inadvertance, chez les Bernard, Marguerite l'accompagnant dans un voyage quelconque...

"Peut-être leurs cicatrices pourraient-elles arriver à se reconnaître et à se comprendre ? Seigneur, pourquoi ne pas essayer ?" dit-il à Dieu.

Comme tous les autres qui se bousculaient dans sa tête, ce projet l'enthousiasma. Quelle attention de la part de la Providence d'avoir fait de lui un prêtre d'accommodement qui servait de béquille, entre deux cures, aux prêtres malades, d'avoir fait s'arrêter Joseph à l'église de Pointe-à-la-Caille pour y vider son âme, d'avoir fait s'aliter monseigneur de Pontbriand qui avait dû le rappeler à son service à Québec pour quelques jours !

–Je sais, je sens que vous avez déjà commencé à aimer ces murs, ce monastère, soeur Sainte-Barbe et Mère Supérieure, mais il faut déjà vous faire à l'idée de partir. Oui, hélas ! les Ursulines ne pourront garder ici une femme enceinte, même si elles croient que vous êtes veuve. Un monastère n'est pas un lieu pour élever des enfants.

–Est-ce que... je serai condamnée à... à me... marier ? demanda Marguerite agenouillée près de son lit, la tête entre les mains.

–Non, mais... Vous avez décidé de votre vie future alors que vos blessures saignent encore, sont béantes. Il faut que vous vous donniez plus de temps.

–De quoi c'est que je vas faire ? Où c'est que je peux donc aller ?

Les mains sur les hanches, l'abbé marchait de long en large au bout du lit. Il suggéra doucement :

–Il y a un pauvre prêtre malade à douze lieues d'ici. Il aurait grand besoin de mains soucieuses et habiles comme les vôtres le sont sûrement. Ce sont les femmes de Saint-Thomas qui se remplacent à son service. Vous pourriez venir là-bas... Je vais en dire un mot à monseigneur, vous le voulez bien ?

–Mais icitte, monsieur l'abbé... c'est icitte que...

Il dit à voix basse :

–Ce n’est pas possible, ma pauvre enfant. Vous ne voudriez pas causer nuisance aux Ursulines, leur faire du mal, leur mentir ?

Pointe-à-la-Caille

Tout se passa comme prévu, orchestré par l'abbé Maisonbasse. Le vingt-six décembre, en cette église, Joseph Bernard, habitant de L’Islet, épousa Marguerite Leblanc, veuve Babin d’Acadie.

En administrant le sacrement, l’abbé Maisonbasse songeait que cette église ne répondait pas trop aux besoins de la population et qu’elle devait être remplacée. En attendant d’en bâtir une nouvelle, il faudrait réparer celle-ci, affermir les piliers du jubé et de l’escalier, étançonner les murs, boucher les ravalements du rond point, faire raccommoder l’entrée des deux portes du vestibule. Et puis, ce n’était pas à la Pointe-à-la-Caille que le nouveau temple paroissial devrait être érigé, mais bien à un mille de là, à la Rivière du Sud.

En distribuant les hosties, il se soufflait sur la main parfois pour la réchauffer...

Lac Saint-Sacrement (George)

Dans la seconde partie du moins d’août, les troupes de Johnson arrivèrent dans la région du lac avec quelques déserteurs en moins. Et parmi ceux-là, le jeune Benedict Arnold qui n’avait pas pu endurer de se voir donner des ordres par un Indien plus jeune que lui d’un an, fût-il le fils du chef de l’armée.

Le colonel en fut peiné pour Thayendenagea. À ceux qui voulurent partir à la recherche du garçon, il dit :

–Il n’est pas un véritable déserteur; il n’avait pas l'âge requis. Et puis il a toute la vie devant lui pour se battre pour son pays... Car il le fera bien un jour; oui, il le fera.

L'adolescent retourna comme il était venu. De tous les siens à Norwich, seule sa soeur lui fit un reproche en se chagrinant parce qu'il ne lui avait pas confié son projet de s'enrôler. Il lui promit de tout lui dire à l'avenir.

En quelques jours, fut élevée sur l'Hudson une palissade que l'on nomma fort Edward. Puis l'on poussa jusqu'au lac où fut établi un camp appelé William-Henry.

Dans les jours suivants, Johnson et Dieskau s'étudièrent de loin. Par éclaireurs et par espions comme c'était la coutume. Chacun connaissait les effectifs de l'autre et les positions exactes de ses troupes.

Autour de Johnson rôdait le spectre de Braddock. Lui, il aurait affaire non seulement au même type de miliciens que l'infortuné major général, mais aussi aux pires Sauvages, aux plus féroces guerriers Indiens qui soient, les Abénakis. Et par surcroît, Dieskau disposait de trois mille soldats réguliers, entraînés en Europe, disciplinés et avec, parmi eux, des hommes d'élite allemands.

Dieskau se sentait bien plus confiant. Le fantôme de Braddock ne le hantait pas, lui, il l'habitait tout simplement tant il lui ressemblait. Il avait les miliciens canadiens et les Sauvages en piètre estime, les considérait comme une force mineure parfois utile mais non essentielle. Et leur indiscipline lui soulevait le coeur.

Par contre, le baron ne tolérait pas lui-même les instructions reçues de son supérieur, le gouverneur général. Ce qu'il justifiait pourtant. Comment, disait-il, un homme d'État à cent lieues de l'action peut-il juger des situations quotidiennes sur le terrain ? N'y a-t-il pas toute une marge entre livrer bataille au-dessus de cartes militaires et se battre avec fusils, baïonnettes et couteaux ?

C'est pourquoi, contre l'avis de Vaudreuil qui lui avait expressément recommandé de n'attaquer l'ennemi qu'avec toutes ses forces réunies, il divisa son armée, en laissant la moitié au fort Saint-Frédéric afin, déclara-t-il, d'assurer la retraite en cas de besoin. De fait, bien loin d'anticiper l'échec, il rêvait d'une victoire qui éclipserait tout à fait celle de la Monongahéla. Il se mit donc en marche avec deux cents réguliers et mille trois cents Canadiens et Sauvages tout à fait mécontents de cette division inutile et fort risquée, et encore plus excédés par l'attitude hautaine voire méprisante des soldats français à leur égard.

C'était le quatre septembre.

Quatre jours plus tard, au matin, l'on arrivait en vue du fort Edward. Terrorisés par la perspective d'être accueillis à coups de canon, les Indiens refusèrent de donner l'assaut. Dieskau décida alors de marcher vers le lac, au nord avec l'intention de porter l'attaque au camp de William-Henry.

C'est alors que Johnson commit la même erreur de stratégie que son adversaire : il divisa son armée. Un détachement de mille hommes fut envoyé pour barrer la route aux Franco-Canadiens. Moins d'une heure après, Dieskau apprit la démarche anglaise par ses éclaireurs. On tendit une embuscade en tous points semblables à celle de la Monongahéla. *"Il fut ordonné aux Sauvages commandés par Legardeur de Saint-Pierre de se jeter dans la forêt de manière à surgir sur les derrières du détachement britannique, tandis que les Canadiens sous la conduite de Repentigny le prendront de flanc et que Dieskau lui-même l'attendra sur la route avec ses réguliers."*

Mais Braddock n'était pas avec les Anglais pour clouer les hommes au bûcher comme à Duquesne, et, dès l'attaque, les miliciens horrifiés s'enfuirent dans une confusion totale, poursuivis par les haches hurlantes des Abénakis, enragés d'avoir vu leur chef, le chevalier de Saint-Pierre, se faire abattre par une balle ennemie.

Natanis et Sabatis récoltèrent chacun trois chevelures. En outre, ils mirent au soleil les entrailles de deux chefs sauvages ennemis.

La poursuite ne fut pas très vigoureuse c,ar les troupes de Dieskau étaient exténuées par plusieurs heures de marche et par cette attaque. Le baron méprisa les opinions de ses officiers et il força l'avance jusqu'aux retranchements de Johnson derrière lesquels se trouvaient trois mille hommes plutôt dispos. Les indigènes refusèrent de combattre, un Indien fatigué sachant qu'il doit se reposer avant de reprendre la hache. Les Canadiens se déployèrent de chaque côté de la colonne française. On s'établit sur des élévations pour tirer à l'intérieur de la ceinture de bateaux et chariots renversés, de troncs d'arbres, l'ensemble monté de plusieurs pièces d'artillerie.

Quatre heures de fusillade suivirent, y compris deux assauts infructueux. Un troisième fut ordonné et à ce moment même, le baron fut atteint de trois décharges de mousquet. Son remplaçant ordonna la retraite et dut laisser son chef blessé sur le champ de bataille, car Dieskau s'entêta à vouloir y demeurer.

Il fut ramassé par Johnson, soigné et renvoyé en France.

Ainsi la bataille du lac Champlain se terminait par un verdict nul. Les Franco-Canadiens s'en retournèrent dans leur position originale à Saint-Frédéric. Les Anglais entreprirent de fortifier William-Henry. Et personne n'avait livré la marchandise. Dieskau, l'Européen, s'était rivé le nez. Johnson ne voulut pas risquer de pousser plus avant, jugeant l'ennemi trop fort.

Quelques jours après, à Québec, la supérieure des Ursulines commenta ce qui s'était passé au lac Champlain devant ses soeurs attablées pour le repas du midi :

“On devait s’attendre à un triomphe d’un homme aussi expérimenté que monsieur Dieskau. Mais comme on ne se bat pas en ce pays comme en France, les choses changèrent bien de face !”

Quant à Natanis et Sabatis, ils durent retourner à Saint-François sans les prisonniers commandés à leur départ.

La gazette de New York fustigea Johnson et ses troupes qu’elle traita de pique-niqueurs. Elle contesta l’utilité du fort William-Henry, soutint qu’il fallait pousser au moins jusqu’à Ticonderoga pour y établir une place forte.

Pendant que les Anglais discutaient, Vaudreuil chargea le marquis de Lotbinière de construire une forteresse, précisément à Ticonderoga.

–Il s’agira d’un ouvrage d’une conséquence infinie, argua-t-il lors d’une rencontre qu’il eut avec Lotbinière et Bigot quelques jours après l’arrivée des nouvelles décevantes sur les performances de Dieskau,

–Il n’est pas possible de soutenir de pareilles dépenses, se récria l’intendant.

–J’ordonne qu’on y travaille sans perdre un seul instant, conclut le gouverneur.

Et avant même l’hiver, au coeur d’octobre, sur les hauteurs venteuses de Ticonderoga, tombaient les grands arbres, s’empilaient les énormes pierres, progressaient des travaux exécutés par deux mille hommes. On parlait de la place comme de fort Vaudreuil, mais Lotbinière décida qu’elle s’appellerait fort Carillon à cause du bruit de la chute des eaux du lac Saint-Sacrement dans celles du lac Champlain à quelque distance.

À Montréal, Vaudreuil attendait des nouvelles de France vu qu'il avait naturellement demandé le remplacement de Dieskau par un chef militaire bien empanaché. Et, l'espérait-il, de meilleure composition, un peu plus docile, un peu plus respectueux des Canadiens que son prédécesseur...

***

1756

Québec

La prétention poudrée, hexagonale et militaire mit le pied sur le quai à sa descente du gros navire venu de France. Elle avait quarante-quatre années dont certaines sur divers champs de bataille d'Europe où elle avait goûté aux amertumes de la défaite notamment à Plaisance en 1746 et à L'Assiette en 1747. Elle venait en Amérique pour enfin dorer son blason, l'inscrire sous une meilleure étoile, trouver une gloire jusque là fuyante, insaisissable. Elle portait un nom aux consonances prestigieuses dont elle tirait gloriole en attendant mieux : Louis Joseph, marquis de Montcalm, seigneur de Saint-Véran, de Candiac, de Tournemire, de Vestric, de Saint-Julien, d'Arpaon, baron de Gabriac.

L'oeil ardoisé comme le ciel de ce jour d'avril, le sourcil noir et fourni, la morgue accrochée aux coins des lèvres, l'homme se déclara étonné de ne point entendre une salve d'artillerie saluant l'arrivée en ce pays, de l'élite des armées françaises, voulant par là désigner assurément les trois fiers officiers qui lui emboîtaient le pas : monsieur de Lévis, monsieur de Bougainville et monsieur de Bourlamaque.

Mais tout n'était pas perdu puisque l'intendant Bigot accourait au milieu d'une délégation colorée venue en catastrophe accueillir le nouveau commandant de l'armée. Le ventre au souffle court, Bigot s'écria de loin :

–Marquis... je croyais... nous pensions que vous pousseriez... tout droit, jusqu'à Montréal... où se trouve le gouverneur... qui vous espère ardemment.

–C'est l'intendant, dit Montcalm à ses officiers. Il est encore plus dégoûtant que la dernière fois où je l'ai vu. C'était à Versailles, il y a une année de cela.

–N'avez-vous point reçu le message... de monsieur de Vaudreuil... qui vous presse...

Montcalm coupa net :

–Le voyage fut long et pénible sur une mer souvent grosse et difficile; monsieur de Vaudreuil comprendra.

–Mais c'est qu'il est d'urgence d'aller... nettoyer Oswego.

–Que dites-vous là ? s'écria Montcalm.

Il a longuement étudié les cartes du pays et ses lignes de défense; or, Oswego lui est apparu le dernier endroit où envoyer des troupes. Il ramènerait bien le gouverneur à la raison. Et pour mieux montrer la volonté qui l'animait, il passerait trois jours à Québec. Car la chose militaire serait entre ses mains; cela, Vaudreuil l'apprendrait vite. Il était bien assez de la plus totale inconséquence qu'il fût mis sous l'autorité du gouverneur, ses instructions étant d'exercer les mêmes pouvoirs que Dieskau, son rôle devant se borner *"à exécuter et faire exécuter tout ce qui lui sera ordonné par le gouverneur."*

Tout le long du chemin traversant la basse ville, l'homme égrena des railleries sur ce qu'il apercevait ou entendait :

"C'est pire que provincial, c'est colonial, ce pays !"

“Quelle langue vernaculaire ces gens parlent-ils donc ? La chevaline ?”

“On dit qu’ils sont bouffis de sang indien.”

“Il me tarde de connaître l'épaisseur des fortifications avec l’espérance qu’elle soit au moins aussi grande que celle des personnes du beau sexe que je vois ici.”

“Par bonheur qu’à la nuit, il ne me restera plus que trois années moins un jour à vivre dans cette colonie !”

Jusque là, il aurait tout loisir de donner libre cours à sa jactance chronique.

Norwich

–Que le temps fut exquis aujourd’hui, n’est-ce pas ? dit Hannah Arnold quand les huit personnes à se partager ce repas offert par Joshua et son épouse furent attablées.

Ce commentaire suscita une idée en chacun. À Judith, l’épouse de Daniel, sa voisine de table, qui renchérit par des mots appuyés d’éclats vifs dans ses yeux noirs. À son mari Daniel, à sa gauche, qui souffla un mot à Joshua et à Benedict Arnold père au sujet de sa longue randonnée du jour, vingt milles aller et retour, par un soleil fort et doux, pour se rendre recevoir des malades à un bureau nouvellement ouvert à Montville. Arnold donna le change en se félicitant tout haut de ce qu’une barge à lui, remplie de marchandises importées des Antilles, soit arrivée à Norwich avec deux jours d’avance grâce au beau temps, ce qui, les Lathrop le savaient, n’avait pas pu avoir une grande incidence. Hannah fille, assise en face de sa mère, dit avoir passé sa journée à travailler au jardin à planter ou transplanter les bulbes de vingt sortes de fleurs.

Entre les deux Hannah, à l’autre extrémité, Amélia avait l’attention partagée entre les préparatifs auxquels s’affairaient les serviteurs, et sa vérification du contenu de la table.

Et le jeune Benedict se sentait traqué. Pris à la gauche de son père qu'il savait dans un certain état d'ébriété déjà; prisonnier des yeux profonds de Judith devant lui et qui ne manqueraient pas de lire dans les siens s'il lui arrivait de jeter trop d'oeillades en biais vers Amélia. Il resterait enfermé dans son silence tant qu'on ne viendrait pas l'en sortir par une question... Et même alors...

C'est ainsi qu'il vivait depuis son retour d'Albany. Il a passé l'hiver enterré de silence, caché dans sa taupinière intérieure, au froid de ses pensées et de ses émotions rassises, baissant les yeux quand Amélia s'approchait, les posant sur elle, à la dérobée, quand elle s'éloignait. Le problème, c'était qu'elle se trouvait souvent là, à travailler autour, au rayon des coquetteries. Et d'ailleurs, il courait vite la chercher chaque fois qu'une cliente désirait se procurer l'une de ces frivolités...

À autant de monde autour de la table, qui remarquerait son mutisme ? Les trois hommes formaient déjà un cercle bavard à un bout tandis que les femmes faisaient de même à l'autre. Mais, entre les éclats de voix, Judith lui lança pardessus un plat d'argent :

–Quelle chance de me trouver en face du plus beau garçon de tout Norwich !

Benedict tourna la tête à gauche, à droite, comme s'il avait cru, ou feint de croire, qu'elle s'adressait à quelqu'un d'autre; en fait, c'était par crainte qu'on ait entendu cette phrase embarrassante, colorant ses joues, son front et ses oreilles d'un rouge qu'il pouvait évaluer violent par la chaleur s'y promenant.

–C'est à toi que je parle, Benedict, insista la jeune femme en croisant ses doigts sous un menton fin et moqueur.

L'adolescent avait les idées qui se couraient sans parvenir à se rattraper, s'enfargeant l'une l'autre, prêtes à le faire trébucher au moindre mot qui sortirait de sa bouche. Il les retenait dans ses mains tordues, cachées sous la table... Sans le vouloir, son père vint à sa rescousse en s'excusant pour aller aux toilettes, ce que chacun savait un prétexte pour aller se payer une lampée de rhum depuis une bouteille qu'il avait cachée quelque part à l'extérieur.

–Et moi aussi, fit l'adolescent en reculant sa chaise.

–Un à la fois, jeune homme, lui dit son père en le forçant à se rasseoir d'une main ferme appliquée sur l'épaule.

Cela confirma ce que chacun subodorait quant à la raison de son absence. Le capitaine était le seul maintenant à ne plus connaître sa réputation d'ivrogne. Mais le fils troublé n'y songea point et son embarras se décupla.

La coupable mit de côté son délice de le torturer et, pour faire d'une pierre deux coups, elle entreprit une conversation avec Hannah mère que la scène avait fort contrariée.

Au retour de Benedict, Amélia fit un signe à Oliver qui attendait près d'une table de service devant deux bouteilles ouvertes d'un vin importé de France via l'Angleterre par les Lathrop. Le serviteur rajusta nerveusement sa perruque blanche, prit l'un de ces contenants en verre soufflé teinté vert et fit le tour des convives, remplissant la coupe de chacun.

–Pas lui ! Trop jeune, dit le père, voyant Oliver hésiter à côté de son fils.

L'adolescent leva à moitié sa coupe vide lorsque les autres portèrent un toast au roi et à la victoire de l'Angleterre sur la France, car les deux pays étaient entrés officiellement en guerre maintenant. Puis il se mit à l'écoute des deux bouts de la table. Potinage à droite. Politique à gauche.

Un quart d'heure plus tard, le ton de la conversation entre les hommes commença à se gâter et à sentir le vinaigre. Comme il lui arrivait souvent de le faire dans les tavernes quand il avait un verre dans le nez, Benedict devint agressif dans son propos, s'inscrivant en faux par plaisir contre tout ce qui était avancé par ses interlocuteurs.

–Une guerre civilisée ne devrait pas comprendre l'utilisation des Indiens, clamait Joshua avec force.

–Tant qu'à faire, aussi bien ne pas utiliser les mousquets non plus puisqu'ils sont, que je sache, tout autant meurtriers que les Sauvages.

–Je veux parler des raids.

–C'est ce jeune Washington que vous admirez tant, le responsable de tout cela.

–Washington n'est pas âgé d'un quart de siècle, et les raids, eux, existent depuis un siècle.

–Il se produisait des incidents de frontière qui coûtaient au plus trente morts par année aux colonies. Depuis que notre fanfaron de Virginien s'en est mêlé, il nous en coûte mille morts par année sans compter les biens détruits.

Incapable de laisser passer sans mot dire une parole aussi révoltante, fût-elle de la bouche de son père, et même s'il appréhendait une sévère réprimande pour ainsi s'interposer, le jeune Benedict s'indigna :

–George Washington n'est pas un fanfaron.

–Washington est un jeune prétentieux exactement comme toi, dit son père sur un ton acide. Il a pensé aussi pouvoir changer le monde à lui tout seul. Il en faudra beaucoup plus des comme lui et des comme toi pour influencer l'histoire de ce pays. Là-dessus, jeune homme, tu vas quitter cette table avant que je ne te...

–Benedict ! intervint Hannah en s'adressant à son mari. Nous sommes en visite dans cette maison.

Emporté par la frustration qu'il ruminait sans cesse quant à sa situation financière, dépit aggravé par l'idée que celle des cousins Lathrop progressait en flèche, l'homme se vidait de son aigreur, utilisant son fils comme bouc émissaire.

–Je suis le chef de famille et j'ordonne qu'il s'en aille. Il est un peu trop jeune pour se mettre le nez aussi grossièrement dans des propos d'hommes. Il y a vingt ans, l'on n'acceptait même pas les enfants aux tablées d'adultes.

Sans fracas mais dans des mouvements décidés, l'adolescent quitta les lieux.

Le froid qui s'abattit alors sur le repas fut vite dissipé par le service d'une soupe à la tortue après laquelle Amélia, sur un signe complice de Joshua, s'éclipsa discrètement pour aller porter à manger au garçon et lui dire un mot de consolation.

La père, lui, poursuivait d'une voix âpre son réquisitoire enfiellé contre Washington que les journaux de toutes les colonies prônaient trop à son goût.

–Le fort Duquesne est devenu un entrepôt de chevelures grâce à notre cher colonel virginien qui a mis le feu aux poudres.

–Il est dit dans les journaux que Vaudreuil, le gouverneur général de la Nouvelle-France a augmenté la prime versée aux Indiens pour une chevelure anglaise, fit Daniel à voix modérée pour calmer la fureur de son frère qu'il devinait sous ses dehors froids et blêmes.

–Nos habitants ne sont pas des guerriers tandis que les Canadiens en sont tous. De plus, ils ont les Indiens de leur côté. Et notre subtil Virginien lui, s'est permis d'assassiner leur ambassadeur et de les déchaîner ainsi contre nous. Il fallait s'attendre à...

–Benedict, il s'agit là d'une vieille scie qui ne tranche

pas grand-chose, protesta Daniel. Il a coulé pas mal d'eau sous les ponts depuis cette affaire qui est bien loin de tout justifier en tout cas de justifier ce qui est inqualifiable.

–Qu'est-ce donc que rapportent quotidiennement les journaux ? explosa Joshua mais d'une voix qu'il garda blanche d'une politesse digne, bien que le coeur, lui, fût à l'emporte-pièce. Le récit toujours plus tragique d'une déprédation des Indiens. Cent colons tués ici. Des femmes et des enfants qui fuient là. Un village brûlé en Virginie. Un autre déserté en Pennsylvanie. Partout que désordre, désolation, massacres. Un jeune lieutenant originaire de Hartford, donc un gars du Connecticut comme vous et moi, messieurs, a eu la bouche fendue jusqu'aux oreilles et la langue coupée, et ensuite on lui a sorti les entrailles pour les lui fourrer dans la bouche. Tueries au New Hampshire, boucheries au New-York, mutilations au Maryland, cendres au Massachusetts : les horreurs s'étendent partout. Nous faudrait-il songer à rembarquer un million et demi de citoyens sur des bateaux pour les renvoyer en Angleterre parce qu'un jeune homme inexpérimenté a tiré un coup de fusil prématuré ? Non, monsieur, non. C'est le Canada qui est de trop en Amérique. Ces soixante mille barbares papistes doivent être mis au pas.

Aux derniers mots, il perdit contenance et monta la voix. Avec le dernier, il assena un formidable coup de poing sur la table à côté de son assiette, oubliant qu'il avait devant lui un meuble à abattants. La pièce de soutien se disloqua, tomba, entraînant avec elle, dans un épouvantable dégât, couverts d'étain, argenterie, ustensiles, coupes et une grosse terrine remplie d'un mélange de légumes fumants.

Amélia entendit le bruit depuis la porte de la chambre de Benedict où elle frappait maintenant. Elle eut un mouvement pour rebrousser chemin puis elle pensa qu'ils étaient bien assez en bas pour voir à ce désastre dont elle ne soupçonnait que trop la nature ni l'ampleur. Il y avait peut-être de pires ravages dans l'âme de leur protégé, et il était seul pour les réparer.

Lorsque l'adolescent ouvrit, elle devina qu'il venait de s'essuyer les yeux, car la bougie que chacun tenait trahissait l'état d'âme de Benedict. Elle s'y attendait pourtant, mais elle en fut quand même troublée. Sans doute avait-il pleuré à cause de la punition infligée, mais probablement aussi en regardant par sa fenêtre celle d'Isabella, fichée comme un trou noir, vide et cruel, dans une lucarne de la maison d'en face. Amélia le croyait encore inconsolable de la mort de la jeune fille. Cet air taciturne. Cette fugue de l'année précédente dont il avait si peu parlé. Jamais ne lui avait effleuré l'esprit l'idée que le garçon ait pu nourrir à son égard un sentiment plus violent encore que celui qu'il avait ressenti pour Isabella Norton.

L'éclairage rapproché et conjugué de leurs bougies révéla à Benedict une image d'elle qu'il n'avait jamais vue. Bouleversante et brillante dans les noirs de ses cheveux et de ses prunelles; neuve et divine dans les rouges de sa robe longue et du mouchoir de sa chevelure.

Elle voulut le dérider :

–Il y a un raid indien en bas.

–C'est mon père qui fait encore des siennes.

–Je t'apporte du civet.

Il restait droit comme la chandelle de son bougeoir, à détailler le visage si beau, si jeune.

–Si tu veux bien me laisser passer ?

–Pardon, tante Amélia.

–Que faisais-tu ? demanda-t-elle en déposant le plateau sur la table de chevet.

–Je réfléchissais.

–À la fenêtre ?

–Non, non... J'étais étendu sur mon lit.

Il regarda aussitôt ses pieds bottés, bredouilla :

–Mais j'avais mes pieds en dehors du lit...

–Et... tu pensais à quoi ?

–À la rage que je ressens quand mon père est comme... comme ça.

–Il faut que tu pardonnes et que tu oublies, fit-elle un peu distraitement en arrangeant les choses dans le plateau.

–Pourquoi est-ce qu'il s'en prend à tout ce qui est bon, noble et... grand ?

Amélia contourna le lit et vint se placer derrière lui, désireuse de se trouver le plus proche possible afin de lui parler avec toute la douceur d'une mère. Mais il s'éloigna jusqu'à la commode à vêtements sur laquelle il déposa son bougeoir à sa place habituelle à côté de son tricorne. La voix plus crispée encore que les poings, il déclara :

–George Washington n'est pas ce qu'il dit qu'il est. George Washington, c'est un grand soldat... c'est l'homme le plus brave des colonies. Qu'est-ce qu'il en sait, mon père, de la guerre contre les Indiens et les Canadiens, lui qui ne peut même pas vaincre sa passion pour le rhum ?

–Chut! Ne parle pas ainsi de ton père, supplia la jeune femme en se rapprochant de nouveau. Si lui ne sait rien de la guerre comme tu le dis, toi, tu ne connais peut-être pas toutes ses misères, tous ses tracas.

–Mais moi, je me tais, tante Amélia.

Ce qu'il disait ne correspondait plus avec ce qui occupait maintenant sa pensée et sa chair. Il y avait ce subtil parfum de jasmin, cette voix qui s'enroulait autour de son esprit telle une écharpe duveteuse, cette présence qui faisait couler dans sa poitrine des flux chavirants. Il avait en tête cette image tournoyante d'elle se penchant pour s'asseoir à la table, son nez qui lui chatouillait le sourire, sa bouche aux airs de dire "qu'elle est bonne, la vie !" et son décolleté plein, si plein depuis la naissance de son enfant.

Le pénible souvenir de cette mort fut aussitôt chassé. Il voulut le remplacer par des meilleurs. Mais le suivant fut rempli d'amertume. Vite venu, il se répétait à tant d'exemplaires en ses mémoires irritées : c'était le bruit qui lui parvenait si souvent le soir depuis leur chambre... Un bruit intolérable d'intensités, bâti des halètements de Joshua, des cris plaintifs d'Amélia, des sons agaçants d'un mur frappé et d'un plancher qui vibre...

Elle lui posa une main dans le dos, frotta dans un mouvement doux et d'une vague insistance propre à exaspérer tous les désirs, ordonna :

–Viens manger... C'est chaud... Et c'est bon... Il y a une touche de Lydia... et d'Amélia dedans le civet.

Il se mit un poing à l'épigastre et poussa de toutes ses forces pour calmer sa folie. Lui revint l'idée mille fois rabâchée de partir, de quitter son apprentissage dans cette maison pour enfin nettoyer toutes ses culpabilités envers Isabella, envers Joshua et Amélia.

Elle glissa son autre main autour de lui, vers cet endroit qu'il cherchait vainement à dompter et duquel jaillissaient de sauvages torrents se ruant à l'assaut de tous ses retranchements. Il crevait à retenir son souffle :

D'un geste brusque, coléreux, irrépressible, il délia son poing et jeta sa main sur celle d'Amélia.

–Ma tante, je... vous aime... tellement.

–Et moi aussi, Benny, et moi aussi.

–Mais vous, ce n'est pas la même chose, n'est-ce pas ?

–Et pourquoi pas ? dit-elle sans savoir.

Il se retourna avec la même fougue qu'il avait mise à emprisonner sa main. Un oeil en feu, l'autre dans l'ombre, le coeur enluminé, il redit, mâchoires serrées :

–Tante Amélia... je vous aime.

–Tiens, je te regarde... mais tu as encore grandi, toi, se surprit-elle dans son entêtement à ne le voir qu'enfant.

–Je vous aime, je vous aime comme l'oncle Joshua... Non bien plus que lui... Pardonnez-moi. Oh, pardon !

Et il s'empara d'elle, l'écrasa sur lui avec ses bras exaspérés, la bouche à sa recherche, fébrilement exploratoire, multipliant les baisers sur le visage adoré depuis le cou jusqu'au front puis vers la bouche.

Sidérée, Amélia prit soudain conscience comme d'un fait incroyable, que Benedict avait quinze ans et qu'il était devenu un homme. En tout cas qu'il en avait l'impétuosité, qu'était mort sans doute avec Isabella Norton, le romantique adolescent aux amours platoniques.

Elle voulut le repousser par ses bras et ses mains en appui sur ses épaules. Peine perdue : il avait la force deux fois plus grande que celle de Joshua dans ses moments les plus ardents, des moments passés depuis pas mal de temps.

Benedict frémissait de bonheur. Son âme éclatait comme une mer céleste aux scintillements infinis. Le présent manquait de souffle; l'avenir, de vie; le passé, d'existence. Le rêve et les lèvres d'Amélia ne firent plus qu'un. Il y courut, s'y jeta comme on plongerait dans la Thames depuis les étoiles.

Hélas! la Thames n'était pas encore délivrée de toutes ses glaces, et alors même qu'il l'abordait de son désir incontrôlé, il sentit Amélia tirer vigoureusement sur la queue de sa chevelure, forçant sa tête à reculer.

–Non, fit-elle nettement.

Amer et suppliant comme un enfant capricieux, il balbutia :

–Pourquoi ne pas vous laisser aimer comme l'oncle Joshua avec... avec...

Mais le nom de Lydia resta prisonnier de sa loyauté envers son oncle et de sa tendresse pour Amélia.

–Parce que Joshua est marié avec moi, que je n'appartiendrai toujours qu'à lui seul... du moins tant qu'il vivra,

–Mais je vous aime, tante Amélia, je...

–À ton âge, on aime la vie, l'amour, les émotions, la découverte... On s'engoue et on oublie. Demain, tu aimeras Lucy ou Mary tout comme hier tu aimais Isabella. C'est ainsi que va, que bat la vie en soi. Maintenant, lâche-moi et viens manger; on va placoter de tout ça. Pas longtemps parce qu'il faut que je retourne en bas. Mais on va commencer ce soir et on finira demain à la pharmacie... ou dans cinq ans, finit-elle pour le rassurer par des mots de pardon.

–Dans cinq ans, je ne serai plus là depuis longtemps, soupira-t-il en relâchant l'étreinte inutile et en hochant misérablement une tête basse et honteuse.

–Benedict Arnold, ne baisse jamais la tête ! Et ne prends jamais un recul comme une défaite, que tu doives te l'imposer toi-même ou bien qu'on te l'impose.

Elle lui mit un pouce sur le menton et l'obligea à la regarder dans les yeux.

–Sache que je t'aime de tous les amours possibles excepté celui des époux que je réserve à Joshua. Sache aussi que si tu restes debout malgré n'importe quoi, devant n'importe quelle adversité, devant n'importe quel adversaire, personne ne réussira à t'abattre. Personne sauf toi-même...

Elle l'entraîna par la main de l'autre côté du lit où elle le fit asseoir derrière la table, devant le superbe plat d'argent aux odeurs d'herbes et d'épices.

–Et ce qui vient de se passer restera éternellement dans cette chambre, assura-t-elle.

Il souleva le couvercle luisant, huma le civet puis sourit à la jeune femme.

–Tante Amélia, vous avez les plus beaux cheveux du monde... Et le fichu le plus flamboyant que vous avez dedans, c'est celui-là, le rouge.

Furibond l'instant d'avant, Benedict était redevenu parfaitement calme. Amélia comprit qu'elle n'avait pas à lui parler davantage pour le moment. De plus, elle sentait le besoin de retourner en bas, ne serait-ce que pour se retrouver seule dans l'escalier pour réfléchir sans autre présence.

Après s'être excusée, elle se rendit chercher le bougeoir qu'elle mit sur la table pour remplacer la chandelle prisonnière dans son petit lit de cire au fond du plateau, et dont elle avait besoin pour se guider.

Il mangeait déjà. Et avec grand appétit.

–J'arrêterai plus tard te voir en passant avec Joshua.

–Pour ce qui est de mon père, oubliez ce que j'ai dit. Moi, je ne veux plus y penser.

–Après tout, tu n'es pas le seul à croire en George Washington, fit-elle en quittant de son pas léger.

Près de l'escalier, elle s'arrêta un moment pour peser à nouveau ce mot que Benedict avait lâché, mais surtout celui qu'il avait retenu, et qui la harcelait depuis. S'était-il emberlificoté dans sa phrase ou bien... Elle secoua la tête. L'étreinte dont elle venait d'être l'objet lui revint en mémoire. Elle ne put réprimer un frisson sauvage. Elle se promit d'être plus prudente désormais avec Benedict. Et... avec Joshua.

L'Islet

Marguerite entendit au loin les grondements du tonnerre. Elle ne dormait point. Pas encore après une journée de dur labeur et cette bonne demi-heure d'attente d'une perte de conscience habituellement plus rapide à venir. Ce devait être la chaleur chargée d'humidité qui lui pressait sur les bronches et sur le ventre.

Le tonnerre rapprocha sa menace d'un coup sec. Le bébé bougea en elle comme si le son l'eût réveillé d'un sommeil tranquille qui l'avait tenu immobile depuis le souper.

Dans la chambre voisine, Joseph devait déjà dormir, lui, pensa-t-elle avec une pointe de tendresse au coeur. Quel être bon malgré tous ses mystères, que cet homme qu'elle avait accepté pour mari comme si ça allait de soi quand il lui avait proposé le mariage. En fait, tout avait été de soi depuis la minute où elle avait rencontré le regard plein de la grâce divine de l'abbé Maisonbasse. Il lui avait tenu la main avec précaution et fermeté vers sa nouvelle vie, depuis les Ursulines jusqu'à la ferme des Bernard, en passant par le presbytère de Saint-Thomas. Joseph et elle voulaient tous deux d'un mariage blanc. Le sceau du ciel y avait été apposé le soir même du vingt-six décembre par une formidable tempête de neige.

En même temps que Saint-Thomas, tout l'Islet avait appris, par la publication des bans, que Marguerite était une jeune veuve de la malheureuse Acadie. Et tout l'hiver, à la messe et sur le perron de l'église, il avait neigé sur elle des bons mots gorgés de sollicitude et accompagnés de regards à l'avenant.

Le treize avril, l'abbé Maisonbasse devint curé de Saint-Thomas. Le jeune couple fit un voyage spécial depuis L'Islet pour aller lui offrir ses voeux et pour lui témoigner de la reconnaissance pour le bénéfique complot qu'il avait tramé contre eux et qui les avait menés au pied de l'autel de l'église de Pointe-à-la-Caille.

En mai, elle fit une visite aux Ursulines. Mère Sainte-Barbe la reçut comme une soeur, et soeur de la Nativité lui parla comme une mère. Les Cormier étaient revenus par deux fois prendre des nouvelles, puis ils avaient annoncé leur départ pour Bécancour où plusieurs Acadiens avaient commencé de se rebâtir.

Mais voilà qu'à l'approche de son accouchement, et à cause de la grave maladie de sa belle-mère, mal qui évoluait vers le pire, revenaient parfois la hanter les spectres de l'angoisse et de la peur coupable.

Cette nuit profonde autour d'elle la replongeait au coeur du noir attique d'Acadie où elle avait vendu son âme au diable avant que d'offrir son corps à l'Anglais. Tout aurait été si facile si un coin d'avenir lui avait alors été révélé. Rien qu'une lueur créée par un coup de tonnerre comme le précédent !

Elle se rit d'elle-même. Si le futur était révélé, il ne pourrait exister, car on ferait en sorte qu'il ne se produise pas. Et puis le tonnerre n'allumait rien du tout, ni n'éclairait quoi que ce soit : c'était bien connu. Bruyant, inquiétant et parfois effrayant... Il claqua ex abrupto dans sa pensée et à sa fenêtre comme pour lui répondre, à cette incrédule.

Peut-être vaudrait-il mieux allumer une chandelle ? Plutôt descendre quérir un cierge béni... Non pas un mais deux... Un second pour Joseph au cas où il ne dormirait pas.

Elle se leva. Un éclair brisa le ciel en quatre, frappa la jeune femme de sa lumière éblouissante, silhouetta son image fantomatique devant la fenêtre. Jaquette blanche à devant rebondi, arrosée de cheveux noirs chutant dans son dos depuis une coiffe frisée, elle resta un moment à scruter l'opaque du fleuve, vers l'Acadie perdue. Il lui sembla tout à coup qu'un bâtiment sombre, ballotté par les vagues et dangereusement proche du rivage, progressait en travers ou plutôt était entraîné par les courants et les bourrasques furieuses, bien qu'il n'eût aucune voile dehors.

Elle ferma les yeux pour chasser cette vision, certes un de ces rappels de son imagination qui avait si souvent créé des scènes d'épouvante au cours desquelles la Neptune faisait naufrage ou bien se fracassait sur des récifs ou s'échouait sur quelque île désertique. De se figurer la souffrance de ceux qu'on aime exalte la sienne propre. Où étaient-ils maintenant, où étaient-ils donc, son frère Joseph, Étienne, Madeleine, Jeanne, les petits ? Et son père ? Avaient-ils pu se rebâtir une souriante maison comme celle d'Acadie ? Ou bien se mouraient-ils de chagrin dans une masure de misère, dans un ailleurs voisin de nulle part ?

Elle sentit son fils lui donner une bordée de ruades. Pourquoi avait-elle l'idée que ce serait un fils ? Si cela arrivait, ce serait donc un être monstrueux, produit hybride du bourreau et de la victime, maudit par le ciel aussi bien que par l'enfer, bouffi de sang protestant, mensonger, abuseur, anglais et cruel. Mais il pourrait arriver pire : ce pouvait être une fille... Un réceptacle à toutes les douleurs, celles que l'homme inflige, celles de la maternité, de la servitude silencieuse et définitive, de l'enterrement à seize ans et d'une mort prématurée peut-être à trente...

Elle rouvrit les yeux et les referma à trois reprises, l'espace d'un éclair, pour apercevoir à la faveur d'un ciel encore plus coléreux, le grand bâtiment qui s'échouait certainement. Sa coque devait être en train de s'éventrer sur le fond puisqu'il gîtait de plus en plus chaque fois qu'il apparaissait sous un nouvel éclat de la voûte céleste.

Il fallait réveiller Joseph, prier, courir au secours des malheureux qui pourraient se noyer... aider ces gens comme on avait peut-être aidé les siens déjà.

Elle sortit en hâte de sa chambre, courut frapper à la porte voisine. Un premier coup discret. Puis un autre plus fort. Dormait-il si dur par un temps aussi exécrable ? Elle entra sans plus attendre et se rendit jusqu'à son lit, guidée par les brusques flots de la lumière dégorgés par la nuit noire. Elle hésita un moment avant de le toucher à l'épaule. Malgré tous ces repas, ce labeur et ces veilles partagés côte à côte, elle ne se sentait pas encore très à l'aise avec lui. Il restait distant, souvent sombre, toujours énigmatique.

–Joseph, Joseph, réveille-toi...

Il reprit conscience dans un sursaut, émergeant de la sauvagerie où était penchée sur lui, pour lui prodiguer des soins, une jeune Indienne silencieuse au regard morne. Il se remit vivement sur son séant, son visage apparaissant soudain tout près de celui de Marguerite, éclairé par des rayonnements successifs. Elle eut un mouvement de recul, d'horreur. Joseph ne s'était montré qu'une seule fois à elle, pour qu'elle sache. À l'église, il gardait une tuque ou un bonnet de fourrure ou un mouchoir de pirate avec la permission spéciale du curé Dolbec de L'Islet et de l'abbé Maisonbasse de Saint-Thomas.

–De quoi c'est qu'il se passe ?

–Y a un bâtiment qui s'échoue.

Il tâtonna de la main sur le petit meuble de chevet, trouva sa tuque et se l'enfila jusque sur le front. Dehors, comme une rage universelle, la pluie se déchaîna soudain par vagues désordonnées telles des hordes sauvages, à l'assaut de la fenêtre et du toit qu'elle frappait de milliards de petits marteaux agressifs.

–Ça sera comme... dans ta tête. J'ai l'accoutumance. Des fois on pense qu'on voit quelque chose par temps d'orage.

Ça arrive à ben du monde.

–Mais je l'ai vu... Regarde au moins.

Il se leva et se planta devant la fenêtre. Mais il ne vit rien du tout en dépit des clartés que le ciel ne ménageait pourtant pas.

–Un bateau, y a des lumières dedans... c'est plein de lanternes... j'en vois pas.

–Je viens de l'apercevoir, moi.

Elle se mit devant lui pour chercher à son tour. Mais elle eut beau faire, le fleuve était désert.

–Un bateau qui s'échoue sur vos terres par temps d'orage, c'est jamais bon présage. Vaut mieux que ça survienne pas, grommela-t-il.

–C'est vrai qu'il y avait pas de lumières, mais j'ai vu les trois mâts, les vergues pis même des haubans.

–C'est mieux de même.

–Si la pluie diminue, on va le voir, c'est certain.

–C'est mieux de même, répéta-t-il.

–Ben moi, je pense que c'est pire si c'est rien qu'une apparition.

–Ben non !... Si c'est une idée, ça sera que l'embarquement des Acadiens t'aura trotté de par la tête.

–Ce que je comprends pas non plus, c'est que le bébé passe son temps à ruer à gauche pis à droite, ça, à partir du moment où c'est que j'ai vu le bateau. Ça doit être un mauvais signe, ça itou.

Un éclair traça une fêlure horrifiante dans la voûte céleste et, en même temps, le tonnerre se fit entendre, cette fois dans une sorte de craquement total comme si la terre elle-même se cassait en deux. D'instinct, Marguerite recula sur Joseph, s'appuya sur sa poitrine, y resta, à dire :

–J'ai peur... je pense.

–Le tonnerre est moins dangereux que l'homme.

–On devrait allumer des cierges bénis.

–Tu veux que je descende en quérir ?

–Oui... Non, pas asteur.

–Vois pas de mal là-dedans si je te prends dans mes bras.

Elle bougea la tête et poussa un peu plus sur lui pour lui faire connaître son assentiment. Il l'entoura par dessous les bras jusqu'à lui poser les mains sur le ventre.

–Ce sera l'enfant que j'aurais voulu avoir.

–J'ai peur de cet enfant-là,

–Pourquoi c'est faire ?

–Je sais pas... J'ai peur que ça soit un monstre.

–Pourquoi dire des affaires pareilles ?

Les coups de tonnerre se succédant, elle dut lui faire redire sa question, mais elle n'y fit aucune réponse autre que des soupirs profonds qu'il lut par ses mains. Alors il se sentit le devoir de la rassurer.

–Je vas te dire pourquoi c'est faire que je me serais pas marié d'un mariage ordinaire.

–Je le sais... Quelqu'un me l'a dit.

–Qui ça ?

–Ça servirait à rien de te le dire.

–C'est le curé Maisonbasse, hein ?

–Non.

–Comme ça, c'est ma mère.

Elle haussa les épaules sans répondre. Il dit :

–L'abbé Maisonbasse m'a fait comprendre que j'étais pas... marqué par une malédiction.

–La malédiction, c'est pas de venir au monde mal bâti, c'est de venir au monde tout court. Pis pourquoi c'est faire que le ciel t'en aurait voulu à toi ? Tes parents, c'est du meilleur monde qui soit au monde.

–C'est que le diable frappe pas rien que les méchants. C'est pour ça que ma... difformité m'a tracassé toute ma vie, que j'ai voulu comme la faire disparaître en m'en allant au loin me battre contre les Anglais.

–Il faut que je te dise avant que cet enfant-là vienne au monde que...

–Que quoi ?

–Non... y a pas de bateau sur le fleuve devant nous autres. Moi, quand il fait clair, je vois clair : mais quand il fait noir, je vois rien pantoute.

–Que quoi ? insista-t-il doucement.

–Tu vas vouloir que je m'en aille au bout de la terre, si je te le dis.

–Si je te disais tout de moi, peut-être que tu voudrais faire la même chose.

–Je suis pas une gourgandine, mais cet enfant-là, il a été conçu dans le péché, tu comprends, dans le péché mortel.

Il appuya ses mains plus fermement sur son ventre, sentit les ruades qui n'en finissaient pas plus que les éclairs et le tonnerre environnant la maison de leurs fracassantes bousculades.

–Comme ça, on est dans le même bateau.

Il cessa de parler. Elle continua d'écouter; l'orage ne l'effrayait plus autant.

–Peut-être ben que si la pluie diminuait, on le verrait, le navire fantôme ? finit-il par dire gaiement.

–Dis pas ça ! Je l'ai vu. C'était pas rien qu'une idée.

–Toujours est-il que j'en ai fait un, moi aussi, un enfant... dans le péché. Il est mort avec sa mère. Elle l'a emporté avec elle. Je les ai vus, je les ai entendus mourir devant moi. Ça fait que... on est à égalité, toi et moi.

–C'est-il pour ça que...

–On n'a pas à s'en dire plus. Ça servirait à quoi sinon à rien pantoute ?

–Le père de mon enfant est un Anglais, dit-elle quand même comme pour se libérer enfin d'un poids écrasant.

–La mère du mien était une Indienne, déclara-t-il sur le même ton. On est à égalité, que je te dis. Tu dois comprendre que c'est pour ça que l'abbé Maisonbasse nous a appariés. Il a tout compris, lui.

–Pourquoi c'est faire qu'on s'est pas dit tout ça avant de se marier ?

–Peut-être ben que...

–Que quoi ? dit-elle à son tour.

–Qu'on aurait pas voulu faire un mariage blanc après tout.

–Peut-être ben, hein ?

–Quand l'enfant sera au monde, on pourra en reparler.

–On pourra.

–Cet enfant-là, ça sera pas un monstre même si tu vois des bateaux qui disparaissent.

Ils restèrent là jusqu'à la fin de l'orage, parlant de n'importe quoi. Marguerite n'était pas encore tout à fait tranquille quant à elle-même pas plus que rapport au navire errant.

Le lendemain, on apprit qu'un bateau venu de l'Ile Royale et se dirigeant vers Québec, gisait sur le flanc sur les battures de la Pointe-à-la-Caille.

C'est quand il en a fini avec les problèmes à solutionner que l'être humain s'abandonne à la mort. Et alors la fin de son besoin de vivre arrive à son insu, s'infiltre sous le couvert de cent raisons qu'il ne parvient pas à démêler et qui tracent la voie dernière, parfois vivement, d'autres minutieusement pendant des mois, des années.

En 1750, la mère de Joseph a entrepris son long dépérissement. Une maladie lente, triste, à laquelle l'entourage ne croit pas toujours et qu'on essaie de guérir à coups de tisanes, par une autre remplaçant la précédente, valériane, camomille, bergamote, aigremoine, catalpa, aconit, sauge rouge, armoise... à coups de conseils savants des meilleurs médecins de Québec ou de simples guérisseurs de village, ou bien d'un remède miracle suggéré par le dernier quêteux à colporter son errance de par la région.

Le départ de Joseph lui avait donné un regain de détermination, un répit nécessaire pour mieux assurer sa survie quand il reviendrait à moitié démoli, ce qu'elle avait anticipé avec la certitude de l'inconscient à la nouvelle de son enrôlement.

À son retour, elle a pu coordonner l'ascension de son fils vers la vie et sa propre descente vers la mort. Puis Marguerite est venue. Bien jeune mais bien forte : ça, elle l'a lu dans ses grands yeux remplis de toutes les tristesses de l'univers. Voilà la relève qui l'aiderait à s'en aller plus vite ! Elle a pleuré le jour du mariage, comme bien des mères le font. Et avec tant de bonnes raisons autres que la bonne : pleuré sur les blessures des enfants, sur la nostalgie de ce qui n'avait jamais été pour elle-même, soit un mariage à Notre-Dame de Paris avec cent gerbes de fleurs, sur cette souffrance physique de plus en plus lourde, s'appesantissant chaque jour sur elle comme un manteau de plomb dont elle devrait se revêtir chaque matin, puis chaque nuit, puis chaque heure.

Maigre depuis toujours, comme rongée de l'intérieur, l'oeil

souvent perdu, souvent vitreux, regardant passer les bateaux arborant pavillon français, un teint de pluie sans couleur ni éclat, elle a vécu dans la douleur apprivoisée, déposant cent gerbes de labeur sur les monuments de sa vie simple et acceptée, sur les souvenirs ensoleillés du midi de la France, sur les enfants morts-nés, sur Joseph, le seul qui aurait dû mourir avant que de naître dans son étrangeté.

Par un jour d'une froidure claire et bleue ciselant en de blanches courbures l'autre rive du fleuve durci, elle s'alita pour de bon après avoir si souvent pris le lit par périodes.

Alors Marguerite, oubliant cette vie indésirable qui prenait corps en elle, transforma en dévouement et assistance tous ses regrets et culpabilités, en fit du temps qui efface, cicatrise.

Ce lendemain d'orage, comme si elle avait été le témoin de la conversation des jeunes époux pour ce qui concernait l'enfant à naître, la malade retint sa bru auprès de son lit, emprisonna sa main dans les siennes aux froideurs humides, cherchant à mieux dire :

–Ton enfant, ma fille, il sera bon... bon pour toi, pour Joseph... Tu verras. Ne lui fais jamais le reproche d'exister : il est pur... Comme toi...

Pareille certitude exprimée par un être à l'agonie ne pouvait qu'amenuiser les appréhensions superstitieuses de Marguerite. Par la suite, elle connut de meilleurs jours. La femme lui semblait d'un esprit se rapprochant de plus en plus de celui de Jean Babin, cet homme si grand dans l'étroite prison de son corps, mort par ses propres forces, sans aucun doute pour narguer l'Anglais et lui plaquer en pleine face un miroir hideux.

La femme perdit conscience à la mi-juin, par un soir doux et calme. On lui tint la main pendant trois jours et trois nuits. Elle finit de s'en aller comme elle avait commencé à le faire six ans auparavant, cinquante-huit ans plus tôt, interminablement.

Quinze jours plus tard, de bon matin, Joseph se rendit chez Grand-Jacques à bride abattue, y quérir Geneviève pour qu'elle vienne servir de sage-femme à Marguerite. À midi juste, naquit l'enfant. Un garçon.

Le six juillet, l'abbé Maisonbasse fit un voyage spécial en canot depuis Saint-Thomas et vint, avec l'agrément du curé Dolbec, administrer le sacrement de baptême au nouveau-né en l'église de L'Islet.

Joseph ne compara point le bonheur qu'il ressentait à celui, bien hypothétique et lointain qu'il aurait connu si Marguerite eût été Source-de-Vie et cet enfant le sien. Le passé était mort, et seul le présent était l'avenir.

Le bébé porterait le nom de Jean, par choix de la mère. Pour honorer le père de Jacques... Il ne lui était pas venu à l'esprit que Winslow était prénommé John. Et puis elle ignorait que John était la traduction habituelle de Jean en anglais. Et même si elle l'avait su, cela n'aurait fait aucune différence.

À la sortie de l'église, par cet après-midi limpide du premier dimanche de juillet, le fleuve scintillait jusqu'au bout de son long ruban.

Montréal

Un Français borné et un Canadien buté se toisaient sous le couvert de stratégies globales.

–Le coeur de ce pays n'est-il point Québec, monsieur de Vaudreuil ? demanda posément Montcalm.

–Certes mais...

–C'est donc le coeur qu'il faut protéger d'abord pour éviter qu'il ne cesse de battre à la première chiquenaude anglaise. On défend le coeur et après, on étale ses défenses vers la périphérie du corps, on protège les doigts, ces postes avancés de la Belle-Rivière, du lac Ontario, du lac Saint-Sacrement.

–Quand les doigts sont coupés, cher marquis, il n'est pas facile pour la main de tenir un mousquet et surtout de tirer avec la moindre dextérité.

À la même table, les deux officiers Bougainville et Bourlamaque tournaient la tête à droite et à gauche à chaque parole dite, conscients d'assister à une véritable passe d'armes malgré l'élégante et très civile retenue du général et de son unique supérieur en terre d'Amérique, le gouverneur.

–Avant que les doigts ne soient coupés, il faut les replier pour former un poing, ce qui est déjà plus solide. Et si le poing est menacé, alors on replie les bras vers le coeur. De la sorte, on n'a rien perdu de ses forces vives, et l'ennemi qui veut s'en prendre à vous n'a qu'à bien se tenir.

Vaudreuil se retint de dire à quel point il trouvait ridicule cette comparaison et il parla directement :

–Maintenant que nous avons consolidé nos positions à la Belle-Rivière par la victoire glorieuse sur Braddock, sur le lac Champlain en clouant sur place l'armée de Johnson, il nous faut frapper Oswego, prendre l'offensive une fois de plus pour bloquer cet autre couloir et retenir l'Anglais loin du coeur comme vous le dites. Coulon de Villiers campe à deux pas d'Oswego avec maintenant douze cents hommes et Rigaud de Vaudreuil l'y rejoint ces jours-ci pour prendre le commandement... en vous attendant, mon cher marquis.

Ainsi donc, pensa Montcalm, le gouverneur avait entrepris la campagne sans son assentiment et malgré son avis, profitant de son passage à Carillon où il a pu admirer tout à loisir cette *"mauvaise place"* bâtie par les Canadiens, et l'autre, pire encore, de Saint-Frédéric avec, plus au nord, l'Ile-aux-Noix, facile à contourner, puis l'indéfendable fort Saint-Jean. Il n'avait donc plus le choix; il lui faudrait partir et aller prendre la direction des troupes sur le lac Ontario, espérant y arriver à temps pour bloquer une offensive qu'il jugeait risquée autant qu'inutile, et qui ne lui inspirait rien du tout.

–Votre frère possède-t-il l'expertise qu'il faut pour conduire des troupes de soldats... amateurs il faut le dire, à l'assaut d'une forteresse comme celle de Chouagen (Oswego) si bien défendue et constituée de trois forts ?

–L'expertise... probablement; le courage, très certainement.

Montcalm accusa le coup sans sourciller. Il aurait bien l'occasion de prendre sa revanche dans sa correspondance à Versailles.

Plus tard, les deux officiers furent invités à laisser leurs supérieurs en tête à tête, ce qui, dans l'esprit de Vaudreuil, permettrait de rendre Montcalm plus docile en le privant de son insatiable besoin de jeter au baril, autour de lui, de la poudre aux yeux.

Mains sur les hanches, épée relevant sa tunique, debout devant une fenêtre brillante, Bougainville dit à son compagnon plus discret assis en retrait :

–S'il fallait qu'un jour nous soyons défaits, Dieu nous en garde ! c'est ici et aujourd'hui que cette guerre aura été perdue, par ce cancer d'une exaspération mutuelle entre le gouverneur et notre général.

–Le pire, c'est de savoir de quel côté se trouve la raison.

–Monsieur de Vaudreuil aura de moins en moins raison en s'appuyant sur les miliciens, sur la guerre à l'indienne et sur les raids pour effrayer l'ennemi. Mais monsieur de Montcalm n'a pas encore raison de croire qu'une armée bien rangée comme la nôtre puisse déjà assumer une campagne sans l'aide des Canadiens et de leurs Sauvages. Ou alors il ne faudra pas escompter la victoire.

–Bref, cette guerre va se civiliser, mais quand ?

–Bref... c'est bien cela, mon cher Bourlamaque.

Oswego (Chouagen)

Le soir même de son arrivée au campement des Franco-Canadiens dirigé par le frère du gouverneur, Montcalm écrivit à Lévis qu'il avait laissé à Carillon deux semaines auparavant.

Il lui confia qu'il n'avait guère envie de tenter une offensive et qu'il se contenterait, pour le moment, d'aller reconnaître par lui-même, de ses propres yeux, les environs de Chouagen et de n'en point lever le siège sur-le-champ.

Tout était prêt pourtant. La route de l'approvisionnement Albany-Oswego a été coupée par de Villiers. Au fort Frontenac, de l'autre côté du lac, se trouvaient trois régiments d'infanterie. Quatre navires canadiens contrôlaient le lac en le patrouillant. Il ne manquait plus, pour surprendre la place, que d'y amener l'artillerie; Montcalm préférait la laisser au fort Frontenac. *"Pour ne pas compromettre les armes du Roy,"* écrira-t-il à la cour.

Pour éviter qu'on lui tienne rigueur d'une retraite prématurée, le général convoqua son conseil de guerre afin de le convertir à ses idées, en étalant devant lui toute la gamme des difficultés à surmonter. Les officiers commençaient à se laisser convaincre lorsqu'un messager canadien vint claironner de vive voix la nouvelle qu'un des leurs, Le Mercier, venait de déposer à terre, de l'autre côté du lac, quatre canons et qu'il les a étalés sur le rivage sans le moindre problème. Là-dessus, un ingénieur, Desandrouins, fit valoir que le chemin à tracer pour atteindre le premier des trois forts ne présentait aucune difficulté. Alors les officiers français virèrent tous capot et laissèrent le général seul dans son opinion. La victoire et partant la gloire s'y rattachant leur parurent à portée de la main. Montcalm dut céder.

Rigaud proposa de se porter à l'avant-garde pour aller investir le premier fort. Le général y consentit, mais ne lui donna que cinq cents Canadiens et Sauvages. Rigaud les déploya sur des éminences, dans des arbres, dans les broussailles. Deux jours durant, ils immobilisèrent les assiégés par leur tir incessant. Entre-temps, le chemin fut ouvert, des canons amenés, une batterie montée. Ce que voyant, l'après-midi de la deuxième journée, les Anglais évacuèrent la place et se retirèrent de l'autre côté de la rivière Oswego.

À l'aube du jour suivant, quatorze août, sur ordre du général, le corps de Rigaud, sous une pluie de balles, commença à franchir la rivière à la nage pour aller se déployer derrière les deux forts restants afin de les prendre à revers tandis que Montcalm attaquerait par devant. Vers huit heures, un violent orage éclata, ce qui nuisit considérablement aux batteries françaises mal assises et qui s'enfonçaient dans la boue à chaque coup tiré. Une heure plus tard, un boulet perdu faucha le commandant anglais. À midi, son successeur signait la capitulation par *"crainte de tomber entre les mains des Sauvages."*

Une trentaine d'Anglais tentèrent de fuir, mais ils furent rattrapés par les Indiens qui les massacrèrent à la hache, ce qui souleva l'indignation, notamment celle de Desandrouins qui écrivit : *"Je ne vous parle point des horreurs et des cruautés des Sauvages. L'idée qu'on en a en France est juste. Il est malheureux de faire la guerre avec de pareilles gens surtout quand ils sont ivres, situation où rien n'arrête leur fureur."*

Natanis et Sabatis aussi étaient indignés : ils n'avaient pu récolter leur juste part de scalps.

Quant à Montcalm, il avait d'autres préoccupations dans sa correspondance. Il se vantait.

"C'est peut-être la première fois qu'avec trois mille hommes et moins d'artillerie on en a assiégé dix-huit cents qui pouvaient être promptement défendus par deux mille autres. Toute la conduite que j'ai tenue à cette occasion et les dispositions que j'avais arrêtées vis-à-vis dix-huit cents hommes sont si fort contre les règles ordinaires que l'audace qui a été mise dans cette entreprise doit passer pour témérité en Europe, aussi je vous supplie, Monseigneur, pour toute grâce d'assurer Sa Majesté que si jamais elle veut, comme je l'espère, m'employer dans ses armées, je me conduirai sur des principes différents..."

C'est au ministre de la guerre que le général écrivait cette lettre. Il ne manqua pas de rapetisser le mérite des Canadiens et des Sauvages, soutenant :

"Je me suis servi des Canadiens mais en me gardant de les employer aux travaux qui pouvaient être exposés au feu des ennemis. En cela je n'ai pas répété l'erreur de monsieur de Dieskau, vaincu pour avoir trop écouté les propos avantageux des Canadiens qui se pensent sur tous les points la première nation du monde. Mon respectable gouverneur général est né dans le pays. Il s'y est marié. Et il est partout entouré de parents..."

Mais le général voulut cacher que les dirigeants de la colonie désiraient se débarrasser de lui en invoquant sa popularité parmi les Canadiens. Il se rengorgea :

"Ils sont contents de moi. Les officiers m'estiment, me craignent..."

Une fois de plus, cette défaite jeta la consternation dans toutes les colonies anglaises. Le haut commandement anglo-américain stoppa dès lors les opérations de la campagne. Le général John Winslow, qui devait marcher sur Carillon, reçut l'ordre de s'arrêter. Les expéditions de la Chaudière et de l'Ohio furent abandonnées. L'Anglais devait lécher ses plaies, panser ses blessures avant de se relancer à l'assaut de la Nouvelle-France. Depuis le début, chaque fois qu'il a levé le doigt, il a reçu un coup de poing en pleine figure, et c'est cela que désirait et ordonnait Vaudreuil.

Comble du désarroi, on apprenait que Washington, maintenant commandant en chef de toutes les forces de Virginie, subissait défaite sur défaite aux mains des raiders du Canada dont la pire, cette année-là, contre de Rocquetaillade dans un village de Mohicans.

Au Canada, c'était le délire. Un "Te Deum" par église et bien entendu aux Ursulines à Québec, chanté par monseigneur de Pontbriand. Les drapeaux pris à l'ennemi furent suspendus. À Saint-François, Natanis, Sabatis et les autres, revenus de leur course avec Montcalm, furent loués par le missionnaire pour leur courage. L'amour des Abénakis pour Vaudreuil, leur père victorieux, confinait à l'adoration.

La moisson de chevelures de l'année à venir compenserait pour la disette qui commençait à se répandre aussi désagréablement que cette nouvelle voulant qu'une épidémie de petite vérole fît rage à Sartigan.

suite dans le tome 2

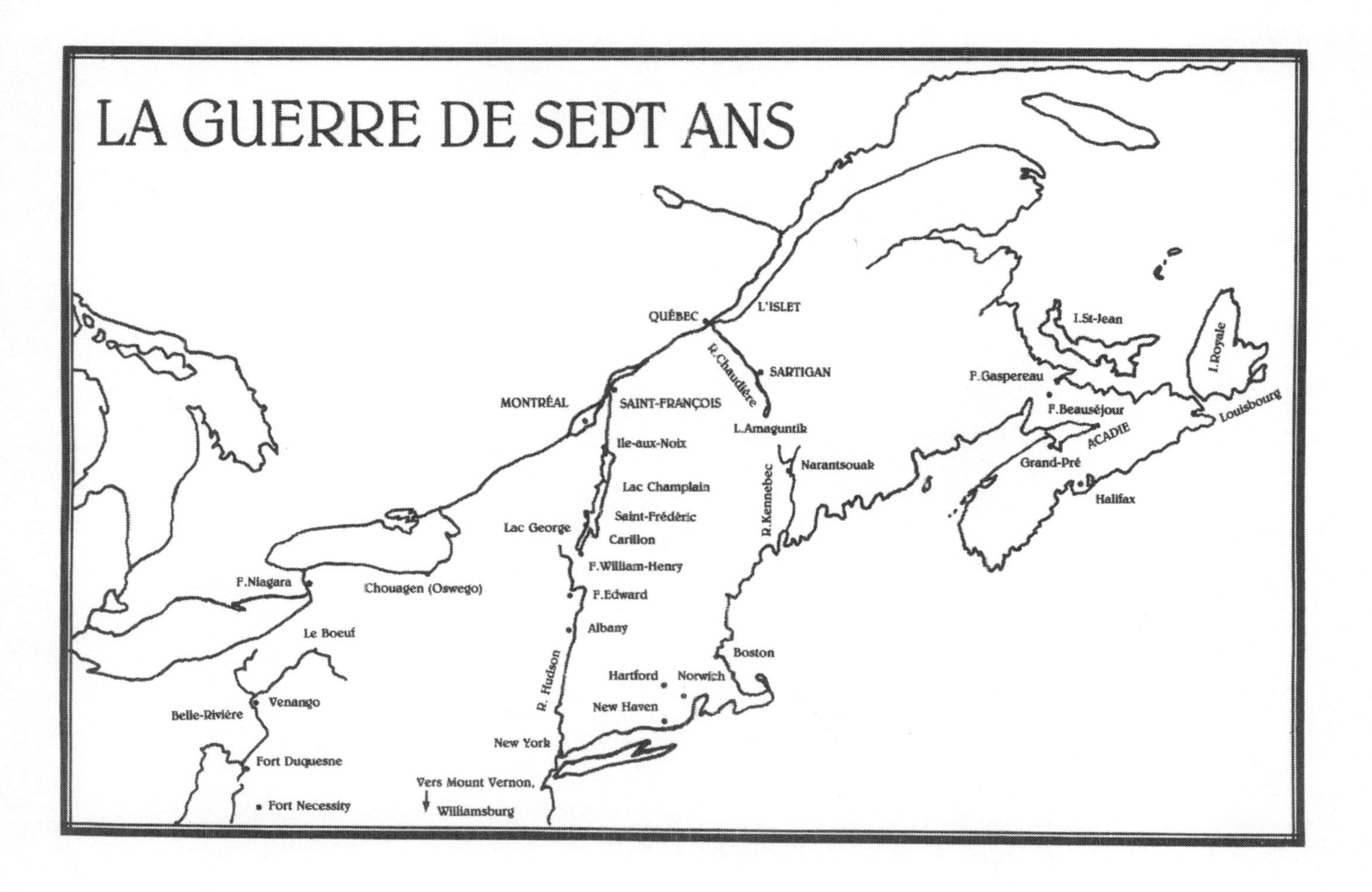
LA GUERRE DE SEPT ANS
QUÉBEC
L'ISLET
R.Chaudière
SARTIGAN
MONTRÉAL
SAINT-FRANÇOIS
L.Amaguntik
Ile-aux-Noix
Narantsouak
Lac Champlain
Saint-Frédéric
Lac George
Carillon
R.Kennebec
F.William-Henry
F.Niagara
Chouagen (Oswego)
F.Edward
Albany
Le Boeuf
Boston
Hartford
Norwich
R. Hudson
New Haven
Venango
Belle-Rivière
New York
Fort Duquesne
Vers Mount Vernon,
Williamsburg
Fort Necessity
I.St-Jean
I.Royale
F.Gaspereau
F.Beauséjour
Louisbourg
ACADIE
Grand-Pré
Halifax

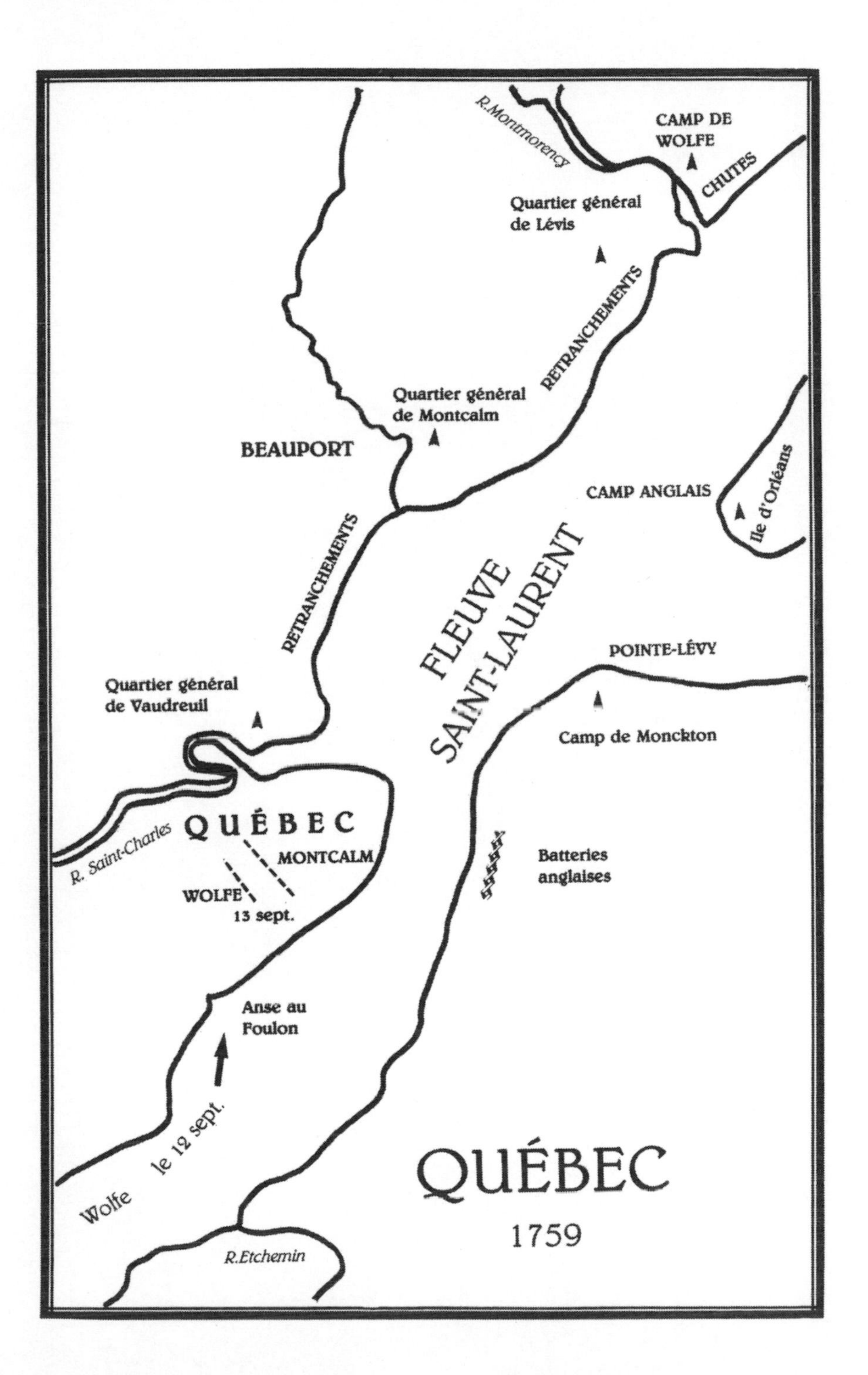
R.Montmorency
CAMP DE WOLFE
CHUTES
Quartier général de Lévis
RETRANCHEMENTS
Quartier général de Montcalm
BEAUPORT
CAMP ANGLAIS
Ile d'Orléans
RETRANCHEMENTS
FLEUVE SAINT-LAURENT
POINTE-LÉVY
Quartier général de Vaudreuil
Camp de Monckton
QUÉBEC
R. Saint-Charles
MONTCALM
WOLFE
13 sept.
Batteries anglaises
Anse au Foulon
Wolfe le 12 sept.
QUÉBEC
1759
R.Etchemin

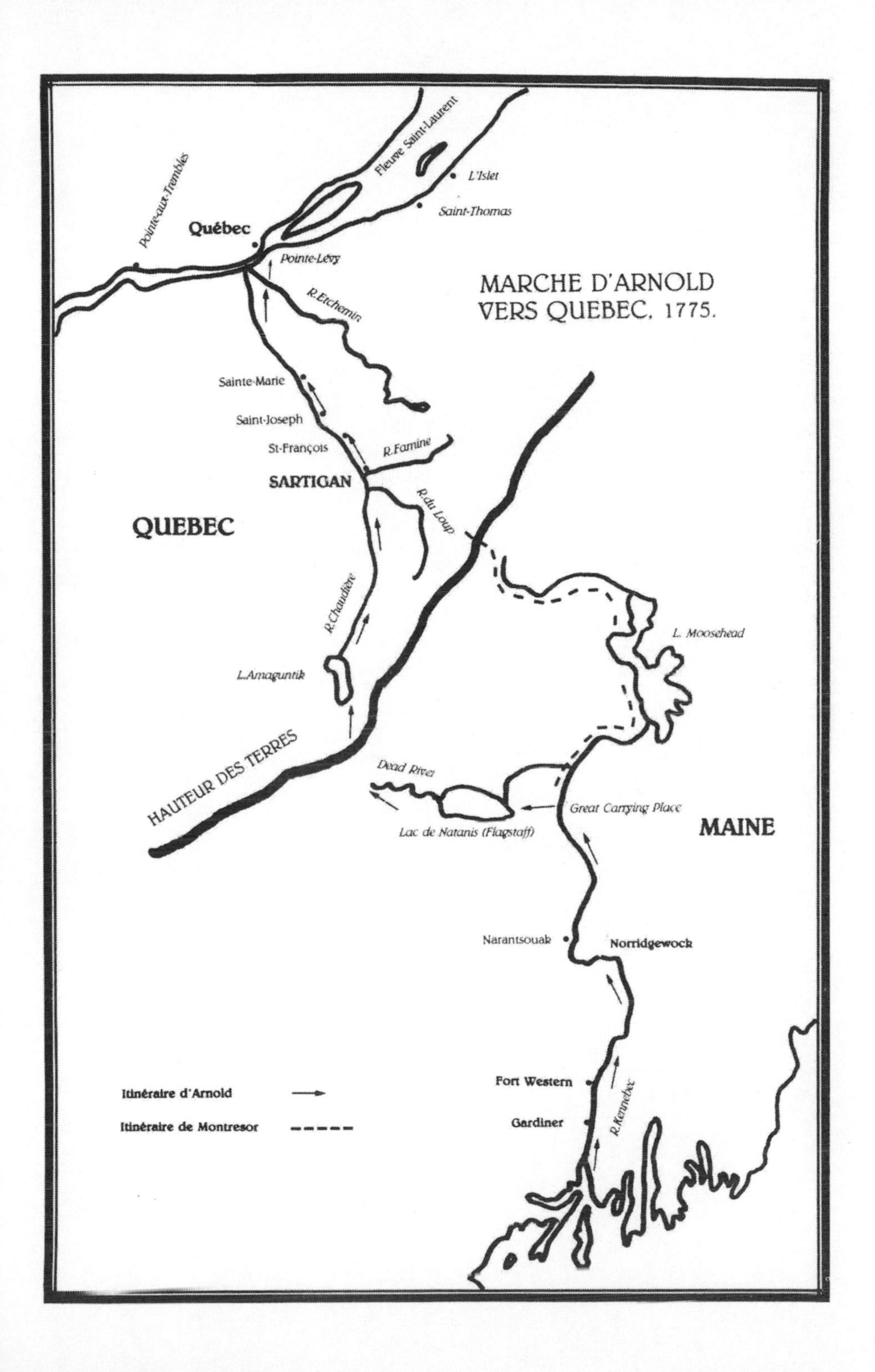

MARCHE D'ARNOLD
VERS QUEBEC, 1775.
Fleuve Saint-Laurent
L'Islet
Saint-Thomas
Pointe-aux-Trembles
Québec
Pointe-Lévy
R.Etchemin
Sainte-Marie
Saint-Joseph
St-François
R.Famine
SARTIGAN
R.du Loup
QUEBEC
R.Chaudière
L.Amaguntik
HAUTEUR DES TERRES
L. Moosehead
Dead River
Great Carrying Place
Lac de Natanis (Flagstaff)
MAINE
Narantsouak
Norridgewock
Fort Western
Gardiner
R.Kennebec
Itinéraire d'Arnold
Itinéraire de Montresor

Du même auteur...

1. *Demain tu verras (1)*
2. *Complot*
3. *Un amour éternel*
4. *Vente-trottoir*
5. *Chérie*
6. *Nathalie*
7. *L'orage*
8. *Le bien-aimé*
9. *L'Enfant do*
10. *Demain tu verras (2)*
11. *Poly*
12. *La sauvage*
13. *Madame Scorpion*
14. *Madame Sagittaire*
15. *Madame Capricorne*
16. *La voix de maman (Paula 1)*
17. *Couples interdits*
18. *Donald et Marion*
19. *L'été d'Hélène*
20. *Un beau mariage (Paula 2)*
21. *Aurore*
22. *Aux armes, citoyen !*
23. *Femme d'avenir (Paula 3)*
24. *La belle Manon*
25. *La tourterelle triste*
26. *Rose (Tome 1)*
27. *Présidence*
28. *Le coeur de Rose (Rose T2)*
29. *Un sentiment divin*
30. *Le trésor d'Arnold*
31. *Hôpital: danger!*
32. *Une chaumière et un coeur (Paula 4)*
33. *Rose et le diable (Rose T3)*
34. *Entre l'amour et la guerre*
35. *Noyade*
36. *Les griffes du loup*
37. *Le grand voyage*
38. *Les enfants oubliés (pseudonyme Nicole Allison)*
39. *Les parfums de Rose (Rose T4)*
40. *Aimer à loisir*
41. *La bohémienne*
42. *La machine à pauvreté*
43. *Extase*
44. *Papi*
45. *Tremble-terre*
46. *Jouvence*
47. *Docteur Campagne (doc 1)*
48. *Les fleurs du soir (doc 2)*
49. *Clara (doc 3)*
50. *Au 1er coup de canon T1 (Jeanne)*
51. *Au 1er coup de canon T2 (Catherine)*
52. *Au 1er coup de canon T3 (Sarah)*
53. *La forêt verte (les Grégoire T1)*
54. *La maison rouge (les Grégoire T2)*
55. *La vraie Julie Bureau*
56. *Le bon Samaritain*
57. *La moisson d'or (les Grégoire T3)*
58. *Les années grises (les Grégoire T4)*
59. *Les nuits blanches (les Grégoire T5)*
60. *La misère noire (les Grégoire T6)*
61. *Le cheval roux (les Grégoire T7)*
62. *Le 5e rang T1 (Sainte Misère)*
63. *Le 5e rang T2 (L'oeuvre de chair)*
64. *Le 5e rang T3 (Les colères du ciel)*